HISTOIRE DE MA VIE II

GEORGE SAND

HISTOIRE DE MA VIE II

Notes, chronologie et bibliographie
par
Damien ZANONE

GF Flammarion

© Flammarion, 2001, pour cette édition.
ISBN : 2-08-071139-7

Quatrième partie

Du mysticisme à l'indépendance
1819-1832

I

Au bout de quatre ou cinq jours, Anna, remarquant
que j'étais silencieuse et absorbée, et que j'allais à
l'église tous les soirs, me dit d'un air stupéfait : « Ah çà,
mon cher *Calepin*, qu'est-ce à dire ? on jurerait que tu
deviens dévote ! – C'est fait, mon enfant, lui répondis-
je tranquillement. – Pas possible ? – Je t'en donne ma
parole d'honneur. – Eh bien, reprit-elle après avoir
réfléchi un instant, je ne te dirai rien pour t'en
détourner. Je crois que ce serait inutile. Tu es une
nature passionnée, je l'ai toujours pensé. Je ne pourrai
pas te suivre sur ce terrain-là. Je suis une nature plus
froide, je raisonne. J'envie ton bonheur, je t'approuve
de ne point hésiter ; mais je ne crois pas que jamais
j'arrive à la foi aveugle. Si ce miracle s'opérait pourtant, je ferais comme toi, j'en conviendrais sincèrement. – M'aimeras-tu moins ? lui demandai-je. – À
présent tu t'en consolerais aisément, reprit-elle. La
dévotion absorbe et dédommage de tout. Mais comme
j'ai pour ta sincérité la plus parfaite estime, je resterai
ton amie quoi qu'il arrive. » Elle ajouta d'excellentes
paroles encore, et se montra toujours pleine de raison,
d'affection et d'indulgence pour moi.

Sophie ne prit pas beaucoup garde à mon changement. La diablerie passait de mode. Ma conversion lui
portait le dernier coup. Peut-être étions-nous toutes
également ennuyées de notre inaction, sans nous l'être
avoué les unes aux autres. D'ailleurs Sophie était un

diable mélancolique, et parfois elle avait de courts accès de dévotion mêlés de profondes tristesses qu'elle ne voulait ni expliquer ni avouer.

Celle que je craignais le plus d'affliger était Fannelly. Elle m'épargna la peine de lui refuser de courir davantage avec elle, elle me prévint. « Eh bien, ma tante, me dit-elle, te voilà donc rangée ? Soit ! Si tu t'en trouves bien j'en serai heureuse, et si cela te fait plaisir je me rangerai aussi. Je suis capable de devenir dévote pour faire comme toi et pour être toujours avec toi. »

Elle l'eût fait comme elle le disait, cette généreuse et abondante nature, si cela eût dépendu d'un mouvement de son cœur. Mais ses idées n'avaient pas la fixité et l'exclusivisme des miennes. D'ailleurs parmi les diables il n'y en avait que deux, Anna et moi, qui fussent susceptibles de ce qu'on appelait une conversion. Les autres n'avaient jamais protesté, elles n'étaient pas pieuses, parce qu'elles étaient dissipées ; mais elles croyaient quand même, et du jour où la diablerie cessa elles furent plus régulières dans leurs exercices de piété, sans devenir dévotes exaltées pour cela.

Anna était *esprit fort*. C'était bien le mot pour elle, qui avait de l'esprit tout de bon et de la force dans la volonté. Pour moi, que l'on qualifiait d'esprit fort aussi, je n'avais ni force ni esprit. Il n'y avait de fort en moi que la passion, et quand celle de la religion vint à éclater, elle dévora tout dans mon cœur ; rien dans mon cerveau ne lui fit obstacle.

J'ai dit qu'Anna aussi se jeta dans la piété après son mariage, mais tant qu'elle resta au couvent elle garda son incrédulité. Ma ferveur me rendit probablement moins agréable pour elle, et quoiqu'elle eût la générosité de ne me le faire jamais sentir, je fus naturellement entraînée vers d'autres intimités, comme je le dirai bientôt.

J'étais restée liée avec Louise de La Rochejaquelein. Elle était encore à la petite classe, parce qu'elle était plus jeune que nous, mais elle était toujours beaucoup plus raisonnable et plus instruite que moi. Je la rencontrai dans les cloîtres peu de jours après ma conversion, et ce fut la seule personne dont j'eus la curiosité de saisir la première impression. Comme elle n'était ni diable, ni bête, ni fervente, son jugement était une chose à part.

« Eh bien, me dit-elle, es-tu toujours aussi désœuvrée, aussi tapageuse ? – Que penserais-tu de moi, lui dis-je, si je t'apprenais que je me sens enflammée par la religion ? – Je dirais, me répondit-elle, que tu fais bien, et je t'aimerais encore plus que je ne t'aime. » Elle m'embrassa avec une grande effusion de cœur, et n'ajouta aucun autre encouragement, voyant sans doute à mon air que j'irais plus loin que ses conseils.

Mary revint d'Angleterre ou d'Irlande dans ce temps-là. Elle avait grandi de toute la tête, sa figure avait pris une expression encore plus mâle, et ses manières étaient plus que jamais celles d'un garçon naïf, impétueux et insouciant. Elle rentra à la petite classe et y ressuscita si bien la diablerie que ses parents la reprirent au bout de quelques mois. Elle se moqua impitoyablement de ma dévotion, et quand nous nous rencontrions, elle me poursuivait des sarcasmes les plus comiques. Elle ne me fâcha pourtant jamais, car elle avait de l'esprit de bon aloi, c'est-à-dire de l'esprit sans amertume et une raillerie qui divertissait trop pour pouvoir blesser. Je raconterai dans la suite de mes mémoires comment nous nous sommes retrouvées vers l'âge de quarante ans, nous aimant toujours et nous retraçant avec plaisir nos jeunes années [1].

Mais me voici arrivée à un moment où il faut que je parle un peu de moi isolément, car ma ferveur me fit, pendant quelques mois, une vie solitaire et sans expansion apparente.

Ma conversion subite ne me donna pas le temps de respirer. Tout entière à mon nouvel amour, j'en voulus savourer toutes les joies. Je fus trouver mon confesseur pour le prier de me réconcilier officiellement avec le ciel. C'était un vieux prêtre, le plus paternel, le plus simple, le plus sincère, le plus chaste des hommes, et pourtant c'était un jésuite, *un père de la foi*, comme on disait depuis la Révolution. Mais il n'y avait en lui que droiture et charité. Il s'appelait l'abbé de Prémord, et confessait la moindre partie du troupeau ; l'abbé de Villèle, qui était le directeur en titre de la communauté et des pensionnaires, ne pouvant suffire à tout.

On nous envoyait à confesse, bon gré, mal gré, tous les mois, usage détestable qui violentait la conscience et condamnait à l'hypocrisie celles qui n'avaient pas le courage de la résistance.

« Mon père, dis-je à l'abbé, vous savez bien comment je me suis confessée jusqu'ici, c'est-à-dire que vous savez que je ne me suis pas confessée du tout. Je suis venue vous réciter une formule d'examen de conscience qui court la classe et qui est la même pour toutes celles qui viennent à confesse contraintes et forcées. Aussi ne m'avez-vous jamais donné l'absolution, que je ne vous ai jamais demandée non plus. Aujourd'hui je vous la demande, et je veux me repentir et m'accuser sérieusement. Mais je vous avoue que je ne sais pas comment m'y prendre, parce que je ne me souviens d'aucun péché volontaire ; j'ai vécu, j'ai pensé, j'ai cru comme on me l'avait enseigné. Si c'était un crime de nier la religion, ma conscience, qui était muette, ne m'a avertie de rien. Pourtant je dois faire pénitence, aidez-moi à me connaître et à voir en moi-même ce qui est coupable et ce qui ne l'est pas.

– Attendez, mon enfant, me dit-il. Je vois que ceci est une confession générale, comme on dit, et que nous aurons beaucoup à causer. Asseyez-vous. » Nous étions dans la sacristie, j'allai prendre une chaise et lui demandai s'il voulait m'interroger. « Non pas, me dit-il, je ne fais jamais de question : voici la seule que je vous adresserai. Avez-vous donc l'habitude de chercher vos examens de conscience dans les formulaires ? – Oui, mais il y a bien des péchés que je ne sais pas avoir commis, car je n'y comprends rien. – C'est bien, je vous défends de jamais consulter aucun formulaire, et de chercher les secrets de votre conscience ailleurs qu'en vous-même. À présent, causons. Racontez-moi simplement et tranquillement toute votre existence, telle que vous vous la rappelez, telle que vous la concevez et la jugez. N'arrangez rien, ne cherchez ni le bien ni le mal de vos actions et de vos pensées, ne voyez en moi ni un juge ni un confesseur, parlez-moi comme à un ami. Je vous dirai ensuite ce que je crois devoir encourager ou corriger en vous dans l'intérêt de votre salut, c'est-à-dire de votre bonheur en cette vie et en l'autre. »

Ce plan me mit bien à l'aise[2]. Je lui racontai ma vie avec effusion, moins longuement que je ne l'ai fait ici, mais avec assez de détails et de précision cependant pour que ce récit durât plus de trois heures. L'excellent homme m'écouta avec une attention soutenue, avec un intérêt paternel ; plusieurs fois je le vis essuyer ses larmes, surtout quand j'arrivai à la fin et que je lui exposai simplement comment la grâce m'avait touchée au moment où je m'y attendais le moins.

C'était un vrai jésuite que l'abbé de Prémord, et en même temps un honnête homme, un cœur sensible et doux. Sa morale était pure, humaine, vivante pour ainsi dire. Il ne poussait pas au mysticisme, il prêchait terre à terre avec une grande onction et une grande bonhomie. Il ne voulait pas qu'on s'absorbât dans le rêve anticipé d'un monde meilleur au point d'oublier l'art de se bien conduire dans celui-ci ; voilà pourquoi je dis que c'était un vrai jésuite, malgré sa candeur et sa vertu[3].

Quand j'eus fini de causer, je lui demandai de me juger et de me choisir les points où j'étais coupable, afin que, m'agenouillant devant lui, j'eusse à les rappeler en confession et à m'en repentir pour mériter une absolution générale. Mais il me répondit : « Votre confession est faite. Si vous n'avez pas été éclairée plus tôt de la grâce, ce n'est pas votre faute. C'est à présent que vous pourriez devenir coupable si vous perdiez le fruit des salutaires émotions que vous avez éprouvées. Agenouillez-vous pour recevoir l'absolution, que je vais vous donner de tout mon cœur. »

Quand il eut prononcé la formule sacramentelle, il me dit : « Allez en paix, vous pouvez communier demain. Soyez calme et joyeuse, ne vous embarrassez

pas l'esprit de vains remords, remerciez Dieu d'avoir
touché votre cœur ; soyez toute à l'ivresse d'une sainte
union de votre âme avec le Sauveur. »

C'était me parler comme il fallait ; mais on verra
bientôt que ce saint quiétisme ne suffisait pas à l'ardeur
de mon zèle, et que j'étais cent fois plus dévote que
mon confesseur ; ceci soit dit à la louange de ce digne
homme ; il avait atteint, je crois, l'état de perfection et
ne connaissait plus les orages d'un prosélytisme ardent.
Sans lui, je crois bien que je serais ou folle, ou religieuse
cloîtrée à l'heure qu'il est. Il m'a guérie d'une passion
délirante pour l'idéal chrétien. Mais en cela fut-il chrétien catholique, ou jésuite homme du monde ?

Je communiai le lendemain, jour de l'Assomption,
15 août. J'avais quinze ans et n'avais pas approché du
sacrement depuis ma première communion à La
Châtre. C'était dans la soirée du 4 août que j'avais ressenti ces émotions, ces ardeurs inconnues que j'appelais ma conversion. On voit que j'avais été droit au
but ; j'étais pressée de faire acte de foi et de rendre,
comme on disait, témoignage devant le Seigneur.

Ce jour de véritable première communion me parut
le plus beau de ma vie, tant je me sentis pleine d'effusion et en même temps de puissance dans ma certitude. Je ne sais pas comment je m'y prenais pour prier.
Les formules consacrées ne me suffisaient pas, je les
lisais pour obéir à la règle catholique, mais j'avais
ensuite des heures entières où, seule dans l'église, je
priais d'abondance, répandant mon âme aux pieds de
l'Éternel, et, avec mon âme, mes pleurs, mes souvenirs
du passé, mes élans vers l'avenir, mes affections, mes
dévouements, tous les trésors d'une jeunesse embrasée
qui se consacrait et se donnait sans réserve à une idée,
à un bien insaisissable, à un rêve d'amour éternel.

C'était puéril et étroit dans la forme, cette orthodoxie où je me plongeais, mais j'y portais le sentiment
de l'infini. Et quelle flamme ce sentiment n'allume-t-il
pas dans un cœur vierge ! Quiconque a passé par là sait
bien que nulle affection terrestre ne peut donner de
pareilles satisfactions intellectuelles. Ce Jésus, tel que

les mystiques l'ont interprété et refait à leur usage, est un ami, un frère, un père, dont la présence éternelle, la sollicitude infatigable, la tendresse, la mansuétude infinies, ne peuvent se comparer à rien de réel et de possible ; je n'aime pas que les religieuses en aient fait leur époux. Il y a là quelque chose qui doit servir d'aliment au mysticisme hystérique, la plus répugnante des formes que le mysticisme puisse prendre. Cet amour idéal pour le Christ n'est sans danger que dans l'âge où les passions humaines sont muettes. Plus tard il prête aux aberrations du sentiment et aux chimères de l'imagination troublée. Nos religieuses anglaises n'étaient pas mystiques du tout, heureusement pour elles.

L'été se passa pour moi dans la plus complète béatitude. Je communiais tous les dimanches et quelquefois deux jours de suite. J'en suis revenue à trouver fabuleuse et inouïe l'idée matérialisée de manger la chair et de boire le sang d'un Dieu ; mais que m'importait alors ? Je n'y songeais pas, j'étais sous l'empire d'une fièvre qui ne raisonnait pas et je trouvais ma joie à ne pas raisonner. On me disait : « Dieu est en vous, il palpite dans votre cœur, il remplit tout votre être de sa divinité ; la grâce circule en vous avec le sang de vos veines ! » Cette identification complète avec la Divinité se faisait sentir à moi comme un miracle. Je brûlais littéralement comme sainte Thérèse ; je ne dormais plus, je ne mangeais plus, je marchais sans m'apercevoir du mouvement de mon corps ; je me condamnais à des austérités qui étaient sans mérite, puisque je n'avais plus rien à immoler, à changer ou à détruire en moi. Je ne sentais pas la langueur du jeûne. Je portais autour du cou un chapelet de filigrane qui m'écorchait, en guise de cilice. Je sentais la fraîcheur des gouttes de mon sang, et au lieu d'une douleur c'était une sensation agréable. Enfin je vivais dans l'extase, mon corps était insensible, il n'existait plus. La pensée prenait un développement insolite et impossible. Était-ce même la pensée ? Non, les mystiques ne pensent pas. Ils rêvent sans cesse, ils contemplent, ils aspirent, ils brûlent, ils se consument comme des lampes, et ils ne sauraient se rendre compte de ce mode d'existence, qui est tout spécial et ne peut se comparer à rien.

Je crains donc d'être peu intelligible pour ceux qui n'ont pas subi cette maladie sacrée, car je me rappelle l'état où j'ai vécu durant quelques mois sans pouvoir bien me le définir à moi-même.

J'étais devenue sage, obéissante et laborieuse, cela va sans dire. Il ne me fallut aucun effort pour cela. Du moment que le cœur était pris, rien ne me coûtait pour mettre mes actions d'accord avec ma croyance. Les religieuses me traitèrent avec une grande affection ; mais, je dois le dire, sans aucune flatterie et sans chercher, par aucun des moyens de séduction qu'on reproche aux communautés religieuses d'exercer envers leurs élèves, à m'inspirer plus de ferveur. Leur dévotion était calme, un peu froide peut-être, digne et même fière. Hormis une seule, elles n'avaient ni le don ni la volonté du prosélytisme entraînant, soit que cette réserve tînt à l'esprit de leur ordre, ou au caractère britannique, dont elles ne se départaient point.

Et puis, quelles remontrances, quelles exhortations eût-on pu m'adresser ? J'étais si entière dans ma foi, si logique dans mon enthousiasme ! Jamais de tiédeur, jamais d'oubli, jamais de relâchement possible à un esprit enfiévré comme était le mien. La corde était trop tendue pour se détendre d'elle-même, elle se serait plutôt brisée.

Marie-Alicia continua d'être angéliquement bonne avec moi. Elle ne m'aima pas davantage après ma conversion qu'elle n'avait fait auparavant, et ce fut une raison pour moi d'augmenter d'affection pour elle. En goûtant la douceur de cette amitié maternelle si pure et si soutenue, je savourais la perfection de cette âme d'élite qui me chérissait si bien pour moi-même, puisqu'elle avait aimé la *pécheresse*, l'enfant ingouverné et ingouvernable, autant qu'elle aimait la convertie, l'enfant soumis et rangé.

Madame Eugénie, qui m'avait toujours traitée avec une indulgence qu'on taxait de partialité, devint plus sévère en même temps que je devenais plus raison-

nable. Je ne péchais plus que par distraction, et elle me
rabrouait un peu durement pour cela, quelque involontaires que fussent mes fautes. Un jour même que,
perdue dans mes rêveries pieuses, je n'avais pas
entendu un ordre qu'elle me donnait, elle m'infligea
sans miséricorde la punition du bonnet de nuit. Le
bonnet de nuit à *sainte Aurore* (les diables m'appelaient
ainsi en riant) ! Ce fut un cri de surprise et un murmure de stupeur dans toute la ˊclasse : « Vous voyez
bien, disait-on, cette femme bizarre et contredisante
aime les diables, et depuis que celui-ci est tombé dans
le bénitier, elle ne peut plus le souffrir ! » Le bonnet de
nuit ne m'affecta pas, j'avais la conscience de mon
innocence, et je sus même gré à madame Eugénie de
ne m'avoir pas épargnée plus qu'elle n'eût fait d'une
autre en pareil cas. Je ne pensai pas qu'elle m'aimait
moins, car elle me prouvait sa préférence comme en
cachette. Si j'étais souffrante ou triste, elle venait le soir
dans ma cellule m'interroger froidement, d'un ton
railleur même ; mais c'était de sa part beaucoup plus
que de la part de toute autre, cette sollicitude enjouée,
cette démarche de venir à moi qu'elle n'a jamais faite
pour aucune autre, que je sache. Je n'éprouvais pas le
besoin de lui ouvrir mon cœur comme avec Marie-
Alicia, mais j'étais sensible à la part d'affection qu'elle
pouvait me donner, et je baisais avec reconnaissance sa
main longue, blanche et froide.

Ce fut au milieu de ma première ferveur que je contractai une amitié qui fut trouvée encore plus bizarre
que celle que je portais à madame Eugénie, mais qui
m'a laissé les plus doux et les plus chers souvenirs.

Dans la liste de nos religieuses, j'ai nommé une sœur
converse, sœur Hélène, dont je me suis réservé de
parler amplement quand j'aurais atteint la phase de
mon récit où son existence se mêle à la mienne ; m'y
voici arrivée.

Un jour que je traversais le cloître, je vois une sœur
converse assise sur la dernière marche de l'escalier,
pâle, mourante, baignée d'une sueur froide. Elle était
placée entre deux seaux fétides qu'elle descendait du

dortoir, et qu'elle allait vider. Leur pesanteur et leur puanteur avaient vaincu son courage et ses forces. Elle était pâle, maigre, en chemin de devenir phtisique. C'était Hélène, la plus jeune des converses, consacrée aux fonctions les plus pénibles et les plus repoussantes du couvent. À cause de cela, elle était un objet de dégoût pour les pensionnaires recherchées. On eût frémi de s'asseoir auprès d'elle, on évitait même de frôler son vêtement.

Elle était laide, d'un type commun, marquée de taches de rousseur sur un fond terne et comme terreux. Et cependant cette laideur avait quelque chose de touchant ; cette figure calme dans la souffrance avait comme une habitude et une insouciance du malheur qu'on ne comprenait pas bien au premier abord, et qu'on eût pu prendre pour une indifférence grossière, mais qui se révélait quand on avait lu dans son âme, et dont chaque indice venait confirmer le poème obscur et rude de sa pauvre vie. Ses dents étaient les plus belles que j'aie jamais vues, blanches, petites, saines et rangées comme un collier de perles. Quand on se souhaitait une beauté idéale, on parlait des yeux d'Eugenia Yzquierdo, du nez de Maria Dormer[4], des cheveux de Sophie et des dents de *Sister Helen*.

Quand je la vis ainsi défaillante, je courus à elle, comme de juste ; je la soutins dans mes bras ; je ne savais que faire pour la secourir. Je voulais monter à l'ouvroir, appeler quelqu'un. Elle retrouva ses forces pour m'en empêcher, et, se levant, elle voulut reprendre son fardeau et continuer son ouvrage ; mais elle se traînait d'une si piteuse façon, qu'il ne me fallut pas beaucoup de vertu pour m'emparer de ses seaux et pour les emporter à sa place. Je la retrouvai, le balai à la main et se dirigeant vers l'église. « Ma sœur, lui dis-je, vous vous tuez. Vous êtes trop malade pour travailler aujourd'hui. Laissez-moi l'aller dire à Poulette pour qu'elle envoie quelqu'un nettoyer l'église, et vous irez vous coucher. – Non, non ! dit-elle en secouant sa tête courte et obstinée, je n'ai pas besoin d'aide ; on peut toujours ce qu'on veut, et je veux mourir en travaillant.

– Mais c'est un suicide, lui dis-je, et Dieu vous défend de chercher la mort, même par le travail. – Vous n'y entendez rien, reprit-elle. J'ai hâte de mourir, puisqu'il faut que je meure. Je suis condamnée par les médecins. Eh bien, j'aime mieux être réunie à Dieu dans deux mois que dans six. »

Je n'osai pas lui demander si elle parlait ainsi par ferveur ou par désespoir, je lui demandai seulement si elle voulait consentir à ce que je l'aidasse à nettoyer l'église, puisque c'était l'heure de ma récréation. Elle y consentit en me disant : « Je n'en ai pas besoin, mais il ne faut pas empêcher une bonne âme de faire acte de charité. »

Elle me montra comment il fallait s'y prendre pour cirer le parquet de l'arrière-chœur, pour épousseter et frotter à la serge les stalles des nonnes. Ce n'était pas bien difficile, et je fis un côté de l'hémicycle pendant qu'elle faisait l'autre ; mais, toute jeune et forte que j'étais, le travail me mit en nage, tandis qu'elle, endurcie à la fatigue, et déjà remise de son évanouissement, avec l'air d'une mourante et l'apparente lenteur d'une tortue, elle vint à bout de sa tâche plus vite et mieux que moi.

Le lendemain était un jour de fête ; il n'y en avait pas pour elle, puisque tous les jours exigeaient les mêmes soins domestiques. Le hasard me la fit rencontrer encore comme elle allait faire les lits au dortoir. Il y en avait trente et quelques. Elle me demanda d'elle-même si je voulais l'aider, non pas qu'elle voulût être soulagée de son travail, mais parce que ma société commençait à lui plaire. Je la suivis par un mouvement de complaisance qui eût été bien naturel, quand même je n'aurais pas été poussée par le dévouement religieux qui inspire l'amour de la peine. Quand l'ouvrage fut terminé, et abrégé de moitié par mon concours, il nous resta quelques instants de loisir, et la sœur Hélène, s'asseyant sur un coffre, me dit : « Puisque vous êtes si complaisante, vous devriez bien m'enseigner un peu de français, car je n'en peux pas dire un mot, et cela me gêne avec les servantes françaises que j'ai à diriger. – Cette demande de votre part me réjouit, lui dis-je. Elle me prouve que vous ne songez plus à mourir dans deux mois, mais à vous conserver le plus longtemps possible. – Je ne veux que ce que Dieu voudra, reprit-elle. Je ne cherche pas la mort, je ne l'évite pas. Je ne peux pas m'empêcher de la désirer, mais je ne la demande pas. Mon épreuve durera tant qu'il plaira au Seigneur. – Ma bonne sœur, lui dis-je, vous êtes donc bien sérieusement malade ? – Les médecins prétendent que oui, répondit-elle, et il y a des moments où je souffre tant que je crois qu'ils ont raison. Mais, après tout, je me sens si forte qu'ils pourraient bien se tromper. Allons ! qu'il en soit comme Dieu voudra ! »

Elle se leva en ajoutant : « Voulez-vous venir ce soir dans ma cellule ? vous me donnerez la première leçon. »

J'y consentis à regret, mais sans hésiter. Cette pauvre sœur m'inspirait, malgré moi, de la répugnance, non pas elle, mais ses vêtements, qui étaient immondes et dont l'odeur me causait des nausées. Et puis, j'aimais bien mieux mon heure d'extase, le soir à l'église, que l'ennui de donner une leçon de français à une personne fort peu intelligente et qui ne savait que fort mal l'anglais.

Je m'y résignai pourtant, et le soir venu, j'entrai pour la première fois dans la cellule de sœur Hélène. Je fus agréablement surprise de la trouver d'une propreté exquise et toute parfumée de l'odeur du jasmin qui montait du préau jusqu'à sa fenêtre. La pauvre sœur était propre aussi ; elle avait sa robe de serge violette neuve ; ses petits objets de toilette bien rangés sur une table attestaient le soin qu'elle prenait de sa personne. Elle vit dans mes yeux ce qui me préoccupait. « Vous voilà étonnée, me dit-elle, de trouver propre et même recherchée sous ce rapport une personne qui remplit sans chagrin les plus viles fonctions. C'est parce que j'ai horreur de la saleté et des mauvaises odeurs que j'ai accepté gaiement ces fonctions-là. Quand je suis arrivée en France, j'ai été révoltée de voir des chenets ternes et des serrures rouillées. *Chez nous*, on se mirait dans le bois des meubles et dans la ferrure des moindres ustensiles. J'ai cru que je ne m'habituerais jamais à vivre dans un pays où l'on était si négligent. Mais pour faire de la propreté, il faut toucher à des choses malpropres. Vous voyez bien que mon goût devait me faire prendre l'état qui m'a suggéré l'envie de faire mon salut. »

Elle dit tout cela en riant ; car elle était gaie cômme les personnes d'un grand courage. Je lui demandai ce qu'elle était avant d'être religieuse, et elle se mit à me raconter son histoire en mauvais anglais, dans un langage simple et rustique dont il me serait impossible de rendre la grandeur et la naïveté. Je ne l'essayerai pas, mais voici la substance de son récit :

« Je suis une montagnarde écossaise ; mon père * est un paysan aisé chargé d'une nombreuse famille. C'est un homme bon et juste, mais aussi rude dans sa volonté que courageux pour son travail. Je gardais ses troupeaux, je ne m'épargnais pas aux soins du ménage et à la surveillance de mes petits frères et sœurs, qui m'aimaient tendrement ; je les aimais de même. J'étais heureuse, j'aimais la campagne, les prés, les animaux. Il ne me semblait pas que je pusse vivre renfermée, seulement dans une ville ; je ne pensais pas beaucoup à mon salut. Un sermon que j'entendis changea toutes mes idées et m'inspira un si grand désir de plaire à Dieu que je n'eus plus ni plaisir ni repos dans ma famille. Ce sermon prêchait le renoncement, la mortification. Je me demandai ce que je pouvais faire de plus agréable à Dieu et de plus cruel pour moi-même, et je trouvai que quitter la campagne, perdre ma liberté, me séparer pour toujours de ma famille, serait un véritable martyre pour moi. Aussitôt j'y fus résolue. J'allai trouver le prêtre qui avait prêché, et je lui dis que j'avais la vocation. Il ne voulut pas me croire et me conduisit à l'évêque, afin que cet homme savant dans la religion examinât si ma vocation était véritable.

---

* Probablement il était d'origine anglaise, il s'appelait *White-head* (*tête blanche*) [NdA].

L'évêque me demanda si j'étais malheureuse chez mes parents, si j'étais dégoûtée de mon pays, de mon état, si enfin j'avais quelque sujet de dépit ou de colère, pour quitter comme cela tout ce qui me retenait chez nous. Je lui répondis que dans ce cas-là ma vocation ne serait pas grande, et que je n'y croyais que parce qu'elle m'imposait les plus grands sacrifices que je pusse m'imaginer. Quand l'évêque m'eut bien interrogée sans me trouver en défaut, il me dit : "Oui, vous avez une grande vocation, mais il faut obtenir le consentement de vos parents."

« Je retournai chez nous, et je parlai d'abord à mon père ; mon père me dit que si je retournais seulement voir les prêtres, il me tuerait. « Eh bien, lui dis-je, j'y retournerai, vous me tuerez, et j'irai au ciel plus tôt : c'est tout ce que je demande. » Ma mère et mes tantes pleurèrent, et, voyant que je ne pleurais pas, elles me reprochèrent de ne pas les aimer. Cela me fit beaucoup de peine, comme vous pouvez croire, mais c'était le commencement de mon martyre, et puisque je ne pouvais pas me faire couper par morceaux ou brûler vive pour l'amour de Dieu, je devais me contenter d'avoir le cœur brisé et me réjouir dans cette épreuve. Je ne fis donc que sourire aux larmes de mes parents, parce que je souffrais plus qu'eux encore et que j'étais contente de souffrir.

« Je retournai voir le prêtre et l'évêque ; mon père me maltraita, m'enferma dans ma chambre, et quand vint le jour où je voulus partir pour entrer en religion, il m'attacha avec des cordes au pied d'un lit. Plus on me faisait de peine et de mal, plus je souhaitais qu'on m'en fît. Enfin ma mère et une de mes tantes, voyant que mon père était furieux, et craignant qu'il ne me fît mourir, essayèrent de le faire consentir à mon départ. "Eh bien, dit-il, qu'elle parte tout de suite, mais qu'elle emporte ma malédiction."

« Il vint me détacher, et quand je voulus me mettre à ses genoux et l'embrasser, il me repoussa, refusa de me dire adieu, et sortit. Il avait bien du chagrin, mon pauvre père ! Il prit son fusil : on aurait dit qu'il allait se tuer. Mes frères aînés le suivirent, et quand je fus seule avec les femmes et les enfants, tous se mirent à genoux autour de moi pour me faire renoncer à mon sacrifice. Et moi je riais, et je disais : "Encore, encore ! vous ne me ferez jamais souffrir autant que je le souhaite."

« Il y avait un petit enfant, l'enfant de ma sœur aînée, un vrai chérubin, que j'avais élevé particulièrement, qui était toujours pendu à ma robe, aux champs et dans la maison. On savait que j'étais folle de cet enfant-là. On le mit sur mes genoux, il pleurait et m'embrassait. Je me levai pour le mettre à terre. Je pris mon paquet et marchai vers la porte. L'enfant courut au-devant de moi, et se couchant sur le seuil il me dit : "Puisque tu veux me quitter, tu me marcheras sur le corps." Je remerciai Dieu de ce qu'il ne m'épargnait rien, et je passai par-dessus l'enfant. Pendant bien longtemps j'entendis ses cris et les sanglots de ma mère, de mes tantes, de mes sœurs et de tous les petits, qu'on retenait pour les empêcher de courir après moi. Je me retournai et leur montrai le ciel en élevant un bras au-dessus de ma tête. Ma famille n'était pas impie. Il se fit un grand silence. Alors je me remis à marcher, et ne me retournai plus que quand je fus assez loin pour n'être point vue. Je regardai le toit de la maison et la fumée. Je fus forcée de m'asseoir un instant, mais je ne pleurai pas, et j'arrivai auprès de l'évêque aussi tranquille que je le suis maintenant. Il me confia à des dames pieuses qui m'envoyèrent ici, parce qu'elles craignaient que mon père ne vînt me reprendre de force si on me laissait dans mon pays. Voilà mon histoire. Elle n'est pas bien longue ni bien dite, mais je ne sais pas m'expliquer mieux. »

Cette histoire simple et terrible acheva de me monter la tête pour la religion et m'inspira tout à coup pour la sœur Hélène une prédilection enthousiaste. Je vis en elle une sainte des anciens jours, rude, ignorante des délicatesses de la vie et des compromis de cœur avec la conscience, une fanatique ardente et calme comme Jeanne d'Arc ou sainte Geneviève. C'était, par

le fait, une mystique, la seule, je crois, qu'il y eût dans
la communauté : aussi n'était-elle pas Anglaise.

Frappée comme d'un contact électrique, je lui pris
les mains et m'écriai : « Vous êtes plus forte dans votre
simplicité que tous les docteurs du monde, et je crois
que vous me montrez, sans y songer, le chemin que j'ai
à suivre. Je serai religieuse ! – Tant mieux ! me dit-elle
avec la confiance et la droiture d'un enfant : vous serez
sœur converse avec moi, nous travaillerons ensemble. »

Il me sembla que le ciel me parlait par la bouche de
cette inspirée. Enfin j'avais rencontré une véritable
sainte comme celles que j'avais rêvées. Mes autres
nonnes étaient comme des anges terrestres, qui, sans
lutte et sans souffrances, jouissaient par anticipation
du calme paradisiaque. Celle-ci était une créature plus
humaine et plus divine en même temps. Plus humaine,
parce qu'elle souffrait ; plus divine, parce qu'elle
aimait à souffrir. Elle n'avait pas cherché le bonheur, le
repos, l'absence de tentations mondaines, la liberté du
recueillement dans le cloître. Les séductions du siècle !
pauvre fille des champs nourrie dans de grossiers
labeurs, elle ne les connaissait pas. Elle n'avait rêvé et
accompli qu'un martyre de tous les jours, elle l'avait
envisagé avec la logique sauvage et grandiose de la foi
primitive. Elle était exaltée jusqu'au délire sous une
apparence froide et stoïque. Quelle nature puissante !
Son histoire me faisait frissonner et brûler. Je la voyais
aux champs, écoutant, comme notre *grande pastoure*[5],
les voix mystérieuses dans les branches des chênes et
dans le murmure des herbes. Je la voyais passant par-
dessus le corps de ce bel enfant dont les larmes tombaient sur mon cœur et passaient dans mes yeux. Je la
voyais seule et debout sur le chemin, froide comme
une statue et le cœur percé cependant des sept glaives
de la douleur, élevant sa main hâlée vers le ciel et
réduisant au silence, par l'énergie de sa volonté, toute
cette famille gémissante et frappée de respect.

« Ô sainte Hélène, me disais-je en la quittant, vous
avez raison, vous êtes dans le vrai, vous ! vous êtes
d'accord avec vous-même. Oui ! quand on aime Dieu

de toutes ses forces, quand on le préfère à toutes choses, on ne s'endort point en chemin ; on n'attend pas ses ordres, on les prévient ; on court au-devant des sacrifices. Oui ! vous m'avez embrasée du feu de votre amour, et vous m'avez montré la voie. Je serai religieuse ; ce sera le désespoir de mes parents, le mien par conséquent. Il faut ce désespoir-là pour avoir le droit de dire à Dieu : « Je t'aime ! » Je serai religieuse et non pas *dame de chœur*, vivant dans une simplicité recherchée et dans une béate oisiveté. Je serai sœur converse, servante écrasée de fatigue, balayeuse de tombeaux, porteuse d'immondices ; tout ce qu'on voudra, pourvu que je sois oubliée après avoir été maudite par les miens ; pourvu que, dévorant l'amertume de l'immolation, je n'aie que Dieu pour témoin de mon supplice et que son amour pour ma récompense. »

Je ne tardai pas à confier à Marie-Alicia mon projet d'entrer en religion. Elle n'en fut point enivrée. La digne et raisonnable femme me dit en souriant : « Si cette idée vous est douce, nourrissez-la, mais ne la prenez pas trop au sérieux. Il faut être plus fort que vous ne pensez pour mettre à exécution une chose difficile. Votre mère n'y consentira pas volontiers, votre grand-mère encore moins. Elles diront que nous vous avons entraînée, et ce n'est pas du tout notre intention ni notre manière d'agir. Nous ne caressons point les vocations au début, nous les attendons à leur entier développement. Vous ne vous connaissez pas encore vous-même. Vous croyez qu'on mûrit du jour au lendemain ; allons, allons, *ma chère sœur*, il passera encore de l'eau sous le pont avant que vous signiez cet écrit-là. » Et elle me montrait la formule de ses vœux, écrite en latin dans un petit cadre de bois noir au-dessus de son prie-Dieu. Cette formule, contraire à la législation française [6], était un engagement éternel ; on le signait à une petite table sur laquelle, au milieu de l'église, on posait le saint sacrement.

Je souffrais bien un peu des doutes de madame Alicia sur mon compte ; mais je me défendais de cette souffrance comme d'une révolte de mon orgueil. Seulement je persistais à croire, sans en rien dire, que la sœur Hélène avait une plus grande vocation. Marie-Alicia était heureuse, elle le disait sans affectation et sans emphase, et on voyait bien qu'elle était sincère. Elle disait parfois : « Le plus grand bonheur, c'est d'être en paix avec Dieu. Je ne l'aurais pas été dans le monde, je ne suis pas une héroïne, j'ai la crainte et peut-être le sentiment de ma faiblesse. Le cloître me sert de refuge et la règle monastique d'hygiène morale ; moyennant ces puissants secours, je suis mon chemin sans trop d'efforts ni de mérite. »

Ainsi raisonnait cette âme profondément humble, ou, si on l'aime mieux, cet esprit parfaitement modeste. Elle était d'autant plus forte qu'elle croyait ne pas l'être.

Quand j'essayais de raisonner avec elle, à la manière de la sœur Hélène, elle secouait doucement la tête : « Mon enfant, me disait-elle, si vous cherchez le mérite de la souffrance, vous le trouverez de reste dans le monde. Croyez bien qu'une mère de famille, ne fût-ce que pour mettre ses enfants au monde, a plus de douleur et de travail que nous. Je ne regarde pas la vie claustrale comme un sacrifice comparable à ceux qu'une bonne épouse et une bonne mère doit s'imposer tous les jours. Ne vous tourmentez donc pas l'esprit, et attendez ce que Dieu vous inspirera quand vous serez en âge de choisir. Il sait mieux que vous et moi ce qui vous convient. Si vous désirez de souffrir, soyez tranquille, la vie vous servira à souhait, et peut-être trouverez-vous, si votre ardeur de sacrifice persiste, que c'est dans le monde, et non dans le couvent, qu'il faut aller chercher votre martyre. »

Sa sagesse me pénétrait de respect, et ce fut elle qui me préserva de prononcer ces vœux imprudents que les jeunes filles font quelquefois d'avance dans le secret de leur effusion devant Dieu : serments terribles qui pèsent quelquefois pour toute la vie sur des consciences timorées, et qu'on ne viole pas, quelque non recevables qu'ils aient été devant Dieu, sans porter une grave atteinte à la dignité et à la santé de l'âme.

Cependant je ne me défendais pas de l'enthousiasme de sœur Hélène ; je la voyais tous les jours, j'épiais l'occasion et le moyen de l'aider dans ses rudes travaux, consacrant mes récréations de la journée à les partager, et celles du soir à lui donner des leçons de français dans sa cellule. Elle avait, je l'ai dit, fort peu d'intelligence et savait à peine écrire. Je lui appris plus d'anglais que de français, car je m'aperçus bientôt que c'était par l'anglais que nous eussions dû commencer. Nos leçons ne duraient guère qu'une demi-heure. Elle se fatiguait vite. Cette tête si forte avait plus de volonté que de puissance.

Nous avions donc une demi-heure pour causer, et j'aimais son entretien, qui était pourtant celui d'un enfant. Elle ne savait rien, elle ne désirait rien savoir hors du cercle étroit où sa vie s'était renfermée. Elle avait le profond mépris de toute science étrangère à la vie pratique qui caractérise le paysan. Elle parlait mal à froid, ne trouvait pas de mots à son usage, et ne pouvait pas enchaîner ses idées ; mais quand l'enthousiasme revenait, elle avait des élans d'une spontanéité sublime, des mots d'une profondeur étrange dans leur concision enfantine.

Elle ne doutait pas de ma vocation, elle ne cherchait pas à me retenir et à me faire hésiter dans mon entraînement ; elle croyait à la force des autres comme à la sienne propre. Elle ne s'embarrassait l'esprit d'aucun obstacle et se persuadait qu'il serait très facile de m'obtenir une dispense pour entrer dans la communauté en dépit des statuts de la règle, qui n'admettaient que des Anglaises, des Écossaises ou des Irlandaises dans le couvent. J'avoue que l'idée d'être religieuse ailleurs qu'aux Anglaises me faisait frémir, preuve que je n'avais pas de vocation véritable ; et comme je lui avouais le doute que cette préférence pour notre couvent élevait en moi, elle me rassurait avec une adorable indulgence. Elle voulait trouver ma préférence légitime, et cette mollesse de cœur n'altérait pas, suivant elle, l'excellence de ma vocation. J'ai déjà dit quelque part dans cet ouvrage, à propos de La Tour d'Au-

vergne, je crois, que le cachet de la véritable grandeur
est de ne jamais songer à exiger des autres les grandes
choses qu'on s'impose à soi-même. La sœur Hélène,
cette créature toute d'instincts sublimes, agissait de
même avec moi. Elle avait quitté sa famille et son pays,
elle était venue avec joie s'enterrer dans le premier couvent qu'on lui avait désigné, et elle consentait à me
laisser choisir ma retraite et *arranger* mon sacrifice.
C'était assez, à ses yeux, qu'une personne comme moi,
qu'elle regardait comme un grand esprit (parce que je
savais ma langue mieux qu'elle ne savait la sienne),
acceptât délibérément l'idée d'être sœur converse au
lieu de préférer tenir la classe.

Nous faisions donc des châteaux en Espagne
ensemble[7]. Elle me cherchait un nom, celui de Marie-
Augustine, que j'avais pris à la confirmation, étant déjà
porté par Poulette. Elle me désignait une cellule voisine
de la sienne. Elle m'autorisait d'avance à aimer le jardinage et à cultiver des fleurs dans le préau. J'avais
conservé le goût de tripoter la terre, et comme j'étais
trop grande fille pour faire un petit jardin pour moi-
même, je passais une partie des récréations à brouetter
du gazon et à dessiner des allées dans les jardinets des
petites. Aussi il fallait voir quelle adoration ces enfants
avaient pour moi. On me raillait un peu à la grande
classe. Anna soupirait de mon abrutissement sans
cesser d'être bonne et affectueuse. Pauline de Pontcarré, mon amie d'enfance, qui était entrée au couvent
depuis six mois, disait à sa mère, devant moi, que
j'étais devenue imbécile, parce que je ne pouvais plus
vivre qu'avec la sœur Hélène ou les enfants de sept ans.

J'avais pourtant contracté une amitié qui eût dû me
relever dans l'opinion des plus intelligentes, puisque
c'était avec la personne la plus intelligente du couvent.
Je n'ai pas encore parlé d'Élisa Anster, bien que ce
soit une des figures les plus remarquables de cette série
de portraits où mon récit m'entraîne. J'ai voulu la garder
pour le joyau principal de cette précieuse couronne.

Un Anglais, M. Anster, neveu de madame Canning,
notre supérieure, avait épousé à Calcutta une belle

Indienne, dont il avait eu grand nombre d'enfants, douze, peut-être quatorze. Le climat les avait tous dévorés dans leur bas âge, excepté un fils, qui s'est fait prêtre, et deux filles : Lavinia, qui a été ma compagne à la petite classe ; Élisa, sa sœur aînée, mon amie de la grande classe, qui est aujourd'hui supérieure d'un couvent de Cork en Irlande.

M. et madame Anster, voyant périr tous leurs enfants, dont l'organisation splendide semblait se dessécher tout à coup dans un milieu contraire, et ne pouvant abandonner leurs affaires, firent l'effort de se séparer des trois qui leur restaient. Ils les envoyèrent en Angleterre à madame Blount, sœur de madame Canning. Voilà du moins l'histoire que l'on racontait au couvent. Plus tard j'ai entendu dire autrement : mais qu'importe ? Le fait certain, c'est qu'Élisa et Lavinia se rappelaient confusément leur mère se roulant de désespoir sur le rivage indien tandis que le navire s'en éloignait à pleins voiles. Mises au couvent à Cork en Irlande, Élisa et Lavinia vinrent en France lorsque madame Blount se décida à venir habiter, avec sa fille et ses deux nièces, notre couvent des Anglaises. Cette famille avait-elle de la fortune ? Je l'ignore, on ne s'occupait guère de cela parmi les dévotes. Je crois que le père était encore aux Indes quand je connus ses filles. La mère y était à coup sûr, et n'avait pas vu ses enfants depuis une douzaine d'années.

Lavinia était une charmante enfant, timide, impressionnable, rougissant à tout propos, d'une douceur parfaite, ce qui ne l'empêchait pas d'être un peu diable et fort peu dévote. Ses tantes et sa sœur la grondaient souvent. Elle ne s'en souciait pas énormément.

Élisa était d'une beauté incomparable et d'une intelligence supérieure. C'était le plus admirable résultat possible de l'union de la race anglaise avec le type indien. Elle avait un profil grec d'une pureté de lignes exquise, un teint de lis et de roses sans hyperbole, des cheveux châtains superbes, des yeux bleus d'une douceur et d'une pénétration frappantes, une sorte de fierté caressante dans la physionomie ; le regard et le sourire annonçaient la tendresse d'un ange, le front droit, l'angle facial fortement accusé, je ne sais quoi de carré dans une taille magnifique de proportions, révélaient une grande volonté, une grande puissance, un grand orgueil.

Dès son plus jeune âge, toutes les forces de cette âme vigoureuse s'étaient tournées vers la piété. Elle nous arriva sainte, comme je l'ai toujours connue, ferme dans sa résolution de se faire religieuse, et cultivant dans son cœur une seule amitié exclusive, le souvenir d'une religieuse de son couvent d'Irlande, sœur Maria Borgia de Chantal, qui a toujours encouragé sa vocation, et qu'elle est allée rejoindre plus tard en prenant le voile. La plus grande marque d'amitié qu'elle m'ait donnée, c'est un petit reliquaire que j'ai toujours à ma cheminée, et qu'elle tenait de cette religieuse. Je lis encore sur l'envers : *M. de Chantal to E. 1816.* Elle y tenait tant qu'elle me fit promettre de ne jamais m'en séparer, et je lui ai tenu parole. Il m'a suivie partout. Dans un voyage le verre s'est cassé, la relique s'est perdue, mais le médaillon est intact, et c'est le reliquaire lui-même qui est devenu relique pour moi.

Cette belle Élisa était la première dans toutes les études, la meilleure pianiste du couvent, celle qui faisait tout mieux que les autres, puisqu'elle y portait à dose égale les facultés naturelles et la volonté soutenue. Elle faisait tout cela en vue d'être propre à diriger l'éducation des jeunes Irlandaises qui lui seraient confiées un jour à Cork, car elle était pour son couvent de Cork comme moi pour mon couvent des Anglaises. Maria Borgia était son Alicia et son Hélène. Elle ne comprenait pas qu'elle pût être religieuse ailleurs, et sa vocation n'en était pas moins certaine, puisqu'elle y a persisté avec joie.

Elle avait bien plus raison que moi en songeant à se rendre utile dans le cloître. Moi, je suivais les études avec soumission, avec le plus d'attention possible ; mais, en réalité, depuis que j'étais dévote, je ne faisais pas plus de progrès que je n'avais fait de besogne auparavant. Je n'avais pas d'autre but que celui de me soumettre à la règle, et mon mysticisme me commandant d'immoler toutes les vanités du monde, je ne voyais pas qu'une sœur converse eût besoin de savoir jouer du piano, dessiner et de connaître l'histoire. Aussi, après trois années de couvent, en suis-je sortie beaucoup plus ignorante que je n'y étais entrée. J'y avais même perdu ces accès d'amour pour l'étude dont je m'étais sentie prise de temps en temps à Nohant. La dévotion m'absorbait bien autrement que n'avait fait la diablerie. Elle usait toute mon intelligence au profit de mon cœur. Quand j'avais pleuré d'adoration pendant une heure à l'église, j'étais brisée pour tout le reste du jour. Cette passion, répandue à flots dans le sanctuaire, ne pouvait plus se rallumer pour rien de terrestre. Il ne me restait ni force, ni élan, ni pénétration pour quoi que ce soit. Je m'abrutissais, Pauline avait bien raison de le dire, mais il me semble pourtant que je grandissais dans un certain sens. J'apprenais à aimer autre chose que moi-même : la dévotion exaltée a ce grand effet sur l'âme qu'elle possède, que, du moins, elle y tue l'amour-propre radicalement, et si elle l'hébète à certains égards, elle la purge de beaucoup de petitesses et de mesquines préoccupations.

Quoique l'être humain soit dans la conduite de sa vie un abîme d'inconséquences, une certaine logique fatale le ramène toujours à des situations analogues à celles où son instinct l'a déjà conduit. Si l'on s'en souvient, j'étais parfois à Nohant, devant les soins et les leçons de ma grand-mère, dans la même disposition de soumission inerte et de dégoût secret que celle où je me retrouvais au couvent devant les études qui m'étaient imposées. À Nohant, ne pensant qu'à me faire ouvrière avec ma mère, j'avais méprisé l'étude comme trop aristocratique. Au couvent, ne songeant qu'à me faire servante avec sœur Hélène, je méprisais l'étude comme trop mondaine.

Je ne sais plus comment il m'arriva de me lier avec Élisa. Elle avait été froide et même dure avec moi durant ma diablerie. Elle avait des instincts de domination qu'elle ne pouvait contenir, et lorsqu'un diable

dérangeait sa méditation à l'église ou bouleversait ses
cahiers à la classe, elle devenait pourpre ; ses belles
joues prenaient même rapidement une teinte violacée,
ses sourcils, déjà très rapprochés, s'unissaient par un
froncement nerveux ; elle murmurait des paroles
d'indignation, son sourire devenait méprisant, presque
terrible ; sa nature impérieuse et hautaine se trahissait.
Nous disions alors que le sang asiatique lui montait au
visage. Mais c'était un orage passager. La volonté, plus
forte que l'instinct, dominait cette colère. Elle faisait
un effort, pâlissait, souriait, et ce sourire, passant sur
ses traits comme un rayon de soleil, y ramenait la douceur, la fraîcheur et la beauté.

Toutefois il fallait la connaître beaucoup pour
l'aimer, et, en général, elle était plus admirée que
recherchée.

Quand elle se fit connaître à moi, ce ne fut point à
demi. Elle me révéla ses propres défauts avec beaucoup de grandeur, et m'ouvrit sans réserve son âme
austère et tourmentée.

« Nous marchons au même but par des chemins différents, me disait-elle. J'envie le tien, car tu y marches
sans effort et tu n'as pas de lutte à soutenir. Tu n'aimes
pas le monde, tu n'y pressens qu'ennuis et lassitudes.
La louange ne te cause que du dégoût. On dirait que tu
te laisses glisser du siècle dans le cloître par une pente
facile et que ton être n'a point d'aspérités qui te retien-
nent. Moi, disait-elle (et en parlant ainsi sa figure
rayonnait comme celle d'un archange), j'ai *un orgueil
de Satan* ! Je me tiens dans le temple comme le phari-
sien superbe, et il me faut faire un effort pour me
mettre moi-même à la porte, où je te trouve, toi,
endormie et souriante, à l'humble place du publicain.
J'ai un sentiment de recherche dans le choix de mon
sort futur en religion. Je veux bien obéir, mais je sens
aussi le besoin de commander. J'aime l'approbation, la
critique m'irrite, la moquerie m'exaspère. Je n'ai ni
indulgence instinctive ni patience naturelle. Pour
vaincre tout cela, pour m'empêcher de tomber dans le
mal cent fois par jour, il me faut une continuelle ten-

sion de ma volonté. Enfin, si je surnage au-dessus de l'abîme de mes passions j'aurai bien du mal, et il me faudra du ciel une bien grande assistance. »

Là-dessus elle pleurait et se frappait la poitrine. J'étais forcée de la consoler, moi qui me sentais un atome auprès d'elle. « Il est possible, lui disais-je, que je n'aie pas les mêmes défauts que toi, mais j'en ai d'autres, et je n'ai pas tes qualités. À brebis tondue, Dieu ménage le vent. Comme je n'ai pas ta force, les vives sensations me sont épargnées. Je n'ai pas de mérite à être humble, puisque par caractère, par position sociale peut-être, je méprise beaucoup de choses qu'on estime dans le monde. Je ne connais pas le plaisir qu'on goûte à la louange ; ni ma personne ni mon esprit ne sont remarquables. Peut-être serais-je vaine si j'avais ta beauté et tes facultés : si je n'ai pas le goût du commandement, c'est que je n'aurais pas la persévérance de gouverner quoi que ce soit. Enfin, rappelle-toi que les plus grands saints sont ceux qui ont eu le plus de peine à le devenir.

– C'est vrai ! s'écria-t-elle. Il y a de la gloire à souffrir, et les récompenses sont proportionnées aux mérites. » Puis tout à coup laissant retomber sa tête charmante dans ses belles mains : « Ah ! disait-elle en soupirant, ce que je pense là est encore de l'orgueil ! Il s'insinue en moi par tous les pores et prend toutes les formes pour me vaincre. Pourquoi est-ce que je veux trouver de la gloire au bout de mes combats, et une plus haute place dans le ciel que toi et la sœur Hélène ? En vérité, je suis une âme bien malheureuse. Je ne peux pas m'oublier et m'abandonner un seul instant. »

C'est dans de telles luttes intérieures que cette vaillante et austère jeune fille consumait ses plus brillantes années ; mais il semblait que la nature l'eût formée pour cela, car plus elle s'agitait, plus elle était resplendissante d'embonpoint, de couleur et de santé.

Il n'en était pas ainsi de moi. Sans lutte et sans orage, je m'épuisais dans mes expansions dévotes. Je commençais à me sentir malade, et bientôt le malaise phy-

sique changea la nature de ma dévotion. J'entre dans la
seconde phase de cette vie étrange.

II

*Le cimetière. – Mystérieux orage contre sœur Hélène. – Premiers
doutes instinctifs. – Mort de la mère Alippe. – Terreurs d'Élisa.
– Second mécontentement intérieur. – Langueurs et fatigues. –
La maladie des scrupules. – Mon confesseur me donne pour
pénitence l'ordre de m'amuser. – Bonheur parfait. – Dévotion
gaie. – Molière au couvent. – Je deviens auteur et directeur des
spectacles. – Succès inouï du* Malade imaginaire *devant la
communauté. – Jane. – Révolte. – Mort du duc de Berry. –
Mon départ du couvent. – Mort de madame Canning. – Son
administration. – Élection de madame Eugénie. – Décadence
du couvent.*

J'avais passé plusieurs mois dans la béatitude, mes
jours s'écoulaient comme des heures. Je jouissais d'une
liberté absolue depuis que je n'étais plus d'humeur à
en abuser. Les religieuses me menaient avec elles dans
tout le couvent, dans l'ouvroir, où elles m'invitaient à
prendre le thé ; dans la sacristie, où j'aidais à ranger et
à plier les ornements d'autel ; dans la tribune de
l'orgue, où nous répétions les chœurs et motets ; dans la
chambre des novices, qui était une salle servant d'école de
plain-chant ; enfin dans le cimetière, qui était le lieu le
plus interdit aux pensionnaires. Ce cimetière, placé
entre l'église et le mur du jardin des Écossais, n'était
qu'un parterre de fleurs sans tombes et sans épitaphes.
Le renflement du gazon annonçait seul la place des
sépultures. C'était un endroit délicieux, tout ombragé
de beaux arbres, d'arbustes et de buissons luxuriants.
Dans les soirs d'été, on y était presque asphyxié par

l'odeur des jasmins et des roses ; l'hiver, pendant la neige, les bordures de violettes et les roses du Bengale souriaient encore sur ce linceul sans tache. Une jolie chapelle rustique, sorte de hangar ouvert qui abritait une statue de la Vierge, et qui était toute festonnée de pampres et de chèvrefeuille, séparait ce coin sacré de notre jardin, et l'ombrage de nos grands marronniers se répandait par-dessus le petit toit de la chapelle. J'ai passé là des heures de délices à rêver sans songer à rien. Dans mon temps de diablerie, quand je pouvais me glisser dans le cimetière, c'était pour y recueillir les bonnes balles élastiques que les Écossais perdaient par-dessus le mur. Mais je ne songeais même plus aux balles élastiques. Je me perdais dans le rêve d'une mort anticipée, d'une existence de sommeil intellectuel, d'oubli de toutes choses, de contemplations incessantes. Je choisissais ma place dans le cimetière. Je m'étendais là en imagination pour dormir comme dans le seul lieu du monde où mon cœur et ma cendre pussent reposer en paix.

Sœur Hélène m'entretenait dans mes songes de bonheur, et pourtant elle n'était pas heureuse, la pauvre fille. Elle souffrait beaucoup, quoique sa force physique eût repris le dessus, et qu'elle fût en voie de guérison ; mais je crois que son mal était moral. Je crois qu'elle était un peu grondée, un peu persécutée pour son mysticisme. Il y avait des soirs où je la trouvais en pleurs dans sa cellule. J'osais à peine l'interroger, car à mon premier mot elle secouait sa tête carrée d'un air dédaigneux, comme pour me dire : « J'en ai supporté bien d'autres, et vous n'y pouvez rien. » Il est vrai qu'aussitôt elle se jetait dans mes bras et pleurait sur mon épaule ; mais pas une plainte, pas un murmure, pas un aveu ne s'échappa jamais de ses lèvres scellées.

Un soir que je passais dans le jardin, au-dessous de la fenêtre de la chambre de la supérieure, j'entendis le bruit d'une vive altercation. Je ne pouvais ni ne voulais saisir le dialogue, mais je reconnaissais le son des voix. Celle de la supérieure était rude et irritée, celle de sœur Hélène navrante et entrecoupée de gémissements. Dans le temps où je cherchais le secret de la *victime*, j'aurais

trouvé là matière à de belles imaginations ; je me serais
glissée dans l'escalier, dans l'antichambre, j'aurais surpris le mystère dont j'étais avide. Mais ma religion me
défendait d'espionner désormais, et je passai le plus vite
que je pus. Pourtant cette voix déchirante de ma chère
Hélène me suivait malgré moi. Elle ne paraissait pas
supplier, je ne crois pas que cette robuste nature eût pu
se ployer à cela ; elle semblait protester énergiquement
et se plaindre d'une accusation injuste. D'autres voix
que je ne reconnus pas semblaient la charger et la
reprendre. Enfin, quand je fus assez loin pour ne rien
entendre clairement, il me sembla que des cris inarti-
culés venaient jusqu'à moi à travers les brises de la nuit
et les rires des pensionnaires en récréation.

   Ce fut le premier coup porté à la sérénité de mon
âme. Que se passait-il donc dans le secret du chapitre ?
Étaient-elles injustement soupçonneuses, étaient-elles
impitoyables devant une faute, ces nonnes à l'air si
doux, aux manières si tranquilles ! Et quelle faute pouvait donc commettre une sainte comme la sœur
Hélène ? N'était-ce pas son trop de foi et de dévouement qu'on lui reprochait ? Étais-je pour quelque chose
là-dedans ? Lui faisait-on un crime de notre sainte
amitié ? J'avais entendu distinctement la supérieure
articuler d'une voix courroucée : « *Shame ! shame !
(Honte ! honte !)* » Ce mot de honte appliqué à une âme
naïve et pure comme celle d'un petit enfant, à un être
véritablement angélique, me froissait comme une
insulte gratuite et cruelle ; le vers de Boileau me revenait sur les lèvres malgré moi :

   Tant de fiel entre-t-il dans l'âme des dévôts [8] *?*

   Madame Canning n'était pas un Tartuffe femelle,
bien certainement. Elle avait des vertus solides, mais
elle était dure et pas très franche. Je l'avais éprouvé par
moi-même. Où pouvait-elle avoir puisé dans une âme
béate ce flot de reproches amers ou de menaces humi-
liantes que l'accent de sa voix trahissait à mon oreille ?
Je me demandais s'il était possible, à moins qu'on n'eût

une âme stupide, de ne pas chérir et admirer sœur Hélène ; et s'il était possible, quand on avait de l'estime et de l'affection pour quelqu'un, de le gronder, de l'humilier, de le faire souffrir à ce point, même pour son bien, même en vue de lui faire faire son salut. « Est-ce une querelle ? est-ce une épreuve ? me disais-je ; si c'est une querelle, elle est ignoble de formes. Si c'est une épreuve, elle est odieuse de cruauté. »

Tout à coup j'entendis des cris (mon imagination troublée me les fit seule entendre peut-être), un vertige passa devant mes yeux, une sueur froide inonda mon corps tremblant : « On la frappe, on la martyrise ! » m'écriai-je.

Que Dieu me pardonne cette pensée, probablement folle et injuste, mais elle s'empara de moi comme une obsession. J'étais dans la grande allée au fond du jardin, torturée par ces bruits confus qui semblaient m'y poursuivre. Je ne fis qu'un bond jusqu'à la cellule de sœur Hélène ; je croirais volontiers que mes pieds ne m'y portaient pas, tant il me sembla voler aussi rapidement que ma pensée. Si je n'avais pas trouvé Hélène dans sa cellule, je crois que j'aurais été la chercher dans celle de la supérieure.

Hélène venait de rentrer : sa figure était bouleversée, son visage inondé de larmes. Mon premier mouvement fut de regarder si elle n'avait pas de traces de violences, si son voile n'était pas déchiré ou ses mains ensanglantées. J'étais devenue tout à coup soupçonneuse comme ceux qui passent subitement d'une confiance aveugle à un doute poignant. Sa robe seule était poudreuse comme si elle eût été jetée par terre, ou comme si elle se fût roulée sur le plancher. Elle me repoussa en me disant : « Ce n'est rien, ce n'est rien ! je suis fort malade, il faut que je me mette au lit ; laissez-moi. »

Je sortis pour lui laisser le temps de se coucher, mais je restai dans le corridor, protégée par l'obscurité, l'oreille collée à la porte. Elle gémissait à me déchirer le cœur. Du côté de la chambre de la supérieure il y avait de l'agitation. On ouvrait et on fermait les portes, j'entendais des frôlements de robes passer non loin de moi. Cette incertitude était fantastique, affreuse.

Quand tout fut rentré dans le silence, je revins auprès de la sœur Hélène.

« Je ne dois pas vous interroger, lui dis-je, et je sais que vous ne voudriez pas me répondre ; mais laissez-moi vous assister et vous soigner. » Elle avait la fièvre, disait-elle, mais ses mains étaient glacées, et elle était agitée d'un tremblement nerveux. Elle me demanda seulement à boire ; il n'y avait que de l'eau dans sa cellule. Je courus malgré elle trouver madame Marie-Augustine (Poulette), qui demeurait, je crois, dans le même dortoir *. Poulette était l'infirmière en chef, c'est elle qui avait les clefs et la surveillance de la pharmacie. Je lui dis que sœur Hélène était fort malade. Mais quoi ! la bonne, la rieuse, la maternelle Poulette haussa les épaules d'un air d'insouciance et me répondit : « Sœur Hélène ? bah, bah ! elle n'est pas bien malade, elle n'a besoin de rien ! »

Révoltée de cette inhumanité, j'allai trouver la sœur Thérèse, la vieille converse aux alambics, la grande Irlandaise à la cave à la menthe. Elle travaillait aussi à la cuisine ; elle pouvait faire chauffer de l'eau, préparer une tisane. Elle m'accueillit sans plus de sollicitude que Poulette. « *Sister Helen !* dit-elle en riant, *she is in her bad spirits* **. » Elle ajouta pourtant : « Allons, allons, je vais lui faire du tilleul », et elle se mit à l'œuvre sans se presser et en ricanant toujours. Elle me remit la tisane et un peu d'eau de menthe en me disant : « Buvez-en aussi, c'est très bon pour le mal d'estomac et pour la folie. »

Je n'en pus rien tirer autre chose, et je retournai auprès de ma malade, qui était dans le plus complet abandon. Elle grelottait de froid ; j'allai lui chercher la couverture de mon lit, et la tisane chaude la réchauffa un peu. On disait la prière à la classe, on allait se

* On appelait dortoirs non seulement la salle commune de la petite classe, mais aussi les corridors longs, étroits et obscurs qui séparaient les doubles rangées de cellules fermées (NdA).

** Sœur Hélène ! elle est dans ses vapeurs. Littéralement : *dans ses mauvais esprits* (NdA).

retirer. Je fus demander à la *Comtesse*, qui véritablement ne me refusait jamais rien, la permission de veiller sœur Hélène qui était malade. « Comment ! dit-elle d'un air étonné, sœur Hélène est malade, et il n'y a que vous pour la soigner ? – C'est comme cela, madame ; me le permettez-vous ? – Allez, ma très chère, répondit-elle, tout ce que vous faites ne peut être que fort agréable à Dieu. » Ainsi me traitait cette ridicule et excellente personne dont je m'étais tant moquée, et qui n'avait souci et rancune d'aucune chose au monde, quand il ne s'agissait pas de son perroquet et du chat de la mère Alippe.

Je restai auprès de sœur Hélène jusqu'au moment où l'on vint fermer les portes de communication des dortoirs. Elle dormait enfin et paraissait tranquille quand je la quittai. Elle avait mortellement souffert pendant quelques heures, et il lui était arrivé de dire en se tordant sur son lit : « On ne peut donc pas mourir ! » Mais pas une plainte contre qui que ce fût ne lui était échappée, et le lendemain je la trouvai au travail, souriante et presque gaie. C'était la bienfaisante mobilité de l'enfant unie à la résignation et au courage d'une sainte.

Cette mystérieuse aventure avait laissé en moi plus de traces qu'en elle ; je vis bien, aux manières des religieuses avec moi et à la liberté qu'on me laissait de la voir à toute heure du jour, que je n'étais pour rien dans l'orage qui avait passé sur sa tête. Mais je n'en restai pas moins pensive et brisée, non pas ébranlée dans ma foi, mais troublée dans mon bonheur et dans ma confiance.

Vers ce même temps, je crois, la mère Alippe mourut d'un catarrhe pulmonaire endémique, qui mit aussi en danger la vie de la supérieure et de plusieurs autres religieuses. Je n'avais jamais été particulièrement liée avec la mère Alippe ; pourtant je l'aimais beaucoup, j'avais pu apprécier, à la petite classe, la droiture et la justice de son caractère. Elle fut fort regrettée, et sa mort presque subite (après quelques jours de maladie seulement) fut accompagnée de circonstances déchirantes. Sa sœur Poulette, qui la soignait et qui avait aussi, comme infirmière, à soigner les autres et la supérieure, montra un courage admirable dans sa douleur, au point de tomber évanouie et comme morte elle-même dans l'infirmerie, au milieu de ses fonctions, le jour de l'enterrement de mère Alippe.

Cet enterrement fut beau de tristesse et de poésie : les chants, les larmes, les fleurs, la cérémonie dans le cimetière, les pensées plantées immédiatement sur sa tombe et que nous nous hâtâmes de cueillir pour nous les partager, la douleur profonde et résignée des religieuses, tout sembla donner un caractère de sainteté et comme un charme secret à cette mort sereine, à cette séparation d'un jour, comme disait la bonne et courageuse Poulette.

Mais j'avais été violemment troublée par une circonstance incompréhensible pour moi. Nous avions appris la mort de la mère Alippe le matin en sortant de nos cellules. On s'abordait tristement, on pleurait, on était triste, mais calme, car dès la veille la digne créature était condamnée et était entrée dans son agonie. On nous avait caché cette lutte suprême, mais sans nous laisser d'espoir. Par un sentiment de respect pour le repos de l'enfance, ces tristes heures s'étaient écoulées sans bruit. Nous n'avions entendu ni son de cloche, ni prières des agonisants. Le lugubre appareil de la mort nous avait été voilé. Nous nous mîmes en prières. C'était par une matinée froide et brumeuse. Un jour terne se glissait sur nos têtes inclinées. Tout à coup, au milieu de l'*Ave, Maria*, un cri déchirant, horrible, part du milieu de nous : tout le monde se lève épouvanté. Élisa seule ne se lève pas, elle tombe par terre et se roule, en proie à des convulsions terribles.

Par un effort de sa volonté, elle fut debout pour aller entendre la messe, mais elle y fut reprise des mêmes crises nerveuses, et obligée de sortir. Toute la journée elle fut plus morte que vive ; le lendemain et les jours suivants, il lui échappait un cri strident, au milieu de ses méditations ou de ses études ; elle promenait des yeux hagards autour d'elle, elle était comme poursuivie par un spectre.

Comme elle ne s'expliquait pas, nous attribuâmes d'abord cette commotion physique au chagrin ; mais pourquoi ce chagrin violent, puisqu'elle n'était pas plus liée d'amitié particulière avec la mère Alippe que la plupart d'entre nous ? Elle m'expliqua ce qu'elle souffrait aussitôt que nous fûmes seules : sa chambre n'était séparée que par une mince cloison de l'alcôve de la petite infirmerie où la mère Alippe était morte. Pendant toute la nuit, elle avait, pour ainsi dire, assisté à son agonie. Elle n'avait pas perdu un mot, un gémissement de la moribonde, et le râle final avait exercé sur ses nerfs irritables un effet sympathique. Elle était forcée de se faire violence pour ne pas l'imiter en racontant cette nuit d'angoisses et de terreurs. Je fis mon possible pour la calmer ; nous avions une prière à la Vierge qu'elle aimait à dire avec moi dans ses heures de souffrance morale. C'était une prière en anglais qui lui venait de sa chère madame de Borgia et qu'il ne fallait pas dire seule, selon la pensée fraternelle du christianisme primitif, exprimée par cette parole : « Je vous le dis en vérité, là où vous serez trois réunis en mon nom, je serai au milieu de vous. » Faute d'une troisième compagne aussi assidue que nous à ces pratiques d'une dévotion particulière, nous la disions à nous deux. Élisa avait un prie-Dieu dans sa cellule, qui était arrangée comme celle d'une religieuse. Nous allumions un petit cierge de cire bien blanche, au pied duquel nous déposions un bouquet des plus belles fleurs que nous pouvions nous procurer. Ces fleurs et cette cire vierge étaient exclusivement consacrées comme offrandes dans cette prière. Élisa aimait ces pratiques extérieures de la dévotion, elle y attachait de l'importance, elle leur attribuait des influences secrètes pour la guérison des peines morales qu'elle éprouvait souvent. Elle chérissait les formules.

Je pensais bien qu'elle matérialisait un peu son culte, et cela me faisait l'effet d'un amusement naïf et tendre ; mais je le partageais par affection pour elle

plus que par goût. Je trouvais toujours que la seule
vraie prière était l'*oraison mentale*, l'effusion du cœur
sans paroles, sans phrases, et même sans idées. Élisa
aimait tout dans la dévotion, le fond et la forme. Elle
avait le goût des *patenôtres*. Il est vrai qu'elle y savait
répandre la poésie qui était en elle.

Néanmoins, l'oraison de madame Borgia ne la calma
qu'un instant, et elle m'avoua qu'elle se sentait assaillie
de terreurs involontaires et inexplicables. Le fantôme
de la mort s'était dressé devant elle dans toute son
horreur ; cette riche et vivante organisation frissonnait
d'épouvante devant l'idée de la destruction. À toute
heure elle offrait sa vie à Dieu, et certes elle était d'une
trempe à ne pas reculer devant la résolution du martyre. Mais la souffrance et la mort, lorsqu'elles se
matérialisaient devant ses yeux, ébranlaient trop fortement son imagination ; cette âme si forte avait les nerfs
d'une femmelette. Elle se le reprochait et n'y pouvait
rien.

Je ne saurais dire pourquoi cela me déplut. J'étais en
humeur de désenchantement ; je trouvai étrange et
fâcheux que ma sainte Élisa, le type de la force et de la
vaillance, fût agitée et troublée devant une chose aussi
auguste, aussi solennelle que la mort d'un être sans
péché. Je n'avais jamais eu peur de la mort en général.
Ma grand-mère me l'avait fait envisager avec un calme
philosophique dont je retrouvais l'emploi en face de la
mort chrétienne, moins froide et tout aussi sereine que
celle du stoïque. Pour la première fois, cela m'apparut
comme quelque chose de sombre, à travers l'impression maladive d'Élisa. Tout en la blâmant en moi-
même de ne pas l'envisager comme je l'entendais, je
sentis sa terreur devenir contagieuse, et, le soir, comme
je traversais le dortoir où reposait la morte, j'eus
comme une hallucination ; je vis passer devant moi
l'ombre de la mère Alippe avec sa robe blanche qu'elle
secouait et agitait sur le carreau. J'eus peine à retenir
un cri comme ceux que jetait Élisa. Je m'en défendis,
mais j'eus honte de moi-même. Je m'accusai de cette

vaine terreur comme d'une impiété, et je me sentis presque aussi mécontente d'Élisa que de moi-même.

Au milieu de ces désillusions que je refoulais de mon mieux, la tristesse me prit. Un soir j'entrai dans l'église et ne pus prier. Les efforts que je fis pour ranimer mon cœur fatigué ne servirent qu'à l'abattre davantage. Je me sentais malade depuis quelque temps, j'avais des spasmes d'estomac insupportables, plus de sommeil ni d'appétit. Ce n'est pas à quinze ans qu'on peut supporter impunément les austérités auxquelles je me livrais. Élisa en avait dix-neuf, sœur Hélène en avait vingt-huit. Je faiblissais visiblement sous le poids de mon exaltation. Le lendemain de cette soirée, qui faisait un pendant si affligeant à ma veillée du 4 août, je me levai avec effort ; j'eus la tête lourde et distraite à la prière. La messe me trouva sans ferveur. Il en fut de même le soir. Le jour suivant, je fis de tels efforts de volonté que je ressaisis mon émotion et mes transports. Mais le lendemain fut pire. La période de l'effusion était épuisée, une lassitude insurmontable m'écrasait. Pour la première fois depuis que j'étais dévote, j'eus comme des doutes, non pas sur la religion, mais sur moi-même. Je me persuadai que la grâce m'abandonnait. Je me rappelai cette terrible parole : « *Il y a beaucoup d'appelés, peu d'élus.* » Enfin, je crus sentir que Dieu ne m'aimait plus, parce que je ne l'aimais pas assez. Je tombai dans un morne désespoir.

Je fis part de mon mal à madame Alicia. Elle en sourit et me voulut démontrer que c'était une mauvaise disposition de santé, à l'effet de laquelle il ne fallait pas attacher trop d'importance.

« Tout le monde est sujet à ces défaillances de l'âme, me dit-elle. Plus vous vous en tourmenterez, plus elles augmenteront. Acceptez-les en esprit d'humilité, et priez pour que cette épreuve finisse ; mais si vous n'avez commis aucune faute grave dont cette langueur soit le juste châtiment, patientez, espérez et priez ! »

Ce qu'elle me disait là était le fruit d'une grande expérience philosophique et d'une raison éclairée. Mais ma faible tête ne sut pas en profiter. J'avais goûté

trop de joie dans ces ardeurs de la dévotion pour me
résigner à en attendre paisiblement le retour. Madame
Alicia m'avait dit : « *Si vous n'avez pas commis quelque*
faute grave ! » Me voilà cherchant la faute que j'avais pu
commettre ; car de supposer Dieu assez fantasque et
assez cruel pour me retirer la grâce sans autre motif
que celui de m'éprouver, je n'y pouvais consentir.
« Qu'il m'éprouve dans ma vie extérieure, je le conçois,
me disais-je ; on accepte, on cherche le martyre ; mais
pour cela la grâce est nécessaire, et s'il m'ôte la grâce,
que veut-il donc que je fasse ? Je ne puis rien que par
lui, s'il m'abandonne, est-ce ma faute ? »

Ainsi je murmurais contre l'objet de mon adoration,
et comme une amante jalouse et irritée, je lui eusse
volontiers adressé d'amers reproches. Mais je frisson-
nais devant ces instincts de rébellion, et, me frappant la
poitrine : « Oui, me disais-je, il faut que ce soit ma
faute. Il faut que j'aie commis un crime et que ma
conscience endurcie ou hébétée ait refusé de m'avertir. »

Et me voilà épluchant ma conscience et cherchant
mon péché avec une incroyable rigueur envers moi-
même, comme si l'on était coupable quand on cherche
ainsi sans pouvoir rien trouver ! Alors je me persuadai
qu'une suite de péchés véniels équivalait à un péché
mortel, et je cherchai de nouveau cette quantité de
péchés véniels que j'avais dû commettre, que je com-
mettais sans doute à toute heure, sans m'en rendre
compte, puisqu'il est écrit que le juste pèche *sept fois*
par jour, et que le chrétien humble doit se dire qu'il
pèche jusqu'à *septante fois sept fois*.

Il y avait peut-être eu beaucoup d'orgueil dans mon
enivrement. Il y eut excès d'humilité dans mon retour
sur moi-même. Je ne savais rien faire à demi. Je pris la
funeste habitude de scruter en moi les petites choses. Je
dis funeste, parce qu'on n'agit pas ainsi sur sa propre
individualité sans y développer une sensibilité déréglée, et sans arriver à donner une importance puérile
aux moindres mouvements du sentiment, aux moindres
opérations de la pensée. De là à la disposition maladive

qui s'exerce sur les autres et qui altère les rapports de l'affection par une susceptibilité trop grande et par une secrète exigence, il n'y a qu'un pas, et si un jésuite vertueux n'eût été à cette époque le médecin de mon âme, je serais devenue insupportable aux autres comme je l'étais déjà à moi-même.

Pendant un mois ou deux, je vécus dans ce supplice de tous les instants, sans retrouver la grâce : c'est-à-dire la juste confiance qui fait que l'on se sent véritablement assisté de l'esprit divin. Ainsi tout mon pénible travail pour retrouver la grâce ne servait qu'à me la faire perdre davantage. J'étais devenue ce qu'en style de dévots on appelait *scrupuleuse*.

Une dévote tourmentée de scrupules de conscience devenait misérable. Elle ne pouvait plus communier sans angoisses, parce que, entre l'absolution et le sacrement, elle ne se pouvait préserver de la crainte d'avoir commis un péché. Le péché véniel ne fait pas perdre l'absolution ; un acte fervent de contrition en efface la souillure et permet d'approcher de la sainte table ; mais si le péché est mortel, il faut ou s'abstenir, ou commettre un sacrilège. Le remède, c'est de recourir bien vite au directeur, ou, à son défaut, au premier prêtre qui se peut trouver, pour obtenir une nouvelle absolution ! Sot remède, abus véritable d'une institution dont la pensée primitive fut grande et sainte, et qui pour les dévots devient un commérage, une taquinerie puérile, une obsession auprès du Créateur rabaissé au niveau de la créature inquiète et jalouse. Si un péché mortel avait été commis au moment ou seulement à la veille de la communion, ne faudrait-il pas s'abstenir et attendre une plus longue expiation, une plus difficile réconciliation que celles qui s'opèrent, en cinq minutes de confession, entre le prêtre et le pénitent ? Ah ! les premiers chrétiens ne l'eussent pas entendu ainsi, eux qui faisaient à la porte du temple une confession publique avant de se croire lavés de leurs fautes, eux qui se soumettaient à des épreuves terribles, à des années de pénitence. Ainsi entendue, la confession pouvait et devait transformer un être, et faire surgir

véritablement l'homme nouveau de la dépouille du
vieil homme. Le vain simulacre de la confession
secrète, la courte et banale exhortation du prêtre, cette
niaise pénitence qui consiste à dire quelque prière, est-
ce là l'institution pure, efficace et solennelle des premiers temps ?

La confession n'a plus qu'une utilité sociale fort restreinte, parce que le secret qui s'y est glissé a ouvert la
porte à plus d'inconvénients que d'avantages pour la
sécurité et la dignité des familles. Devenue une vaine
formalité pour permettre l'approche des sacrements,
elle n'imprime point au croyant un respect assez profond et un repentir assez durable. Son effet est à peu
près nul sur les chrétiens tièdes et tolérants. Il est
grand, au contraire, sur les fervents ; mais c'est à titre
de directeur de conscience, et non comme confesseur,
que le prêtre agit réellement sur ces esprits-là. Cela est
si vrai, qu'on voit souvent ces deux fonctions distinctes
et remplies par deux personnes différentes. Dans cette
situation, le confesseur est effacé, puisque le directeur
décide de ce qui doit lui être révélé. Il est comme
l'infirmier à qui le médecin en chef abandonne et prescrit les soins vulgaires. De toute main l'absolution est
bonne, mais le directeur a seul le secret de la maladie et
la science de la guérison.

L'ascendant du confesseur n'est donc réel que
lorsqu'il est en même temps le directeur de la conscience. Pour cela il faut qu'il connaisse l'individu et
qu'il le choie ou le guide assidûment : c'est alors que le
prêtre devient le véritable chef de la famille, et c'est
presque toujours par la femme qu'il règne, comme l'a
si bien démontré M. Michelet dans un beau livre terrible de vérité [9]. Pourtant, quand le prêtre et le pénitent
sont sincères, la confession peut être encore secoura-
ble, mais la faiblesse humaine, l'esprit dominateur et
intrigant du clergé, la foi perdue au sein de l'Église
plus encore que dans celui de la femme, ont assez
prouvé que les bienfaits de cette institution détournée
de son but et dénaturée par le laisser-aller des siècles

sont devenus exceptionnels, tandis que ses dangers et le mal produit habituellement sont immenses.

J'en parle par esprit de justice et d'examen ; mon expérience personnelle me conduirait à d'autres conclusions, si je me renfermais dans ma personnalité pour juger le reste du monde. J'eus le bonheur de rencontrer un digne prêtre, qui fut longtemps pour moi un ami tranquille, un conseiller fort sage. Si j'avais eu affaire à un fanatique, je serais morte ou folle, comme je l'ai déjà dit ; à un imposteur, je serais peut-être athée, du moins j'aurais pu l'être par réaction pendant un temps donné.

L'abbé de Prémord fut pendant quelque temps la dupe généreuse de mes confessions. Je m'accusais de froideur, de relâchement, de dégoût, de sentiments impies, de tiédeur dans mes exercices de piété, de paresse à la classe, de distraction à l'église, de désobéissance par conséquent, et cela, disais-je, toujours, à toute heure, sans contrition efficace, sans progrès dans ma conversion, sans force pour arriver à la victoire. Il me grondait bien doucement, me prêchait la persévérance et me renvoyait en disant : « Allons, espérons, ne vous découragez pas ; vous avez du repentir, donc vous triompherez. »

Enfin, un jour que je m'accusais plus énergiquement, et que je pleurais amèrement, il m'interrompit au beau milieu de ma confession avec la brusquerie d'un brave homme ennuyé de perdre son temps. « Tenez, me dit-il, je ne vous comprends plus et j'ai peur que vous n'ayez l'esprit malade. Voulez-vous m'autoriser à m'informer de votre conduite auprès de la supérieure ou de telle personne que vous me désignerez ? – Qu'apprendrez-vous par là ? lui dis-je. Des personnes indulgentes et qui me chérissent vous diront que j'ai les apparences de la vertu ; mais si le cœur est mauvais et l'âme égarée, moi seule puis en être juge, et le bon témoignage que l'on vous portera de moi ne me rendra que plus coupable. – Vous seriez donc hypocrite ? reprit-il. Eh non, c'est impossible !

Laissez-moi m'informer de vous. J'y tiens essentiellement. Revenez à quatre heures, nous causerons. »

Je crois qu'il vit la supérieure et madame Alicia.
Quand je fus le retrouver, il me dit en souriant : « Je
savais bien que vous étiez folle, et c'est de cela que je
veux vous gronder. Votre conduite est excellente, vos
dames en sont enchantées ; vous êtes un modèle de
douceur, de ponctualité, de piété sincère ; mais vous
êtes malade, et cela réagit sur votre imagination : vous
devenez triste, sombre et comme extatique. Vos compagnes ne vous reconnaissent plus, elles s'étonnent et
vous plaignent. Prenez-y garde, si vous continuez
ainsi, vous ferez haïr et craindre la piété, et l'exemple
de vos souffrances et de vos agitations empêchera plus
de conversions qu'il n'en attirera. Vos parents s'inquiè-
tent de votre exaltation. Votre mère pense que le
régime du couvent vous tue : votre grand-mère écrit
qu'on vous fanatise et que vos lettres se ressentent d'un
grand trouble dans l'esprit. Vous savez bien qu'au
contraire on cherche à vous calmer. Quant à moi, à
présent que je sais la vérité, j'exige que vous sortiez de
cette exagération. Plus elle est sincère, plus elle est
dangereuse. Je veux que vous viviez pleinement et
librement de corps et d'esprit ; et comme dans la
maladie des *scrupules* que vous avez il entre beaucoup
d'orgueil à votre insu sous forme d'humilité, je vous
donne pour pénitence de retourner aux jeux et aux
amusements innocents de votre âge. Dès ce soir, vous
courrez au jardin comme les autres, au lieu de vous
prosterner à l'église en guise de récréation. Vous sau-
terez à la corde, vous jouerez aux barres. L'appétit et le
sommeil vous reviendront vite, et quand vous ne serez
plus malade physiquement, votre cerveau appréciera
mieux ces prétendues fautes dont vous croyez devoir
vous accuser. – Ô mon Dieu ! m'écriai-je, vous m'im-
posez là une plus rude pénitence que vous ne pensez.
J'ai perdu le goût du jeu et l'habitude de la gaieté. Mais
je suis d'un esprit si léger, que si je ne m'observe à
toute heure, j'oublierai Dieu et mon salut. – Ne croyez
pas cela, reprit-il. D'ailleurs, si vous allez trop loin,

votre conscience, qui aura recouvré la santé, vous aver-
tira à coup sûr, et vous écouterez ses reproches. Songez que vous êtes malade, et que Dieu n'aime pas les
élans fiévreux d'une âme en délire. Il préfère un hommage pur et soutenu. Allons, obéissez à votre médecin.
Je veux que dans huit jours on me dise qu'un grand
changement s'est opéré dans votre air et dans vos
manières. Je veux que vous soyez aimée et écoutée de
toutes vos compagnes, non pas seulement de celles qui
sont sages, mais encore (et surtout) de celles qui ne le
sont pas. Faites-leur connaître que l'amour du devoir
est une douce chose, et que la foi est un sanctuaire
d'où l'on sort avec un front serein et une âme bien-
veillante. Rappelez-vous que Jésus voulait que ses disciples eussent les mains lavées et la chevelure parfumée. Cela voulait dire, n'imitez pas ces fanatiques et
ces hypocrites qui se couvrent de cendres et qui ont le
cœur impur comme le visage : soyez agréables aux
hommes, afin de leur rendre agréable la doctrine que
vous professez. Eh bien, mon enfant, il s'agit pour
vous de ne pas enterrer votre cœur dans les cendres
d'une pénitence mal entendue. Parfumez ce cœur
d'une grande aménité et votre esprit d'un aimable
enjouement. C'était votre naturel, il ne faut pas qu'on
pense que la piété rend l'humeur farouche. Il faut que
l'on aime Dieu dans ses serviteurs. Allons, faites votre
acte de contrition, et je vous donnerai l'absolution.
– Quoi ! mon père, lui dis-je, je me distrairai, je me dis-
siperai ce soir, et vous voulez que je communie
demain ? – Oui vraiment, je le veux, reprit-il, et
puisque je vous ordonne de vous amuser par pénitence, vous aurez accompli un devoir. – Je me soumets
à tout si vous me promettez que Dieu m'en saura gré et
qu'il me rendra ces doux transports, ces élans spirituels qui me faisaient sentir et savourer son amour. – Je
ne puis vous le promettre de sa part, dit-il en souriant,
mais je vous en réponds, vous verrez. »

    Et le bonhomme me congédia, stupéfaite, boule-
versée, effrayée de son ordonnance. J'obéis cependant,
l'obéissance passive étant le premier devoir du chré-

tien, et je reconnus bien vite qu'il n'est pas fort difficile à quinze ans de reprendre goût à la corde et aux balles élastiques. Peu à peu je me remis au jeu avec complaisance, et puis avec plaisir, et puis avec passion, car le mouvement physique était un besoin de mon âge, de mon organisation, et j'en avais été trop longtemps privée pour n'y pas trouver un attrait nouveau.

Mes compagnes revinrent à moi avec une grâce extrême, ma chère Fannelly la première, et puis Pauline, et puis Anna, et puis toutes les autres, les diables comme les sages. En me voyant si gaie, on crut un instant que j'allais redevenir terrible. Élisa m'en gronda un peu, mais je lui racontai, ainsi qu'à celles qui recherchaient et méritaient ma confiance, ce qui s'était passé entre l'abbé de Prémord et moi, et ma gaieté fut acceptée comme légitime et même comme méritoire.

Tout ce que mon bon directeur m'avait prédit m'arriva. Je recouvrai promptement la santé physique et morale. Le calme se fit dans mes pensées ; en interrogeant mon cœur, je le trouvai si sincère et si pur que la confession devint une courte formalité destinée à me donner le plaisir de communier. Je goûtai alors l'indicible bien-être que l'esprit jésuitique sait donner à chaque nature selon son penchant et sa portée. Esprit de conduite admirable dans son intelligence du cœur humain et dans les résultats qu'il pourrait obtenir pour le bien, si, comme l'abbé de Prémord, tout homme qui le professe et le répand avait l'amour du bien et l'horreur du mal ; mais les remèdes deviennent des poisons dans certaines mains, et le puissant levier de l'école jésuitique a semé la mort et la vie avec une égale puissance dans la société et dans l'Église.

Il se passa alors environ six mois qui sont restés dans ma mémoire comme un rêve, et que je ne demande qu'à retrouver dans l'éternité pour ma part de paradis. Mon esprit était tranquille. Toutes mes idées étaient riantes. Il ne poussait que des fleurs dans mon cerveau, naguère hérissé de rochers et d'épines. Je voyais à toute heure le ciel ouvert devant moi, la Vierge et les anges me souriaient en m'appelant ; vivre ou mourir m'était indifférent. L'empyrée m'attendait avec toutes ses splendeurs, et je ne sentais plus en moi un grain de poussière qui pût ralentir le vol de mes ailes. La terre était un lieu d'attente où tout m'aidait et m'invitait à faire mon salut. Les anges me portaient sur leurs mains, comme le prophète, pour empêcher que, dans la nuit, *mon pied ne heurtât la pierre du chemin* [10]. Je ne priais plus autant que par le passé, cela m'était défendu ; mais chaque fois que je priais, je retrouvais mes élans d'amour, moins impétueux peut-être, mais mille fois plus doux. La coupable et sinistre pensée du courroux du Père céleste et de l'indifférence de Jésus ne se présentait plus à moi. Je communiais tous les dimanches et à toutes les fêtes, avec une incroyable sérénité de cœur et d'esprit. J'étais libre comme l'air dans cette douce et vaste prison du couvent. Si j'avais demandé la clef des souterrains on me l'eût donnée. Les religieuses me gâtaient comme leur enfant chéri, ma bonne Alicia, ma chère Hélène, madame Eugénie, Poulette, la sœur Thérèse, madame Anne-Joseph, la supérieure, Élisa, et les anciennes pensionnaires, et les nouvelles, et la grande et la petite classe, *je traînais tous les cœurs après moi* [11]. Tant il est facile d'être parfaitement aimable quand on se sent parfaitement heureux.

Mon retour à la gaieté fut comme une résurrection pour la grande classe. Depuis ma conversion la diablerie n'avait plus battu que d'une aile. Elle se réveilla sous une forme tout à fait inattendue ; on devint anodin, diable à l'eau de rose, c'est-à-dire franchement espiègle, sans esprit de révolte, sans rupture avec le devoir. On travailla aux heures de travail, on rit et on joua aux heures de récréation comme on n'avait jamais fait. Il n'y eut plus de coteries, plus de camps séparés entre les diables, les sages et les bêtes. Les diables se radoucirent, les sages s'égayèrent, les bêtes prirent du jugement et de la confiance, parce qu'on sut les utiliser et les divertir.

Ce grand progrès dans les mœurs du couvent se fit au moyen des amusements en commun. Nous imaginâmes, entre cinq ou six de la grande classe, d'impro-

viser des charades ou plutôt de petites comédies,
arrangées d'avance par *scénarios* et débitées d'abondance. Comme j'avais, grâce à ma grand-mère, un peu
plus de littérature que mes camarades et une sorte de
facilité à mettre en scène des caractères, je fus l'auteur
de la troupe. Je choisis mes acteurs, je commandai les
costumes ; je fus fort bien secondée et j'eus des sujets
très remarquables. Le fond de la classe, donnant sur le
jardin, devint théâtre aux heures permises. Nos premiers essais furent comme le début de l'art à son
enfance ; la Comtesse les toléra d'abord, puis elle y prit
plaisir, et engagea madame Eugénie et madame Françoise à venir voir s'il n'y avait rien d'illicite dans ce
divertissement. Ces dames rirent et approuvèrent.

Il se fit rapidement de grands progrès dans nos
représentations. On nous prêta de vieux paravents
pour faire nos coulisses. Les accessoires nous vinrent
de toutes parts. Chacune apporta de chez ses parents
des matériaux pour les costumes. La difficulté était de
s'habiller en homme. La pudeur et les nonnes ne l'eussent pas souffert. J'imaginai le costume Louis XIII, qui
conciliait la décence et la possibilité de s'arranger. Nos
jupes froncées en bas jusqu'à mi-jambes formèrent les
hauts-de-chausses ; nos corsages mis sens devant derrière, un peu arrangés et ouverts sur des mouchoirs
froncés en devant de chemise et en crevés de manches,
formèrent les pourpoints. Deux tabliers cousus ensemble
firent des manteaux. Les rubans, perruques, chapeaux
et fanfreluches ne furent pas difficiles à se procurer.
Quand on manquait de plumes, on en faisait en papier
découpé et frisé. Les pensionnaires sont adroites,
inventives et savent tirer parti de tout. On nous permit
les bottes, les épées et les feutres. Les parents en fournirent. Bref, les costumes furent satisfaisants, et l'on
fut indulgent pour la mise en scène. On voulut bien
prendre une grande table pour un pont et un escabeau
couvert d'un tapis vert pour un banc de gazon.

On permit à la petite classe de venir assister à nos
représentations, et on enrôla quiconque voulut s'engager. La supérieure, qui aimait beaucoup à s'amuser,

nous fit dire enfin un beau jour qu'elle avait ouï conter des merveilles de notre théâtre et qu'elle désirait y assister avec toute la communauté. Déjà la Comtesse et madame Eugénie avaient prolongé la récréation jusqu'à dix heures, et puis jusqu'à onze les jours de spectacle. La supérieure la prolongea pour le jour en question jusqu'à minuit : c'est-à-dire qu'elle voulut un divertissement complet. Sa demande et sa permission furent accueillies avec transport. On se précipita sur moi : « Allons, *l'auteur*, allons, *boute en train* (c'était le dernier surnom qu'on m'avait donné), à l'œuvre ! Il nous faut un spectacle admirable ; il nous faut six actes, en deux ou trois pièces. Il faut tenir notre public en haleine depuis huit heures jusqu'à minuit. C'est ton affaire, nous t'aiderons pour tout le reste ; mais pour cela, nous ne comptons que sur toi. »

La responsabilité qui pesait sur moi était grave. Il fallait faire rire la supérieure, mettre en gaieté les plus graves personnes de la communauté ; et pourtant il ne fallait pas aller trop loin, la moindre légèreté pouvait faire crier au scandale et faire fermer le théâtre. Quel désespoir pour mes compagnes ! Si j'ennuyais seulement, le théâtre pouvait être également fermé sous prétexte de trop de désordre dans les récréations du soir et de dissipation dans les études du jour, et le prétexte n'eût point été spécieux : car il est bien certain que ces divertissements montaient beaucoup de jeunes têtes, à la petite classe surtout.

Heureusement je connaissais assez bien mon Molière, et en retranchant les amoureux on pouvait trouver encore assez de scènes comiques pour défrayer toute une soirée. *Le Malade imaginaire* m'offrit un scénario complet. Du dialogue et de l'enchaînement des scènes je ne pouvais avoir un souvenir exact. Molière était défendu au couvent, comme bien l'on pense, et tout directeur de théâtre que j'étais, je n'en étais pas moins vertueuse. Je me rappelai pourtant assez la donnée principale pour ne pas trop m'écarter de l'original dans mon scénario ; je soufflai à mes actrices les parties importantes du dialogue, et je leur communiquai assez de la couleur de l'ensemble. Pas une n'avait lu Molière, pas une de nos religieuses n'en connaissait une ligne. J'étais donc bien sûre que ma pièce aurait pour toutes l'attrait de la nouveauté. Je ne sais plus par qui furent remplis les rôles, mais ils le furent tous avec beaucoup d'intelligence et de gaieté. Je retranchai du mien, moitié par oubli, moitié à dessein, beaucoup de crudités médicales, car je faisais monsieur Purgon. Mais, à peine eus-je commencé à faire agir et parler mon monde, à peine eus-je débité quelques phrases que je vis la supérieure éclater de rire, madame Eugénie s'essuyer les yeux et toute la communauté se dérider.

Tous les ans, à la fête de la supérieure, on lui jouait la comédie avec beaucoup plus de soin et de pompe que ce que nous faisions là. On dressait alors un véritable théâtre. Il y avait un magasin de décors *ad hoc*, une rampe, un tonnerre, des rôles appris par cœur et admirablement joués. Mais les représentations n'étaient point gaies ; c'étaient toujours les petits drames larmoyants de madame de Genlis [12]. Moi, avec mes paravents, mes bouts de chandelle, mes actrices recrutées de confiance parmi celles que leur instinct poussait à s'offrir ; avec mon *scénario* bâti de mémoire, notre dialogue improvisé et une répétition pour toute préparation, je pouvais arriver à un *fiasco* complet. Il n'en fut point ainsi. La gaieté, la verve, le vrai comique de Molière, même récité par bribes et représenté par fragments incomplets, enlevèrent l'auditoire. Jamais de mémoire de nonne on n'avait ri de si bon cœur.

Ce succès obtenu dès les premières scènes nous encouragea. J'avais préparé pour intermède une scène de *matassins* avec une poursuite bouffonne empruntée à *Monsieur de Pourceaugnac* [13]. Seulement, j'avais dit à mes actrices de se tenir dans les coulisses, c'est-à-dire derrière les paravents, et de n'exhiber les armes que si j'entrais moi-même en scène pour leur en donner l'exemple. Quand je vis qu'on était en humeur de tout accepter, je changeai vite de costume, et, faisant l'apothicaire, je commençai l'intermède, en brandissant l'instrument classique au-dessus de ma tête. Je fus accueillie par des rires homériques. On sait que ce genre de plaisanterie n'a jamais scandalisé les dévots. Aussitôt mon régiment noir à tabliers blancs s'élança sur la scène, et cette exhibition burlesque (Poulette nous avait prêté tout l'arsenal de l'infirmerie) mit la communauté de si belle humeur que je pensai voir crouler la salle.

La soirée fut terminée par la cérémonie de réception, et comme je savais par cœur tous les vers, on avait pu les apprendre. Le succès fut complet, l'enthousiasme porté au comble. Ces dames, à force de réciter des offices en latin, en savaient assez pour apprécier le comique du latin bouffon de Molière. La supérieure se déclara divertie au dernier point, et je fus accablée d'éloges pour mon esprit et la gaieté de mes inventions. Je me tuais de dire tout bas à mes compagnes : « Mais c'est du Molière, et je n'ai fait merveille que de mémoire. » On ne m'écoutait pas, on ne voulait pas me croire. Une seule, qui avait lu Molière aux dernières vacances, me dit tout bas : « Tais-toi ! il est fort inutile de dire à ces dames où tu as pris tout cela. Peut-être qu'elles feraient fermer le théâtre si elles savaient que nous leur donnons du Molière. Et puisque rien ne les a choquées, il n'y a aucun mal à ne leur rien dire, si elles ne te questionnent pas. »

En effet, personne ne songea à douter que l'esprit de Molière fût sorti de ma cervelle. J'eus un instant de scrupule d'accepter tous ces compliments. Je me tâtai pour savoir si ma vanité n'y trouvait pas son compte ; je m'aperçus que c'était tout le contraire, et qu'à moins d'être fou, on ne pouvait que souffrir en se voyant décerner l'hommage dû à un autre. J'acceptai cette mortification par dévouement pour mes compagnes, et le théâtre continua à prospérer et à attirer la supérieure et les religieuses le dimanche.

Ce fut une suite de pastiches puisés dans tous les tiroirs de ma mémoire et arrangés selon les moyens et les convenances de notre théâtre. Cet amusement eut l'excellent résultat d'étendre le cercle des relations et des amitiés entre nous. La camaraderie, le besoin de s'aider les unes les autres pour se divertir en commun, engendrèrent la bienveillance, la condescendance, une indulgence mutuelle, l'absence de toute rivalité. Enfin le besoin d'aimer, si naturel aux jeunes cœurs, forma autour de moi un groupe qui grossissait chaque jour et qui se composa bientôt de tout le couvent, religieuses et pensionnaires, grande et petite classe. Je puis rappeler sans vanité ce temps où je fus l'objet d'un engouement inouï dans les fastes du couvent, puisque ce fut l'ouvrage de mon confesseur et le résultat de la dévotion tendre, expansive et riante où il m'avait entraînée.

On me savait un gré infini d'être dévote, complaisante et amusante. La gaieté se communiqua aux caractères les plus concentrés, aux dévotions les plus mélancoliques. Ce fut à cette époque que je contractai une tendre amitié avec Jane Bazouin, un petit être pâle, réservé, doux, malingre en apparence, mais qui a vécu pourtant sans maladie et à qui ses beaux grands yeux noirs, d'une finesse lente et bonne, et son petit sourire d'enfant tenaient lieu de beauté. C'était, ce sera toujours une créature adorable que Jane. C'était la bonté, le dévouement, l'obligeance infatigables de Fannelly avec la piété austère et ferme d'Élisa, le tout couronné d'une grâce calme et modeste qui ne pouvait se comparer qu'à Jane elle-même.

Elle avait deux sœurs plus belles et plus brillantes qu'elle : Chérie, qui était la plus jolie, la plus vivante et la plus recherchée des trois pour la séduction de ses manières, pauvre charmante fille qui est morte deux ans après ; Aimée, qui était belle de distinction et d'intelligence, et qui a traversé une jeunesse maladive pour épouser M. d'Héliand à vingt-sept ans. Aimée était à tous égards une personne supérieure. Ses manières étaient froides, mais son cœur était affectueux, et son intelligence la rendait propre à tous les arts, où elle excellait sans efforts et sans passion apparente.

Ces trois sœurs étaient en chambre avec une gouvernante pour les soigner, mais elles suivaient les classes et

les prières comme nous. On jalousait l'amitié de
Chérie et d'Aimée. Jane n'avait d'amies que ses sœurs.
Elle était trop timide et trop réservée pour en recher-
cher d'autres. Cette modestie me toucha, et je vis
bientôt que ce n'était pas la froideur et la stupidité qui
causaient son isolement. Elle était tout aussi intelligente, tout aussi instruite et beaucoup plus aimante
que ses sœurs. Je découvris en elle un trésor de bienveillance et de tendresse calme et durable. Nous avons
été intimement liées jusqu'en 1831. Je dirai plus tard
pourquoi, sans cesser de l'aimer comme elle le mérite,
j'ai cessé de la voir sans lui en dire la raison.

Ma petite Jane montra dans nos amusements qu'elle
était aussi capable de gentillesse et de gaieté que les
plus brillantes d'entre nous. Une fois même elle fut
punie du bonnet de nuit par la Comtesse, qui ne prenait pas toujours en bonne part nos espiègleries ; car la
gaieté montait tous les jours d'un cran, et les plus
roides s'y laissaient entraîner. Je me rappelle que cela
était devenu pour moi, pour tout le monde, une commotion électrique et comme irrésistible. Certes, je
m'abstenais désormais de tourner la pauvre Comtesse
en ridicule, et je faisais mon possible pour l'épargner
quand les autres s'en mêlaient. Mais quand, pour la
centième fois, elle se laissait prendre à la bougie de
pomme qu'Anna ou Pauline plaçaient dans sa lanterne, et lorsqu'elle disait une parole pour l'autre avec
le sang-froid d'une personne parfaitement distraite, en
voyant toute la classe partir d'un seul éclat de rire, il
me fallait en faire autant. Alors elle se tournait vers moi
d'un air de détresse, et comme Jules César à Brutus,
elle me disait, en se drapant dans son grand châle vert :
« Et vous aussi, Aurore ! » J'aurais bien voulu me
repentir, mais elle avait une manière de prononcer les *e*
muets qui sonnait comme un *o*. Anna la contrefaisait
admirablement, et se tournant vers moi, elle me criait :
« *Auroro, Auroro !* » Je n'y pouvais tenir, le rire devenait
nerveux. J'aurais ri dans le feu, comme on disait.

La gaieté alla si loin que quelques cervelles échauf-
fées la firent tourner en révolte. C'était à une époque

de la Restauration où il y eut comme une épidémie de rébellion dans tous les lycées, dans les pensions et même dans les établissements de notre sexe. Comme ces nouvelles nous arrivaient coup sur coup, avec le récit de circonstances tantôt graves, tantôt plaisantes, les plus vives d'entre nous disaient : « Est-ce que nous n'aurons pas aussi notre petite révolte ? Nous serons donc les seules qui ne suivrons pas la mode ? Nous n'aurons donc pas notre petite note dans les journaux ? »

La Comtesse émue devenait plus sévère parce qu'elle avait peur. Nos bonnes religieuses, quelques-unes du moins, avaient des figures allongées, et pendant trois ou quatre jours (je crois que nos voisins les Écossais avaient fait aussi leur insurrection) il y eut une sorte de méfiance et de terreur qui nous divertissait beaucoup. Alors on s'imagina de faire semblant de se révolter pour voir la frayeur de ces dames, celle de la Comtesse surtout. On ne m'en fit point part ; on était si bon pour moi qu'on ne voulait pas me mettre aux prises avec ma conscience, et on comptait bien m'entraîner dans le rire général quand l'affaire éclaterait.

Il en fut ainsi : un soir, à la classe, comme nous étions toutes assises autour d'une longue table, la Comtesse au bout, raccommodant ses nippes à la clarté des chandelles, j'entends ma voisine dire à sa voisine : « *Exhaussons !* » Le mot fait le tour de la table, qui, enlevée aussitôt par trente paires de petites mains, s'élève et s'exhausse en effet jusqu'au-dessus de la tête de la Comtesse. Fort distraite comme d'habitude, la Comtesse s'étonne de l'éloignement de la lumière ; mais au moment où elle lève la tête, la table et les lumières s'abaissent et reprennent leur niveau. On recommença plusieurs fois le même tour sans qu'elle s'en rendît compte. C'était à peu près la scène du niais au logis de la sorcière, dans *Les Pilules du Diable*[14]. Je trouvai la chose si plaisante que je ne me fis pas grand scrupule de recevoir le mot d'ordre et d'*exhausser* comme les autres. Mais enfin la Comtesse s'aperçut de nos sottises et se leva furieuse. Il était convenu qu'on ferait aussitôt des mines de mauvais garçons pour l'effrayer. Chacune se pose en conspirateur, les bras croisés, le sourcil froncé, et des chuchotements font entendre autour d'elle le mot terrible de *révolte*. La Comtesse était incapable de tenir tête à l'orage. Persuadée que le moment fatal est venu, elle s'enfuit en faisant flotter son grand châle comme une mouette qui étend ses ailes et qui prend son vol à travers les tempêtes.

Elle avait perdu l'esprit ; elle traversa le jardin pour se réfugier et se barricader dans sa chambre. Pour augmenter sa terreur, nous jetâmes les flambeaux, les chandelles et les tabourets par la fenêtre au moment où elle passait. Nous ne voulions ni ne pouvions l'atteindre ; mais ce vacarme, accompagné des cris : « Révolte ! révolte ! » pensa la faire mourir de peur. Pendant une heure nous fûmes livrées à nous-mêmes et à nos rires inextinguibles, sans que personne osât venir rétablir l'ordre. Enfin nous entendîmes de loin la grosse voix de la supérieure qui arrivait avec un bataillon de doyennes. C'était à notre tour d'avoir peur, car la supérieure était aimée, et comme on n'avait voulu que faire semblant de se révolter, il en coûtait d'être grondées et punies comme pour une révolte véritable. Aussitôt on court fermer au verrou les portes de la classe et de l'avant-classe ; on se hâte de ranger tout, on repêche les tabourets et les flambeaux, on rajuste et on rallume les chandelles ; puis, quand tout est en ordre, tout le monde se met à genoux et on commence tout haut la prière du soir, tandis qu'une de nous rouvre les portes au moment où la supérieure s'y présente, après quelque hésitation.

La Comtesse fut regardée comme une folle et comme une visionnaire, et Marie-Josèphe, la servante qui rangeait la classe le matin, et qui était la meilleure du monde, ne se plaignit pas de la fracture de quelques meubles et de quelques chandelles. Elle nous garda le secret, et là finit notre révolution.

Tout allait le mieux du monde ; le carnaval arrivait, et nous préparions une soirée de comédie comme jamais nous n'avions encore espéré de la réaliser. Je ne sais plus quelle pièce de Molière ou de Regnard[15] j'avais mise en canevas. Les costumes étaient prêts, les rôles distribués, le violon engagé. Car ce jour-là nous avions un violon, un bal, un souper, et toute la nuit pour nous divertir à discrétion.

Mais un événement politique, qui devait naturellement retentir comme une calamité publique dans un couvent, vint faire rentrer les costumes au magasin et la gaieté dans les cœurs.

Le duc de Berry fut assassiné à la porte de l'Opéra par Louvel[16]. Crime isolé, fantasque comme tous les actes de délire sanguinaire, et qui servit de prétexte à des persécutions, ainsi qu'à un revirement subit dans l'esprit du règne de Louis XVIII.

Cette nouvelle nous fut apportée le lendemain matin, et commentée par nos religieuses d'une manière saisissante et dramatique. Pendant huit jours on ne s'entretint pas d'autre chose, et les moindres détails de la mort chrétienne du prince, le désespoir de sa femme, qui coupa, disait-on, ses blonds cheveux sur sa tombe ; toutes les circonstances de cette tragédie royale et domestique, rapportées, embellies, amplifiées et poétisées par les journaux royalistes et les lettres particulières, défrayèrent nos récréations de soupirs et de larmes. Presque toutes nous appartenions à des familles nobles, royalistes, ou bonapartistes ralliées. Les Anglaises, qui étaient en majorité, prenaient part au deuil royal par principe, et d'ailleurs le récit d'une mort tragique et les larmes d'une illustre famille étaient émouvants pour nos jeunes imaginations comme une pièce de Corneille ou de Racine. On ne nous disait pas que le duc de Berry avait été un peu brutal et débauché, on nous le peignait comme un héros, comme un second Henri IV, sa femme comme une sainte, et le reste à l'avenant.

Moi seule peut-être je luttais contre l'entraînement général. J'étais restée bonapartiste et je ne m'en cachais pas, sans cependant me prendre de dispute avec personne à ce sujet.

Dans ce temps-là, quiconque était bonapartiste était traité de libéral. Je ne savais ce que c'était que le libéralisme ; on me disait que c'était la même chose que le jacobinisme, que je connaissais encore moins [17]. Je fus donc émue quand on me répéta sur tous les tons : « Qu'est-ce qu'un parti qui prêche, commet et préconise l'assassinat ? – S'il en est ainsi, répondis-je, je suis tout ce qu'il vous plaira, excepté libérale », et je me laissai attacher au cou je ne sais plus quelle petite médaille frappée en l'honneur du duc de Berry, qui était devenue comme un ordre pour tout le couvent.

Huit jours de tristesse, c'est bien long pour un couvent de jeunes filles. Un soir, je ne sais qui fit une grimace, une autre sourit, une troisième dit un bon mot, et voilà le rire qui fait le tour de la classe, d'autant plus violent et nerveux, qu'il succédait aux pleurs.

Peu à peu, on nous laissa reprendre nos amusements. Ma grand-mère était à Paris. Comme on lui rendait bon témoignage de ma conduite, elle n'avait plus sujet de me gronder sérieusement, et elle s'apercevait aussi que ma simplicité et mon absence de coquetterie n'allaient pas mal à une figure de seize ans. Elle me traitait donc avec toute sa bonté maternelle ; mais un nouveau souci s'était emparé d'elle à propos de moi : c'était ma dévotion et le secret désir que je conservais, et qu'elle avait appris vraisemblablement par madame de Pontcarré (qui devait le tenir de Pauline), de me faire religieuse. Elle avait su l'été précédent, par diverses lettres de personnes qui m'avaient vue au parloir, que j'étais souffrante, triste et *toute confite en Dieu*. Cette dévotion triste ne l'avait pas beaucoup inquiétée. Elle s'était dit avec raison que cela n'était pas de mon âge et ne pouvait durer. Mais quand elle me vit bien portante, fraîche, gaie, ne prenant avec personne d'airs revêches, et néanmoins rentrant chaque fois dans mon cloître avec plus de plaisir que j'en étais sortie, elle eut peur, et résolut de me reprendre avec elle aussitôt qu'elle repartirait pour Nohant.

Cette nouvelle tomba sur moi comme un coup de foudre, au milieu du plus parfait bonheur que j'eusse goûté de ma vie. Le couvent était devenu mon paradis sur la terre. Je n'y étais ni pensionnaire ni religieuse, mais quelque chose d'intermédiaire, avec la liberté absolue dans un intérieur que je chérissais et que je ne quittais pas sans regret, même pour une journée. Personne n'était donc aussi heureux que moi. J'étais l'amie de tout le monde, le conseil et le meneur de tous les plaisirs, l'idole des petites. Les religieuses, me voyant si gaie et persistant dans ma vocation, commençaient à y croire, et, sans l'encourager, ne disaient plus non. Élisa, qui seule ne s'était pas laissé distraire et égayer par mon entrain, y croyait fermement ; sœur Hélène, plus que jamais. J'y croyais moi-même et j'y ai cru encore longtemps après ma sortie du couvent. Madame Alicia et l'abbé de Prémord étaient les deux seules personnes qui n'y comptaient pas, me connaissant probablement mieux que les autres, et tous deux me disaient à peu près la même chose : « Gardez cette idée si elle vous est bonne ! mais pas de vœux imprudents, pas de secrètes promesses à Dieu, surtout pas d'aveu à vos parents avant le moment où vous serez certaine de vouloir pour toujours ce que vous voulez aujourd'hui. L'intention de votre grand-mère est de vous marier. Si dans deux ou trois ans vous ne l'êtes pas et que vous n'ayez pas envie de l'être, nous reparlerons de vos projets. »

Le bon abbé m'avait rendu bien facile la tâche d'être aimable. Dans les premiers temps j'avais été un peu effrayée de l'idée que mon devoir, aussitôt que j'aurais pris quelque ascendant sur mes compagnes, serait de les prêcher et de les convertir. Je lui avais avoué que je ne me sentais pas propre à ce rôle. « Vous voulez que je sois aimée de tout le monde ici, lui avais-je dit : eh bien, je me connais assez pour vous dire que je ne pourrai pas me faire aimer sans aimer moi-même, et que je ne serai jamais capable de dire à une personne aimée : "Faites-vous dévote, mon amitié est à ce prix." Non, je mentirais. Je ne sais pas obséder, persécuter, pas même insister, je suis trop faible. – Je ne demande rien de semblable, m'avait répondu l'indulgent directeur ; prêcher, obséder serait de mauvais goût à votre âge. Soyez pieuse et heureuse, c'est tout ce que je vous demande, votre exemple prêchera mieux que tous les discours que vous pourriez faire. »

Il avait eu raison d'une certaine manière, mon excellent vieux ami. Il est certain que l'on était devenu meilleur autour de moi ; mais la religion ainsi prêchée par la gaieté avait donné bien de la force à la vivacité des esprits, et je ne sais pas si c'était un moyen très sûr pour persister dans le catholicisme.

J'y persistais avec confiance, j'y aurais persisté, je crois, si je n'eusse pas quitté le couvent ; mais il fallut le quitter, il fallut cacher à ma grand-mère, qui en aurait mortellement souffert, le regret mortel que j'avais de me séparer des nombreux et charmants objets de ma tendresse : mon cœur fut brisé. Je ne pleurais pourtant pas, car j'eus un mois pour me préparer à cette séparation, et quand elle arriva, j'avais pris une si forte résolution de me soumettre sans murmure, que je parus calme et satisfaite devant ma pauvre bonne maman. Mais j'étais navrée, et je l'étais pour bien longtemps.

Je ne dois pourtant pas fermer le dernier chapitre du couvent sans dire que j'y laissai tout le monde triste ou consterné de la mort de madame Canning. J'étais arrivée, pour son caractère, au respect que lui devait ma piété ; mais jamais ma sympathie ne m'avait poussée vers elle. Je fus pourtant une des dernières personnes qu'elle nomma avec affection dans son agonie.

Cette femme, d'une puissante organisation, avait eu sans doute les qualités de son rôle dans la vie monastique, puisqu'elle avait conservé, depuis la Révolution, le gouvernement absolu de sa communauté. Elle laissait la maison dans une situation florissante, avec un nombre considérable d'élèves, et de grandes relations dans le monde, qui eussent dû assurer à l'avenir une clientèle durable et brillante.

Néanmoins, cette situation prospère s'éclipsa avec elle. J'avais vu élire madame Eugénie, et comme elle m'aimait toujours, si je fusse restée au couvent, j'y aurais été encore plus gâtée ; mais madame Eugénie se trouva impropre à l'exercice de l'autorité absolue. J'ignore si elle en abusa, si le désordre se mit dans sa gestion ou la division dans ses conseils ; mais elle demanda, au bout de peu d'années, à se retirer du pouvoir, et fut prise au mot, m'a-t-on dit, avec un empressement général. Elle avait laissé les affaires péricliter, ou bien je crois plutôt qu'elle n'avait pu les empêcher d'aller ainsi. Tout est mode en ce monde, même les couvents. Celui des Anglaises avait eu, sous l'Empire et sous Louis XVIII, une grande vogue. Les plus grands noms de la France et de l'Angleterre y avaient contribué. Les Mortemart, les Montmorency y avaient eu leurs héritières. Les filles des généraux de l'Empire ralliés à la Restauration y furent mises, à dessein sans doute d'établir des relations favorables à l'ambition aristocratique des parents ; mais le règne de la bourgeoisie arrivait, et, quoique j'aie entendu les *vieilles comtesses* accuser madame Eugénie d'avoir laissé *encanailler* son couvent, je me souviens fort bien que, lorsque j'en sortis, peu de jours après la mort de madame Canning, le *tiers état* avait déjà fait, par ses soins, une irruption très lucrative dans le couvent. Ç'avait été pour ainsi dire le bouquet de sa fructueuse administration.

J'avais donc vu notre personnel s'augmenter rapidement d'une quantité de charmantes filles de négociants ou d'industriels, tout aussi bien élevées déjà, et pour la plupart intelligentes (ceci était même remarquable et remarqué) que les petites personnes de grande maison.

Mais cette prospérité devait être et fut un feu de paille. Les gens *de la haute*, comme disent aujourd'hui les bonnes gens, trouvèrent le milieu trop roturier, et la vogue des beaux noms se porta sur le Sacré-Cœur et sur l'Abbaye-aux-Bois. Plusieurs de mes anciennes compagnes furent transférées dans ces monastères, et peu à peu l'élément patricien catholique rompit avec l'antique retraite des Stuarts. Alors sans doute les bourgeois, qui avaient été flattés de l'espérance de voir leurs héritières *frayer* avec celles de la noblesse, se sentirent frustrés et humiliés. Ou bien l'esprit voltairien du règne de Louis-Philippe, qui couvait déjà dès les premiers jours du règne de son prédécesseur, commença à proscrire les éducations monastiques. Tant il y a, qu'au bout de quelques années je trouvai le couvent à peu près vide, sept ou huit pensionnaires au lieu de soixante-dix à quatre-vingts que nous avions été, la maison trop vaste et aussi pleine de silence qu'elle l'avait été de bruit, Poulette désolée et se plaignant avec âcreté des nouvelles supérieures et de la ruine de notre *ancienne gloire*.

J'ai eu les derniers détails sur cet intérieur en 1847. La situation était meilleure, mais ne s'était jamais relevée à son ancien niveau : grande injustice de la vogue ; car, en somme, les Anglaises étaient sous tous les rapports un troupeau de vierges sages, et leurs habitudes de raison, de douceur et de bonté n'ont pu se perdre en un quart de siècle.

III

Paris, 1820. – Projets de mariage ajournés. – Amour filial contristé. – Madame Catalani. – Arrivée à Nohant. – Matinée de printemps. – Essai de travail. – Pauline et sa mère. – La comédie à Nohant. – Nouveaux chagrins d'intérieur. – Mon frère. – Colette et le général Pépé. – L'hiver à Nohant. – Soirée de février. – Désastre et douleurs.

Je ne me souviens guère des surprises et des impressions qui durent ou qui auraient dû m'assaillir dans ces premiers jours que je passai à Paris, promenée et dis-

traite à dessein par ma bonne grand-mère. J'étais
hébétée, je pense, par le chagrin de quitter mon couvent, et tourmentée de l'appréhension de quelque
projet de mariage. Ma bonne maman, que je voyais
avec douleur très changée et très affaiblie, parlait de sa
mort, prochaine selon elle, avec un grand calme philosophique ; mais elle ajoutait, en s'attendrissant et me
pressant sur son cœur : « Ma fille, il faut que je te marie
bien vite, car je m'en vas. Tu es bien jeune, je le sais ;
mais, quelque peu d'envie que tu aies d'entrer dans le
monde, tu dois faire un effort pour accepter cette idée-
là. Songe que je finirais épouvantée et désespérée, si je
te laissais sans guide et sans appui dans la vie. »

Devant cette menace de son désespoir et de son
épouvante au moment suprême, j'étais épouvantée et
désespérée, moi aussi. « Est-ce qu'on va vouloir me
marier ? me disais-je. Est-ce que c'est une affaire
arrangée ? M'a-t-on fait sortir du couvent juste pour
cela ? Quel est donc ce mari, ce maître, cet ennemi de
mes vœux et de mes espérances ? Où se tient-il caché ?
Quel jour va-t-on me le présenter en me disant : "Ma
fille, il faut dire oui, ou me porter un coup mortel !" »

Je vis pourtant bientôt qu'on ne s'occupait que
vaguement et comme préparatoirement de ce grand
projet. Madame de Pontcarré proposait quelqu'un ;
ma mère proposait, de par mon oncle de Beaumont,
une autre personne. Je vis le parti de madame de Pontcarré, et elle me demanda mon opinion. Je lui dis que
ce monsieur m'avait semblé fort laid. Il paraît qu'au
contraire il était beau, mais je ne l'avais pas regardé, et
madame de Pontcarré me dit que j'étais une petite
sotte.

Je me rassurai tout à fait en voyant qu'on faisait les
paquets pour Nohant sans rien conclure, et même
j'entendis ma bonne maman dire qu'elle me trouvait si
enfant, qu'il fallait encore m'accorder six mois, peut-
être un an de répit.

Soulagée d'une anxiété affreuse, je retombai bientôt
dans un autre chagrin. J'avais espéré que ma petite
mère viendrait à Nohant avec nous. Je ne sais quel

orage nouveau venait d'éclater dans ces derniers temps. Ma mère répondit brusquement à mes questions : « Non certes ! je ne retournerai à Nohant que quand ma belle-mère sera morte ! »

Je sentis que tout se brisait encore une fois dans ma triste existence domestique. Je n'osai faire de questions. J'avais une crainte poignante d'entendre, de part ou d'autre, les amères récriminations du passé. Ma piété, autant que ma tendresse filiale, me défendait d'écouter le moindre blâme sur l'une ou sur l'autre. J'essayai en silence de les rapprocher ; elles s'embrassèrent les larmes aux yeux, devant moi ; mais c'étaient des larmes de souffrance contenue et de reproche mutuel. Je le vis bien, et je cachai les miennes.

J'offris encore une fois à ma mère de me prononcer [18], afin de pouvoir rester avec elle, ou tout au moins de décider ma bonne maman à l'emmener avec moi.

Ma mère repoussa énergiquement cette idée. « Non, non ! dit-elle, je déteste la campagne, et Nohant surtout, qui ne me rappelle que des douleurs atroces. Ta sœur est une grande demoiselle que je ne peux plus quitter. Va-t'en sans te désoler, nous nous retrouverons, et peut-être plus tôt que l'on ne croit ! »

Cette allusion obstinée à la mort de ma grand-mère était déchirante pour moi. J'essayai de dire que cela était cruel pour mon cœur. « Comme tu voudras ! dit ma mère irritée ; si tu l'aimes mieux que moi, tant mieux pour toi, puisque tu lui appartiens à présent corps et âme.

– Je lui appartiens de tout mon cœur, par la reconnaissance et le dévouement, répondis-je, mais non pas corps et âme contre vous. Ainsi il y a une chose certaine, c'est que si elle exige que je me marie, ce ne sera jamais, je le jure, avec un homme qui refuserait de voir et d'honorer ma mère. »

Cette résolution était si forte en moi que ma pauvre mère eût bien dû m'en tenir compte. Moi, brisée désormais à la soumission chrétienne ; moi, qui, d'ailleurs, ne me sentais plus l'énergie de résister aux larmes de ma bonne maman, et qui voyais, par

moments, s'effacer mon meilleur rêve, celui de la vie
monastique, devant la crainte de l'affliger, j'aurais
trouvé encore dans mon instinct filial la force que sœur
Hélène avait eue pour briser le sien, quand elle avait
résisté à son père pour aller à Dieu. Moi, moins sainte
et plus humaine, j'aurais, je le crois, passé par-dessus le
corps de ma grand-mère pour tendre les bras à ma
mère humiliée et outragée.

Mais ma mère ne comprenait déjà plus mon cœur. Il
était devenu trop sensible et trop tendre pour sa nature
entière et sans nuances. Elle n'eut qu'un sourire
d'énergique insouciance pour répondre à mon effusion : « Tiens, tiens ! je crois bien ! dit-elle. Je ne m'inquiète guère de cela. Est-ce que tu ne sais pas qu'on ne
peut pas te marier sans mon consentement ? Est-ce
que je le donnerai jamais quand il s'agira d'un monsieur qui prendrait de grands airs avec moi ? Allons
donc ! Je me moque bien de toutes les menaces. Tu
m'appartiens, et quand même on réussirait à te mettre
en révolte contre ta mère, ta mère saura bien retrouver
ses droits ! »

Ainsi ma mère, exaspérée, semblait vouloir douter
de moi et s'en prendre à ma pauvre âme en détresse
pour exhaler ses amertumes. Je commençai à pressentir quelque chose d'étrange dans ce caractère généreux, mais indompté, et il y avait, à coup sûr, dans ses
beaux yeux noirs quelque chose de terrible qui, pour la
première fois, me frappa d'une secrète épouvante.

Je trouvai, par contraste, ma grand-mère plongée
dans une tristesse abattue et plaintive qui me toucha
profondément. « Que veux-tu, mon enfant, me dit-elle
lorsque j'essayai de rompre la glace, ta mère ne peut
pas ou ne veut pas me savoir gré des efforts immenses
que j'ai faits et que je fais tous les jours pour la rendre
heureuse. Ce n'est ni sa faute ni la mienne si nous ne
nous chérissons pas l'une l'autre ; mais j'ai mis les bons
procédés de mon côté en toutes choses, et les siens
sont si durs que je ne peux plus les supporter. Ne peut-
elle me laisser finir en paix ? Elle a si peu de temps à
attendre ! »

Comme j'ouvrais la bouche pour la distraire de cette pensée : « Laisse, laisse ! reprit-elle. Je sais ce que tu veux me dire. J'ai tort d'attrister tes seize ans de mes idées noires. N'y pensons pas. Va t'habiller. Je veux te mener ce soir aux Italiens ! »

J'avais bien besoin de me distraire, et par cela même que j'étais mortellement triste, je ne m'en sentais ni l'envie ni la force. Je crois que c'est ce soir-là que j'entendis pour la première fois madame Catalani [19] dans *Il fanatico per la musica*. Je crois aussi que c'était Galli qui faisait le rôle du dilettante burlesque ; mais je vis et entendis bien mal, préoccupée comme je l'étais. Il me sembla que la cantatrice abusait de la richesse de ses moyens, et que sa fantaisie de chanter des variations écrites pour le violon était antimusicale. Je sortais des chœurs et des motets de notre chapelle, et, dans le nombre de nos morceaux *à effet*, ceux qu'on chantait pendant le salut du saint sacrement, il se trouvait bien des antiennes vocalisées dans le goût rococo de la musique sacrée du dernier siècle ; mais nous n'étions pas trop dupes de ces abus, et, en somme, on nous mettait sur la voie des bonnes choses. La musique bouffe des Italiens, si artistement brodée par la cantatrice à la mode, ne me causa donc que de l'étonnement. J'avais plus de plaisir à écouter le chevalier de Lacoux, vieux émigré, ami de ma grand-mère, me jouer sur la harpe ou sur la guitare des airs espagnols dont quelques-uns m'avaient bercée à Madrid, et que je retrouvais comme un rêve du passé endormi dans ma mémoire.

Rose était mariée et devait nous quitter pour aller vivre à La Châtre aussitôt que nous serions de retour à Nohant. Impatiente de retrouver son mari, qu'elle avait épousé la veille du voyage à Paris, elle ne cachait guère sa joie et me disait avec sa passion rouge qui me faisait frémir de peur : « Soyez tranquille, votre tour viendra bientôt ! »

J'allai embrasser une dernière fois toutes mes chères amies du couvent. J'étais véritablement désespérée.

Nous arrivâmes à Nohant aux premiers jours du printemps de 1820, dans la grosse calèche bleue de ma grand-mère, et je retrouvai ma petite chambre livrée aux ouvriers qui en renouvelaient les papiers et les peintures ; car ma bonne maman commençait à trouver ma tenture de toile d'orange à grands ramages trop surannée pour mes jeunes yeux, et voulait les réjouir par une fraîche couleur lilas. Cependant mon lit à colonnes, en forme de corbillard, fut épargné, et les quatre plumets rongés des vers échappèrent encore au vandalisme du goût moderne.

On m'installa provisoirement dans le grand appartement de ma mère. Là, rien n'était changé, et je dormis délicieusement dans cet immense lit à grenades dorées qui me rappelait toutes les tendresses et toutes les rêveries de mon enfance.

Je vis enfin, pour la première fois depuis notre séparation décisive, le soleil entrer dans cette chambre déserte où j'avais tant pleuré. Les arbres étaient en fleur, les rossignols chantaient, et j'entendais au loin la classique et solennelle cantilène des laboureurs, qui résume et caractérise toute la poésie claire et tranquille du Berry. Mon réveil fut pourtant un indicible mélange de joie et de douleur. Il était déjà neuf heures du matin. Pour la première fois depuis trois ans, j'avais dormi la grasse matinée, sans entendre la cloche de l'angélus et la voix criarde de Marie-Josèphe m'arracher aux douceurs des derniers rêves. Je pouvais encore paresser une heure sans encourir aucune pénitence. Échapper à la règle, entrer dans la liberté, c'est une crise sans pareille dont ne jouissent pas à demi les âmes éprises de rêverie et de recueillement.

J'allai ouvrir ma fenêtre et retournai me mettre au lit. La senteur des plantes, la jeunesse, la vie, l'indépendance m'arrivaient par bouffées ; mais aussi le sentiment de l'avenir inconnu qui s'ouvrait devant moi m'accablait d'une inquiétude et d'une tristesse profondes. Je ne saurais à quoi attribuer cette désespérance maladive de l'esprit, si peu en rapport avec la fraîcheur des idées et la santé physique de l'adolescence. Je l'éprouvai si poignante, que le souvenir très net m'en est resté après tant d'années, sans que je puisse retrouver clairement par quelle liaison d'idées, quels souvenirs de la veille, quelles appréhensions du lendemain, j'arrivai à répandre des larmes amères, en un moment où j'aurais dû reprendre avec transport possession du foyer paternel et de moi-même.

Que de petits bonheurs, cependant, pour une pensionnaire hors de cage ! Au lieu du triste uniforme de serge amarante, une jolie femme de chambre m'apportait une fraîche robe de guingan [20] rose. J'étais libre d'arranger mes cheveux à ma guise sans que madame Eugénie me vînt observer qu'il était indécent de se découvrir les tempes. Le déjeuner était relevé de toutes les friandises que ma grand-mère aimait et me prodiguait. Le jardin était un immense bouquet. Tous les domestiques, tous les paysans venaient me faire fête. J'embrassais toutes les bonnes femmes de l'endroit, qui me trouvaient fort embellie parce que j'étais devenue *plus grossière*, c'est-à-dire, dans leur langage, que j'avais pris de l'embonpoint. Le parler berrichon sonnait à mon oreille comme une musique aimée, et j'étais tout émerveillée qu'on ne m'adressât pas la parole avec le blaisement [21] et le sifflement britanniques. Les grands chiens, mes vieux amis, qui m'avaient grondée la veille au soir, me reconnaissaient et m'accablaient de caresses avec ces airs intelligents et naïfs qui semblent vous demander pardon d'avoir un instant manqué de mémoire.

Vers le soir, Deschartres, qui avait été à je ne sais plus quelle foire éloignée, arriva enfin, avec sa veste, ses grandes guêtres et sa casquette en soufflet. Il ne s'était pas encore avisé, le cher homme, que je dusse être changée et grandie depuis trois ans, et tandis que je lui sautais au cou, il demandait où était Aurore. Il m'appelait mademoiselle ; enfin, il fit comme mes chiens, il ne me reconnut qu'au bout d'un quart d'heure.

Tous mes anciens camarades d'enfance étaient aussi changés que moi. Liset était *loué*, comme on dit chez nous. Je ne le revis pas, il mourut peu de temps après. Cadet était devenu aide-valet de chambre. Il servait à table et disait naïvement à mademoiselle Julie, qui lui reprochait de casser toutes les carafes : « Je n'en ai cassé que sept la semaine dernière. » Fanchon était bergère chez nous. Marie Aucante était devenue la reine de beauté du village. Marie et Solange Croux étaient des jeunes filles charmantes. Pendant trois jours ma chambre ne désemplit pas des visites qui m'arrivaient. Ursule ne fut pas des dernières.

Mais, comme Deschartres, tout le monde m'appelait mademoiselle. Plusieurs étaient intimidés devant moi. Cela me fit sentir mon isolement. L'abîme de la hiérarchie sociale s'était creusé entre des enfants qui jusquelà s'étaient sentis égaux. Je n'y pouvais rien changer, on ne l'eût pas souffert. Je me pris à regretter davantage mes compagnes de couvent.

Pendant quelques jours ensuite, je fus tout au plaisir physique de courir les champs, de revoir la rivière, les plantes sauvages, les prés en fleur. L'exercice de marcher dans la campagne, dont j'avais perdu l'habitude, et l'air printanier me grisaient si bien, que je ne pensais plus et dormais de longues nuits avec délices ; mais bientôt l'inaction de l'esprit me pesa, et je songeai à occuper ces éternels loisirs qui m'étaient faits par l'indulgente gâterie de ma grand-mère.

J'éprouvai même le besoin de rentrer dans la règle, et je m'en traçai une dont je ne me départis pas tant que je fus seule et maîtresse de mes heures. Je me fis naïvement un *tableau* de l'emploi de ma journée. Je consacrais une heure à l'histoire, une au dessin, une à la musique, une à l'anglais, une à l'italien, etc. Mais le moment de m'instruire réellement un peu n'était pas encore venu. Au bout d'un mois je n'avais fait encore que résumer, sur des cahiers *ad hoc*, mes petites études du couvent, lorsque arrivèrent, invitées par ma bonne maman, madame de Pontcarré et sa charmante fille Pauline, ma blonde et enjouée compagne de couvent.

Pauline, à seize ans comme à six, était toujours cette belle indifférente qui se laissait aimer sans songer à

vous rendre la pareille. Son caractère était charmant
comme sa figure, comme sa taille, comme ses mains,
comme ses cheveux d'ambre, comme ses joues de lis et
de rose ; mais comme son cœur ne se manifestait
jamais, je n'ai jamais su s'il existait, et je ne pourrais
dire que cette aimable compagne ait été mon amie.

Sa mère était bien différente. C'était une âme passionnée jointe à un esprit éblouissant. Trop sanguine et
trop replète pour être encore belle (j'ignore même si
elle l'avait jamais été), elle avait des yeux noirs si
magnifiques et une physionomie si vivante, une si belle
voix et tant d'âme pour chanter, une conversation si
réjouissante, tant d'idées, tant d'activité, tant d'affection dans les manières, qu'elle exerçait un charme irrésistible. Elle était de l'âge de mon père, et ils avaient
joué ensemble dans leur enfance. Ma grand-mère
aimait à parler de son cher fils avec elle, et s'était prise
d'amitié pour elle assez récemment, bien qu'elle l'eût
toujours connue ; mais cette amitié fit bientôt place
chez elle à un sentiment contraire, dont je ne m'aperçus pas assez tôt pour ne pas la faire souffrir.

Dans les commencements, tout allait si bien entre
elles, que je ne me défendis point de l'attrait de cette
amitié pour mon compte. Très naturellement, je passais beaucoup plus de temps avec Pauline et sa mère,
ingambes et actives toutes deux, qu'auprès du fauteuil
où ma grand-mère écrivait ou sommeillait presque
toute la journée. Elle-même exigeait que je fisse soir et
matin de grandes courses, et de la musique avec ces
dames dans la journée. Madame de Pontcarré était un
excellent professeur. Elle nous lançait, Pauline et moi,
dans les partitions à livre ouvert, nous accompagnant
avec feu et soutenant nos voix de l'énergie sympathique de la sienne. Nous avons déchiffré ensemble
Armide, Iphigénie, Œdipe[22], etc. Quand nous étions un
peu ferrées sur un morceau, nous ouvrions les portes
pour que la bonne maman pût entendre, et son jugement n'était pas la moins bonne leçon. Mais bien souvent la porte se trouvait fermée au verrou. Ma grand-
mère avait conservé l'habitude d'être seule, ou avec

mademoiselle Julie, qui lui faisait la lecture. Nous étions trop jeunes et trop vivantes pour que notre compagnie assidue lui fût agréable. La pauvre femme s'éteignait doucement, et il n'y paraissait pas encore. Elle se montrait aux repas avec un peu de rouge sur les joues, des diamants aux oreilles, la taille toujours droite et gracieuse dans sa douillette pensée ; causant bien et répondant à propos, esclave d'un savoir-vivre aimable qui lui faisait cacher ou surmonter de fréquentes défaillances, elle semblait jouir d'une belle vieillesse exempte d'infirmités. Longtemps elle dissimula une surdité croissante, et jusqu'à ses derniers moments fit un mystère de son âge : affaire d'étiquette apparemment, car elle n'avait jamais été vaine, même dans tout l'éclat de la jeunesse et de la beauté. Cependant elle s'en allait, comme elle le disait souvent tout bas à Deschartres, qui, l'ayant toujours connue délicate et affaissée, n'y croyait pas et se flattait de mourir avant elle. Elle craignait le moindre bruit, l'éclat du jour lui était insupportable, et quand elle avait fait l'effort de tenir le salon une ou deux heures, elle éprouvait le besoin d'aller s'enfermer dans son boudoir, nous priant d'aller nous occuper ou nous promener un peu loin de son sommeil, qui était fort léger.

Je fus donc bien étonnée et presque effrayée un jour qu'elle me dit que j'étais inséparable de madame de Pontcarré et de sa fille, que je la négligeais, que je me jetais tête baissée dans des amitiés nouvelles, que j'avais trop d'imagination, que je ne l'aimais pas, et tout cela avec une douleur et des larmes inexplicables.

Je sentais ces reproches si peu mérités qu'ils me consternèrent. Je ne trouvais rien à y répondre à force d'en voir l'injustice ; mais cette injustice, dans un cœur si bon et si droit, ressemblait à un accès de démence triste et douce. Je ne sus que pleurer avec ma pauvre bonne maman, la caresser et la consoler de mon mieux. Comme elle me reprochait de parler bas souvent à ces dames et d'avoir avec elles un air de cachotterie, je lui fis promettre, en riant, le secret vis-à-vis d'elle-même, et lui confessai que depuis huit jours nous bâtissions un théâtre et répétions une pièce pour le jour de sa fête ; mais que j'aimais bien mieux en trahir la surprise que de la laisser souffrir un jour de plus de ses chimères. « Eh ! mon Dieu, me dit-elle en riant aussi à travers ses pleurs, je le sais bien que vous me préparez une belle fête et une belle surprise ! Comment peux-tu t'imaginer que Julie ne me l'ait pas dit ?

– Elle a très bien fait sans doute, puisqu'elle vous a vue inquiète de nos mystères ; mais alors comment se fait-il, chère maman, que vous vous en tourmentiez encore ? »

Elle m'avoua qu'elle ne savait pas pourquoi elle s'en était fait un chagrin ; et comme je lui proposai de laisser aller la comédie sans m'en mêler afin de passer tout mon temps auprès d'elle, elle s'écria : « Non pas, non pas ! Je ne veux point de cela ! madame de Pontcarré fera bien assez valoir sa fille ; je ne veux pas que, comme à l'ordinaire, tu sois mise de côté et éclipsée par elle ! »

Je n'y comprenais plus rien. Jamais l'idée d'une rivalité quelconque n'avait pu éclore dans la tête de Pauline ou dans la mienne. Madame de Pontcarré n'y pensait probablement pas davantage ; mais ma pauvre jalouse de bonne maman ne pardonnait pas à Pauline d'être plus belle que moi, et en même temps qu'elle supposait sa mère portée à me dénigrer, elle était jalouse aussi de l'affection que cette mère me témoignait.

Comme la jalousie est grosse d'inconséquences, il me fallut donc voir ces petites scènes se renouveler, et je crois qu'elles furent envenimées par mademoiselle Julie, qui, décidément, ne m'aimait point. Je ne lui avais jamais fait ni mal ni dommage ; tout au contraire : facile au retour comme je le suis, j'appréciais l'intelligence de cette froide personne, et j'aimais à consulter sa merveilleuse mémoire des faits historiques ; mais ma mère l'avait trop blessée pour qu'elle pût me pardonner d'être sa fille et de l'aimer.

Ce fut donc en essuyant de secrètes larmes, et entre plusieurs nuées de ces orages étouffés par le savoir-vivre, que je me travestis en Colin pour jouer la

comédie et faire rire ma grand-mère. Le théâtre, tout
en feuillages naturels, formait un berceau charmant.
M. de Trémoville, un officier ami de madame de Pontcarré, lequel, se trouvant en remonte de cavalerie dans
le département, était venu passer chez nous une quinzaine, avait tout disposé avec beaucoup d'adresse et de
goût. Il jouait lui-même le rôle de *mon capitaine*, car je
m'engageais par désespoir des caprices de mon amoureuse Colette. Je ne sais plus quel proverbe de Carmontelle[23] nous avions ainsi arrangé à notre usage.
Pauline, en villageoise d'opéra-comique, était belle
comme un ange. Deschartres jouait aussi, et jouait très
mal. Tout alla néanmoins le mieux du monde, malgré
les terreurs de Pauline, qui pleura de peur en entrant
en scène. N'ayant jamais connu ce genre de timidité, je
jouai très résolument, ce qui consola un peu ma bonne
maman de me voir travestie en garçon, pendant que
Pauline brillait de tout le charme de sa beauté et de
tous les atours de son sexe.

Quelque temps après, madame de Pontcarré partit
avec sa fille et M. de Trémoville, dont je me souviens
comme du meilleur homme du monde ; père de famille
excellent, il nous traitait, Pauline et moi, comme ses
enfants, et nous abusions tellement de son facile et
aimable caractère, que ma grand-mère elle-même,
dans ses moments de gaieté, l'avait surnommé la *bonne
de ces demoiselles*.

Mais je ne sais quelle irritation profonde resta contre
madame de Pontcarré et Pauline dans le cœur de ma
grand-mère. Affligée de leur départ, je dus pourtant
me trouver soulagée de voir finir les étranges et incompréhensibles querelles qu'elles m'attiraient. Hippolyte
vint en congé, et nous fûmes d'abord intimidés l'un
devant l'autre. Il était devenu un beau maréchal des
logis de hussards ; faisant ronfler les *r*, domptant les
chevaux indomptables, et ayant son franc-parler avec
Deschartres, qui lui permettait de le taquiner, comme
avait fait mon père, sur le chapitre de l'équitation et
sur plusieurs autres. Au bout de peu de jours notre
ancienne amitié revint, et, recommençant à courir et à

folâtrer ensemble, il ne nous sembla plus que nous nous fussions jamais quittés.

Ce fut lui qui me communiqua le goût de monter à cheval, et cet exercice physique devait influer beaucoup sur mon caractère et mes habitudes d'esprit.

Le cours d'équitation qu'il me fit n'était ni long ni ennuyeux. «Vois-tu, me dit-il un matin que je lui demandais de me donner la première leçon, je pourrais faire le pédant et te casser la tête du manuel d'instruction que je professe à Saumur à des conscrits qui n'y comprennent rien, et qui, en somme, n'apprennent qu'à force d'habitude et de hardiesse ; mais tout se réduit d'abord à deux choses : tomber ou ne pas tomber ; le reste viendra plus tard. Or, comme il faut s'attendre à tomber, nous allons chercher un bon endroit pour que tu ne t'y fasses pas trop de mal. » Et il m'emmena dans un pré immense dont l'herbe était épaisse. Il monta sur le *général Pépé*, menant Colette en main.

Pépé était un très beau poulain, petit-fils du fatal Léopardo, et que, dans mon enthousiasme naissant pour la révolution italienne, j'avais gratifié du nom d'un homme héroïque qui a été mon ami par la suite des temps[24]. Colette, que l'on appelait dans le principe mademoiselle Deschartres, était une *élève* de notre précepteur, et n'avait jamais été montée. Elle avait quatre ans et sortait du pacage. Elle paraissait si douce, que mon frère, après lui avoir fait faire plusieurs fois le tour du pré, jugea qu'elle se conduirait bien et me jeta dessus.

Il y a un Dieu pour les fous et pour les enfants. Colette et moi, aussi novices l'une que l'autre, avions toutes les chances possibles pour nous contrarier et nous séparer violemment. Il n'en fut rien. À partir de ce jour, nous devions vivre et galoper quatorze ans de compagnie. Elle devait gagner ses invalides et finir tranquillement ses jours à mon service, sans qu'aucun nuage ait jamais troublé notre bonne intelligence.

Je ne sais pas si j'aurais eu peur par réflexion, mais mon frère ne m'en donna pas le temps. Il fouetta

vigoureusement Colette, qui débuta par un galop frénétique, accompagné de gambades et de ruades les
plus folles mais les moins méchantes du monde.
«Tiens-toi bien, disait mon frère. Accroche-toi aux
crins si tu veux, mais ne lâche pas la bride et ne tombe
pas. Tout est là, tomber ou ne pas tomber ! »

C'était le *to be or not to be* d'Hamlet. Je mis toute mon
attention et ma volonté à ne pas trop quitter la selle.
Cinq ou six fois, à moitié désarçonnée, je me rattrapai
comme il plut à Dieu, et au bout d'une heure, éreintée,
échevelée et surtout enivrée, j'avais acquis le degré de
confiance et de présence d'esprit nécessaire à la suite
de mon éducation équestre.

Colette était un être supérieur dans son espèce. Elle
était maigre, laide, grande, dégingandée au repos :
mais elle avait une physionomie sauvage et des yeux
d'une beauté qui rachetait ses défauts de conforma-
tion. En mouvement, elle devenait belle d'ardeur, de
grâce et de souplesse. J'ai monté des chevaux magnifiques, admirablement dressés : je n'ai jamais retrouvé
l'intelligence et l'adresse de ma cavale rustique. Jamais
elle ne m'a fait un faux pas, jamais un écart, et ne m'a
jamais jetée par terre que par la faute de ma distraction
ou de mon imprudence.

Comme elle devinait tout ce qu'on désirait d'elle, il
ne me fallut pas huit jours pour savoir la gouverner.
Son instinct et le mien s'étaient rencontrés. Taquine et
emportée avec les autres, elle se pliait à ma domination
de son plein gré, à coup sûr. Au bout de huit jours,
nous sautions haies et fossés, nous gravissions les
pentes ardues, nous traversions les eaux profondes ; et
moi, *l'eau dormante* du couvent, j'étais devenue
quelque chose de plus téméraire qu'un hussard et de
plus robuste qu'un paysan ; car les enfants ne savent
pas ce que c'est que le danger, et les femmes se sou-
tiennent, par la volonté nerveuse, au-delà des forces
viriles.

Ma grand-mère ne parut pas surprise d'une métamorphose qui m'étonnait pourtant moi-même : car,
du jour au lendemain, je ne me reconnaissais plus,

tandis qu'elle disait reconnaître en moi les contrastes de langueur et d'enivrement qui avaient marqué l'adolescence de mon père.

Il est étrange que, m'aimant d'une manière si absolue et si tendre, elle n'ait pas été effrayée de me voir prendre le goût de ce genre de danger. Ma mère n'a jamais pu me voir à cheval sans cacher sa figure dans ses mains et sans s'écrier que je finirais comme mon père. Ma bonne maman répondait avec un triste sourire à ceux qui lui demandaient raison de sa tolérance à cet égard par cette anecdote bien connue, mais bien jolie, du marin et du citadin.

« Eh quoi, monsieur, votre père et votre grand-père ont péri sur mer dans les tempêtes, et vous êtes marin ? À votre place, je n'aurais jamais voulu monter sur un navire !

– Et vous, monsieur, comment donc sont morts vos parents ?

– Dans leurs lits, grâce au ciel !

– En ce cas, à votre place, je ne me mettrais jamais au lit ! »

Il m'arriva cependant un jour de tomber juste à la place où s'était tué mon père, et de m'y faire même assez de mal. Ce ne fut point Colette, mais le général Pépé qui me joua ce mauvais tour. Ma grand-mère n'en sut rien. Je ne m'en vantai pas, et remontai à cheval de plus belle.

Mon frère retourna à son régiment. Le vieux chevalier de Lacoux, qui était venu nous voir et qui me faisait beaucoup travailler la harpe, nous quitta aussi. Je restai seule à Nohant, pendant tout l'hiver, avec ma grand-mère et Deschartres.

Jusqu'à ce moment, malgré l'agréable compagnie de ces divers hôtes, j'avais lutté en vain contre une profonde mélancolie. Je ne pouvais pas toujours la dissimuler, mais jamais je n'en voulus dire la cause, pas même à Pauline ou à mon frère, qui s'étonnaient de mes abattements et de mes préoccupations. Cette cause, que je laissais attribuer à une disposition maladive ou à un vague ennui, était bien claire en moi-même : je regrettais le couvent. J'avais le mal du couvent comme on a le mal du pays. Je ne pouvais pas m'ennuyer, ayant une vie assez remplie ; mais je sentais tout me déplaire, quand je comparais même mes meilleurs moments aux placides et régulières journées du cloître, aux amitiés sans nuages, au bonheur sans secousse que j'avais à jamais laissés derrière moi. Mon âme, déjà lassée dès l'enfance, avait soif de repos, et là seulement j'avais goûté, après les premières émotions de l'enthousiasme religieux, presque une année de quiétude absolue. J'y avais oublié tout ce qui était le passé ; j'y avais rêvé l'avenir semblable au présent. Mon cœur aussi s'était fait comme une habitude d'aimer beaucoup de personnes à la fois et de leur communiquer ou de recevoir d'elles un continuel aliment à la bienveillance et à l'enjouement.

Je l'ai dit, mais je le dirai encore une fois, au moment d'enterrer ce rêve de vie claustrale dans mes lointains mais toujours tendres souvenirs : l'existence en commun avec des êtres doucement aimables et doucement aimés est l'idéal du bonheur. L'affection vit de préférences ; mais dans ce genre de société fraternelle, où une croyance quelconque sert de lien, les préférences sont si pures et si saines qu'elles augmentent les sources du cœur au lieu de les épuiser. On est d'autant meilleur et facilement généreux avec les amis secondaires qu'on sent devoir leur prodiguer l'obligeance et les bons procédés, en dédommagement de l'admiration enthousiaste qu'on réserve pour des êtres plus directement sympathiques. On a dit souvent qu'une belle passion élargissait l'âme. Quelle plus belle passion que celle de la fraternité évangélique ? Je m'étais sentie vivre de toute ma vie dans ce milieu enchanté, je m'étais sentie dépérir depuis, jour par jour, heure par heure, et sans bien me rendre toujours compte de ce qui me manquait, tout en cherchant parfois à m'étourdir et à m'amuser comme il convenait à l'innocence de mon âge ; j'éprouvais dans la pensée un vide affreux, un dégoût, une lassitude de toutes choses et de toutes personnes autour de moi.

Ma grand-mère était seule exceptée ; mon affection pour elle se développait extrêmement. J'arrivais à la comprendre, à avoir le secret de ses douces faiblesses maternelles, à ne plus voir en elle le froid esprit fort que ma mère m'avait exagéré, mais bien la femme nerveuse et délicatement susceptible qui ne faisait souffrir que parce qu'elle souffrait elle-même à force d'aimer. Je voyais les contradictions singulières qui existaient, qui avaient toujours existé plus ou moins, entre son esprit bien trempé et son caractère débile. Forcée de l'étudier, et reconnaissant qu'il fallait le faire pour lui épargner tous les petits chagrins que je lui avais causés, je débrouillais enfin cette énigme d'un cerveau raisonnable aux prises avec un cœur insensé. La femme supérieure, et elle l'était par son instruction, son jugement, sa droiture, son courage dans les grandes choses, redevenait femmelette et petite marquise dans les mille petites douleurs de la vie ordinaire. Ce fut d'abord une déception pour moi que d'avoir à mesurer ainsi un être que je m'étais habituée à voir grand dans la rigueur comme dans la bonté. Mais la réflexion me ramena, et je me mis à aimer les côtés faibles de cette nature compliquée, dont les défauts n'étaient que l'excès de qualités exquises. Un jour vint où nous changeâmes de rôle, et où je sentis pour elle une tendresse des entrailles qui ressemblait aux sollicitudes de la maternité.

C'était comme un pressentiment intérieur ou comme un avertissement du ciel, car le moment approchait où je ne devais plus trouver en elle qu'un pauvre enfant à soigner et à gouverner.

Hélas ! il fut bien court, le temps arraché aux rigueurs de notre commune destinée, où, sortant moi-même des ténèbres de l'enfance, je pouvais enfin profiter de son influence morale et du bienfait intellectuel de son intimité. N'ayant plus aucun sujet de jalousie à propos de moi (Hippolyte aussi lui en avait causé quelques derniers accès), elle devenait adorable dans le tête-à-tête. Elle savait tant de choses et jugeait si bien, elle s'exprimait avec une simplicité si élégante, il y avait en elle tant de goût et d'élévation, que sa conversation était le meilleur des livres.

Nous passâmes ensemble les dernières soirées de février, à lire une partie du *Génie du christianisme* de Chateaubriand. Elle n'aimait pas cette forme et le fond lui paraissait faux ; mais les nombreuses citations de l'ouvrage lui suggéraient des jugements admirables sur les chefs-d'œuvre dont je lui lisais les fragments. Je m'étonnais qu'elle m'eût si peu permis de lire avec elle ; je le lui disais, exprimant le charme que je goûtais dans de tels enseignements, lorsqu'elle me dit un soir : « Arrête-toi, ma fille. Ce que tu me lis est si étrange que j'ai peur d'être malade et d'entendre autre chose que ce que j'écoute. Pourquoi me parles-tu de morts, de linceul, de cloches, de tombeaux ? Si tu composes tout cela, tu as tort de me mettre ainsi des idées noires dans l'esprit. »

Je m'arrêtai épouvantée : je venais de lui lire une page fraîche et riante, une description des savanes, où rien de semblable à ce qu'elle avait cru entendre ne se trouvait. Elle se remit bien vite et me dit en souriant : « Tiens, je crois que j'ai dormi et rêvé pendant ta lecture. Je suis bien affaiblie. Je ne peux plus lire, et je ne peux plus écouter. J'ai peur de connaître l'oisiveté et l'ennui à présent. Donne-moi des cartes, et jouons au grabuge [25], cela me distraira. »

Je m'empressai de faire sa partie, et je réussis à l'égayer. Elle joua avec l'attention et la lucidité ordinaires. Puis, rêvant un instant, elle rassembla ses idées comme pour un entretien suprême ; car, à coup sûr, elle sentait son âme s'échapper. « Ce mariage ne te convenait pas du tout, dit-elle, et je suis contente de l'avoir rompu.

– Quel mariage ? lui dis-je.

– Est-ce que je ne t'en ai pas parlé ? Eh bien, je t'en parle. C'est un homme immensément riche, mais cinquante ans et un grand coup de sabre à travers la figure. C'est un général de l'Empire. Je ne sais pas où il t'a vue, au parloir de ton couvent peut-être. Te souviens-tu de cela ?

– Pas du tout.

– Enfin, il te connaît apparemment, et il te demande en mariage avec ou sans dot : mais conçoit-on que ces hommes de Bonaparte aient des préjugés comme nous autres ? Il mettait pour première condition que tu ne reverrais jamais ta mère.

– Et vous avez refusé, n'est-ce pas, maman ?

– Oui, me dit-elle ; en voici la preuve. »

Elle me remit une lettre que j'ai encore sous les yeux, car je l'ai gardée comme un souvenir de cette triste soirée. Elle était de mon cousin René de Villeneuve et ainsi conçue :

« Je ne me console pas, chère grand-mère, de n'être pas auprès de vous pour insister sur la proposition faite pour Aurore. L'âge vous offusque ; mais réellement la personne de cinquante ans a l'air presque aussi jeune que moi. Elle a beaucoup d'esprit, d'instruction, tout ce qu'il faut enfin pour assurer le bonheur d'un lien pareil ; car on trouvera bien des jeunes gens, mais on ne peut être sûr de leur caractère, et l'avenir avec eux est fort incertain ; au lieu que là, la position élevée, la fortune, la considération, tout se trouve. Je vous citerai plusieurs exemples à l'appui du raisonnement que je pourrais vous faire. Le duc de C★★★, qui a soixante-cinq ans, a épousé, il y a deux ans, mademoiselle de La G★★★, qui en avait seize. Elle est la plus heureuse des femmes, se conduisant à merveille, bien que lancée dans le grand monde et entourée d'hommages, car elle est belle comme un ange ★. Elle a reçu une excellente éducation et de bons principes. Tout est là. Venez donc sans faute à Paris au commencement de mars. Je vous somme de faire ce voyage dans l'intérêt de notre chère enfant, etc. »

« Eh bien, maman, m'écriai-je effrayée, est-ce que nous allons à Paris ?

★ J'ai connu dans la suite la belle et véritablement angélique personne dont il est question. Elle avait épousé M. de R★★★ en secondes noces. Elle m'a raconté toute l'histoire de son union avec le duc de C★★★. Ah ! mon cousin René, si vous l'aviez entendue décrire ce *parfait bonheur* de sa première union ! (NdA).

– Oui, mon enfant, nous irons dans huit jours. Mais, rassure-toi, je ne veux pas entendre parler de ce mariage. Ce n'est pas tant l'âge qui m'offusque que la condition dont je t'ai parlé. J'ai été si heureuse avec mon vieux mari, que je n'ai pas trop peur pour toi d'un homme de cinquante ans ; mais je sais que tu ne souscrirais pas… Ne dis rien ; je te connais à présent, et je regrette de n'avoir pas toujours aussi bien jugé ta situation que je le fais à cette heure. Tu aimes ta mère par devoir et par religion, comme tu l'aimais par habitude et par instinct dans ton enfance. J'ai cru devoir te mettre en garde contre trop de confiance et d'entraînement. J'ai peut-être eu tort de le faire dans un moment de douleur et d'irritation. J'ai bien vu que je te brisais. Il me semblait, dans ce moment-là, que c'était de moi que tu devais apprendre la vérité et qu'elle te serait plus insupportable de la part de tout autre. Si tu penses que j'aie exagéré quelque chose, ou que j'aie jugé trop durement ta mère, oublie-le, et sache que, malgré tout le mal qu'elle m'a fait, je rends justice à ses qualités et à sa conduite depuis la mort de ton pauvre père. D'ailleurs, fût-elle, comme je me le suis imaginé parfois, la dernière des femmes, je comprends ce que tu lui dois d'égards et de fidélité de cœur. Elle est ta mère ! tout est là ! Oui, je le sais. J'ai craint de te voir trop aveuglée, ensuite j'ai craint de te voir devenir trop dévote. Je suis tranquille sur ton compte à présent. Je te vois pieuse, tolérante et conservant les goûts de l'intelligence. Je regrette presque de ne pas croire à tout ce que tu pratiques ; car je vois que tu y puises une force qui n'est pas dans ta nature et qui m'a frappée quelquefois comme au-dessus de ton âge. Ainsi, pendant que tu étais au couvent, enfermée toute l'année, sans vacances, privée de sortir pendant neuf ou dix mois que je passais ici, tu m'as écrit à différentes reprises pour me conjurer de ne pas te permettre de sortir avec les Villeneuve ou avec madame de Pontcarré. J'en ai été affligée et jalouse d'abord, mais j'en ai été touchée aussi, et maintenant je sens que si je te proposais de rompre avec ta mère pour faire un grand mariage, je révolterais ton cœur et ta conscience. Sois donc tranquille, et va te coucher. Il ne sera jamais question de rien de pareil. »

J'embrassai ardemment ma chère grand-mère, et, la voyant parfaitement calme et lucide, je me retirai dans ma chambre, la laissant aux soins accoutumés de ses deux femmes, qui la mirent au lit à minuit, après les deux heures de toilette et de tranquille flânerie dont elle avait l'habitude.

C'était, comme je l'ai déjà dit, tout un étrange petit cérémonial que le coucher de ma grand-mère : des camisoles de satin piqué, des bonnets à dentelles, des cocardes de rubans, des parfums, des bagues particulières pour la nuit, une certaine tabatière, enfin tout un édifice d'oreillers splendides, car elle dormait assise, et il fallait l'arranger de manière qu'elle se réveillât sans avoir fait un mouvement. On eût dit que chaque soir elle se préparait à une réception d'apparat, et cela avait quelque chose de bizarre et de solennel où elle avait l'air de se complaire.

J'aurais dû me dire que l'espèce d'hallucination auditive qu'elle avait eue en écoutant ma lecture, et la clarté subite de ses idées, même le retour sur elle-même, qu'elle avait voulu faire en me parlant de ma mère, indiquaient une situation morale et physique inusitée. Revenir sur ses propres arrêts, s'attribuer un tort, demander, pour ainsi dire, pardon d'une erreur de jugement, cela était bien contraire à ses habitudes. Ses actions démentaient continuellement ses paroles, mais elle n'en convenait pas et maintenait volontiers son dire. En y réfléchissant, j'eus une vague inquiétude, et je redescendis chez elle vers minuit, comme pour reprendre mon livre oublié. Elle était déjà couchée et enfermée, s'étant sentie assoupie un peu plus tôt que de coutume. Ses femmes n'avaient rien trouvé d'extraordinaire en elle, et je remontai fort tranquille.

Depuis trois ou quatre mois, je dormais fort peu. Je n'avais point passé une semaine dans la véritable intimité de ma grand-mère sans m'aviser du peu d'instruction que j'avais acquise au couvent, et sans recon-

naître avec le sincère Deschartres que j'étais, selon son
expression favorite, d'une *ignorance crasse*. Le désir de
ne pas impatienter la bonne maman, qui me reprochait
bien un peu vivement quelquefois de lui avoir fait
dépenser trois années de couvent pour ne rien
apprendre, me poussa, plus que la curiosité ou l'amour-
propre, à vouloir m'instruire un peu. Je souffrais de lui
entendre dire que l'éducation religieuse était abrutissante, et j'apprenais un peu en cachette, afin de lui en
laisser attribuer l'honneur à mes religieuses.

J'entreprenais là une chose impossible. Quiconque
manque de mémoire ne peut jamais être instruit réellement, et j'en étais complètement dépourvue. Je me
donnais un mal inouï pour mettre de l'ordre dans mes
petites notions d'histoire. Je n'avais pas même la
mémoire des mots, et déjà j'oubliais l'anglais, qui
naguère m'avait été aussi familier que ma propre
langue. Je m'évertuais donc à lire et à écrire, depuis dix
heures du soir jusqu'à deux ou trois du matin. Je dormais quatre ou cinq heures. Je montais à cheval avant
le réveil de ma grand-mère. Je déjeunais avec elle, je lui
faisais de la musique et ne la quittais presque plus de la
journée ; car, insensiblement, elle s'était habituée à
vivre moins avec Julie, et j'avais pris sur moi de lui lire
les journaux ou de rester à dessiner dans sa chambre
pendant que Deschartres les lui lisait. Cela m'était particulièrement odieux. Je ne saurais dire pourquoi cette
chronique journalière du monde réel m'attristait profondément. Elle me sortait de mes rêves, et je crois que
la jeunesse ne vit pas d'autre chose que de la contemplation du passé, ou de l'attente de l'inconnu.

Je me souviens que cette nuit-là fut extraordinairement belle et douce. Il faisait un clair de lune voilé par
ces petits nuages blancs que Chateaubriand comparait
à des flocons de ouate. Je ne travaillai point, je laissai
ma fenêtre ouverte et jouai de la harpe en déchiffrant la
Nina de Paesiello [26]. Puis je sentis le froid et me couchai
en rêvant à la douceur et à la bonté de l'épanchement
de ma grand-mère avec moi. En donnant enfin la sécurité à mon sentiment filial, et en détournant de moi

l'effroi d'une lutte qui avait pesé sur toute ma vie, elle me faisait respirer pour la première fois. Je pouvais enfin réunir et confondre mes deux mères rivales dans le même amour. À ce moment-là, je sentis que je les aimais également et me flattai de leur faire accepter cette idée. Puis je pensai au mariage, à l'homme de cinquante ans, au prochain voyage de Paris, au monde où l'on menaçait de me produire. Je ne fus effrayée de rien. Pour la première fois j'étais optimiste. Je venais de remporter une victoire qui me paraissait décisive sur le grand obstacle de l'avenir. Je me persuadai que j'avais acquis sur ma grand-mère un ascendant de tendresse et de persuasion qui me permettrait d'échapper à ses sollicitudes pour mon établissement, que peu à peu elle verrait par mes yeux, me laisserait vivre libre et heureuse à ses côtés, et qu'après lui avoir consacré ma jeunesse, je pourrais lui fermer les yeux sans qu'elle exigeât de moi la promesse de renoncer au cloître. « Tout est bien ainsi, pensais-je. Il est fort inutile de la tourmenter de mes secrets desseins. Dieu les protégera. » Je savais qu'Élisa était sortie du couvent, qu'on la menait dans le monde, qu'elle se résignait à aller au bal, et que rien n'ébranlait sa résolution. Elle m'écrivait qu'elle acceptait l'épreuve à laquelle ses parents avaient voulu la soumettre, qu'elle se sentait chaque jour plus forte dans sa vocation, et que nous nous retrouverions peut-être à Cork sous le voile, si ma qualité de Française m'excluait de la communauté des Anglaises de Paris.

Je m'endormis donc dans une situation d'esprit que je n'avais pas connue depuis longtemps ; mais à sept heures du matin Deschartres entra dans ma chambre, et, en ouvrant les yeux, je vis un malheur dans les siens. « Votre grand-mère est perdue, je le crains, me dit-il. Elle a voulu se lever cette nuit. Elle a été prise d'une attaque d'apoplexie et de paralysie. Elle est tombée et n'a pu se relever. Julie vient de la trouver par terre froide, immobile, sans connaissance. Elle est couchée, réchauffée et un peu ranimée ; mais elle ne se rend compte de rien et ne peut faire aucun mouvement. J'ai

envoyé chercher le docteur Decerfz. Je vais la saigner.
Venez vite à mon aide. »

Nous passâmes la journée à la soigner. Elle recouvra
ses esprits, se rappela être tombée, se plaignit seulement des contusions qu'elle s'était faites, s'aperçut
qu'elle avait tout un côté *mort* depuis l'épaule jusqu'au
talon, mais n'attribua cet engourdissement qu'à la
courbature de la chute. La saignée lui rendit cependant
un peu d'aisance dans les mouvements qu'on l'aidait
à faire, et vers le soir il y eut un mieux si sensible,
que je me rassurai et que le docteur partit en me
tranquillisant ; mais Deschartres ne se flattait pas. Elle
me demanda de lui lire son journal après dîner et parut
l'entendre. Puis elle demanda des cartes et ne put les
tenir dans sa main. Alors elle commença à divaguer et
à se plaindre de ce que nous ne voulions pas la soulager
en lui faisant une application de la dame de pique sur
le bras. Effrayée, je dis tout bas à Deschartres : « C'est
le délire ? – Hélas, non ! me répondit-il ; elle n'a pas de
fièvre, c'est l'*enfance* ! »

Cet arrêt tomba sur moi pire que l'annonce de la
mort. J'en fus si bouleversée que je sortis de la
chambre et m'enfuis dans le jardin, où je tombai à
genoux dans un coin, voulant prier et ne pouvant pas.
Il faisait un temps d'une beauté et d'une tranquillité
insolentes. Je crois que j'étais en enfance moi-même
dans ce moment-là, car je m'étonnais machinalement
que tout semblât sourire autour de moi pendant que
j'avais la mort dans l'âme. Je rentrai vite. « Du
courage ! me dit Deschartres, qui devenait bon et
tendre dans la douleur. Il ne faut pas que vous soyez
malade ; elle a besoin de nous ! »

Elle passa la nuit à divaguer doucement. Au jour,
elle s'endormit profondément jusqu'au soir. Ce sommeil apoplectique était un nouveau danger à combattre. Le docteur et Deschartres l'en tirèrent avec
succès ; mais elle s'éveilla aveugle. Le lendemain elle
voyait, mais les objets à droite lui paraissaient trans-
portés à gauche. Un autre jour elle bégaya et perdit la
mémoire des mots. Enfin après une série de phéno-

mènes étranges et de crises imprévues, elle entra en convalescence. Sa vie était momentanément sauvée. Elle avait des heures lucides. Elle souffrait peu, mais elle était paralytique, et son cerveau affaibli et brisé entrait véritablement dans la phase de l'enfance signalée par Deschartres. Elle n'avait plus de volonté, mais des velléités continuelles et impossibles à satisfaire. Elle ne connaissait plus ni la réflexion ni le courage. Elle voyait mal, n'entendait presque plus. Enfin sa belle intelligence, sa belle âme étaient mortes.

Il y eut beaucoup de phases différentes dans l'état de ma pauvre malade. Au printemps elle fut mieux. Durant l'été nous crûmes un instant à une guérison radicale, car elle retrouva de l'esprit, de la gaieté et une sorte de mémoire relative. Elle passait la moitié de sa journée sur son fauteuil. Elle se traînait, appuyée sur nos bras, jusque dans la salle à manger, où elle mangeait avec appétit. Elle s'asseyait dans le jardin au soleil ; elle écoutait encore quelquefois son journal et s'occupait même de ses affaires et de son testament avec sollicitude pour tous les siens. Mais à l'entrée de l'automne, elle retomba dans une torpeur constante et finit sans souffrance et sans conscience de sa fin, dans un sommeil léthargique, le 25 décembre 1821.

J'ai beaucoup vécu, beaucoup pensé, beaucoup changé dans ces dix mois [27], pendant lesquels ma grand-mère ne recouvra, dans ses meilleurs moments, qu'une demi-existence. Aussi raconterai-je comment la mienne pivota autour du lit de la pauvre moribonde, sans vouloir trop attrister mes lecteurs des détails douloureux d'une lente et inévitable destruction.

IV

Si ma destinée m'eût fait passer immédiatement de
la domination de ma grand-mère à celle d'un mari ou à
celle du couvent, il est possible que, soumise toujours à
des influences acceptées, je n'eusse jamais été moi-
même. Il n'y a guère d'initiative dans une nature
endormie comme la mienne, et la dévotion sans examen, qui allait si bien à ma langueur d'esprit, m'eût
interdit de demander à ma raison la sanction de ma foi.
Les petits efforts, insensibles en apparence, mais conti-
nuels, de ma grand-mère pour m'ouvrir les yeux ne
produisaient qu'une sorte de réaction intérieure. Un
mari voltairien comme elle eût fait pis encore. Ce
n'était pas par l'*esprit* que je pouvais être modifiée ;
n'ayant pas d'esprit du tout, j'étais insensible à la
raillerie, que, d'ailleurs, je ne comprenais pas toujours.

Mais il était décidé par le sort que dès l'âge de dix-
sept ans il y aurait pour moi un temps d'arrêt dans les
influences extérieures, et que je m'appartiendrais
entièrement pendant près d'une année, pour devenir,
en bien ou en mal, ce que je devais être à peu près tout
le reste de ma vie.

Il est rare qu'un enfant de famille, un enfant de mon
sexe surtout, se trouve abandonné si jeune à sa propre

gouverne. Ma grand-mère paralysée n'eut plus, même dans ses moments les plus lucides, la moindre pensée de direction morale ou intellectuelle à mon égard. Toujours tendre et caressante, elle s'inquiétait encore quelquefois de ma santé ; mais toute autre préoccupation, même celle de mon mariage, qu'elle ne pouvait plus traiter par lettres, sembla écartée de son souvenir.

Ma mère ne vint pas, malgré ma prière, disant que l'état de ma grand-mère pouvait se prolonger indéfiniment, et qu'elle ne devait pas quitter Caroline. Je dus me rendre à cette bonne raison et accepter la solitude.

Deschartres, abattu d'abord, puis résigné, sembla changer entièrement de caractère avec moi. Il me remit, bon gré, mal gré, tous ses pouvoirs, exigea que je tinsse la comptabilité de la maison, que tous les ordres vinssent de moi, et me traita comme une personne mûre, capable de diriger les autres et soi-même.

C'était beaucoup présumer de ma capacité, et cependant bien lui en prit, comme on le verra par la suite.

Je n'eus pas de grandes peines à me donner pour maintenir l'ordre établi dans la maison. Tous les domestiques étaient fidèles. Comme fermier, Deschartres continuait à diriger les travaux de la campagne, auxquels il m'eût été impossible de rien entendre, malgré tous ses efforts antérieurs pour m'y faire prendre goût. J'étais née amateur, et rien de plus.

Ce pauvre Deschartres, voyant que l'état de ma grand-mère, en me privant de mon unique et de ma plus douce société intellectuelle, me jetait dans un ennui et dans un découragement profonds, que je maigrissais à vue d'œil, et que ma santé s'altérait sensiblement, fit tout son possible pour me distraire et me secouer. Il me donna Colette en toute propriété, et même, pour me rendre le goût de l'équitation, que je perdais avec mon activité, il m'amena toutes les pouliches et tous les poulains de ses domaines, me priant, après les avoir essayés, de m'en servir pour varier mes plaisirs. Ces essais lui coûtèrent plus d'une chute sur le pré, et il fut forcé de convenir que, sans rien savoir, j'étais plus solide que lui, qui se piquait de théorie. Il était si roide et si compassé à cheval, qu'il s'y fatiguait vite, et j'allais trop vite aussi pour lui. Il me donna donc pour écuyer, ou plutôt pour *page* le petit André, qui était solide comme un singe attaché à un poney ; et, me suppliant de ne point passer un jour sans promenade, il nous laissa courir les champs de compagnie.

Revenant toujours à Colette, à l'adresse et à l'esprit de laquelle rien ne pouvait être comparé, je pris donc l'habitude de faire tous les matins huit ou dix lieues en quatre heures, m'arrêtant quelquefois dans une ferme pour prendre une jatte de lait, marchant à l'aventure, explorant le pays au hasard, passant partout, même dans les endroits réputés impossibles, et me laissant aller à des rêveries sans fin, qu'André, très bien stylé par Deschartres, ne se permettait pas d'interrompre par la moindre réflexion. Il ne retrouvait son esprit naturel que lorsque je m'arrêtais pour manger, parce que j'exigeais qu'il s'assît alors, comme par le passé, à la même table que moi chez les paysans ; et là, résumant les impressions de la promenade, il m'égayait de ses remarques naïves et de son parler berrichon. À peine remis en selle, il redevenait muet, consigne que je n'aurais pas songé à lui imposer, mais que je trouvais fort agréable, car cette rêverie au galop, ou cet oubli de toutes choses que le spectacle de la nature nous procure, pendant que le cheval au pas, abandonné à lui-même, s'arrête pour brouter les buissons sans qu'on s'en aperçoive ; cette succession lente ou rapide de paysages, tantôt mornes, tantôt délicieux ; cette absence de but, ce laisser passer du temps qui s'envole ; ces rencontres pittoresques de troupeaux ou d'oiseaux voyageurs ; le doux bruit de l'eau qui clapote sous les pieds des chevaux ; tout ce qui est repos ou mouvement, spectacle des yeux ou sommeil de l'âme dans la promenade solitaire, s'emparait de moi et suspendait absolument le cours de mes réflexions et le souvenir de mes tristesses.

Je devins donc tout à fait poète, et poète exclusivement par les goûts et le caractère, sans m'en apercevoir et sans le savoir. Où je ne cherchais qu'un délassement tout physique, je trouvai une intarissable source de jouissances morales que j'aurais été bien embarrassée de définir, mais qui me ranimait et me renouvelait chaque jour davantage.

Si l'inquiétude ne m'eût ramenée auprès de ma pauvre malade, je me serais oubliée, je crois, des jours entiers dans ces courses ; mais comme je sortais de grand matin, presque toujours à la première aube, aussitôt que le soleil commençait à me frapper sur la tête, je reprenais au galop le chemin de la maison. Je m'apercevais souvent alors que le pauvre André était accablé de fatigue ; je m'en étonnais toujours, car je n'ai jamais vu la fin de mes forces à cheval, où je crois que les femmes, par leur position en selle et la souplesse de leurs membres, peuvent, en effet, tenir beaucoup plus longtemps que les hommes.

Je cédais cependant quelquefois Colette à mon petit page, afin de le reposer, par la douceur de son allure, et je montais ou la vieille jument normande qui avait sauvé la vie à mon père dans plus d'une bataille par son intelligence et la fidélité de ses mouvements, ou le terrible général Pépé, qui avait des coups de reins formidables ; mais je n'en étais pas plus lasse au retour, et je rentrais beaucoup plus éveillée et active que je n'étais partie.

C'est grâce à ce mouvement salutaire que je sentis tout à coup ma résolution de m'instruire cesser d'être un devoir pénible et devenir un attrait tout-puissant par lui-même. D'abord, sous le coup du chagrin et de l'inquiétude, j'avais essayé de tromper les longues heures que je passais auprès de ma malade, en lisant les romans de Florian, de madame de Genlis et de Van der Welde [28]. Ces derniers me parurent charmants ; mais ces lectures, entrecoupées par les soins et les anxiétés que m'imposait ma situation de garde-malade, ne laissèrent presque rien dans mon esprit, et, à mesure que la crainte de la mort s'éloignait pour faire place en moi à une mélancolique et tendre habitude de soins quasi

maternels, je revins à des lectures plus sérieuses, qui
bientôt m'attachèrent passionnément.

J'avais eu d'abord à lutter contre le sommeil, et je
puisais sans cesse dans la tabatière de ma bonne
maman pour ne pas succomber à l'atmosphère sombre
et tiède de sa chambre. Je pris aussi beaucoup de café
noir sans sucre, et même de l'eau-de-vie quelquefois,
pour ne pas m'endormir quand elle voulait causer
toute la nuit ; car il lui arrivait de temps en temps de
prendre la nuit pour le jour, et de se fâcher de l'obscurité et du silence où nous voulions, disait-elle, la tenir.
Julie et Deschartres essayèrent quelquefois d'ouvrir les
fenêtres, pour lui montrer qu'il faisait nuit en effet.
Alors elle s'affligeait profondément, disant qu'elle était
bien sûre que nous étions en plein midi, et qu'elle
devenait aveugle, puisqu'elle ne voyait pas le soleil.

Nous pensâmes qu'il valait mieux lui céder en toute
chose et détourner surtout la tristesse. Nous allumions
donc beaucoup de bougies derrière son lit et lui lais-
sions croire qu'elle voyait la clarté du jour. Nous nous
tenions éveillés autour d'elle, et prêts à lui répondre
quand, à tout moment, elle sortait de sa somnolence
pour nous parler.

Les commencements de cette existence bizarre me
furent très pénibles. J'avais un impérieux besoin du
peu de sommeil que je m'étais accordé précédemment.
Je grandissais encore. Mon développement, contrarié
par ce genre de vie, devenait une angoisse nerveuse
indicible. Les excitants, que j'abhorrais comme antipathiques à ma tendance calme, me causaient des maux
d'estomac et ne me réveillaient pas.

Mais la reprise de l'équitation imposée par Deschartres m'ayant fait en peu de jours une santé et une force
nouvelles, je pus veiller et travailler sans stimulants
comme sans fatigue, et c'est alors seulement que, sentant changer en moi mon organisation physique, je
trouvai dans l'étude un plaisir et une facilité que je ne
connaissais pas.

C'était mon confesseur, le curé de La Châtre, qui
m'avait prêté le *Génie du christianisme*. Depuis six

semaines je n'avais pu me décider à le rouvrir, l'ayant fermé sur une page qui marquait une si vive douleur dans ma vie. Il me le redemanda. Je le priai d'attendre encore un peu, et me résolus à le recommencer pour le lire en entier avec réflexion, ainsi qu'il me le recommandait.

Chose étrange, cette lecture destinée par mon confesseur à river mon esprit au catholicisme, produisit en moi l'effet tout contraire de m'en détacher pour jamais. Je dévorai le livre, je l'aimai passionnément, fond et forme, défauts et qualités. Je le fermai persuadée que mon âme avait grandi de cent coudées ; que cette lecture avait été pour moi un second effet du *Tolle, lege* de saint Augustin ; que désormais j'avais acquis une force de persuasion à toute épreuve, et que non seulement je pouvais tout lire, mais encore que je devais étudier tous les philosophes, tous les profanes, tous les hérétiques, avec la douce certitude de trouver dans leurs erreurs la confirmation et la garantie de ma foi.

Un instant renouvelée dans mon ardeur religieuse, que l'isolement et la tristesse de ma situation avaient beaucoup refroidie, je sentis ma dévotion se redorer de tout le prestige de la poésie romantique. La foi ne se fit plus sentir comme une passion aveugle, mais comme une lumière éclatante. Jean Gerson [29] m'avait tenue longtemps sous la cloche, doucement pesante, de l'humilité d'esprit, de l'anéantissement de toute réflexion, de l'absorption en Dieu et du mépris pour la science humaine, avec un salutaire mélange de crainte de ma propre faiblesse. L'*Imitation de Jésus-Christ* n'était plus mon guide. Le saint des anciens jours perdait son influence ; Chateaubriand, l'homme de sentiment et d'enthousiasme, devenait mon prêtre et mon initiateur. Je ne voyais pas le poète sceptique, l'homme de la gloire mondaine, sous ce catholique dégénéré des temps modernes.

Ceci ne fut point ma faute, et je ne songeai pas à m'en confesser. Le confesseur lui-même avait mis le poison dans mes mains. Je m'en étais nourrie de confiance. L'abîme de l'examen était ouvert, et je devais y descendre, non, comme Dante, sur le *tard de la vie*, mais à la fleur de mes ans et dans toute la clarté de mon premier réveil.

Hélas ! toi seul es logique, toi seul es réellement catholique, pécheur converti, assassin de Jean Huss, coupable et repentant Gerson ! C'est toi qui as dit[30] :

« Mon fils, ne vous laissez point toucher par la beauté et la finesse des discours des hommes. Ne lisez jamais ma parole dans l'intention d'être plus habile ou plus sage. Vous profiterez plus à détruire le mal en vous-même qu'à approfondir des questions difficiles.

« Après beaucoup de lectures et de connaissances, il en faut toujours revenir à un seul principe : C'est moi *qui donne la science aux hommes*, et j'accorde aux petits une intelligence plus claire que les hommes n'en peuvent communiquer.

« Un temps viendra où Jésus-Christ, le maître des maîtres, le seigneur des anges, paraîtra pour entendre les leçons de tous les hommes, c'est-à-dire pour examiner la conscience de chacun. Alors, *la lampe à la main, il visitera les recoins de Jérusalem, et ce qui était caché dans les ténèbres sera mis au jour*, et les raisonnements des hommes n'auront point de lieu.

« C'est moi qui élève un esprit humble, au point qu'il pénètre en un moment plus de secrets de la vérité éternelle qu'un autre n'en apprendrait dans les écoles en dix années d'étude. – J'instruis sans bruit de paroles, sans mélange d'opinions, sans faste d'honneur et sans agitation d'arguments…

« Mon fils, ne sois point curieux, et ne te charge point de soins inutiles.

« *Qu'est-ce que ceci ou cela vous regarde ? Pour vous, suivez-moi !*

« En effet, que vous importe que celui-ci soit de telle ou telle humeur ? que celui-là agisse ou parle de telle ou telle manière ?

« Vous n'avez point à répondre pour les autres. Vous rendrez compte pour vous-même. De quoi vous embarrassez-vous donc ?

« Je connais tous les hommes ; je vois tout ce qui se passe sous le soleil, et je sais l'état de chacun en particulier, ce qu'il pense, ce qu'il désire, à quoi tendent ses desseins…

« Ne vous mettez point en peine de choses qui sont une source de distractions et de grands obscurcissements de cœur……………………………………………

« Apprenez à obéir, poussière que vous êtes ! apprenez, terre et boue, à vous abaisser sous les pieds de tout le monde……………………………………

« Demeure ferme et espère en moi, car, que sont des paroles, sinon des paroles ? Elles frappent l'air, mais elles ne blessent point la pierre……………………

« L'homme a pour ennemis *ceux de sa propre maison, et il ne faut point ajouter foi à ceux qui diront : Le Christ est ici, ou : Il est là !*……………………………

« Ne te réjouis en aucune chose, mais dans le mépris de toi-même et dans l'accomplissement de ma seule volonté……………………………………………

« Quitte-toi toi-même, et tu me trouveras. Demeure sans choix et sans propriété d'aucune chose, et tu gagneras ainsi beaucoup.

« Tu t'abandonneras ainsi toujours, à toute heure, dans les petites choses comme dans les grandes. Je n'excepte rien. Je veux, en tout, te trouver dégagé de tout.

« Quitte-toi, résigne-toi. Donne tout pour tout. Ne cherche rien, ne reprends rien, et tu me posséderas. Tu auras la liberté du cœur, et les ténèbres ne t'offusqueront plus.

« Que tes efforts, et tes prières, et tes désirs aient pour but de te dépouiller de toute propriété, et de suivre, nu, Jésus-Christ nu, de mourir à toi-même et de vivre éternellement à moi……………………………

« *Rougissez, Sidon, dit la mer !…* Rougissez donc, serviteurs paresseux et plaintifs, de voir que les gens du monde sont plus ardents pour leur perte que vous ne l'êtes pour votre salut ! »

Voilà, non pas le véritable esprit de l'Évangile, mais la véritable loi du prêtre, la vraie prescription de l'Église orthodoxe : « Quitte-toi, abîme-toi, méprise-toi ; détruis ta raison, confonds ton jugement ; fuis le bruit des paroles humaines. Rampe, et fais-toi poussière sous la loi du mystère divin ; n'aime rien, n'étudie rien, ne sache rien, ne possède rien, ni dans tes mains ni dans ton âme. Deviens une abstraction fondue et prosternée dans l'abstraction divine ; méprise l'humanité, détruis la nature ; fais de toi une poignée de cendres, et tu seras heureux. Pour avoir tout, il faut tout quitter. » Ainsi se résume ce livre à la fois sublime et stupide, qui peut faire des saints, mais qui ne fera jamais un homme.

J'ai dit sans aigreur et sans dédain, j'espère, les délices de la dévotion contemplative. Je n'ai point combattu en moi le souvenir tendre et reconnaissant de l'éducation monastique. J'ai jugé le passé de mon cœur avec mon cœur. Je chéris et bénis encore les êtres qui m'ont plongée dans ces extases par le doux magnétisme de leur angélique simplicité. On me pardonnera bien, par la suite, à quelque croyance qu'on appartienne, de me juger moi-même et d'analyser l'essence des choses dont on m'a nourrie.

Si on ne me le pardonnait pas, je n'en serais pas moins sincère. Ce livre n'est pas une protestation systématique. Dieu me garde d'altérer pour moi, par un parti pris d'avance, le charme de mes propres souvenirs ; mais c'est l'histoire de ma vie, et, dans tout ce que j'en veux dire, je veux être vraie.

Je n'hésiterai donc pas à le dire : le catholicisme de Jean Gerson est anti-évangélique, et, pris au pied de la lettre, c'est une doctrine d'abominable égoïsme. Je m'en aperçus le jour où je le comparai, non avec le *Génie du christianisme*, qui est un livre d'art, et nullement un livre de doctrine, mais avec toutes les pensées que ce livre d'art me suggéra. Je sentis qu'il y avait une lutte ouverte en moi, et complète, entre l'esprit et le résultat de ces deux lectures. D'un côté, l'annihilation absolue de l'intelligence et du cœur en vue du salut personnel ; de l'autre, le développement de l'esprit et du sentiment, en vue de la religion commune.

Je relus alors l'*Imitation* dans l'exemplaire que m'avait donné Marie-Alicia ★, et qui est encore là sous mes yeux, avec le nom, écrit de cette main chérie et vénérée. – Je savais par cœur ce chef-d'œuvre de forme et d'éloquente concision. Il m'avait charmée et persuadée de tout point ; mais la logique est puissante dans le cœur des enfants. Ils ne connaissent pas le sophisme et les capitulations de conscience. L'*Imitation* est le livre du cloître par excellence, c'est le code du tonsuré. Il est mortel à l'âme de quiconque n'a pas rompu avec la société des hommes et les devoirs de la vie humaine. Aussi avais-je rompu, dans mon âme et dans ma volonté, avec les devoirs de fille, de sœur, d'épouse et de mère ; je m'étais dévouée à l'éternelle solitude en buvant à cette source de béate personnalité.

En le relisant après le *Génie du christianisme*, il me sembla entièrement nouveau, et je vis toutes les conséquences terribles de son application dans la pratique de la vie. Il me commandait d'oublier toute affection terrestre, d'éteindre toute pitié dans mon sein, de briser tous les liens de la famille, de n'avoir en vue que moi-même et de laisser tous les autres au jugement de Dieu. Je commençai à être effrayée et à me repentir sérieusement d'avoir marché entre la famille et le cloître sans prendre un parti décisif. Trop sensible au chagrin de mes parents ou au besoin qu'ils pouvaient avoir de moi, j'avais été irrésolue, craintive. J'avais laissé mon zèle se refroidir, ma résolution vaciller et se changer en un vague désir mêlé d'impuissants regrets. J'avais fait de nombreuses concessions à ma grand-mère, qui voulait me voir instruite et lettrée. J'étais le serviteur *paresseux et plaintif, qui ne se veut point dégager de toute affection charnelle et de toute condescendance particulière.* J'avais donc répudié la doctrine, à partir du jour où, cédant aux ordres de mon directeur, j'étais devenue gaie, affectueuse, obligeante avec mes compagnes, soumise et dévouée envers mes parents. Tout était coupable en moi, même mon admiration pour

★ Traduction du jésuite Gonnelieu, 17… (NdA).

sœur Hélène, même mon amitié pour Marie-Alicia, même ma sollicitude pour ma grand-mère infirme… Tout était criminel dans ma conscience et dans ma conduite, – ou bien le livre, le divin livre avait menti.

Pourquoi donc alors le docte et savant abbé de Prémord, qui me voulait aimante et charitable, pourquoi ma douce mère Alicia, qui repoussait l'idée de ma vocation religieuse, m'avaient-ils donné et recommandé ce livre ? Il y avait là une inconséquence énorme ; car, sans m'amener à la pratique véritable de l'insensibilité pour les autres, le livre m'avait fait du mal. Il m'avait tenue dans un juste milieu entre l'inspiration céleste et les sollicitudes terrestres. Il m'avait empêchée d'embrasser avec franchise les goûts de la vie domestique et les aptitudes de la famille. Il m'avait amenée à une morne révolte intérieure, dont ma soumission passive était la manifestation, trop cruelle si elle eût été comprise ! J'avais trompé ma grand-mère par le silence, quand elle croyait m'avoir convaincue. Et qui sait si ses chagrins, ses susceptibilités, ses injustices n'avaient pas rencontré en moi une cause secrète qui les légitimait, encore qu'elle l'ignorât ? Elle avait souvent trouvé mes caresses froides et mes promesses évasives. Peut-être avait-elle senti en moi, sans pouvoir s'en rendre compte, un obstacle à la sécurité de sa tendresse.

De plus en plus épouvantée par mes réflexions, je m'affligeai profondément de la faiblesse de mon caractère et de l'*obscurcissement* de mon esprit, qui ne m'avaient pas permis de suivre une route évidente et droite. J'étais d'autant plus désolée que je m'avisais de cela alors qu'il était trop tard pour le réparer, et au lendemain du malheureux jour où ma grand-mère avait perdu la faculté de comprendre mon retour à ses idées sur mon présent et mon avenir.

Tout était consommé maintenant, qu'elle vécût infirme de corps et d'âme pendant un an ou dix, ma place assidue était bien marquée à ses côtés ; mais pour la suite de mon existence, il me fallait faire un choix entre le ciel et la terre ; ou la manne d'ascétisme dont je m'étais à moitié nourrie était un aliment pernicieux dont il fallait à tout jamais me débarrasser, ou bien le livre avait raison, je devais repousser l'art et la science, et la poésie, et le raisonnement, et l'amitié et la famille ; passer les jours et les nuits en extase et en prière auprès de ma moribonde, et de là, divorcer avec toutes choses et m'envoler vers les lieux saints pour ne jamais redescendre dans le commerce de l'humanité.

Voici ce que Chateaubriand répondait à ma logique exaltée[31] :

« Les défenseurs des chrétiens tombèrent (au dix-huitième siècle) dans une faute qui les avait déjà perdus. Ils ne s'aperçurent pas qu'il ne s'agissait plus de discuter tel ou tel dogme, puisqu'on rejetait absolument les bases. En partant de la mission de Jésus-Christ, et remontant de conséquence en conséquence, ils établissaient sans doute fort solidement les vérités de la foi ; mais cette manière d'argumenter, bonne au dix-septième siècle, lorsque le fond n'était point contesté, ne valait plus rien de nos jours. Il fallait prendre la route contraire, passer de l'effet à la cause, *ne pas prouver que le christianisme est excellent parce qu'il vient de Dieu, mais qu'il vient de Dieu parce qu'il est excellent*..
....

« *Il fallait prouver* que, de toutes les religions qui ont jamais existé, la religion chrétienne est la plus poétique, la plus humaine, la plus favorable à la liberté, aux arts et aux lettres... On devait montrer qu'il n'y a rien de plus divin que sa morale ; rien de plus aimable, de plus pompeux que ses dogmes, sa doctrine et son culte. On devait dire qu'elle favorise le génie, épure le goût, développe les passions vertueuses, donne de la vigueur à la pensée..., qu'il n'y a point de honte à croire avec Newton et Bossuet, Pascal et Racine : enfin, il fallait appeler tous les enchantements de l'imagination et tous les intérêts du cœur au secours de cette même religion contre laquelle on les avait armés...

« Mais n'y a-t-il pas de danger à envisager la religion sous un jour parfaitement humain ? Et pourquoi ?

Notre religion craint-elle la lumière ? Une grande
preuve de sa céleste origine, c'est qu'elle souffre
l'examen le plus sévère et le plus minutieux de la
raison. Veut-on qu'on nous fasse éternellement le
reproche de cacher nos dogmes dans une nuit sainte,
de peur qu'on n'en découvre la fausseté ? Le christianisme sera-t-il moins vrai parce qu'il paraîtra plus
beau ? Bannissons une frayeur pusillanime. Par excès
de religion, ne laissons pas la religion périr. Nous ne
sommes plus dans le temps où il était bon de dire :
Croyez, et n'examinez pas. On examinera malgré nous,
et notre silence timide, augmentant le triomphe des
incrédules, diminuera le nombre des fidèles. »

On voit que la question était bien nettement posée
devant mes yeux. D'une part, abrutir en soi-même
tout ce qui n'est pas la contemplation immédiate de
Dieu seul ; de l'autre, chercher autour de soi et s'assimiler tout ce qui peut donner à l'âme des éléments de
force et de vie pour rendre gloire à Dieu. L'alpha et
l'oméga de la doctrine. « Soyons boue et poussière.
Soyons flamme et lumière. – N'examinez rien si vous
voulez croire. – Pour tout croire, il faut tout examiner. » À qui entendre ?

L'un de ces livres était-il complètement hérétique ?
Lequel ? Tous deux m'avaient été donnés par les direc-
teurs de ma conscience. Il y avait donc deux vérités
contradictoires dans le sein de l'Église ? Chateaubriand proclamait la vérité relative. Gerson la
déclarait absolue.

J'étais dans de grandes perplexités. Au galop de
Colette, j'étais tout Chateaubriand. À la clarté de ma
lampe, j'étais tout Gerson, et me reprochais le soir mes
pensées du matin.

Une considération extérieure donna la victoire au
néochrétien. Ma grand-mère avait été de nouveau,
pendant quelques jours, en danger de mort. Je m'étais
cruellement tourmentée de l'idée qu'elle ne se réconci-
lierait pas avec la religion et mourrait sans sacrements ;
mais, bien qu'elle eût été parfois en état de m'entendre,
je n'avais pas osé lui dire un mot qui pût l'éclairer sur

son état et la faire condescendre à mes désirs. Ma foi m'ordonnait cependant impérieusement cette tentative : mon cœur me l'interdisait avec plus d'énergie encore.

J'eus d'affreuses angoisses à ce sujet, et tous mes scrupules et cas de conscience du couvent me revinrent. Après des nuits d'épouvante et des jours de détresse, j'écrivis à l'abbé de Prémord pour lui demander de dicter ma conduite et lui avouer toutes les faiblesses de mon affection filiale. Loin de les condamner, l'excellent homme les approuva : «Vous avez mille fois bien agi, ma pauvre enfant, en gardant le silence, m'écrivait-il dans une longue lettre pleine de tolérance et de suavité. Dire à votre grand-mère qu'elle était en danger, c'eût été la tuer. Prendre l'initiative dans l'affaire délicate de sa conversion, cela serait contraire au respect que vous lui devez. Une telle inconvenance eût été vivement sentie par elle, et l'eût peut-être éloignée sans retour des sacrements. Vous avez été bien inspirée de vous taire et de prier Dieu de l'assister directement. *N'ayez jamais d'effroi quand c'est votre cœur qui vous conseille : le cœur ne peut pas tromper.* Priez toujours, espérez, et, quelle que soit la fin de votre pauvre grand-mère, comptez sur la sagesse et la miséricorde infinies. Tout votre devoir auprès d'elle est de continuer à l'entourer des plus tendres soins. En voyant votre amour, votre modestie, l'humilité, et, si je puis parler ainsi, la *discrétion* de votre foi, elle voudra peut-être, pour vous récompenser, répondre à votre secret désir et faire acte de foi elle-même. Croyez à ce que je vous ai toujours dit : Faites aimer en vous la grâce divine. C'est la meilleure exhortation qui puisse sortir de nous. »

Ainsi l'aimable et vertueux vieillard transigeait aussi avec les affections humaines. Il laissait percer l'espoir du salut de ma grand-mère, dût-elle mourir sans réconciliation officielle avec l'Église, dût-elle mourir même sans y avoir songé ! Cet homme était un saint, un vrai chrétien, dirai-je *quoique* jésuite, ou *parce que* jésuite ?

Soyons équitables. Au point de vue politique, en tant
que républicains, nous haïssons ou redoutons cette
secte éprise de pouvoir et jalouse de domination. Je dis
secte en parlant des disciples de Loyola, car c'est une
secte, je le soutiens. C'est une importante modification
à l'orthodoxie romaine. C'est une hérésie bien condi-
tionnée. Elle ne s'est jamais déclarée telle, voilà tout.
Elle a sapé et conquis la papauté sans lui faire une
guerre apparente ; mais elle s'est ri de son infaillibilité
tout en la déclarant souveraine. Bien plus habile en cela
que toutes les autres hérésies, et partant, plus puissante
et plus durable.

Oui, l'abbé de Prémord était plus chrétien que
l'Église intolérante, et il était hérétique parce qu'il était
jésuite. La doctrine de Loyola est la boîte de Pandore.
Elle contient tous les maux et tous les biens. Elle est
une assise de progrès et un abîme de destruction, une
loi de vie et de mort. Doctrine officielle, elle tue ; doctrine cachée, elle ressuscite ce qu'elle a tué.

Je l'appelle doctrine, qu'on ne me chicane pas sur les
mots, je dirai esprit de corps, tendance d'institution, si
l'on veut ; son esprit dominant et agissant consiste surtout à ouvrir à chacun la voie qui lui est propre. C'est
pour elle que la vérité est souverainement relative, et ce
principe une fois admis dans le secret des consciences,
l'Église catholique est renversée.

Cette doctrine tant discutée, tant décriée, tant
signalée à l'horreur des hommes de progrès, est encore
dans l'Église la dernière arche de la foi chrétienne.
Derrière elle, il n'y a que l'absolutisme aveugle de la
papauté. Elle est la seule religion praticable pour ceux
qui ne veulent pas rompre avec *Jésus-Christ Dieu*.
L'Église romaine est un grand cloître où les devoirs de
l'homme en société sont inconciliables avec la loi du
salut. Qu'on supprime l'amour et le mariage, l'héritage
et la famille, la loi du renoncement catholique est parfaite. Son code est l'œuvre du génie de la destruction ;
mais dès qu'elle admet une autre société que la communauté monastique, elle est un labyrinthe de contradictions et d'inconséquences. Elle est forcée de se

mentir à elle-même et de permettre à chacun ce qu'elle défend à tous.

Alors, pour quiconque réfléchit, la foi est ébranlée. Mais arrive le jésuite qui dit à l'âme troublée et incertaine : « Va comme tu peux et selon tes forces. La parole de Jésus est éternellement accessible à l'interprétation de la conscience éclairée. Entre l'Église et toi, il nous a envoyés pour lier ou délier. Crois en nous, donne-toi à nous, qui sommes une nouvelle église dans l'Église, une église tolérée et tolérante, une planche de salut entre la règle et le fait. Nous avons découvert le seul moyen d'asseoir sur une base quelconque la diffusion et l'incertitude des croyances humaines. Ayant bien reconnu l'impossibilité d'une vérité absolue dans la pratique, nous avons découvert la vérité applicable à tous les cas, à tous les fidèles. Cette vérité, cette base, c'est l'*intention*. L'intention est tout, le fait n'est rien. Ce qui est mal peut être bien et réciproquement, selon le but qu'on se propose. »

Ainsi Jésus avait parlé à ses disciples dans la sincérité de son cœur tout divin, quand il leur avait dit : « *L'esprit vivifie, la lettre tue*. Ne faites pas comme ces hypocrites et ces stupides qui font consister toute la religion dans les pratiques du jeûne et de la pénitence extérieure. Lavez vos mains et repentez-vous dans vos cœurs. »

Mais Jésus n'avait eu que des paroles de vie d'une extension immense. Le jour où la papauté et les conciles s'étaient déclarés infaillibles dans l'interprétation de cette parole, ils l'avaient tuée, ils s'étaient substitués à Jésus-Christ. Ils s'étaient octroyé la divinité. Aussi, forcément entraînés à condamner au feu, en ce monde et en l'autre, tout ce qui se séparait de leur interprétation et des préceptes qui en découlent, ils avaient rompu avec le vrai christianisme, brisé le pacte de miséricorde infinie de la part de Dieu, de tendresse fraternelle entre tous les hommes, et substitué au sentiment évangélique si humain et si vaste le sentiment farouche et despotique du moyen âge.

En principe, la doctrine des jésuites était donc, comme son nom l'indique, un retour à l'esprit véritable de Jésus, une hérésie déguisée, par conséquent, puisque l'Église a baptisé ainsi toute protestation secrète ou déclarée contre ses arrêts souverains. Cette doctrine insinuante et pénétrante avait tourné la difficulté de concilier les arrêts de l'orthodoxie avec l'esprit de l'Évangile. Elle avait rajeuni les forces du prosélytisme en touchant le cœur et en rassurant l'esprit, et tandis que l'Église disait à tous : « Hors de moi point de salut ! » le jésuite disait à chacun : « Quiconque fait de son mieux et selon sa conscience sera sauvé. »

Dirai-je maintenant pourquoi Pascal eut raison de flétrir Escobar et sa séquelle [32] ? C'est bien inutile ; tout le monde le sait et le sent de reste : comment une doctrine qui eût pu être si généreuse et si bienfaisante est devenue, entre les mains de certains hommes, l'athéisme et la perfidie, ceci est de l'histoire réelle et rentre dans la triste fatalité des faits humains. Les pères de l'Église jésuitique espagnole ont du moins sur certains papes de Rome l'avantage pour nous de n'avoir pas été déclarés infaillibles par des pouvoirs absolus, ni reconnus pour tels par une notable portion du genre humain. Ce n'est jamais par les résultats historiques qu'il faut juger la pensée des institutions. À ce compte, il faudrait proscrire l'Évangile même, puisqu'en son nom tant de monstres ont triomphé, tant de victimes ont été immolées, tant de générations ont passé courbées sous le joug de l'esclavage. Le même suc, extrait à doses inégales du sein d'une plante, donne la vie ou la mort. Ainsi de la doctrine des jésuites, ainsi de la doctrine de Jésus lui-même.

L'*institut* des jésuites, car c'est ainsi que s'intitula modestement cette secte puissante, renfermait donc implicitement ou explicitement dans le principe une doctrine de progrès et de liberté. Il serait facile de le démontrer par des preuves, mais ceci m'entraînerait trop loin, et je ne fais point ici une controverse. Je résume une opinion et un sentiment personnels, appuyés en moi sur un ensemble de leçons, de conseils et de faits que je ne pourrais pas tous dire (car si le confesseur doit le secret au pénitent, le pénitent doit au confesseur, même au-delà de la tombe, le silence de la loyauté sur certaines décisions qui pourraient être mal interprétées) ; mais cet ensemble d'expériences personnelles me persuade que je ne juge ni avec trop de partialité de cœur, ni avec trop de sévérité de conscience la pensée mère de cette secte. Si on la juge dans le présent, je sais comme tout le monde ce qu'elle renferme désormais de dangers politiques et d'obstacles au progrès ; mais si on la juge comme pensée ayant servi de corps à un ensemble de progrès, on ne peut nier qu'elle n'ait fait faire de grands pas à l'esprit humain et qu'elle n'ait beaucoup souffert, au siècle dernier, pour le principe de la liberté intellectuelle et morale, de la part des apôtres de la liberté philosophique, mais ainsi va le monde sous la loi déplorable d'un malentendu perpétuel. Trop de besoins d'affranchissement se pressent et s'encombrent sur la route de l'avenir, dans des moments donnés de l'histoire des hommes ; et qui voit son but sans voir celui du travailleur qu'il coudoie, croit souvent trouver un obstacle là où il eût trouvé un secours.

Les jésuites se piquaient d'envisager les trois faces de la perfection : religieuse, politique, sociale. Ils se trompaient ; leur institut même, par ses lois essentiellement théocratiques et par son côté ésotérique, ne pouvait affranchir l'intelligence qu'en liant le corps, la conduite, les actions (*perinde ac cadaver*) [33]. Mais quelle doctrine a dégagé jusqu'ici le grand inconnu de cette triple recherche ?

Je demande pardon de cette digression un peu longue. Avouer de la prédilection pour les jésuites est, au temps où nous vivons, une affaire délicate. On risque fort, quand on a ce courage, d'être soupçonné de duplicité d'esprit. J'avoue que je ne m'embarrasse guère d'un tel soupçon.

Entre l'*Imitation de Jésus-Christ* et le *Génie du christianisme*, je me trouvais donc dans de grandes perplexités, comme dans l'affaire de ma conduite chrétienne auprès de ma grand-mère philosophe. Dès qu'elle fut hors de danger, je demandai l'intervention du jésuite pour résoudre la difficulté nouvelle. Je me sentais attirée vers l'étude par une soif étrange, vers la poésie par un instinct passionné, vers l'examen par une foi superbe.

« Je crains que l'orgueil ne s'empare de moi, écrivais-je à l'abbé de Prémord. Il est encore temps pour moi de revenir sur mes pas, d'oublier toutes ces pompes de l'esprit dont ma grand-mère était avide, mais dont elle ne jouira plus et qu'elle ne songera plus à me demander. Ma mère y sera fort indifférente. Aucun devoir immédiat ne me pousse donc plus vers l'abîme, si c'est, en effet, un abîme, comme l'esprit d'A Kempis * me le crie dans l'oreille. Mon âme est fatiguée et comme assoupie. Je vous demande la vérité. Si ce n'est qu'une satisfaction à me refuser, rien de plus facile que de renoncer à l'étude ; mais si c'est un devoir envers Dieu, envers mes frères ?… Je crains ici, comme toujours, de m'arrêter à quelque sottise. »

L'abbé de Prémord avait la gaieté de sa force et de sa sérénité. Je n'ai pas connu d'âme plus pure et plus sûre d'elle-même. Il me répondit, cette fois, avec l'aimable enjouement qu'il avait coutume d'opposer aux terreurs de ma conscience.

« Mon cher casuiste, me disait-il, si vous craignez l'orgueil, vous avez donc déjà de l'amour-propre ? Allons, c'est un progrès sur vos *timeurs* [34] accoutumées. Mais, en vérité, vous vous pressez beaucoup ! À votre place, j'attendrais, pour m'examiner sur le chapitre de l'orgueil, que j'eusse déjà assez de savoir pour donner lieu à la tentation ; car, jusqu'ici, je crains bien qu'il n'y ait pas de quoi. Mais, tenez, j'ai tout à fait bonne idée de votre bon sens, et me persuade que quand vous aurez appris quelque chose, vous verrez d'autant mieux ce qui vous manque pour savoir beaucoup.

---

* Dans ce temps-là, je croyais, comme beaucoup d'autres, que Thomas A Kempis était l'auteur de l'*Imitation*. Les preuves invoquées par M. Henri Martin sur la paternité légitime de Jean Gerson m'ont semblé si concluantes, que je n'hésite pas à m'y rendre (NdA).

Laissez donc la crainte de l'orgueil aux imbéciles. La vanité, qu'est-ce que cela pour les cœurs fidèles ? Ils ne savent ce que c'est. – Étudiez, apprenez, lisez tout ce que votre grand-mère vous eût permis de lire. Vous m'avez écrit qu'elle vous avait indiqué dans sa bibliothèque tout ce qu'une jeune personne pure doit laisser de côté et n'ouvrir jamais. En vous disant cela, elle vous en a confié les clefs. J'en fais autant. J'ai en vous la plus entière confiance, et mieux fondée encore, moi qui sais le fond de votre cœur et de vos pensées. Ne vous faites pas si gros et si terribles tous ces esprits forts et beaux esprits mangeurs d'enfants. On peut aisément troubler les faibles en calomniant les *gens d'Église* ; mais peut-on calomnier Jésus et sa doctrine ? Laissez passer toutes les invectives contre nous. Elles ne prouvent pas plus contre *lui* que ne prouveraient nos fautes, si ce blâme était mérité. Lisez les poètes. Tous sont religieux. Ne craignez pas les philosophes, tous sont impuissants contre la foi. Et si quelque doute, quelque peur s'élève dans votre esprit, fermez ces pauvres livres, relisez un ou deux versets de l'Évangile, et vous vous sentirez docteur à tous ces docteurs. »

Ainsi parlait ce vieillard exalté, naïf et d'un esprit charmant, à une pauvre fille de dix-sept ans, qui lui avouait la faiblesse de son caractère et l'ignorance de son esprit. Était-ce bien prudent, pour un homme qui se croyait parfaitement orthodoxe ? Non certes ; c'était bon, c'était brave et généreux. Il me poussait en avant comme l'enfant poltron à qui l'on dit : « Ce n'est rien, ce qui t'effraye. Regarde et touche. C'est une ombre, une vaine apparence, un risible épouvantail. » Et, en effet, la meilleure manière de fortifier le cœur et de rassurer l'esprit, c'est d'enseigner le mépris du danger et d'en donner l'exemple.

Mais ce procédé, si certain dans le domaine de la réalité, est-il applicable aux choses abstraites ? La foi d'un néophyte peut-elle être soumise ainsi d'emblée aux grandes épreuves ?

Mon vieux ami suivait avec moi la méthode de son institution : il la suivait avec candeur, car il n'est rien de plus candide qu'un jésuite né candide. On le développe dans ce sens pour le bien, ou on l'exploite dans ce même sens pour le mal, selon que la pensée de l'*ordre* est dans la bonne ou dans la mauvaise voie de sa politique.

Il me voyait capable d'effusion intellectuelle, mais entravée par une grande rigidité de conscience, qui pouvait me rejeter dans la voie étroite du vieux catholicisme. Or, dans la main du jésuite, tout être pensant est un instrument qu'il faut faire vibrer dans le concert qu'il dirige. L'esprit du corps suggère à ses meilleurs membres un grand fond de prosélytisme, qui chez les mauvais est vanité ardente, mais toujours collective. Un jésuite qui, rencontrant une âme douée de quelque vitalité, la laisserait s'étioler ou s'annihiler dans une quiétude stérile, aurait manqué à son devoir et à sa règle. Ainsi M. de Chateaubriand faisait peut-être à dessein, peut-être sans le savoir, l'affaire des jésuites, en appelant *les enchantements de l'esprit et les intérêts du cœur* au secours du christianisme. Il était hérétique, il était novateur, il était mondain ; il était confiant et hardi avec eux, ou à leur exemple.

Après l'avoir lu avec entraînement, je savourai donc son livre avec délices, rassurée enfin par mon bon père et criant à mon âme inquiète : En avant ! en avant ! Et puis je me mis aux prises sans façon avec Mably, Locke, Condillac, Montesquieu, Bacon, Bossuet, Aristote, Leibniz, Pascal, Montaigne, dont ma grand-mère elle-même m'avait marqué les chapitres et les feuillets à passer. Puis vinrent les poètes ou les moralistes : La Bruyère, Pope, Milton, Dante, Virgile, Shakespeare, que sais-je ? Le tout sans ordre et sans méthode, comme ils me tombèrent sous la main, et avec une facilité d'intuition que je n'ai jamais retrouvée depuis, et qui est même en dehors de mon organisation lente à comprendre. La cervelle était jeune, la mémoire toujours fugitive, mais le sentiment rapide et la volonté tendue. Tout cela était à mes yeux une question de vie et de mort, à savoir si, après avoir compris tout ce que je pouvais me proposer à comprendre, j'irais à la vie du monde ou à la mort volontaire du cloître.

Il s'agit bien, pensais-je, d'éprouver ma vocation dans des bals et des parures, comme on contraint Élisa à le faire ! moi qui déteste ces choses par elles-mêmes, plus j'aurai vu les amusements puérils et supporté les fatigues du monde, moins je serai sûre que c'est mon zèle et non ma paresse qui me rejette dans la paix du monastère. Mon épreuve n'est donc pas là. (En ceci j'avais bien raison et ne me trompais pas sur moi-même.) Elle est dans l'examen de la vérité religieuse et morale. Si je résiste à toutes les objections du siècle, sous forme de raisonnement philosophique, ou sous forme d'imagination de poète, je saurai que je suis digne de me vouer à Dieu seul.

Si je voulais rendre compte de l'impression de chaque lecture et en dire les effets sur moi, j'entreprendrais là un livre de critique qui pourrait faire bien des volumes ; mais qui les lirait en ce temps-ci ? Et ne mourrais-je pas avant de l'avoir fini ?

D'ailleurs, le souvenir de tout cela n'est plus assez net en moi, et je risquerais de mettre mes impressions présentes dans mon récit du passé. Je ferai donc grâce aux gens pour qui j'écris des détails personnels de cette étrange éducation, et j'en résumerai le résultat par époques successives.

Je lisais, dans les premiers temps, avec l'audace de conviction que m'avait suggérée mon bon abbé. Armée de toutes pièces, je me défendais aussi vaillamment qu'il était permis à mon ignorance. Et puis, n'ayant pas de plan, entremêlant dans mes lectures les croyants et les opposants, je trouvais dans les premiers le moyen de répondre aux derniers. La métaphysique ne m'embarrassait guère ; je la comprenais fort peu, en ce sens qu'elle ne concluait jamais rien pour moi. Quand j'avais plié mon entendement, docile comme la jeunesse, à suivre ses abstractions, je ne trouvais que vide ou incertitude dans ses conséquences. Mon esprit était et a toujours été trop vulgaire et trop peu porté aux recherches scientifiques pour avoir besoin de demander à Dieu l'initiation de mon âme aux grands mystères. J'étais un être de sentiment, et le sentiment seul tranchait pour moi les questions à mon usage, qui, toute expérience faite, devinrent bientôt les seules questions à ma portée.

Je saluai donc respectueusement les métaphysiciens ; et tout ce que je peux dire à ma louange, à propos d'eux, c'est que je m'abstins de regarder comme vaine et ridicule une science qui fatiguait trop mes facultés. Je n'ai pas à me reprocher d'avoir dit alors : « À quoi bon la métaphysique ? » J'ai été un peu plus superbe quand, plus tard, j'y ai regardé davantage. Je me suis réconciliée, plus tard encore, avec elle, en voyant encore un peu mieux. Et, en somme, je dis aujourd'hui que c'est la recherche d'une vérité à l'usage des grands esprits, et que, n'étant pas de cette race, je n'en ai pas grand besoin. Je trouve ce qu'il me faut dans les religions et les philosophies qui sont ses filles, ses incarnations, si l'on veut.

Alors, comme aujourd'hui, mordant mieux à la philosophie, et surtout à la philosophie facile du dix-huitième siècle, qui était encore celle de mon temps, je ne me sentis ébranlée par rien et par personne. Mais Rousseau arriva, Rousseau l'homme de passion et de sentiment par excellence, et je fus enfin entamée.

Étais-je encore catholique au moment où, après avoir réservé, comme par instinct, Jean-Jacques pour la *bonne bouche*, j'allais subir enfin le charme de son raisonnement ému et de sa logique ardente ? Je ne le pense pas. Tout en continuant à pratiquer cette religion, tout en refusant de rompre avec ses formules commentées à ma guise, j'avais quitté, sans m'en douter le moins du monde, l'étroit sentier de sa doctrine. J'avais brisé à mon insu, mais irrévocablement, avec toutes ses conséquences sociales et politiques. L'esprit de l'Église n'était plus en moi : il n'y avait peut-être jamais été.

Les idées étaient en grande fermentation à cette époque. L'Italie et la Grèce combattaient pour leur liberté nationale[35]. L'Église et la monarchie se prononçaient contre ces généreuses tentatives. Les journaux royalistes de ma grand-mère tonnaient contre l'insurrection, et l'esprit prêtre, qui eût dû embrasser la cause des chrétiens d'Orient, s'évertuait à prouver les droits de l'empire turc. Cette monstrueuse inconséquence, ce sacrifice de la religion à l'intérêt politique me révoltaient étrangement. L'esprit libéral devenait pour moi synonyme de sentiment religieux. Je n'oublierai jamais, je ne peux jamais oublier que l'élan chrétien me poussa résolument, pour la première fois, dans le camp du progrès, dont je ne devais plus sortir.

Mais déjà, et depuis mon enfance, l'idéal religieux et l'idéal pratique avaient prononcé au fond de mon cœur et fait sortir de mes lèvres, aux oreilles effarouchées du bon Deschartres, le mot sacré d'égalité. La liberté, je ne m'en souciais guère alors, ne sachant ce que c'était, et n'étant pas disposée à me l'accorder plus tard à moi-même. Du moins ce qu'on appelait la liberté civile ne me disait pas grand-chose. Je ne la comprenais pas sans l'égalité absolue et la fraternité chrétienne. Il me semblait, et il me semble encore, je l'avoue, que ce mot de liberté placé dans la formule républicaine, en tête des deux autres, aurait dû être à la fin, et pouvait même être supprimé comme un pléonasme.

Mais la liberté nationale, sans laquelle il n'est ni fraternité ni égalité à espérer, je la comprenais fort bien, et la discuter équivalait pour moi à la théorie du brigandage, à la proclamation impie et farouche du droit du plus fort.

Il ne fallait pas être un enfant bien merveilleusement doué, ni une jeune fille bien intelligente pour en venir là. Aussi étais-je confondue et révoltée de voir mon ami Deschartres, qui n'était dévot ni religieux en aucune façon, combattre à la fois la religion dans la question des Hellènes et la philosophie dans la question du progrès. Le pédagogue n'avait qu'une idée, qu'une loi, qu'un besoin, qu'un instinct, l'autorité absolue en face de la soumission aveugle. Faire obéir à tout prix ceux qui *doivent* obéir, tel était son rêve ; mais pourquoi les uns *devaient*-ils commander aux autres ? Voilà à quoi lui, qui avait du savoir et de l'intelligence pratique, ne répondait jamais que par des sentences creuses et des lieux communs pitoyables.

Nous avions des discussions comiques, car il n'y avait pas moyen pour moi de les trouver sérieuses avec un esprit si baroque et si têtu sur certains points. Je me sentais trop forte de ma conscience pour être ébranlée, et, par conséquent, dépitée un instant par ses paradoxes. Je me souviens qu'un jour, dissertant avec feu sur le droit divin du sultan (je crois, Dieu me pardonne, qu'il n'eût pas refusé la sainte ampoule au Grand Turc, tant il prenait à cœur la victoire du *maître* sur les *écoliers* mutins), il s'embarrassa le pied dans sa pantoufle et tomba tout de son long sur le gazon, ce qui ne l'empêcha pas d'achever sa phrase ; après quoi il dit fort gravement en s'essuyant les genoux : « Je crois vraiment que je suis tombé ? – Ainsi tombera l'empire ottoman », lui répondis-je en riant de sa figure préoccupée. Il prit le parti de rire aussi, mais non sans un reste de colère, et en me traitant de jacobine, de régicide, de philhellène et de bonapartiste, toutes injures synonymes dans son horreur pour la contradiction.

Il était cependant pour moi d'une bonté toute paternelle et tirait une grande gloriole de mes *études*, qu'il s'imaginait diriger encore parce qu'il en discutait l'effet.

Quand j'étais embarrassée de rencontrer dans Leibniz ou Descartes les arguments mathématiques, lettres closes pour moi, mêlés à la théologie et à la philosophie, j'allais le trouver, et je le forçais de me faire comprendre par des analogies ces points inabordables. Il y portait une grande adresse, une grande clarté, une véritable intelligence de professeur. Après quoi, voulant conclure pour ou contre le livre, il battait la campagne et retombait dans ses vieilles *rengaines*.

J'étais donc, en politique, tout à fait hors du sein de l'Église et ne songeais pas du tout à m'en tourmenter ; car nos religieuses n'avaient pas d'opinion sur les affaires de la France et ne m'avaient jamais dit que la religion commandât de prendre parti pour ou contre quoi que ce soit. Je n'avais rien vu, rien lu, rien entendu dans les enseignements religieux qui me prescrivît, dans cet ordre d'idées, de demander au spirituel l'appréciation du temporel. Madame de Pontcarré, très passionnée légitimiste, très ennemie des *doctrinaires*[36] d'alors, qu'elle traitait aussi de jacobins, m'avait étonnée par son besoin d'identifier la religion à la monarchie absolue. M. de Chateaubriand, dans ses brochures, que je lisais avidement, identifiait aussi le trône et l'autel ; mais cela ne m'avait pas influencée notablement. Chateaubriand me touchait comme littérateur, et ne me pénétrait pas comme chrétien. Son œuvre, où j'avais passé à dessein l'épisode de *René*, comme un hors-d'œuvre à lire plus tard, ne me plaisait déjà plus que comme initiation à la poésie des œuvres de Dieu et des grands hommes.

Mably m'avait fort mécontentée. Pour moi, c'était une déception perpétuelle que ces élans de franchise et de générosité, arrêtés sans cesse par le découragement en face de l'application. « À quoi bon ces beaux principes, me disais-je, s'ils doivent être étouffés par l'esprit de *modération* ? Ce qui est vrai, ce qui est juste doit être observé et appliqué sans limites. »

J'avais l'ardeur intolérante de mon âge. Je jetais le livre au beau milieu de la chambre, ou au nez de Deschartres, en lui disant que cela était bon pour lui, et il me le renvoyait de même, disant qu'il ne voulait pas accepter un pareil *brouillon*, un si dangereux révolutionnaire.

Leibniz me paraissait le plus grand de tous ; mais qu'il était dur à avaler quand il s'élevait de trente atmosphères au-dessus de moi ! Je me disais avec Fontenelle, en changeant le point de départ de sa phrase sceptique : « Si j'avais bien pu le comprendre, *j'aurais vu le bout des matières, ou qu'elles n'ont point de bout !* »

« Et que m'importe, après tout, disais-je, les *monades, les unités, l'harmonie préétablie, et sacro-sancta Trinitas per nova inventa logica defensa, les esprits qui peuvent dire*

MOI, *le carré des vitesses, la dynamique, le rapport des sinus d'incidence et de réfraction*, et tant d'autres subtilités où il faut être à la fois grand théologien et grand savant, *même pour s'y méprendre* ★ [37] ! »

Je me mettais à rire aux éclats toute seule de ma prétention à vouloir profiter de ce que je n'entendais pas. Mais cette entraînante préface de la *Théodicée*, qui résumait si bien les idées de Chateaubriand et les sentiments de l'abbé de Prémord sur l'utilité et même la nécessité du savoir, venait me relancer.

« La véritable piété, et même la véritable félicité, disait Leibniz [38], consiste dans l'amour de Dieu, mais dans un amour éclairé, dont l'ardeur soit accompagnée de lumière. Cette espèce d'amour fait naître ce plaisir dans les bonnes actions qui, rapportant tout à Dieu, comme au centre, transporte l'humain au divin. – Il faut que les perfections de l'entendement donnent l'accomplissement à celles de la volonté. Les pratiques de la vertu, aussi bien que celles du vice, peuvent être l'effet d'une simple habitude ; on peut y prendre goût ; mais on ne saurait aimer Dieu sans en connaître les perfections. – Le croirait-on ? des chrétiens se sont imaginé de pouvoir être dévots sans aimer le prochain, et pieux sans comprendre Dieu ! Plusieurs siècles se sont écoulés sans que le public se soit bien aperçu de ce défaut, et il y a encore de grands restes du règne des ténèbres… Les anciennes erreurs de ceux qui ont accusé la Divinité, ou qui en ont fait un principe mauvais, ont été renouvelées de nos jours. On a eu recours à la puissance irrésistible de Dieu, quand il s'agissait plutôt de faire voir sa bonté suprême, et on a employé un pouvoir despotique, lorsqu'on devait concevoir une puissance réglée par la plus parfaite sagesse. »

Quand je relisais cela, je me disais : « Allons, encore un peu de courage ! C'est si beau de voir cette tête sublime se vouer à l'adoration ! Ce qu'elle a conçu et pris soin d'expliquer, n'aurais-je pas la conscience de

★ Fontenelle, *Éloge de Leibniz* (NdA).

vouloir le comprendre ? Mais il me manque des éléments de science, et Deschartres me persécute pour
que je laisse là ces grands résumés pour entrer dans
l'étude des détails. Il veut m'enseigner la physique, la
géométrie, les mathématiques. – Pourquoi pas, si cela
est nécessaire à la foi en Dieu et à l'amour du
prochain ? Leibniz met bien le doigt sur ma plaie
quand il dit qu'on peut être fervent par habitude. Je
suis capable d'aller au sacrifice par la paresse de l'âme ;
mais ce sacrifice, Dieu ne le rejettera-t-il pas ? »

J'allais prendre une ou deux leçons. « Continuez, me
disait Deschartres. Vous comprenez ! – Vous croyez ?
lui répondais-je. – Certainement, et tout est là. – Mais
retenir ? – Ça viendra. »

Et quand nous avions travaillé quelques heures :
« *Grand homme*, lui disais-je (je l'appelais toujours ainsi),
vous me croirez si vous voulez, mais cela me tue. C'est
trop long, le but est trop loin. Vous avez beau me
mâcher la besogne, croyez bien que je n'ai pas la tête
faite comme vous. Je suis pressée d'aimer Dieu, et s'il
faut que je pioche ainsi toute la vie pour arriver à me
dire, sur mes vieux jours, pourquoi et comment je dois
l'aimer, je me consumerai en attendant, et j'aurai peut-
être dévoré mon cœur aux dépens de ma cervelle.

– Il s'agit bien d'aimer Dieu ! disait le naïf pédagogue. Aimez-le tant que vous voudrez, mais il vient là
comme à propos de bottes !

– Ah ! c'est que vous ne comprenez pas pourquoi je
veux m'instruire.

– Bah ! on s'instruit… pour s'instruire ! répondait-il
en levant les épaules.

– Justement, c'est ce que je ne veux pas faire. Allons,
bonsoir, je vais écouter les rossignols. »

Et je m'en allais, non pas fatiguée d'esprit (Deschartres démontrait trop bien pour irriter les fibres du cerveau), mais accablée de cœur, chercher à l'air libre de
la nuit et dans les délices de la rêverie la vie qui m'était
propre et que je combattais en vain. Ce cœur avide se
révoltait dans l'inaction où le laissait le travail sec de
l'attention et de la mémoire. Il ne voulait s'instruire

que par l'émotion, et je trouvais dans la poésie des livres d'imagination et dans celle de la nature, se renouvelant et se complétant l'une par l'autre, un intarissable élément à cette émotion intérieure, à ce continuel transport divin que j'avais goûtés au couvent et qu'alors j'appelais la grâce.

Je dois donc dire que les poètes et les moralistes à formes éloquentes ont agi en moi plus que les métaphysiciens et les philosophes profonds pour y conserver la foi religieuse.

Serai-je ingrate envers Leibniz pourtant, et dirai-je qu'il ne m'a servi de rien, parce que je n'ai pas tout compris et tout retenu ? Non, je mentirais. Il est certain que nous profitons des choses dont nous oublions la lettre, quand leur esprit a passé en nous, même à petite dose. On ne se souvient guère du dîner de la veille, et pourtant il a nourri notre corps. Si ma raison s'embarrasse peu, encore à cette heure, des systèmes contraires à mon sentiment ; si les fortes objections que soulève contre la Providence, à mes propres yeux, le spectacle du terrible dans la nature et du mauvais dans l'humanité, sont vaincues par un instant de rêverie tendre ; si, enfin, je sens mon cœur plus fort que ma raison, pour me donner foi en la sagesse et en la bonté suprême de Dieu, ce n'est peut-être pas uniquement au besoin inné d'aimer et de croire que je dois ce rassérènement et ces consolations. J'ai assez compris de Leibniz, sans être capable d'argumenter de par sa science, pour savoir qu'il y a encore plus de bonnes raisons pour garder la foi que pour la rejeter.

Ainsi, par ce coup d'œil rapide et troublé que j'avais hasardé dans le royaume des merveilles ardues, j'avais à peu près rempli mon but en apparence. Cette pauvre miette d'instruction, que Deschartres trouvait surprenante de ma part, réalisait parfaitement la prédiction de l'abbé, en m'apprenant que j'avais tout à apprendre, et le démon de l'orgueil, que l'Église présente toujours à ceux qui désirent s'instruire, m'avait laissée bien tranquille, en vérité. Comme je n'en ai jamais beaucoup plus appris depuis, je peux dire que j'attends encore sa visite, et qu'à tous les compliments erronés sur ma science et ma capacité, je ris toujours intérieurement, en me rappelant la plaisanterie de mon jésuite : *Peut-être que jusqu'à présent il n'y a pas sujet de craindre beaucoup cette tentation.*

Mais le peu que j'avais arraché au *règne des ténèbres* m'avait fortifiée dans la foi religieuse en général, dans le christianisme en particulier. Quant au catholicisme… y avais-je songé ?

Pas le moins du monde. Je m'étais à peine doutée que Leibniz fût protestant et Mably philosophe. Cela n'était pas entré pour moi dans la discussion intérieure. M'élevant au-dessus des formes de la religion, j'avais cherché à embrasser l'idée mère. J'allais à la messe et n'analysais pas encore le culte.

Cependant, en me le rappelant bien, je dois le dire, le culte me devenait lourd et malsain. J'y sentais refroidir ma piété. Ce n'était plus les pompes charmantes, les fleurs, les tableaux, la propreté, les doux chants de notre chapelle, et les profonds silences du soir, et l'édifiant spectacle des belles religieuses prosternées dans leurs stalles. Plus de recueillement, plus d'attendrissement, plus de prières du cœur possibles pour moi dans ces églises publiques où le culte est dépouillé de sa poésie et de son mystère.

J'allais tantôt à ma paroisse de Saint-Chartier, tantôt à celle de La Châtre. Au village, c'était la vue des *bons saints* et des *bonnes dames* de dévotion traditionnelle, horribles fétiches qu'on eût dit destinés à effrayer quelque horde sauvage ; les beuglements absurdes de chantres inexpérimentés, qui faisaient en latin les plus grotesques calembours de la meilleure foi du monde ; et les bonnes femmes qui s'endormaient sur leur chapelet en ronflant tout haut ; et le vieux curé qui jurait au beau milieu du prône contre les indécences des chiens introduits dans l'église. À la ville, c'étaient les toilettes provinciales des dames, leurs chuchotements, leurs médisances et cancans apportés en pleine église comme en un lieu destiné à s'observer et à se diffamer les unes les autres ; c'était aussi la laideur des idoles et

les glapissements atroces des collégiens qu'on laissait
chanter la messe, et qui se faisaient des niches tout le
temps qu'elle durait. Et puis tout ce tripotage de pain
bénit et de gros sous qui se fait pendant les offices, les
querelles des sacristains et des enfants de chœur à
propos d'un cierge qui coule ou d'un encensoir mal
lancé. Tout ce dérangement, tous ces incidents bur-
lesques et le défaut d'attention de chacun qui empêchait celle de tous à la prière, m'étaient odieux. Je ne
voulais pas songer à rompre avec les pratiques obliga-
toires, mais j'étais enchantée qu'un jour de pluie me
forçât à lire la messe dans ma chambre et à prier seule
à l'abri de ce grossier concours de chrétiens pour rire.

Et puis, ces formules de prières quotidiennes, qui
n'avaient jamais été de mon goût, me devenaient de
plus en plus insipides. M. de Prémord m'avait permis
d'y substituer les élans de mon âme quand je m'y sentirais entraînée, et insensiblement je les oubliais si bien,
que je ne priais plus que d'inspiration et par improvisa-
tion libre. Ce n'était pas trop catholique ; mais on
m'avait laissée *composer* des prières au couvent. J'en
avais fait circuler quelques-unes en anglais et en français, qu'on avait trouvées si *fleuries* qu'on les avait
beaucoup goûtées. Je les avais aussitôt dédaignées en
moi-même, ma conscience et mon cœur décrétant que
les mots ne sont que des mots, et qu'un élan aussi passionné que celui de l'âme à Dieu ne peut s'exprimer
par aucune parole humaine. Toute formule était donc
une règle que j'adoptais par esprit de pénitence, et qui
finit par me sembler une corvée abrutissante et mortelle pour ma ferveur.

Voilà dans quelle situation j'étais quand je lus
l'*Émile*, la *Profession de foi du vicaire savoyard*, les *Lettres
de la montagne*, le *Contrat social* et les discours[39].

La langue de Jean-Jacques et la forme de ses déduc-
tions s'emparèrent de moi comme une musique
superbe éclairée d'un grand soleil. Je le comparais à
Mozart ; je comprenais tout ! Quelle jouissance pour un
écolier malhabile et tenace d'arriver enfin à ouvrir les
yeux tout à fait et à ne plus trouver de nuages devant

lui ! Je devins, en politique, le disciple ardent de ce maître, et je le fus bien longtemps sans restrictions. Quant à la religion, il me parut le plus chrétien de tous les écrivains de son temps, et, faisant la part du siècle de croisade philosophique où il avait vécu, je lui pardonnai d'autant plus facilement d'avoir abjuré le catholicisme, qu'on lui en avait octroyé les sacrements et le titre d'une manière irréligieuse bien faite pour l'en dégoûter [40]. Protestant-né, redevenu protestant par le fait de circonstances justifiables, peut-être inévitables, sa nationalité dans l'hérésie ne me gênait pas plus que n'avait fait celle de Leibniz. Il y a plus, j'aimais fort les protestants, parce que, n'étant pas forcée de les admettre à la discussion du dogme catholique, et me souvenant que l'abbé de Prémord ne damnait personne et me permettait cette hérésie dans le silence de mon cœur, je voyais en eux des gens sincères, qui ne différaient de moi que par des formes sans importance absolue devant Dieu.

Jean-Jacques fut le point d'arrêt de mes travaux d'esprit. À partir de cette lecture enivrante, je m'abandonnai aux poètes et aux moralistes éloquents, sans plus de souci de la philosophie transcendante. Je ne lus pas Voltaire. Ma grand-mère m'avait fait promettre de ne le lire qu'à l'âge de trente ans. Je lui ai tenu parole. Comme il était pour elle ce que Jean-Jacques a été si longtemps pour moi, l'apogée de son admiration, elle pensait que je devais être dans toute la force de ma raison pour en goûter les conclusions. Quand je l'ai lu, je l'ai beaucoup goûté, en effet, mais sans en être modifiée en quoi que ce soit. Il y a des natures qui ne s'emparent jamais de certaines autres natures, quelque supérieures qu'elles soient. Et cela ne tient pas, comme on pourrait se l'imaginer, à des antipathies de caractère, pas plus que l'influence entraînante de certains génies ne tient à des similitudes d'organisation chez ceux qui la subissent. Je n'aime pas le caractère privé de Jean-Jacques Rousseau ; je ne pardonne à son injustice, à son ingratitude, à son amour-propre malade et à mille autres choses bizarres, que par la compassion que ses douleurs me causent. Ma grand-mère n'aimait pas les rancunes et les cruautés d'esprit de Voltaire et faisait fort bien la part des égarements de sa dignité personnelle.

D'ailleurs, je ne tiens pas trop à voir les hommes à travers leurs livres, les hommes du passé surtout. Dans ma jeunesse, je les cherchais encore moins sous l'arche sainte de leurs écrits. J'avais un grand enthousiasme pour Chateaubriand, le seul vivant de mes maîtres d'alors. Je ne désirais pas du tout le voir, et ne l'ai vu dans la suite qu'à regret [41].

Pour mettre de l'ordre dans mes souvenirs, je devrais peut-être continuer le chapitre de mes lectures, mais on risque fort d'ennuyer en parlant trop longtemps de soi seul, et j'aime mieux entremêler cet examen rétrospectif de moi-même de quelques-unes des circonstances extérieures qui s'y rattachent.

V

Le fils de madame d'Épinay et de mon grand-père. – Étrange système de prosélytisme. – Attitude admirable de ma grand-mère. – Elle exige que j'entende sa confession. – Elle reçoit les sacrements. – Mes réflexions et les sermons de l'archevêque. – Querelle sérieuse avec mon confesseur. – Le vieux curé et sa servante. – Conduite déraisonnable d'un squelette. – Claudius. – Bonté et simplicité de Deschartres. – Esprit et charité des gens de La Châtre. – La fête du village. – Causeries avec mon pédagogue, réflexions sur le scandale. – Définition de l'opinion.

Aux plus beaux jours de l'été, ma grand-mère éprouva un mieux très sensible et s'occupa même de reprendre ses correspondances, ses relations de famille et d'amitié. J'écrivais sous sa dictée des lettres aussi charmantes et aussi judicieuses qu'elle les eût jamais faites. Elle reçut ses amis, qui ne comprirent pas qu'elle eût subi l'altération de facultés dont nous nous étions tant affligés et dont nous nous affligions encore, Deschartres et moi. Elle avait des heures où elle causait si bien, qu'elle semblait être redevenue elle-même, et même plus brillante et plus gracieuse encore que par le passé.

Mais quand la nuit arrivait, peu à peu la lumière faiblissait dans cette lampe épuisée. Un grand trouble se faisait sentir dans les idées, ou une apathie plus effrayante encore, et les nuits n'étaient pas toutes sans délire, un délire inquiet, mélancolique et enfantin. Je ne pensais plus du tout à lui demander de faire acte de religion, bien que ma bonne Alicia me conseillât de profiter de ce moment de santé pour l'amener sans effroi à mes fins. Ses lettres me troublaient et me ramenaient quelques scrupules de conscience ; mais elles n'eurent jamais le pouvoir de me décider à rompre la glace.

Pourtant la glace fut rompue d'une manière tout à fait imprévue. L'archevêque d'Arles en écrivit à ma grand-mère, lui annonça sa visite et arriva.

M. L*** de B***, longtemps évêque de S*** et nommé récemment alors archevêque d'A*** *in partibus*[42], ce qui équivalait à une belle sinécure de retraite, était mon oncle par bâtardise. Il était né des amours très passionnées et très divulguées de mon grand-père Francueil et de la célèbre madame d'Épinay. Ce roman a été trahi par la publication, bien indiscrète et bien inconvenante, d'une correspondance charmante, mais trop peu voilée, entre les deux amants[43].

Le bâtard, né au ***, nourri et élevé au village ou à la ferme de B***, reçut ces deux noms et fut mis dans les ordres dès sa jeunesse. Ma grand-mère le connut tout jeune encore, lorsqu'elle épousa M. de Francueil, et veilla sur lui maternellement. Il n'était rien moins que dévot à cette époque ; mais il le devint à la suite d'une maladie grave où les terreurs de l'enfer bouleversèrent son esprit faible.

Il était étrange que le fils de deux êtres remarquablement intelligents fût à peu près stupide. Tel était cet
excellent homme, qui, par compensation, n'avait pas
un grain de malice dans sa balourdise. Comme il y a
beaucoup de bêtes fort méchantes, il faut tenir compte
de la bonté, qu'elle soit privée ou accompagnée d'intelligence.

Ce bon archevêque était le portrait frappant de sa
mère, qui, comme Jean-Jacques a pris soin de nous le
dire, et comme elle le proclame elle-même avec beaucoup de coquetterie, était positivement laide ; mais elle
était fort bien faite. J'ai encore un des portraits qu'elle
donna à mon grand-père. Ma bonne maman en a
donné un autre à mon cousin Villeneuve, où elle était
représentée en costume de naïade, c'est-à-dire avec
aussi peu de costume que possible.

Mais elle avait beaucoup de physionomie, dit-on, et
fit toutes les conquêtes qu'elle put souhaiter. L'archevêque avait sa laideur toute crue et pas plus d'expression qu'une grenouille qui digère. Il était, avec cela,
ridiculement gras, gourmand ou plutôt goinfre, car la
gourmandise exige un certain discernement qu'il
n'avait pas ; très vif, très rond de manières, insuppor-
tablement gai, quelque chagrin qu'on eût autour de
lui ; intolérant en paroles, débonnaire en actions ;
grand diseur de calembours et de calembredaines
monacales ; vaniteux comme une femme de ses toilettes d'apparat, de son rang et de ses privilèges ;
cynique dans son besoin de bien-être ; bruyant, colère,
évaporé, bonasse, ayant toujours faim ou soif, ou envie
de sommeiller, ou envie de rire pour se désennuyer,
enfin le chrétien le plus sincère à coup sûr, mais le plus
impropre au prosélytisme que l'on puisse imaginer.

C'était justement le seul prêtre qui pût amener ma
grand-mère à remplir les formalités catholiques, parce
qu'il était incapable de soutenir aucune discussion
contre elle, et ne l'essaya même pas.

« *Chère maman*, lui dit-il, résumant sa lettre, sans
préambule, dès la première heure qu'il passa auprès
d'elle, vous savez pourquoi je suis venu ; je ne vous ai

pas prise *en traître* et n'irai pas *par quatre chemins*. Je veux sauver votre âme. Je sais bien que cela vous fait rire ; vous ne croyez pas que vous serez damnée parce que vous n'aurez pas fait ce que je vous demande ; mais moi, je le crois, et comme, grâce à Dieu, vous voilà guérie, vous pouvez bien me faire ce plaisir-là, sans qu'il vous en coûte la plus petite frayeur d'esprit. Je vous prie donc, vous qui m'avez toujours traité comme votre fils, d'être *bien gentille et bien complaisante* pour votre gros enfant. Vous savez que je vous crains trop pour discuter contre vous et vos beaux esprits *reliés en veau* [44]. Vous en savez beaucoup trop long pour moi ; mais il ne s'agit pas de ça ; il s'agit de me donner une grande marque d'amitié, et me voilà tout prêt à vous la demander à genoux. Seulement comme mon ventre me gênerait fort, voilà votre petite-fille qui va s'y mettre à ma place. »

Je restai stupéfaite d'un pareil discours, et ma grand-mère se prit à rire. L'archevêque me poussa à ses pieds : « Allons donc, dit-il, je crois que tu te fais prier pour m'aider, toi ! »

Alors ma grand-mère me regardant agenouillée, passa du rire à une émotion subite. Ses yeux se remplirent de larmes, et elle me dit en m'embrassant : « Eh bien, tu me croiras donc damnée si je te refuse ? – Non ! m'écriai-je impétueusement, emportée par l'élan d'une vérité intérieure plus forte que tous les préjugés religieux ; non, non ! Je suis à genoux pour vous bénir et non pas pour vous prêcher.

– En voilà une petite sotte ! » s'écria l'archevêque, et, me prenant par le bras, il voulut me mettre à la porte ; mais ma grand-mère me retint contre son cœur. « Laissez-la, mon gros *Jean le Blanc*, lui dit-elle. Elle prêche mieux que vous. Je te remercie, ma fille. Je suis contente de toi, et pour te le prouver, comme je sais qu'au fond du cœur tu désires que je dise oui, je dis oui. Êtes-vous content, *monseigneur* ? »

Monseigneur lui baisa la main en pleurant d'aise. Il était véritablement touché de tant de douceur et de tendresse. Puis il frotta ses mains et se frappa sur la

bedaine en disant : « Allons, voilà qui est enlevé ! Il faut
battre le fer pendant qu'il est chaud. Demain matin,
votre vieux curé viendra vous confesser et vous admi-
nistrer. Je me suis permis de l'inviter à déjeuner avec
nous. Ce sera une affaire faite, et demain soir vous n'y
penserez plus.

– C'est probable », dit ma grand-mère avec malice.

Elle fut gaie tout le reste de la journée. L'archevêque
encore plus, riant, batifolant en paroles, jouant avec les
gros chiens, répétant à satiété le proverbe *qu'un chien
peut bien regarder un évêque*, me grondant un peu de
l'avoir si mal aidé, d'avoir failli *tout faire manquer*, et
nous mettre dans de beaux draps par ma niaiserie ; me
reprochant de n'avoir pas *pour deux sous* de courage, et
disant que si l'on m'eût laissée faire, *nous étions frais*.

J'étais navrée de voir aller ainsi les choses. Il me semblait que *fourrer* ainsi les sacrements à une personne
qui n'y croyait pas et qui n'y voyait qu'une condescendance envers moi, c'était nous charger d'un sacrilège.
J'étais décidée à m'en expliquer avec ma grand-mère,
car de raisonner avec monseigneur, cela faisait pitié.

Mais tout changea d'aspect en un instant, grâce au
grand esprit et au tendre cœur de cette pauvre infirme,
qui, le lendemain, était mourante par le corps et
comme ressuscitée au moral.

Elle passa une très mauvaise nuit, pendant laquelle il
me fut impossible de songer à autre chose qu'à la soigner. Le lendemain matin, la raison était nette et la
volonté arrêtée. « Laisse-moi faire, dit-elle dès les premiers mots que je lui adressai : je crois qu'en effet je
vais mourir. Eh bien, je devine tes scrupules. Je sais
que si je meurs sans faire ma paix avec ces gens-là, ou
tu te le reprocheras, ou ils te le reprocheront. Je ne
veux pas mettre ton cœur aux prises avec ta conscience, ou te laisser aux prises avec tes amis. J'ai la certitude de ne faire ni une lâcheté ni un mensonge en
adhérant à des pratiques qui, à l'heure de quitter ceux
qu'on aime, ne sont pas d'un mauvais exemple. Aie
l'esprit tranquille, je sais ce que je fais. »

Pour la première fois depuis sa maladie je la sentais redevenue la grand-mère, le chef de famille capable de diriger les autres, et par conséquent elle-même. Je me renfermai dans l'obéissance passive.

Deschartres lui trouva beaucoup de fièvre et entra en fureur contre l'archevêque. Il voulait le mettre à la porte, et lui attribuait, probablement avec raison, la nouvelle crise qui se produisait dans cette existence chancelante.

Ma grand-mère l'apaisa et lui dit même : « Je *veux* que vous vous teniez tranquille, Deschartres. »

Le curé arriva, toujours ce même vieux dont j'ai parlé et qu'elle avait trouvé trop rustique pour être mon confesseur. Elle n'en voulut pas d'autres, sentant combien elle le dominerait.

Je voulus sortir avec tout le monde pour les laisser ensemble. Elle m'ordonna de rester ; puis, s'adressant au curé :

« Asseyez-vous là, mon vieux ami, lui dit-elle. Vous voyez que je suis trop malade pour sortir de mon lit, et je veux que ma fille assiste à ma confession.

– C'est bien, c'est bien, ma chère dame, répondit le curé tout troublé et tout tremblant.

– Mets-toi à genoux pour moi, ma fille, reprit ma grand-mère, et prie pour moi, tes mains dans les miennes. Je vais faire ma confession. Ce n'est pas une plaisanterie. J'y ai pensé. Il n'est pas mauvais de se résumer en quittant ce monde, et si je n'avais craint de froisser quelque usage, j'aurais voulu que tous mes amis et tous mes serviteurs fussent présents à cette récapitulation publique de ma conscience. Mais, après tout, la présence de ma fille me suffit. Dites-moi les formules, curé ; je ne les connais pas ou je les ai oubliées. Quand ce sera fait, je m'accuserai. »

Elle se conforma aux formules et dit ensuite : « Je n'ai jamais ni fait ni souhaité aucun mal à personne. J'ai fait tout le bien que j'ai pu faire. Je n'ai à confesser ni mensonge, ni dureté, ni impiété d'aucune sorte. J'ai toujours cru en Dieu. – Mais écoute ceci, ma fille : je ne l'ai pas assez aimé. J'ai manqué de courage, voilà ma faute, et depuis le jour où j'ai perdu mon fils, je n'ai pu prendre sur moi de le bénir et de l'invoquer en aucune chose. Il m'a semblé trop cruel de m'avoir frappée d'un coup au-dessus de mes forces. Aujourd'hui qu'il m'appelle, je le remercie et le prie de me pardonner ma faiblesse. C'est lui qui me l'avait donné, cet enfant, c'est lui qui me l'a ôté, mais qu'il me réunisse à lui, et je vais l'aimer et le prier de toute mon âme. »

Elle parlait d'une voix si douce et avec un tel accent de tendresse et de résignation, que je fus suffoquée de larmes et retrouvai toute ma ferveur des meilleurs jours pour prier avec elle.

Le vieux curé, attendri profondément, se leva et lui dit, avec une grande onction et dans son parler paysan, qui augmentait avec l'âge : « Ma chère sœur, je serons tous pardonnés, parce que le bon Dieu nous aime, et sait bien que quand je nous repentons, c'est que je l'aimons. Je l'ai bien pleuré aussi, moi, votre cher enfant, allez ! et je vous réponds bien qu'il est à la droite de Dieu, et que vous y serez avecques lui. Dites avec moi votre acte de contrition, et je vas vous donner l'absolution. »

Quand il eut prononcé l'absolution, elle lui ordonna de faire rentrer tout le monde, et me dit dans l'intervalle : « Je ne crois pas que ce brave homme ait eu le pouvoir de me pardonner quoi que ce soit, mais je reconnais que Dieu a ce pouvoir, et j'espère qu'il a exaucé nos bonnes intentions à tous trois. »

L'archevêque, Deschartres, tous les domestiques de la maison et les ouvriers de la ferme assistèrent à son viatique [45] ; elle dirigea elle-même la cérémonie, me fit placer à côté d'elle et disposa les autres personnes à son gré, suivant l'amitié qu'elle leur portait. Elle interrompit plusieurs fois le curé pour lui dire à demi-voix, car elle entendait fort bien le latin, *je crois à cela*, ou *il importe peu*. Elle était attentive à toutes choses, et, conservant l'admirable netteté de son esprit et la haute droiture de son caractère, elle ne voulait pas acheter sa réconciliation officielle au prix de la moindre hypocrisie. Ces détails ne furent pas compris de la plupart des assistants. L'archevêque feignit de ne pas y prendre garde, le curé n'y tenait nullement. Il était là avec son cœur et avait mis d'avance son jugement de prêtre à la porte. Deschartres était fort troublé et irrité, craignant de voir la malade succomber à la suite d'un si grand effort moral. Moi seule j'étais attentive à toutes choses autant que ma grand-mère, et, ne perdant aucune de ses paroles, aucune de ses expressions de visage, je la vis avec admiration résoudre le problème de se soumettre à la religion de son temps et de son pays sans abandonner un instant ses convictions intimes, et sans mentir en rien à sa dignité personnelle.

Avant de recevoir l'hostie, elle prit encore la parole et dit très haut : « Je veux mourir en paix ici avec tout le monde. Si j'ai fait du tort à quelqu'un, qu'il le dise, pour que je le répare. Si je lui ai fait de la peine, qu'il me le pardonne car je le regrette. »

Un sanglot d'affection et de bénédiction lui répondit de toutes parts. Elle fut administrée, puis demanda du repos et resta seule avec moi.

Elle était épuisée et dormit jusqu'au soir. Quelques jours d'accablement fébrile succédèrent à cette émotion. Puis les apparences de la santé revinrent, et nous retrouvâmes encore quelques semaines d'une sorte de sécurité.

Cet événement de famille me fit et me laissa une forte impression. Ma grand-mère, bien qu'elle fût retombée dans un demi-engourdissement de ses facultés, avait, par ce jour de courage et de pleine raison, repris à mes yeux toute l'importance de son rôle vis-à-vis de moi, et je ne m'attribuais plus aucun droit de juger sa conscience et sa conduite. J'étais frappée d'un grand respect en même temps que d'une tendre gratitude pour l'intention qu'elle avait eue de me complaire, et il m'était impossible de ne pas accepter de tous points sa manière de se repentir et de se réconcilier avec le ciel, comme digne, méritoire et agréable à Dieu. Je récapitulais toute la phase de sa vie dont j'avais été le témoin et le but ; j'y trouvais, à l'égard de ma mère, de ma sœur et de moi, quelques injustices irréfléchies ou involontaires, toujours réparées par de grands efforts sur elle-même et par de véritables sacrifices ; dans tout le reste, une longanimité sage, une douceur généreuse, une droiture parfaite, un désintéressement, un mépris du mensonge, une horreur du mal, une bienfaisance, une assistance de cœur pour tous, vraiment inépuisables, enfin les plus admirables qualités, les vertus chrétiennes les plus réelles.

Et ce qui couronnait cette noble carrière, c'était précisément cette faute dont elle avait voulu s'accuser avant de mourir. C'était cette douleur immense, inconsolable, qu'elle n'avait pu offrir à Dieu comme un hommage de soumission, mais qui ne l'avait pas empêchée de rester grande et généreuse avec tous ses semblables. Ah ! qu'elles me semblaient vénielles et pardonnables maintenant, ces crises d'amertume, ces paroles d'injustice, ces larmes de jalousie qui m'avaient tant fait souffrir dans mon plus jeune âge ! Comme je me sentais petite et personnelle[46], moi qui ne les avais pas pardonnées sur l'heure ! Avide de bonheur, indignée de souffrir, lâche dans mes muettes rancunes d'enfant, je n'avais pas compris ce que souffrait cette mère désespérée, et je m'étais comptée pour quelque chose, quand j'aurais dû deviner les profondes racines de son mal et l'adoucir par un complet abandon de moi-même !

Mon cœur gagna beaucoup dans ces repentirs. J'y noyai dans des larmes abondantes l'orgueil de mes résistances, et toute intolérance dévote s'y dissipa pour jamais. Ce cœur qui n'avait encore connu que la passion dans l'amour filial et dans l'amour divin, s'ouvrit à des tendresses inconnues ; et, faisant sur moi-même un retour aussi sérieux que celui que j'avais fait au couvent lors de ma *conversion*, je sentis toutes les puissances du sentiment et de la raison me commander l'humilité, non plus seulement comme une vertu chrétienne, mais comme une conséquence forcée de l'équité naturelle.

Tout cela me faisait sentir d'autant plus vivement que la vérité *absolue* n'était pas plus dans l'Église que dans toute autre forme religieuse ; qu'il y eût plus de vérité relative, voilà tout ce que je pouvais lui accorder, et voilà pourquoi je ne songeais pas encore à me séparer d'elle.

Les sacrements acceptés par ma grand-mère n'avaient été qu'un compromis de conscience de la part de l'archevêque, puisque l'archevêque, faute de ces sacrements, l'eût damnée en pleurant, mais sans appel. Que l'on observe et sache bien qu'il n'était pas hypocrite, ce bon prélat. Il ne s'agissait pas pour lui de faire triompher l'Église devant des provinciaux ébahis ; il était étranger à la politique et croyait *dur comme fer*, c'était son expression, à l'infaillibilité des papes et à la lettre des conciles. Il aimait réellement ma grand-mère ; n'ayant pas connu d'autre mère, il la regardait comme la sienne ; il s'en allait disant : « Qu'elle meure maintenant, ça m'est égal. Je ne suis pas jeune, et je la rejoindrai bientôt. La vie n'est pas une si grosse affaire ! mais je ne me serais jamais consolé de sa perte, si elle eût persisté dans l'*impénitence finale.* »

Je me permettais de le contredire. « Je vous jure, monseigneur, lui disais-je, qu'elle ne croit pas plus aujourd'hui qu'hier à l'*infaillibilité*. Ce qu'elle a fait est très chrétien. Avec ou sans cela, elle eût été sauvée, mais ce n'est pas catholique, ou bien l'Église admet deux catholicismes, l'un qui s'abandonne à toutes ses prescriptions, l'autre qui fait ses réserves et proteste contre la lettre.

– Ah çà, mais tu deviens très ergoteuse ! s'écriait monseigneur marchant à grands pas, ou plutôt roulant comme une toupie à travers le jardin. Est-ce que, par hasard, tu donnes aussi dans le Voltaire ? Cette chère maman est capable de t'avoir empestée de ces bavards-là ! Voyons, que fais-tu ? Comment vis-tu ici ? Qu'est-ce que tu lis ?

– En ce moment, monseigneur, je lis les Pères de l'Église, et j'y trouve beaucoup de points de vue contradictoires.

– Il n'y en a pas !

– Pardon, cher monseigneur ! Les avez-vous lus ?

– Qu'elle est bête ! Ah çà, pourquoi lis-tu les Pères de l'Église ? Il y a beaucoup de choses qu'une jeune personne peut lire ; mais je suis sûr que tu fais l'esprit fort, et que tu te mêles de juger. C'est un ridicule, à ton âge !

– Il est pour moi seule, puisque je ne fais part à personne de mes réflexions.

– Oui, mais ça viendra. Prends-y garde. Tu étais dans le bon chemin quand tu as quitté le couvent ; à présent tu *bats la breloque*. Tu montes à cheval, tu chantes de l'italien, tu tires le pistolet, à ce qu'on m'a dit ! Il faut que je te confesse. Fais ton examen de conscience pour demain. Je parie que j'aurai à te laver la tête !

– Pardon, monseigneur, mais je ne me confesserai point à vous.

– Pourquoi donc ça ?

– Parce que nous ne nous entendrions pas. Vous me passeriez tout ce que je ne me passe point, et me gronderiez de ce que je considère comme innocent. Ou je ne suis plus catholique, ou je le suis autrement que vous.

– Qu'est-ce à dire, oison bridé [47] ?

– Je m'entends ; mais ce n'est pas vous qui résoudrez la question.

– Allons, allons, il faut que je te gronde… Sache donc, malheureuse enfant… Mais voilà l'heure du dîner, je te dirai cela après. J'ai une faim de chien. Dépêchons-nous de rentrer. »

Et après le dîner, il avait oublié de me prêcher. Il l'oublia jusqu'à la fin, et partit me laissant très attachée à sa bonté, mais très peu édifiée de son genre de piété, qui ne pouvait pas être le mien.

La veille de son départ, il fit une chose des plus bêtes. Il entra dans la bibliothèque et procéda à l'incendie de quelques livres et à la mutilation de plusieurs autres. Deschartres le trouva brûlant, coupant, rognant, et se réjouissant fort de son œuvre. Il l'arrêta avant que le dommage fût considérable, le menaça d'aller avertir ma grand-mère de ce dégât, et ne put lui arracher des mains le fer et le feu qu'en lui remontrant que cette bibliothèque était une propriété confiée à sa garde, qu'il en était responsable, et que, comme maire de la commune, il était d'ailleurs autorisé à verbaliser même contre un archevêque dilapidateur. J'arrivai pour mettre la paix ; la scène était vive et des plus grotesques.

Quelques jours après, j'allai à confesse à mon curé de La Châtre, qui était un homme de belles manières, assez instruit et en apparence intelligent. Il me fit des questions qui ne blessaient en rien la chasteté, mais qui, selon moi, blessaient toute convenance et toute délicatesse. Je ne sais à quel cancan de petite ville il avait ouvert l'oreille. Il pensait que j'avais un commencement d'amour pour quelqu'un, et voulait savoir de moi si la chose était vraie. « Il n'en est rien, lui répondis-je, je n'y ai même pas songé. – Cependant, reprit-il, on assure… »

Je me levai du confessionnal sans en écouter davantage et saisie d'une indignation irrésistible. « Monsieur le curé, lui dis-je, comme personne ne me force à venir me confesser tous les mois, pas même l'Église, qui ne me prescrit que les sacrements annuels, je ne comprends pas que vous doutiez de ma sincérité. Je vous ai dit que je ne connaissais pas seulement par la pensée le sentiment que vous m'attribuez. C'était trop répondre déjà. J'eusse dû vous dire que cela ne vous regardait pas.

– Pardonnez-moi, reprit-il d'un ton hautain, le confesseur doit interroger les pensées, car il en est de confuses qui peuvent s'ignorer elles-mêmes et nous égarer !

– Non ! monsieur le curé, les pensées qu'on ignore n'existent pas. Celles qui sont confuses existent déjà et peuvent être cependant si pures qu'elles n'exigent pas qu'on s'en confesse. Vous devez croire ou que je n'ai pas de pensées confuses, ou qu'elles ne causent aucun trouble à ma conscience, puisque avant votre interrogatoire je vous avais dit la formule qui termine la confession.

– Je suis fort aise, répliqua-t-il, qu'il en soit ainsi. J'ai toujours été édifié de vos confessions ; mais vous venez d'avoir un mouvement de vivacité qui prend sa source dans l'orgueil, et je vous engage à vous en repentir et à vous en accuser ici même, si vous voulez que je vous donne l'absolution.

– Non ! monsieur, lui répondis-je. Vous êtes dans votre tort, et vous avez causé le mien, dont je vous avoue n'être pas disposée à me repentir dans ce moment-ci. »

Il se leva à son tour et me parla avec beaucoup de sécheresse et de colère. Je ne répondis rien. Je le saluai et ne le revis jamais. Je n'allai même plus à la messe à sa paroisse.

À l'heure qu'il est, je ne sais pas encore si j'eus tort ou raison de rompre ainsi avec un très honnête homme et un très bon prêtre. Puisque j'étais chrétienne et croyais devoir pratiquer encore le catholicisme, j'aurais dû peut-être accepter avec l'esprit d'humilité le soupçon qu'il m'exprimait. Cela ne me fut point possible, et je ne sentis aucun remords de ma fierté. Toute la pureté de mon être se révoltait contre une question indiscrète, imprudente, et selon moi, étrangère à la religion. J'aurais tout au plus compris les questions de l'amitié, hors du confessionnal, dans l'abandon de la vie privée ; mais cet abandon n'existait pas entre lui et moi. Je le connaissais fort peu, il n'était pas très vieux, et, en outre, il ne m'était pas sympathique. Si j'avais eu quelque chaste confidence à faire, je ne voyais pas de raison pour m'adresser à lui, qui n'était pas mon directeur et mon père spirituel. Il me semblait donc vouloir usurper sur moi une autorité morale que je ne lui avais pas donnée, et cet essai maladroit, au beau milieu d'un sacrement où je portais tant d'austérité d'esprit, me révolta comme un sacrilège. Je trouvai qu'il avait confondu la curiosité de l'homme avec la fonction du prêtre. D'ailleurs l'abbé de Prémord, scrupuleux gardien de la sainte ignorance des filles, m'avait dit : *On ne doit point faire de questions, je n'en fais jamais*, et je ne pouvais, je ne devais jamais avoir foi en un autre prêtre que celui-là.

Il m'était impossible de songer à me confesser à mon vieux curé de Saint-Chartier. J'étais trop intime, trop familière avec lui. J'avais trop joué avec lui dans mon enfance. Je lui avais fait trop de niches, et je le sentais aussi incapable de me diriger que je l'étais de m'accuser à lui sérieusement. J'allais à sa messe, en sortant je déjeunais avec lui, il essuyait lui-même, bon gré, mal gré, mes souliers crottés. J'étais obligée de lui retenir le bras pour l'empêcher de boire, parce qu'il me ramenait en croupe sur sa jument. Il me racontait ses peines de ménage, les colères de sa gouvernante ; je les grondais tous deux, tour à tour, de leurs mauvais caractères. Il n'y avait pas moyen de changer de pareilles relations, ne fût-ce qu'une heure par mois, au tribunal de la pénitence. Je savais, par mon frère et par mes petites amies de campagne, comment il écoutait la confession. Il n'en entendait pas un mot, et comme ces enfants espiègles s'accusaient, par moquerie, des plus grandes énormités, à toutes choses il répondait : « Très bien, très bien. Allons ! est-ce bientôt fini ? »

Je n'aurais pu me débarrasser de ces souvenirs, et comme je sentais bien la dévotion catholique me quitter jour par jour, je ne voulais pas m'exposer à la voir partir tout d'un coup, malgré moi, sans me sentir fondée par quelque raison vraiment sérieuse à l'abjurer volontairement.

Je n'avais jamais fait maigre les vendredis et samedis chez ma grand-mère. Elle ne le voulait pas. L'abbé de Prémord m'avait recommandé d'avance de me soumettre à cette infraction à la règle. Ainsi peu à peu j'arrivai à ne pratiquer que la prière, et encore était-elle presque toujours rédigée à ma guise.

Chose étrange ou naturelle, jamais je ne fus plus religieuse, plus enthousiaste, plus absorbée en Dieu qu'au milieu de ce relâchement absolu de ma ferveur pour le culte. Des horizons nouveaux s'ouvraient devant moi. Ce que Leibniz m'avait annoncé, l'amour divin redoublé et ranimé par la foi mieux éclairée, Jean-Jacques me

l'avait fait comprendre, et ma liberté d'esprit, recou-
vrée par ma rupture avec le prêtre, me le faisait sentir.
J'éprouvai une grande sécurité, et de ce jour les bases
essentielles de la foi furent inébranlablement posées
dans mon âme. Mes sympathies politiques, ou plutôt
mes aspirations fraternelles, me firent admettre, sans
hésitation et sans scrupule, que l'esprit de l'Église était
dévié de la bonne route et que je ne devais pas le suivre
sur la mauvaise. Enfin, je m'arrêtai à ceci, que nulle
Église chrétienne n'avait le droit de dire : Hors de moi,
point de salut.

J'ai entendu depuis des catholiques soutenir, ce que
je voulais encore me persuader alors, à savoir : que
cette sentence ne ressortait pas absolument des arrêts
de l'Église papale. Je pense qu'ils se trompaient,
comme j'avais essayé de me tromper moi-même. Mais
en supposant qu'ils eussent raison, il faudrait conclure
qu'il n'y a pas, qu'il n'y a jamais eu, qu'il ne pourra
jamais y avoir d'orthodoxie, ni là, ni ailleurs. Du
moment que Dieu ne repousse les fidèles d'aucune
Église, le catholicisme n'existe plus. Qu'il paraisse
encore excellent à un assez grand nombre d'esprits
religieux, et qu'il soit décrété culte de la majorité des
Français, je n'y fais aucune opposition de conscience ;
mais s'il admet lui-même qu'il ne damne pas les dissi-
dents, il doit admettre la discussion, et nul pouvoir
humain ne peut légitimement l'entraver, pourvu
qu'elle soit sérieuse, tolérante, sincère et digne ; car
toute calomnie est une persécution, toute injure est un
attentat contre lesquels les lois de tout pays doivent une
protection impartiale à chacun et à tous.

Le jeune homme pour qui on m'avait supposé de
l'inclination était un des ***. Je l'appellerai Claudius,
du premier nom qui me tombe sous la main et que ne
porte aucune personne à moi connue. Sa famille était
une des plus nobles du pays et avait eu de la fortune.
L'éducation de dix enfants avait achevé de ruiner les
parents de Claudius. Quelques-uns avaient entaché
leur blason par de grands désordres et une fin tragique.
Trois fils restaient. Des deux aînés, je n'ai rien à dire

qui ait rapport à cette phase de mon existence philosophique et religieuse. Le seul qui s'y soit trouvé mêlé
indirectement, comme on l'a déjà vu, était le plus
jeune.

Il était d'une belle figure et ne manquait ni de savoir,
ni d'intelligence, ni d'esprit. Il se destinait aux sciences,
où il a eu depuis une certaine notoriété. Pauvre à cette
époque, encore plus par le fait de l'avarice sordide de
sa mère que par sa situation, il se destinait à être
médecin. De grandes privations et beaucoup d'ardeur
au travail avaient ébranlé sa santé. On le croyait phtisique. Il en a rappelé : mais il est mort de maladie dans
la force de l'âge [48].

Deschartres, qui avait été lié avec son père, et qui
s'intéressait à un gentilhomme étudiant, me l'avait présenté et l'avait même engagé à me donner quelques
leçons de physique. Je m'occupais aussi d'ostéologie,
voulant apprendre un peu de chirurgie, et d'anatomie
par conséquent, pour seconder Deschartres, au
besoin, dans les opérations où je pouvais être initiée,
pour le remplacer même dans le cas de blessures peu
graves. Il avait coupé des bras, amputé des doigts,
remis des poignets, rafistolé des têtes fendues en ma
présence et avec mon aide. Il me trouvait très adroite,
très prompte et sachant vaincre la douleur et le dégoût
quand il le fallait. De très bonne heure il m'avait habituée à retenir mes larmes et à surmonter mes
défaillances. C'était un très grand service qu'il m'avait
rendu que de me rendre capable de rendre service aux
autres.

Ce Claudius apporta des têtes, des bras, des jambes
dont Deschartres avait besoin pour me démontrer le
point de départ. Il me les faisait dessiner d'après nature
(le temps nous manqua pour aller plus loin que la
théorie de la charpente osseuse). Un médecin de La
Châtre nous prêta même un squelette de petite fille
tout entier, qui resta longtemps étendu sur ma
commode ; et, à ce propos, je dois me rappeler et constater un effet de l'imagination qui prouve que toute
femmelette peut se vaincre.

Une nuit, je rêvai que mon squelette se levait et venait tirer les rideaux de mon lit. Je m'éveillai, et le voyant fort tranquille à la place où je l'avais mis, je me rendormis tranquillement.

Mais le rêve s'obstina, et cette petite fille desséchée se livra à tant d'extravagances qu'elle me devint insupportable. Je me levai et la mis à la porte, après quoi je dormis fort bien. Le lendemain elle recommença ses sottises ; mais cette fois je me moquai d'elle, et elle prit le parti de rester sage, pendant tout le reste de l'hiver, sur ma commode.

Je reviens à Claudius. Il était moins facétieux que mon squelette, et je n'eus jamais avec lui, à cette époque, que des conversations toutes pédagogiques. Il retourna à Paris, et, chargé par moi de m'envoyer une centaine de volumes, il m'écrivit plusieurs fois pour me donner des renseignements et me demander mon goût sur le choix des éditions. Je voulais avoir à moi plusieurs ouvrages qui m'avaient été prêtés, une série de poètes que je ne connaissais pas, et divers traités élémentaires, je ne sais plus lesquels, dont Deschartres lui avait donné la liste.

Je ne sais pas s'il chercha des prétextes pour m'écrire plus souvent que de besoin : il n'y parut point jusqu'à une lettre très sérieuse, un peu pédante et pourtant assez belle, qui, je m'en souviens, commençait ainsi : « Âme vraiment philosophique, vous avez bien raison, mais vous êtes la vérité qui tue. »

Je ne me souviens pas du reste, mais je sais que j'en fus étonnée et que je la montrai à Deschartres en lui demandant, avec une naïveté complète, pourquoi ces grands éloges sur ma logique étaient mêlés d'une sorte de reproche désespéré.

Deschartres n'était pas beaucoup plus expert que moi sur ces matières. Il fut étonné aussi, lut, relut, et me dit avec candeur : « Je crois bien que cela veut être une déclaration d'amour. Qu'est-ce que vous avez donc écrit à ce garçon ?

– Je ne m'en souviens déjà plus, lui dis-je. Peut-être quelques lignes sur La Bruyère, dont je suis coiffée pour le moment. Cela lui sert de prétexte pour revenir, comme vous voyez, sur la conversation que nous avons eue tous les trois à sa dernière visite.

– Oui, oui, j'y suis, dit Deschartres. Vous avez prononcé, de par vos moralistes chagrins, de si beaux anathèmes contre la société, que je vous ai dit : "Quand on voit les choses si en noir, il n'y a qu'un parti à prendre, c'est de se faire religieuse ! Vous voyez à quelles conséquences stupides cela mènerait un esprit aussi absolu que le vôtre." Claudius s'est récrié. Vous avez parlé de la vie de retraite et de renoncement d'une manière assez spécieuse, et à présent ce jeune homme vous dit que vous n'avez d'amour que pour les choses abstraites et qu'il en mourra de chagrin.

– Espérons que non, répondis-je, mais je crois que vous vous trompez. Il me dit plutôt que mon détachement des choses du monde est contagieux, et qu'il tourne lui-même au scepticisme à cet endroit-là. »

La lettre relue, nous nous convainquîmes que ce n'était pas une déclaration, mais au contraire une adhésion à ma manière de voir, un peu trop solennelle, et du ton d'un homme qui se pose en philosophe vainqueur des illusions de la vie.

En effet, Claudius m'écrivit d'autres lettres où il s'expliqua nettement sur la résolution qui s'était faite en lui depuis qu'il me connaissait. J'étais à ses yeux un être supérieur qui avait d'un mot tranché toutes ses irrésolutions. Il n'y avait de but que la science ; la médecine n'était qu'une branche secondaire ; il voulait s'élever aux idées transcendantes, n'avoir pas d'autre passion, et demander aux sciences exactes le but de la création.

Ne cherchant plus de prétextes pour m'écrire, il m'écrivit souvent. Ses lettres avaient quelque valeur par leur sincérité froide et tranchante. Deschartres trouva que ce commerce d'esprit ne m'était pas inutile, et rien ne lui sembla plus naturel qu'une correspondance sérieuse entre deux jeunes gens qui eussent pu fort bien être épris l'un de l'autre, tout en se parlant de Malebranche et consorts.

Il n'en fut pourtant rien. Claudius était trop pédant pour ne pas trouver une sorte de satisfaction à ne pas être amoureux en dépit de l'occasion. J'étais trop étrangère à tout sentiment de coquetterie, et encore trop éloignée de la moindre notion d'amour, pour voir en lui autre chose qu'un professeur.

Ma vie s'arrangeait en cela et en plusieurs autres points pour une marche indépendante de tous les usages reçus dans le monde, et Deschartres, loin de me retenir, me poussait à ce qu'on appelle l'excentricité, sans que ni lui ni moi en eussions le moindre soupçon. Un jour, il m'avait dit : « Je viens de rendre visite au comte de ★★★, et j'ai eu une belle surprise. Il chassait avec un jeune garçon qu'à sa blouse et à sa casquette j'allais traiter peu cérémonieusement, quand il m'a dit : "C'est ma fille. Je la fais habiller ainsi en gamin pour qu'elle puisse courir avec moi, grimper et sauter sans être gênée par des vêtements qui rendent les femmes impotentes à l'âge où elles ont le plus besoin de développer leurs forces." »

Ce comte de ★★★ s'occupait, je crois, d'idées médicales, et, à ses yeux, ce travestissement était une mesure d'hygiène excellente. Deschartres abondait dans son sens. N'ayant jamais élevé que des garçons, je crois qu'il était pressé de me voir en homme, afin de pouvoir se persuader que j'en étais un. Mes jupes gênaient sa gravité de cuistre ; et il est certain que quand j'eus suivi son conseil et adopté le sarrau masculin, la casquette et les guêtres, il devint dix fois plus magister et m'écrasa sous son latin, s'imaginant que je le comprenais bien mieux.

Je trouvai, pour mon compte, mon nouveau costume bien plus agréable pour courir, que mes jupons brodés qui restaient en morceaux accrochés à tous les buissons. J'étais devenue maigre et alerte, et il n'y avait pas si longtemps que je ne portais plus mon *uniforme d'aide de camp de Murat*, pour ne plus m'en souvenir [49].

Il faut se souvenir aussi qu'à cette époque les jupes sans plis étaient si étroites, qu'une femme était littéralement comme dans un étui, et ne pouvait franchir décemment un ruisseau sans y laisser sa chaussure.

Deschartres avait la passion de la chasse, et il m'y emmenait quelquefois à force d'obsessions. Cela m'ennuyait, justement à cause de la difficulté de traverser les buissons, qui sont multipliés à l'infini et garnis d'épines meurtrières dans nos campagnes. J'aimais seulement la chasse aux cailles, avec le hallier et l'appeau, dans les blés verts. Il me faisait lever avant le jour. Couchée dans un sillon, *j'appelais*, tandis qu'à l'autre extrémité du champ il rabattait le gibier. Nous rapportions tous les matins huit ou dix cailles vivantes à ma grand-mère, qui les admirait et les plaignait beaucoup, mais qui, ne se nourrissant que de menu gibier, m'empêchait de trop regretter le destin de ces pauvres créatures si jolies et si douces.

Deschartres, très affectueux pour moi et très préoccupé de ma santé, ne songeait plus à rien quand il entendait glousser la caille auprès de son filet. Je me laissais aussi emporter un peu à cet amusement sauvage de guetter et de saisir une proie. Aussi mon rôle d'*appeleur*, consistant à être couchée dans les blés inondés de la rosée du matin, me ramena les douleurs aiguës dans tous les membres que j'avais ressenties au couvent. Deschartres vit qu'un jour je ne pouvais monter sur mon cheval et qu'il fallait m'y porter. Les premiers mouvements de ma monture m'arrachaient des cris, et ce n'était qu'après de vigoureux temps de galop aux premières ardeurs du soleil que je me sentais guérie. Il s'étonna un peu et constata enfin que j'étais couverte de rhumatismes. Ce lui fut une raison de plus pour me prescrire les exercices violents et l'habit masculin qui me permettait de m'y livrer.

Ma grand-mère me vit ainsi et pleura. «Tu ressembles trop à ton père, me dit-elle. Habille-toi comme cela pour courir, mais rhabille-toi en femme en rentrant, pour que je ne m'y trompe pas, car cela me fait un mal affreux, et il y a des moments où j'embrouille si bien le passé avec le présent, que je ne sais plus à quelle époque j'en suis de ma vie.»

Ma manière d'être ressortait si naturellement de la position exceptionnelle où je me trouvais, qu'il me paraissait tout simple de ne pas vivre comme la plupart des autres jeunes filles. On me jugea très bizarre, et pourtant je l'étais infiniment moins que j'aurais pu l'être, si j'y eusse porté le goût de l'affectation et de la singularité. Abandonnée à moi-même en toutes choses, ne trouvant plus de contrôle chez ma grand-mère, oubliée en quelque sorte de ma mère, poussée à l'indépendance absolue par Deschartres, ne sentant en moi aucun trouble de l'âme ou des sens, et pensant toujours, malgré la modification qui s'était faite dans mes idées religieuses, à me retirer dans un couvent, avec ou sans vœux monastiques, ce qu'on appelait autour de moi l'*opinion* n'avait pour moi aucun sens, aucune valeur, et ne me paraissait d'aucun usage.

Deschartres n'avait jamais vu le monde à un point de vue pratique. Dans son amour pour la domination, il n'acceptait aucune entrave à ses jugements, rapportant tout à sa sagesse, à son *omnicompétence*, infaillible à ses propres yeux,

Et comme du fumier regardant tout le monde[50],

excepté ma grand-mère, lui et moi ; il ne riait pourtant pas comme moi de la critique. Elle le mettait en colère. Il s'indignait jusqu'à l'invective furibonde contre les sottes gens qui se permettaient de blâmer mon peu d'égards pour leurs coutumes.

Il faut dire aussi qu'il s'ennuyait. Il avait eu une vie extraordinairement active, dont il lui fallait retrancher beaucoup depuis la maladie de ma grand-mère. Il avait acheté, avec ses économies, un petit domaine à dix ou douze lieues de chez nous, où il allait autrefois passer des semaines entières. N'osant plus découcher, dans la crainte de retrouver sa malade plus compromise, il commençait à étouffer dans son embonpoint bilieux. Et puis, surtout, il était privé de la société de cette amie qui lui avait tenu lieu de tout ce qu'il avait ignoré dans la vie. Il avait besoin de s'attacher exclusivement à

quelqu'un et de lui reporter l'admiration et l'engouement qu'il n'accordait à personne d'autre. J'étais donc
devenue son Dieu, et peut-être plus encore que ma
grand-mère ne l'avait jamais été, puisqu'il me regardait
comme son ouvrage et croyait pouvoir s'aimer en moi,
comme dans un reflet de ses perfections intellectuelles.

Bien qu'il m'assommât souvent, je consentais à satisfaire son besoin de discuter et de disserter, en lui sacri-
fiant des heures que j'aurais préféré donner à mes
propres recherches. Il croyait tout savoir, et il se trompait. Mais comme il savait beaucoup de choses et possédait une mémoire admirable, il n'était pas ennuyeux
à l'intelligence : seulement, il était fatigant pour le
caractère, à cause de l'exubérance de vanité du sien.
Avec la figure la plus refrognée [51] et le langage le plus
absolu qui se puissent imaginer, il avait soif de
quelques moments de gaieté et d'abandon. Il plaisan-
tait lourdement, mais il riait de bon cœur quand je le
plaisantais. Enfin il souffrait tout de moi, et tandis qu'il
prenait en aversion violente quiconque ne l'admirait
pas, il ne pouvait se passer de mes contradictions et de
mes taquineries. Ce dogue hargneux était un chien
fidèle, et, mordant tout le monde, se laissait tirer les
oreilles par l'enfant de la maison.

Voilà par quel concours de circonstances toutes
naturelles j'arrivai à scandaliser effroyablement les
commères mâles et femelles de la ville de La Châtre. À
cette époque, aucune femme du pays ne se permettait
de monter à cheval, si ce n'est en croupe de son *valet*
des champs. Le costume, non pas seulement de garçon
pour les courses à pied, mais encore l'amazone et le
chapeau rond étaient une abomination ; l'étude des *os
de mort*, une profanation ; la chasse, une destruction ;
l'étude, une aberration, et mes relations enjouées et
tranquilles avec des jeunes gens, fils des amis de mon
père, que je n'avais pas cessé de traiter comme des
camarades d'enfance, et que je voyais, du reste, fort
rarement, mais à qui je donnais une poignée de main
sans rougir et me troubler comme une dinde amoureuse, c'était de l'effronterie, de la dépravation, que

sais-je ? Ma religion même fut un sujet de glose et de
calomnie stupide. Était-il convenable d'être pieuse,
quand on se permettait des choses si étonnantes ? Cela
n'était pas possible. Il y avait là-dessous quelque diablerie. Je me livrais aux sciences occultes. J'avais fait
semblant une fois de communier, mais j'avais emporté
l'hostie sainte dans mon mouchoir, on l'avait bien vu !
J'avais donné rendez-vous à Claudius et à ses frères, et
nous en avions fait une cible ; nous l'avions traversée à
coups de pistolet. Une autre fois j'étais entrée à cheval
dans l'église, et le curé m'avait chassée au moment où je
caracolais autour du maître-autel. C'était depuis ce
jour-là qu'on ne me voyait plus à la messe et que je
n'approchais plus des sacrements. André, mon pauvre
page rustique, n'était pas bien net dans tout cela. C'était
ou mon amant, ou une espèce d'appariteur, dont je me
servais dans mes conjurations. On ne pouvait rien lui
faire avouer de mes pratiques secrètes ; mais j'allais la
nuit dans le cimetière déterrer des cadavres avec
Deschartres ; je ne dormais jamais, je ne m'étais pas
mise au lit depuis un an. Les pistolets chargés qu'André
avait toujours dans les fontes de sa selle en m'accompagnant à cheval, et les deux grands chiens qui nous suivaient n'étaient pas non plus une chose bien naturelle.
Nous avions tiré sur des paysans, et des enfants avaient
été étranglés par ma chienne Velléda. Pourquoi non ?
Ma férocité était bien connue. J'avais du plaisir à voir
des bras cassés et des têtes fendues, et chaque fois qu'il
y avait du sang à faire couler, Deschartres m'appelait
pour m'en donner le divertissement.

Cela peut paraître exagéré. Je ne l'aurais pas cru
moi-même, si, par la suite, je ne l'avais vu *écrit*. Il n'y a
rien de plus bêtement méchant que l'habitant des
petites villes. Il en est même divertissant, et quand ces
folies m'étaient rapportées, j'en riais de bon cœur, ne
me doutant guère qu'elles me causeraient plus tard de
grands chagrins.

J'avais déjà subi, de la part de ces imbéciles, une
petite persécution, dont j'avais triomphé. Au milieu de
l'été, à l'époque où ma grand-mère était le mieux por-

tante, j'avais dansé la bourrée sans encombre à la fête du village, en dépit de menaces qui avaient été faites contre moi à mon insu. Voici à quelle occasion.

Je voyais souvent une bonne vieille fille qui demeurait à un quart de lieue de chez moi, dans la campagne. C'était encore Deschartres qui m'y avait menée et qui la jugeait la plus honnête personne du monde. Je crois encore qu'il ne s'était pas trompé, car j'ai toujours vu cette bonne fille ou occupée de son vieux oncle, qui mourait d'une maladie de langueur, et qu'elle soignait avec une piété vraiment filiale, ou vaquant aux soins de la campagne et du ménage avec une activité et une bonhomie touchantes. J'aimais son petit intérieur demi-rustique, tenu avec une propreté hollandaise, ses poules, son verger, ses galettes qu'elle tirait du four elle-même pour me les servir toutes chaudes. J'aimais surtout sa droiture, son bon sens, son dévouement pour l'oncle, et le réalisme de ses préoccupations domestiques, qui me faisait descendre de mes nuages et se présentait à moi avec un charme très pur et très bienfaisant.

Il lui vint une sœur qui me parut aussi très bonne femme, mais dont il plut aux moralistes de la ville de penser et de dire beaucoup de mal, j'ai toujours ignoré pourquoi, et je crois encore qu'il n'y avait pas d'autre raison à cela que la fantaisie de diffamation qui dévore les esprits provinciaux.

Il y avait une quinzaine de jours que cette sœur était au pays et je l'avais vue plusieurs fois. Elle me dit qu'elle viendrait à la fête de notre village ; elle y vint, et je lui parlai comme à une personne que l'on connaît sous de bons rapports.

Ce fut une indignation générale, et on décréta que je foulais aux pieds, avec affectation, toutes les convenances. C'était une insulte à l'*opinion* des messieurs et dames de la ville. Je ne me doutais de rien. Quelqu'un de charitable vint m'avertir, et comme, en somme, on ne me disait contre cette femme rien qui eût le sens commun, je trouvai lâche de lui tourner le dos et continuai à lui parler chaque fois que je me trouvai auprès d'elle dans le mouvement de la fête.

Plusieurs garçons judicieux, artisans et bourgeois, prétendirent que je le faisais *à l'exprès* pour narguer le *monde*, et s'entendirent pour me faire ce qu'ils appelaient *un affront*, c'est-à-dire qu'ils ne me feraient pas danser. Je ne m'en aperçus pas du tout, car tous les paysans de chez nous m'invitèrent, et, comme de coutume, je ne savais à qui entendre.

Mais il paraît que je risquais bien de n'avoir pas l'honneur d'être invitée par les gens de la ville, s'ils eussent été tous aussi bêtes les uns que les autres. Il se trouva que les premiers n'étaient pas en nombre, et que j'avais là des amis inconnus qui s'entendirent pour conjurer l'orage : entre autres un tanneur à qui j'ai su toujours gré de s'être posé pour moi en chevalier dans cette belle affaire, quoique je ne lui eusse jamais parlé. Il se fit donc autour de lui un groupe toujours grossissant de mes défenseurs, et je dansai avec eux jusqu'à en être lasse, un peu étonnée de les voir si empressés autour de moi qui ne les connaissais pas du tout, tandis que Deschartres se promenait à mes côtés d'un air terrible.

Il m'expliqua ensuite tout ce qui s'était passé. Je lui reprochai de ne pas m'avoir avertie. J'aurais quitté la fête plutôt que de servir de prétexte à quelque rixe. Mais ce n'était pas la manière de voir de Deschartres. « Je l'aurais bien voulu, s'écria-t-il tout malade de n'avoir pas trouvé l'occasion d'éclater ; j'aurais voulu qu'un de ces ânes dît un mot qui me permît de lui casser bras et jambes ! – Bah ! lui dis-je, cela vous aurait forcé à les leur remettre, et vous avez bien assez de besogne sans cela. » Deschartres, exerçant gratis, avait une grosse clientèle.

Ce petit fait nous occupa fort peu l'un et l'autre, mais nous donna lieu de parler de l'opinion, et je pensai, pour la première fois, à me demander quelle importance on devait y attacher.

Deschartres, qui était toujours en contradiction ouverte avec lui-même, ne s'en était jamais préoccupé dans sa conduite, et s'imaginait devoir la respecter en principe. Quant à moi, j'avais encore dans l'oreille

toutes les paroles sacrées, et celle-ci entre autres :
« Malheur à celui par qui le scandale arrive ! »

Mais il s'agissait de définir ce que c'est que le scandale. « Commençons par là, disais-je à mon pédagogue. Nous verrons ensuite à définir ce que c'est que l'opinion. – L'opinion, c'est très vague, disait Deschartres. Il y en a de toutes sortes. Il y a l'opinion des sages de l'antiquité, qui n'est pas celle des modernes ; celle des théologiens, qui n'est que controverse éternelle ; celle des gens du monde, qui varie encore selon les cultes. Il y a l'opinion des ignorants, qu'on doit nommer préjugés ; enfin, il y a celle des sots, qu'on doit mépriser profondément. Quant au scandale, c'est bien clair ! C'est l'impudeur dans le mal, dans le vice, dans toutes les actions mauvaises.

– Vous dites l'impudeur dans le mal : il peut donc y avoir de la pudeur dans le vice, dans toutes les mauvaises actions ?

– Non, c'est une manière de dire ; mais enfin, une certaine honte des égarements où l'on tombe est encore un hommage rendu à la morale publique.

– Oui et non, grand homme ! Celui qui fait le mal par légèreté, par entraînement, par passion, enfin sans en avoir bien conscience, ne songe pas à s'en cacher. S'il peut oublier le jugement de Dieu, il n'est guère étonnant qu'il oublie celui des hommes. Je plains sa folie. Mais celui qui se cache habilement et sait se préserver du blâme me paraît beaucoup plus odieux. Il pèche donc bien sciemment contre Dieu, celui-là, puisqu'il y porte assez de réflexion pour ne pas se laisser juger par les hommes. Je le méprise !

– C'est très juste. Donc il ne faut avoir rien de mauvais à cacher.

– Croyez-vous que vous et moi, par exemple, nous ayons à rougir de quelque vice, de quelque penchant au mal ?

– Non certainement.

– Alors, pourquoi crie-t-on au scandale autour de nous ?

– Le fait de certaines imbécillités ne prouve rien.
Mais cependant il ne faudrait pas pousser à l'extrême
l'esprit d'indépendance que, dans cette occasion-ci, je
partage avec vous. Vous êtes appelée à vivre dans le
monde ; si telle ou telle chose innocente en soi-même,
et que je juge sans inconvénient, venait à blesser les
idées de votre entourage, il faudrait bien y renoncer.

– Cela dépend, grand homme ! Les choses indiffé-
rentes en elles-mêmes doivent être sacrifiées au savoir-
vivre, comme disait toujours ma pauvre bonne maman
quand elle m'enseignait, et par le savoir-vivre elle
entendait l'affection, l'obligeance, l'esprit de famille ou
de charité. Mais les choses qui sont essentiellement
bonnes, peut-on et doit-on s'en abstenir parce qu'elles
sont méconnues et mal interprétées ? Pour sauver
l'honneur d'un parent ou d'un ami, on peut être forcé
d'exposer le sien à des soupçons. Pour lui sauver la vie,
on peut être condamné à mentir. Pour avoir assisté un
malheureux écrasé à tort ou à raison sous le blâme
public, il arrive que l'intolérance vous rend solidaire de
la réprobation qui pèse sur lui. Je vois dans l'exercice
de la charité chrétienne, qui est la première de toutes
les vertus, mille devoirs qui doivent scandaliser le
monde. Donc, quand Jésus a dit : « Si l'un de vous
scandalise un de ces petits qui croient en moi, il vau-
drait mieux pour lui avoir une pierre au cou et être jeté
dans le fond de la mer », il a voulu parler de ce qui est
le mal, et il l'a entendu d'une manière absolue toute
conforme à sa doctrine. Il a dit de la pécheresse : *Que
celui de vous qui est sans péché lui jette la première pierre*,
et ses enseignements aux disciples se résument ainsi :
"Supportez les injures, le blâme, la calomnie, tous les
genres de persécution de la part de ceux qui ne croient
point en ma parole [52]." – Or, ce que le monde appelle
scandale n'est pas toujours le scandale, et ce qu'il
appelle l'opinion n'est qu'une convention arbitraire qui
change selon les temps, les lieux et les hommes.

– Sans doute, sans doute, disait Deschartres. *Vérité
en deçà, erreur au-delà* [53] ; mais le bon citoyen respecte
les croyances du milieu où il se trouve. Ce milieu se

compose de sages et de fous, de gens capables et d'êtres stupides. Le choix n'est pas difficile à faire !

– Il y a donc deux opinions ?

– Oui, la vraie et la fausse, mère de toutes les autres nuances.

– S'il y en a deux, il n'y en a pas.

– Voyez le paradoxe !

– C'est comme pour l'Église orthodoxe, grand homme ! Il n'y en a qu'une ou il n'y en a pas. Vous me dites que j'aurai à respecter le milieu où la destinée me jettera. C'est là le paradoxe ! Si ce milieu est mauvais, je ne le respecterai pas ; je vous en avertis.

– Vous voilà encore avec votre fausse logique ! Je vous ai enseigné la logique, mais vous allez à l'extrême et rendez faux, par l'abus des conséquences, ce qui est vrai au point de départ. Le monde n'est pas infaillible, mais il a l'autorité. Il faut, dans tous les doutes, s'en remettre à l'autorité. Telle chose excellente en soi peut scandaliser.

– Il faut s'en abstenir ?

– Non ! il faut la faire, mais avec prudence quelquefois. Il faut quelquefois se cacher pour faire le bien, malgré le proverbe : Tu te caches, donc tu fais mal.

– À la bonne heure, grand homme ! Vous avez dit le mot : *Prudence*. C'est tout autre chose, cela. Il ne s'agit plus ni du bien, ni du mal, ni du scandale, ni de l'opinion à définir. Tout cela est vague dans l'ordre des choses humaines. Il faut avoir de la prudence ! Eh bien ! je vous dis, moi, que la prudence est un agrément et un avantage personnels, mais que la conscience intime étant le seul juge, à défaut de juges absolument compétents dans la société, je me crois complètement libre de manquer de prudence, s'il me plaît de supporter tout le blâme et toutes les persécutions qui s'attachent aux devoirs périlleux et difficiles.

– C'est trop présumer de vos forces. Vous ne trouverez pas la chose si aisée que vous croyez, ou bien vous vous exposerez à de grands malheurs.

– Je ne me crois pas des forces extraordinaires. Je sais que je prendrai là une tâche très rude ; aussi je m'arrange à l'avance pour me la faire aussi légère que possible. Pour cela, il y a un moyen très simple.

– Voyons !

– C'est de rompre dès à présent, dès ce premier jour où mes yeux s'ouvrent à l'inconséquence des choses humaines, avec le commerce de ce qu'on appelle le monde. Vivre dans la retraite en faisant le bien, soit dans un couvent, soit ici, ne quêtant l'approbation de personne, n'ayant aucun besoin de la société banale des indifférents, me souciant de Dieu, de quelques amis et de moi-même, voilà tout. Qu'y a-t-il de si difficile ! ma grand-mère n'a-t-elle pas arrangé ainsi toute la dernière moitié de sa vie ? »

Quand je me laissais aller à la pensée de reculer le plus possible le choix d'un état dans la vie ; quand je parlais d'attendre l'âge de vingt-cinq ou trente ans pour me décider au mariage ou à la profession religieuse, et de m'adonner, jusque-là, à la science avec Deschartres, dans notre tranquille solitude de Nohant, il n'avait plus d'arguments pour me combattre, tant ce rêve lui souriait aussi. Malgré son peu d'imagination, il m'aidait à faire des châteaux en Espagne, et finissait par croire qu'à force de m'inculquer la sagesse il m'avait rendue supérieure à lui-même.

Dans nos entretiens, je l'amenais donc presque toujours à mes conclusions, et même dans les choses d'enthousiasme où il n'était certainement pas inférieur à moi. Tout en raillant son amour-propre et ses contradictions, je sentais fort bien qu'il était tout au moins mon égal pour le cœur. Seulement, le mien, plus jeune et plus excité, avait des élans plus soutenus, et le sien, engourdi par l'âge et l'habitude des soins matériels, avait besoin d'être réveillé de temps en temps. Il affectait de préférer la sagesse à la vertu, et la raison à l'enthousiasme ; mais, au fond, il avait bien réellement dans l'âme des vertus dont je n'avais encore que l'ambition, et une conscience du devoir qui lui faisait fouler aux pieds, à chaque instant, tous ses intérêts personnels.

Le résumé que je viens de faire de nos entretiens d'une semaine ou deux n'a pas été arrangé après coup. J'ai changé de point de vue plusieurs fois dans ma vie, sur la marche et le détail des choses en voie d'éclaircissement et de progrès ; mais tout ce qui a été conclusion de philosophie à mon usage dans les choses essentielles a été réglé une fois pour toutes, la première fois que mon esprit a été conduit par un fait d'expérience, frivole ou sérieux, à se poser nettement la question du devoir. Quand j'avais, au couvent, des scrupules de dévotion, c'est-à-dire des incertitudes de jugement, je crois que j'étais plus logique que l'abbé de Prémord et madame Alicia. Catholique, je ne voulais pas l'être à moitié et croyais n'avoir pas touché le but tant qu'un grain de sable m'avait fait trébucher. J'entreprenais l'impossible, parce que rien ne semble impossible aux enfants. Je croyais à quelque chose d'absolu qui n'existe pas pour l'humanité, et dont la suprême sagesse lui a refusé le secret. Aussitôt que je me crus fondée à raisonner ma croyance et à l'épurer en lui cherchant l'appui et la sanction de mes meilleurs instincts, je n'eus plus de doute et je n'eus plus à revenir sur mes décisions. Ce ne fut pas force de caractère. Les doutes ne reparurent pas, voilà tout.

Beaucoup de points importants furent ainsi tranchés dès lors en moi, avec ou sans Deschartres, avec ou sans l'abbé de Prémord. Beaucoup d'autres restèrent encore lettres closes, entre autres tout ce qui était relatif à l'amour ou au mariage. Le temps n'était pas venu pour moi d'y songer, puisque aucune de ces fibres n'avait encore vibré en moi.

Quand je me souviens de ces contentions d'esprit et de la joie que me donnaient tout à coup mes certitudes, il me semble bien que j'avais le ridicule des écoliers qui croient avoir découvert eux-mêmes la sagesse des siècles ; mais quand je me demande aujourd'hui, fort tranquillement et après longue expérience de la vie, si j'avais raison de mépriser si hardiment les idées fausses et les vains devoirs qui tuent la foi aux devoirs sérieux, je trouve que je n'avais pas tort, et je sens que si c'était à recommencer, je ne ferais pas mieux.

VI

La maladie de ma grand-mère s'aggrave encore. – Fatigues extrêmes. – René, Byron, Hamlet. *– État maladif de l'esprit. – Maladie du suicide. – La rivière. – Sermon de Deschartres. – Les classiques. – Correspondances. – Fragments de lettres d'une jeune fille. – Derniers jours de ma grand-mère. – Sa mort. – La nuit de Noël. – Le cimetière. – La veillée du lendemain.*

On a vu comment une circonstance très minime m'avait amenée à soulever des problèmes. Il en est toujours ainsi pour tout le monde, et bien qu'on soit convenu de dire qu'il ne faut pas se placer à un point de vue personnel, il n'en pourra jamais être autrement dans les choses pratiques. Tel qui ferait une mauvaise action, s'il se révoltait contre l'opinion des gens vertueux et éclairés qui le guident et l'entourent, est nécessairement porté, s'il a le sentiment du juste, à regarder l'opinion comme une loi ; mais celui qui n'est aux prises qu'avec des niais injustes doit s'interroger avant de leur céder, et partir de là pour reconnaître qu'il n'y a nulle part, entre Dieu et lui, de contrôle légitimement absolu pour les faits de sa vie intime. La conséquence étendue à tous de cette vérité certaine, c'est que la liberté de conscience est inaliénable. En appréciant le fait par l'intention, les jésuites avaient proclamé ce principe, probablement sans en voir tous les résultats en dehors de leur ordre.

　　La petite aventure de la fête du village avait donc été le prélude des calomnies monstrueusement ridicules qui se forgèrent sur mon compte peu de temps après, avec un *crescendo* des plus brillants. Il semblait que le mépris que j'en faisais fût un motif de fureur pour ces bonnes gens de La Châtre, et que mon indépendance d'esprit (présumée, puisqu'ils ne me connaissaient que de vue) fût un outrage au code d'étiquette de leur clocher.

J'ai dit déjà que la bicoque [54] de La Châtre était remarquable par un nombre de gens d'esprit considérable relativement à sa population. Cela est encore vrai ; mais partout les bons esprits sont l'exception, même dans les grandes villes ; et dans les petites, on sait que la masse fait loi. C'est comme un troupeau de moutons où chacun, poussé par tous, donne du nez là où la moutonnerie entière se jette. De là une aversion instinctive contre celui qui se tient à part ; l'indépendance du jugement est le loup dévorant qui bouleverse les esprits dans cette bergerie.

Mes relations d'amitié avec les familles amies de la mienne n'en souffrirent pas, et je les ai gardées intactes et douces tout le reste de ma vie.

Mais on pense bien que ma volonté de ne point voir par les yeux du premier venu ne fit que croître et embellir quand tout ce déchaînement vint à ma connaissance. Je trouvais un si grand calme dans ce parti pris, que j'étais presque reconnaissante envers les sots qui me l'avaient suggéré.

Aux approches de l'automne, ma pauvre grand-mère perdit le peu de forces qu'elle avait recouvrées ; elle n'eut plus ni mémoire des choses immédiates, ni appréciation des heures, ni désir d'aucune distraction sérieuse. Elle sommeillait toujours et ne dormait jamais. Deux femmes ne la quittaient ni la nuit ni le jour. Deschartres, Julie et moi, à tour de rôle, nous passions ou le jour ou la nuit, pour surveiller ou compléter leurs soins. Dans ces fonctions fatigantes, Julie, bien que très malade elle-même, fut extrêmement courageuse et patiente. Ma pauvre grand-mère ne lui laissait guère de repos. Plus exigeante avec elle qu'avec les autres, elle avait besoin de la gronder et de la contredire, et Julie était forcée de nous faire intervenir souvent pour que sa malade renonçât à des caprices impossibles à satisfaire sans danger pour elle.

Voulant mener de front le soin de ma bonne maman, les promenades nécessaires à ma santé et mon éducation, j'avais pris le parti, voyant que quatre heures de sommeil ne me suffisaient pas, de ne plus me coucher que de deux nuits l'une. Je ne sais si c'était un meilleur système, mais je m'y habituai vite, et me sentis beaucoup moins fatiguée ainsi que par le sommeil à petites doses. Parfois, il est vrai, la malade me demandait à deux heures du matin, quand j'étais dans toute la jouissance de mon repos. Elle voulait savoir de moi s'il était réellement deux heures du matin, comme on le lui assurait. Elle ne se calmait qu'en me voyant, et certaine enfin de la vérité, elle avait encore des paroles tendres pour me renvoyer dormir ; mais il ne fallait guère compter qu'elle ne recommencerait pas à s'agiter au bout d'un quart d'heure, et je prenais le parti de lire auprès d'elle et de renoncer à ma nuit de sommeil.

Ce dur régime ne prenait plus sensiblement sur ma santé : la jeunesse se plie vite au changement d'habitudes ; mais mon esprit s'en ressentit profondément : mes idées s'assombrirent, et je tombai peu à peu dans une mélancolie intérieure que je n'avais même plus le désir de combattre.

Comme Deschartres s'en affligeait, je m'appliquai à lui cacher cette disposition maladive. Elle redoubla dans le silence. Je n'avais pas lu *René*, ce hors-d'œuvre si brillant du *Génie du Christianisme*, que, pressée de rendre le livre à mon confesseur, j'avais réservé pour le moment où je posséderais un exemplaire à moi. Je le lus enfin, et j'en fus singulièrement affectée. Il me sembla que *René* c'était moi. Bien que je n'eusse aucun effroi semblable au sien dans ma vie réelle, et que je n'inspirasse aucune passion qui pût motiver l'épouvante et l'abattement, je me sentis écrasée par ce dégoût de la vie qui me paraissait puiser bien assez de motifs dans le néant de toutes les choses humaines. J'étais déjà malade ; il m'arriva ce qui arrive aux gens qui cherchent leur mal dans les livres de médecine. Je pris, par l'imagination, tous les maux de l'âme décrits dans ce poème désolé.

Byron, dont je ne connaissais rien, vint tout aussitôt porter un coup encore plus rude à ma pauvre cervelle. L'enthousiasme que m'avaient causé les poètes mélancoliques d'un ordre moins élevé ou moins sombre, Gilbert, Millevoie, Young, Pétrarque, etc., se trouva dépassé. Hamlet et Jacques [55] de Shakespeare m'achevèrent. Tous ces grands cris de l'éternelle douleur humaine venaient couronner l'œuvre de désenchantement que les moralistes avaient commencée. Ne connaissant encore que quelques faces de la vie, je tremblais d'aborder les autres. Le souvenir de ce que j'avais déjà souffert me donnait l'effroi et presque la haine de l'avenir. Trop croyante en Dieu pour maudire l'humanité, je m'arrangeais du paradoxe de Rousseau qui proclame la bonté innée dans l'homme, en maudissant l'œuvre de la société, et en attribuant à l'action collective ce dont l'action individuelle ne se fût jamais avisée.

Comme la conclusion de ce sophisme spécieux était que l'isolement, la vie recueillie et cachée, sont les seuls moyens de conserver la paix de la conscience, ne voilà-t-il pas que, de par la liberté, je revenais au stoïcisme catholique de Gerson, et qu'épouvantée du néant de la vie, je pensais avoir tourné dans un cercle vicieux ?

Seulement Gerson promettait et donnait la béatitude au cénobite, et mes moralistes ainsi que mes poètes ne me laissaient que le désespoir. Gerson, toujours logique à son point de vue étroit, m'avait conseillé de n'aimer mes semblables qu'en vue de mon propre salut, c'est-à-dire de ne les aimer point. J'avais appris des autres à mieux entendre Jésus et à aimer le prochain littéralement plus que moi-même : de là une douleur infinie de voir chez mes semblables le mal dont il me semblait si facile de se préserver, et un regret amer de ne pouvoir emporter dans la solitude l'espérance de leur conversion.

J'avais résolu de m'abstenir de la vie ; à mon rêve de couvent avait succédé un rêve de claustration libre, de

solitude champêtre. Il me semblait que j'avais, comme
René, le cœur mort avant d'avoir vécu, et qu'ayant si
bien découvert, par les yeux de Rousseau, de La
Bruyère, de Molière même, dont le *Misanthrope* était
devenu mon code, par les yeux enfin de tous ceux qui
ont vécu, senti, pensé et écrit, la perversité et la sottise
des hommes, je ne pourrais jamais en aimer un seul
avec enthousiasme, à moins qu'il ne fût, comme moi,
une espèce de sauvage, en rupture de ban avec cette
société fausse et ce monde fourvoyé.

Si Claudius, avec son esprit, son savoir et son scepticisme à l'endroit des choses humaines, eût eu, comme
moi, l'idéal religieux, j'eusse peut-être pensé à lui ; j'y
pensai même, pour le questionner à ce sujet ; mais,
tout au contraire de moi, il arrivait rapidement à nier
Dieu, disant qu'il aurait dû commencer par là. Cela
creusait un abîme entre nous, et notre amitié épistolaire en était glacée. Je ne lui pardonnais que par la
pensée qu'il s'éclairerait mieux en s'instruisant davantage.

Cela n'arriva point. Et, bien que nous ayons été liés
plus tard assez intimement, cette souffrance intérieure
que me causait son athéisme ne s'est jamais dissipée,
alors même que je n'avais plus l'esprit tendu habituellement sur des idées aussi sérieuses. Cet athéisme produisit chez lui, dans son âge mûr, des théories d'une
perversité surprenante, et l'on se demandait parfois s'il
y croyait, ou s'il se moquait de vous. Il vint même un
moment où il fut saisi du vertige du mal et où il
m'effraya au point que je cessai de le voir et refusai de
renouer notre ancienne amitié ; mais pourquoi racon-
terais-je cette phase de son existence ? Il n'y a pas
d'utilité à remuer la cendre des morts quand leur trace
dans la vie n'a pas été assez éclatante pour laisser derrière eux des abîmes entrouverts.

Je m'isolais donc, par la volonté, à dix-sept ans, de
l'humanité présente. Les lois de propriété, d'héritage,
de répression meurtrière, de guerre litigieuse ; les privilèges de fortune et d'éducation ; les préjugés du rang
et ceux de l'intolérance morale ; la puérile oisiveté des

gens du monde ; l'abrutissement des intérêts matériels ; tout ce qui est d'institution ou de coutume
païenne dans une société soi-disant chrétienne, me
révoltait si profondément, que j'étais entraînée à protester, dans mon âme, contre l'œuvre des siècles. Je
n'avais pas la notion du progrès, qui n'était pas populaire alors, et qui ne m'était pas arrivée par mes lectures. Je ne voyais donc pas d'issue à mes angoisses, et
l'idée de travailler, même dans mon milieu obscur et
borné, pour hâter les promesses de l'avenir, ne pouvait
se présenter à moi.

Ma mélancolie devint donc de la tristesse, et ma tristesse de la douleur. De là au dégoût de la vie et au désir
de la mort il n'y a qu'un pas. Mon existence domestique était si morne, si endolorie, mon corps si irrité
par une lutte continuelle contre l'accablement, mon
cerveau si fatigué de pensées sérieuses trop précoces,
et de lectures trop absorbantes aussi pour mon âge,
que j'arrivai à une maladie morale très grave : l'attrait
du suicide.

À Dieu ne plaise que j'attribue cependant ce mauvais résultat aux écrits des maîtres et au désir de la
vérité. Dans une plus heureuse situation de famille et
dans une meilleure disposition de santé, ou je n'aurais
pas tant compris les livres, ou ils ne m'eussent pas tant
impressionnée. Comme presque tous ceux de mon
âge, peut-être n'aurais-je été émue que de la forme, et
n'aurais-je pas tant cherché le fond. Les philosophes,
pas plus que les poètes, ne sont coupables du mal
qu'ils peuvent nous faire, quand nous buvons sans à-
propos et sans modération aux sources qu'ils ont creu-
sées. Je sentais bien que je devais me défendre, non pas
d'eux, mais de moi-même, et j'appelais la foi à mon
secours.

Je crois encore à ce que les chrétiens appellent la
grâce. Qu'on nomme comme on voudra les transformations qui s'opèrent en nous quand nous appelons
énergiquement le principe divin de l'infini au secours
de notre faiblesse ; que ce bienfait s'appelle secours ou
assimilation ; que notre aspiration s'appelle prière ou

exaltation d'esprit, il est certain que l'âme se retrempe dans les élans religieux. Je l'ai toujours éprouvé d'une manière si évidente pour moi, que j'aurais mauvaise grâce à en matérialiser l'expression sous ma plume. Prier comme certains dévots pour demander au ciel la pluie ou le soleil, c'est-à-dire des pommes de terre et des écus, pour conjurer la grêle ou la foudre, la maladie ou la mort, c'est de l'idolâtrie pure ; mais lui demander le courage, la sagesse, l'amour, c'est ne pas intervertir l'ordre de ses lois immuables, c'est puiser à un foyer qui ne nous attirerait pas sans cesse si, par sa nature, il n'était pas capable de nous réchauffer.

Je priai donc et reçus la force de résister à la tentation du suicide. Elle fut quelquefois si vive, si subite, si bizarre, que je pus bien constater que c'était une espèce de folie dont j'étais atteinte. Cela prenait la forme d'une idée fixe et frisait par moments la monomanie. C'était l'eau surtout qui m'attirait comme par un charme mystérieux. Je ne me promenais plus qu'au bord de la rivière, et, ne songeant plus à chercher les sites agréables, je la suivais machinalement jusqu'à ce que j'eusse trouvé un endroit profond. Alors, arrêtée sur le bord et comme enchaînée par un aimant, je sentais dans ma tête comme une gaieté fébrile en me disant : « Comme c'est aisé ! Je n'aurais qu'un pas à faire ! »

D'abord cette manie eut son charme étrange, et je ne la combattis pas, me croyant bien sûre de moi-même ; mais elle prit une intensité qui m'effraya. Je ne pouvais plus m'arracher de la rive aussitôt que j'en formais le dessein, et je commençais à me dire : *Oui* ou *Non* ? assez souvent et assez longtemps pour risquer d'être lancée par le *oui* au fond de cette eau transparente qui me magnétisait.

Ma religion me faisait pourtant regarder le suicide comme un crime. Aussi je vainquis cette menace de délire. Je m'abstins de m'approcher de l'eau, et le phénomène nerveux, car je ne puis définir autrement la chose, était si prononcé, que je ne touchais pas seulement à la margelle d'un puits sans un tressaillement fort pénible à diriger en sens contraire.

Je m'en croyais pourtant guérie, lorsque, allant voir un malade avec Deschartres, nous nous trouvâmes tous deux à cheval au bord de l'Indre. « Faites attention, me dit-il, ne se doutant pas de ma monomanie, marchez derrière moi ; le gué est très dangereux. À deux pas de nous, sur la droite, il y a vingt pieds d'eau.

– J'aimerais mieux ne point y passer, lui répondis-je saisie tout à coup d'une grande méfiance de moi-même. Allez seul, je ferai un détour et vous rejoindrai par le pont du moulin. »

Deschartres se moqua de moi. « Depuis quand êtes-vous peureuse ? me dit-il, c'est absurde. Nous avons passé cent fois dans des endroits pires, et vous n'y songiez pas. Allons, allons ! le temps nous presse. Il nous faut être rentrés à cinq heures pour faire dîner votre bonne maman. »

Je me trouvai bien ridicule en effet, et je le suivis. Mais au beau milieu du gué, le vertige de la mort s'empare de moi, mon cœur bondit, ma vue se trouble, j'entends le *oui* fatal gronder dans mes oreilles, je pousse brusquement mon cheval à droite, et me voilà dans l'eau profonde, saisie d'un rire nerveux et d'une joie délirante.

Si Colette n'eût été la meilleure bête du monde, j'étais débarrassée de la vie et fort innocemment, cette fois, car aucune réflexion ne m'était venue ; mais Colette, au lieu de se noyer, se mit à nager tranquillement et à m'emporter vers la rive ; Deschartres faisait des cris affreux qui me réveillèrent. Déjà il s'élançait à ma poursuite. Je vis que, mal monté et maladroit, il allait se noyer. Je lui criai d'être tranquille et ne m'occupai plus que de me bien tenir. Il n'est pas aisé de ne pas quitter un cheval qui nage. L'eau vous soulève, et votre propre poids submerge l'animal à chaque instant ; mais j'étais bien légère, et Colette avait un courage et une vigueur peu communs. La plus grande difficulté fut pour aborder. La rive était trop escarpée. Il y eut un moment d'anxiété terrible pour mon pauvre

Deschartres ; mais il ne perdit pas la tête et me cria de m'accrocher à un têteau de saule qui se trouvait à ma portée, et de laisser noyer la bête. Je réussis à m'en séparer et à me mettre en sûreté ; mais quand je vis les efforts désespérés de ma pauvre Colette pour franchir le talus, j'oubliai tout à fait ma situation, et, entraînée une minute auparavant à ma propre perte, je me désolai de celle de mon cheval, que je n'avais pas prévue. J'allais me rejeter à l'eau pour essayer, bien inutilement sans doute, de le sauver, quand Deschartres vint m'arracher de là, et Colette eut l'esprit de revenir vers le gué où était restée l'autre jument.

Deschartres ne fit pas comme le maître d'école de la fable, qui débite son sermon avant de songer à sauver l'enfant ; mais le sermon, pour venir après le secours, n'en fut pas moins rude. Le chagrin et l'inquiétude le rendaient parfois littéralement furieux. Il me traita d'*animal,* de *bête brute,* tout son vocabulaire y passa. Comme il était d'une pâleur livide et que de grosses larmes coulaient avec ses injures, je l'embrassai sans le contredire ; mais la scène continuant pendant le retour, je pris le parti de lui dire la vérité comme à un médecin, et de le consulter sur cette inexplicable fantaisie dont j'étais possédée.

Je pensais qu'il aurait peine à me comprendre, tant je comprenais peu moi-même ce que je lui avouais ; mais il n'en parut pas surpris. « Ah ! mon Dieu ! s'écria-t-il, cela aussi ! Allons, c'est héréditaire ! » Il me raconta alors que mon père était sujet à ces sortes de vertiges, et m'engagea à les combattre par un bon régime et par la *religion,* mot inusité dans sa bouche, et que je lui entendais invoquer, je pense, pour la première fois.

Il n'avait pas lieu d'argumenter contre mon mal, puisqu'il était involontaire et combattu en moi ; mais ceci nous conduisit à raisonner sur le suicide en général.

Je lui accordais d'abord que le suicide raisonné et consenti était généralement une impiété et une lâcheté. C'eût été le cas pour moi. Mais cela ne me paraissait pas plus absolu que bien d'autres lois morales. Au point de vue religieux, tous les martyrs étaient des suicides [56] ; si Dieu voulait, d'une manière absolue et sans réplique, que l'homme conservât, même parjure et souillée, la vie qu'il lui a imposée, les héros et les saints du christianisme devaient plutôt feindre d'embrasser les idoles que de se laisser livrer aux supplices et dévorer par les bêtes. Il y a eu des martyrs si avides de cette mort sacrée, qu'on raconte de plusieurs qu'ils se précipitèrent en chantant dans les flammes, sans attendre qu'on les y poussât. Donc l'idéal religieux admet le suicide et l'Église le canonise. Elle a fait plus que de canoniser les martyrs, elle a canonisé les saints volontairement suicidés par excès de macérations.

Quant au point de vue social (en outre des faits d'héroïsme patriotique et militaire, qui sont des suicides glorieux comme le martyre chrétien), ne pouvait-il pas se présenter des cas où la mort est un devoir tacitement exigé par nos semblables ? Sacrifier sa vie pour sauver celle d'un autre n'est pas un devoir douteux, lors même qu'il s'agirait du dernier des hommes ; mais la sacrifier pour réparer sa propre honte, si la société ne le commande pas, ne l'approuve-t-elle point ? N'avons-nous pas tous dans le cœur et sur les lèvres ce cri instinctif de la conscience en présence d'une infamie : « Comment peut-on, comment ose-t-on vivre après cela ? » L'homme qui commet un crime et qui se tue après n'est-il pas à moitié absous ? Celui qui a fait un grand tort à quelqu'un et qui, ne pouvant le réparer, se condamne à l'expier par le suicide, n'est-il pas plaint et en quelque sorte réhabilité ? Le banqueroutier qui survit à la ruine de ses commettants est souillé d'une tache ineffaçable ; sa mort volontaire peut seule prouver la probité de sa conduite ou la réalité de son désastre. Ce peut être parfois un point d'honneur exagéré, mais c'est un point d'honneur. Quand c'est l'œuvre d'un remords bien fondé, est-ce un scandale de plus à donner au monde ? Le monde, par conséquent l'esprit des sociétés établies, n'en juge pas ainsi, puisque, par le pardon qu'il accorde, il considère ceci comme une réparation du mauvais exemple et un hommage rendu à la morale publique.

Deschartres m'accorda tout cela, mais il fut plus embarrassé quand je poussai plus loin. « Maintenant, lui dis-je, il peut arriver, comme conséquence de tout ce que nous avons admis, qu'une âme éprise du beau et du vrai sente cependant en elle la fatalité de quelque mauvais instinct, et qu'étant tombée dans le mal, elle ne puisse pas répondre, malgré ses remords et ses résolutions, de n'y pas retomber tout le reste de sa vie. Alors elle peut se prendre elle-même en dégoût, en aversion, en mépris, et non seulement désirer la mort, mais la chercher comme le seul moyen de s'arrêter dans la mauvaise voie.

– Oh ! doucement, dit Deschartres. Vous voilà fataliste à présent, et que faites-vous du libre arbitre, vous qui êtes chrétienne ?

– Je vous confesse qu'aujourd'hui, répondis-je, j'éprouve de grands doutes là-dessus. Ils sont pénibles plus que je ne puis vous le dire, et je ne demande pas mieux que vous les combattiez ; mais ce qui m'est arrivé tout à l'heure ne prouve-t-il pas qu'on peut être entraîné vers la mort physique par un phénomène tout physique, auquel la conscience et la volonté n'ont point de part, et où l'assistance de Dieu semble ne vouloir pas intervenir ?

– Vous en concluez que si l'instinct physique peut nous faire chercher la mort physique, l'instinct moral peut nous pousser de même à la mort morale ? La conséquence est fausse. L'instinct moral est plus important que l'instinct physique, qui ne raisonne pas. La raison est toute-puissante, non pas toujours sur le mal physique, qui l'engourdit et la paralyse, mais sur le mal moral, qui n'est pas de force contre elle. Ceux qui font le mal sont des êtres privés de raison. Complétez la raison en vous-même, vous serez à l'abri de tous les dangers qui conspiraient contre elle, et même vous surmonterez en vous les désordres du sang et des nerfs ; vous les préviendrez, tout au moins, par le régime moral et physique. »

Je donnai pleinement raison, cette fois, à Deschartres : pourtant il me revint plus tard bien des doutes et des angoisses de l'âme à ce sujet. Je pensai que le libre arbitre existe dans la pensée saine, mais que son exercice peut être entravé par des circonstances tout à fait indépendantes de nous et vainement combattues par notre volonté. Ce n'était pas ma faute si j'avais la tentation de mourir. Il se peut que j'eusse aidé à ce mal par un régime trop excitant au moral et au physique ; mais, en somme, j'avais manqué de direction et de repos ; ma maladie était la conséquence inévitable de celle de ma grand-mère.

Depuis mon immersion dans la rivière, je me sentis débarrassée de l'obsession de la noyade ; mais, malgré les soins médicaux et intellectuels de Deschartres, l'attrait du suicide persista sous d'autres formes. Tantôt j'avais une étrange émotion en maniant des armes et en chargeant des pistolets ; tantôt les fioles de laudanum que je touchais sans cesse pour préparer des lotions à ma grand-mère me donnaient de nouveaux vertiges.

Je ne me souviens pas trop comment je me débarrassai de cette manie. Cela vint de soi-même, avec un peu plus de repos que je donnai à mon esprit, et que Deschartres vint à bout d'assurer à mon sommeil, en se dévouant plus d'une fois à ma place. Je parvins donc à oublier mon idée fixe, et peut-être la lecture que Deschartres me fit faire d'une partie des classiques grecs et latins y contribua-t-elle beaucoup. L'histoire nous transporte loin de nous-mêmes, surtout celle des temps reculés et des civilisations évanouies. Je me rassérénai souvent avec Plutarque, Tite-Live, Hérodote, etc. J'aimai aussi Virgile passionnément en français et Tacite en latin. Horace et Cicéron étaient les dieux de Deschartres. Il m'expliquait le mot à mot, car je m'obstinais à ne vouloir pas rapprendre le latin. Il me traduisait donc en lisant ses passages de prédilection, et il était là d'une décision, d'une clarté, d'une couleur que je n'ai jamais retrouvées chez personne.

Je trouvais aussi une distraction douce à écrire beaucoup de lettres, à mon frère, à madame Alicia, à Élisa, à madame de Pontcarré, et à plusieurs de mes com-

pagnes restées au couvent, ou sorties comme moi définitivement. Dans les commencements, je ne pouvais
suffire aux nombreuses correspondances qui me pro-
voquaient et me réclamaient ; mais il avait fallu bien
peu de temps pour que je fusse oubliée du plus grand
nombre. Il ne me restait donc que des amies de choix.
J'ai conservé presque toutes ces lettres, qui me sont de
doux souvenirs, même des personnes que j'ai entièrement perdues de vue. Celles de madame Alicia sont
simples et toujours tendres. Elles vont de 1820 à 1830.
Tout empreintes de la douce monotonie de la vie religieuse, elles ont pour la plupart un ton d'enjouement
qui atteste la constante sérénité de cette belle âme. Elle
m'appelle toujours mon enfant chéri, ou mon cher
tourment, comme dans le temps où j'allais me faire
gronder dans sa cellule ★ [57].

Il y a beaucoup d'esprit, de gaieté ou de grâce dans
les lettres de jeunes filles que j'ai conservées. Pour
détacher un point un peu plus brillant sur la trame
lourde et triste de mon récit, je citerai quelques extraits
de la manière espiègle et charmante d'une de ces
aimables compagnes.

A., 5 avril 1821.

« Je t'envie bien, chère Aurore, le plaisir de courir les
champs à cheval. Je tourmente mon papa mignon pour
qu'il me le procure, car je rêve de me voir une casquette
sur l'oreille. J'ai arraché sa promesse. En attendant,
j'arpente à pied notre immense jardin de la préfecture.
Figure-toi, ma chère, comme nous disions à la classe,
qu'il s'y trouve des plaines, des allées droites, des ter-
rasses d'une longueur inouïe, et des tours qui dominent
une espèce de promenade où il passe beaucoup de
monde, et où je vas souvent regarder. Comme la préfecture était autrefois une abbaye, il y a encore, dans une

---

★ Dans une de ces lettres, elle me raconte comme quoi Clary
de Faudoas a manqué mettre le feu à sa cellule, pour fêter, par des
illuminations, la naissance du petit duc (Henri V). Je cite ce petit fait
comme une date dans mon récit (NdA).

partie du jardin entourée de murs, et qui est comme un grand jardin séparé du reste, de vieilles ruines d'église couvertes de lierre, des ifs taillés en pointe, et de longues allées sombres, bordées de grands tilleuls. Tout rappelle les moines dans cet endroit où rien n'a été changé, et je me les représente lisant leurs offices sous ces ombrages où j'aime à rêvasser ou à répéter les vers du Tasse.

« Ceux du Dante, que tu m'as envoyés, m'ont semblé magnifiques, et je ne peux me lasser de les relire. – Non vraiment, je ne chante plus :

> *Già riede la primavera,*
> *Col suo fiorito aspetto.*

Mais j'aime toujours monsieur l'abbé Métastase [58].

« Bonsoir, ma petite Aurore. Je vais me coucher, bien qu'il ne soit que neuf heures et demie, car je ne me sens pas disposée du tout à passer, comme toi, les nuits à travailler. Je n'ai pas d'ardeur et n'en prends que pour mon plaisir.. »

... 17 juin...

« J'ai été, il y a quelques jours, à ce qu'on appelle ici un *tantarare*. C'est une société composée de personnes âgées qui jouent au boston dans un salon fort peu éclairé. Quelques jeunes personnes, qui ont suivi leurs mères, bâillent ou en meurent d'envie. Pour moi, mon sort a été supportable. Je me suis trouvée, par hasard, auprès d'une jeune dame aimable et de mon âge. Nous avons beaucoup bavardé. Tu aurais été étonnée de nous entendre raisonner sur l'histoire de France ! Comme je n'y suis pas des plus ferrées, j'ai jeté la conversation sur ce qui m'en plaît le mieux, sur le temps de la chevalerie. Nous avons cherché alors des hommes dignes du beau titre de chevalier dans ceux que nous connaissons, et nous n'avons pas pu en trouver plus de deux ou trois. Il fallait leur donner des dames : la chose nous parut trop difficile, quoique, au fond, chacune de nous pensât que c'était elle.

« Tu me demandes si je versifie encore. Vraiment non. J'ai laissé ce goût au couvent, où je ne pouvais avoir à chanter d'autres romances que celles que je composais moi-même. Maintenant ce n'est pas un petit plaisir pour moi de pouvoir chanter toutes celles que je veux...

« Comment ! tu tires le pistolet dans une cible, avec ton ami Hippolyte ? Et moi qui me vantais à toi de brûler de la poudre ! Décidément tu es bien plus gâtée que moi, et je vas m'en plaindre à mon papa, qui me refuse des balles. Il croit que le bruit et le feu me suffiront longtemps !..

« Par exemple, je déteste toujours le travail d'aiguille. Je le reconnais pourtant bien nécessaire à une femme ; mais j'ai trouvé un ouvrage qui me plaît : c'est de filer. J'ai un petit rouet charmant, avec une belle quenouille d'ébène, qui vaut bien la quenouille de bois de rose d'*Amélie*, dans *Gaston de Foix*.............................

« Mais que tu es donc heureuse d'avoir un cheval à toi ! Je n'ai, en fait de bêtes, qu'une tourterelle qui se charge de me réveiller le matin en volant sur mon lit..

« Je ne partage guère ton désir singulier de retourner au couvent. En fait de religieuses, je n'aimais que Poulette ; mais la nouvelle supérieure, point. Je m'étonne toujours que tu puisses supporter son souvenir, et ne pourrais m'attacher à elle que pour l'amour de Dieu..

« J'ai eu des nouvelles de G★★★. Elle est au Sacré-Cœur, et toujours méchante comme elle l'était chez nous. C'est encore quelqu'un que tu aimais et que je ne peux pas souffrir. Il paraît qu'elle se plaît beaucoup, dans cette nouvelle pension, à raconter tous les affreux tours qu'elle jouait à nos vieilles locataires de la rue des Boulangers. »

27 septembre...

« ... Je n'ai plus de nouvelles de notre couvent que par toi, et tu es la seule avec qui je puisse me livrer un peu à mon babil, car l'inspection des lettres par madame Eugénie m'empêche d'écrire davantage aux amies que nous y avons laissées. Cela mettrait trop de contrainte dans mes lettres. Par exemple, je ne me risquerais pour rien au monde à leur parler de M. de La ★★★, qui est maintenant le seul beau danseur du régiment du Calvados, M. de Lauzun étant absent.

« Tu te représenteras facilement le premier, quand je te dirai qu'il me ressemble comme deux gouttes d'eau, surtout au bal, où nous avons tous deux de très vives couleurs. Nous sommes de la même taille. Il jouit, comme moi, d'un honnête embonpoint. Il a des cheveux blondasses, et des petits yeux bleus mal ouverts. Enfin, quand nous dansons ensemble, on le prendrait pour mon frère. Maman dit que si elle s'était mariée deux ou trois ans plus tôt, elle aurait pu avoir un fils *aussi charmant*.

« Au dernier bal où j'ai été, il y avait trois officiers, dont M. ★★★. Celui-là avait de grands pantalons rouges et des petits brodequins verts, qui me donnaient grande envie qu'il me fît danser ; mais c'est un désir qu'il n'a pas partagé… On ne danse pas pendant l'Avent. Maman a donné des concerts où nous avons brillé, comme tu penses. J'avais très peur, mais le public d'ici ne s'y connaît guère. Ma harpe est très bonne, quoique pas plus grande que la tienne, au couvent. Elle a des sons charmants. Elle est en bois satiné gris et toute dorée. Je chante toujours un peu, et on met mon peu de voix sur le compte de ma timidité. »

18 janvier 1822[59].

« Il est plus de trois heures. Je sors du bal, et pendant que la femme de chambre déshabille maman, j'ai le temps de commencer une lettre pour ma petite Aurore. Puisque les extrêmes se cherchent, j'aime à babiller avec toi, et je veux te conter tout chaud, tout bouillant, mes plaisirs de ce soir. Hélas ! malgré tout ce que je t'en dis pour te monter la tête, ils n'ont pas été sans mélange. J'ai encore dansé avec tout le monde, excepté

avec ces petites bottes vertes qui m'avaient déjà tentée.
Et comme les difficultés augmentent les fantaisies, j'en
ai plus envie que jamais. J'ai grand besoin de me reposer
après trois bals de suite. C'est une vie désordonnée, et tu
as peut-être bien raison de n'en pas désirer une pareille.
Mais passer l'hiver seule à la campagne ! pour cela, c'est
effrayant, et je ne m'en sentirais pas le courage. La vie
est toute couleur de rose autour de moi, et je me figure
que la réflexion me rendrait triste. »

La personne qui m'écrivait ainsi était extrêmement
jolie, malgré les moqueries qu'elle fait d'elle-même.
Elle était un peu grasse et un peu louche, il est vrai ;
mais cela ne l'empêchait pas d'être légère dans sa
démarche et d'avoir le plus doux regard et les plus jolis
yeux. Elle avait peu de voix, en effet, mais chantait
d'une manière ravissante. C'était une nature nar-
quoise, remplie de bienveillance, et voyant en toutes
choses le côté comique. Elle avait de grandes originali-
tés, aimant le plaisir sans coquetterie, et laissant
prendre à son esprit un tour assez hardi quelquefois,
sans manquer dans ses manières et dans ses actions à
une réserve exquise.

Ces charmantes puérilités de jeune fille m'arrivaient
quelquefois en même temps qu'une argumentation de
philosophie matérialiste de Claudius et une exhortation pleine d'onction et de suavité de l'abbé de Prémord. Ma vie intellectuelle était donc bien variée, et si
j'étais triste souvent, je ne m'ennuyais du moins
jamais. Au contraire, même au milieu de mes plus
grands dégoûts de l'existence, je me plaignais de la
rapidité du temps, qui ne suffisait à rien de ce dont
j'aurais voulu le remplir.

J'aimais toujours la musique. J'avais dans ma
chambre un piano, une harpe et une guitare. Je n'avais
plus le temps de rien étudier, mais je déchiffrais beaucoup de partitions. Cette impossibilité où j'étais
d'acquérir un talent quelconque m'assurait du moins
une source de jouissances en m'habituant à lire et à
comprendre.

Je voulais aussi apprendre la géologie et la minéralogie. Deschartres remplissait ma chambre de moellons. Je n'apprenais rien qu'à voir et à observer les détails de la création sur lesquels il attirait mes regards ; mais le temps manquait toujours. Il eût fallu que notre chère malade pût guérir.

Vers la fin de l'automne elle devint très calme, et je me flattais encore ; mais Deschartres regardait cette amélioration comme un nouveau pas vers la dissolution de l'être. Ma grand-mère n'était pourtant pas d'un âge à ne pouvoir se relever. Elle avait soixante-quinze ans, et n'avait été malade qu'une fois déjà dans toute sa vie. L'épuisement de ses forces et de ses facultés était donc assez mystérieux. Deschartres attribuait cette absence de puissance réactive à la mauvaise circulation de son sang dans un système de vaisseaux trop étroits. Il fallait l'attribuer plutôt à l'absence de volonté et d'épanouissement moral, depuis l'affreux chagrin de la perte de son fils.

Tout le mois de décembre fut lugubre. Elle ne se leva plus et parla rarement. Cependant, habitués à être tristes, nous n'étions pas terrifiés. Deschartres pensait qu'elle pouvait vivre longtemps ainsi dans un engourdissement entre la mort et la vie. Le 22 décembre, elle me fit lever pour me donner un couteau de nacre, sans pouvoir expliquer pourquoi elle songeait à ce petit objet et voulait le voir dans mes mains. Elle n'avait plus d'idées nettes. Cependant elle s'éveilla encore une fois pour me dire : *Tu perds ta meilleure amie.*

Ce furent ses dernières paroles. Un sommeil de plomb tomba sur sa figure calme, toujours fraîche et belle. Elle ne se réveilla plus et s'éteignit sans aucune souffrance, au lever du jour et au son de la cloche de Noël.

Nous n'eûmes de larmes ni Deschartres ni moi. Quand le cœur eut cessé de battre et le souffle de ternir légèrement la glace, il y avait trois jours que nous la pleurions définitivement, et, en ce moment suprême, nous n'éprouvions plus que la satisfaction de penser qu'elle avait franchi sans souffrance du corps et sans angoisses de l'âme le seuil d'une meilleure existence. J'avais redouté les horreurs de l'agonie : la Providence les lui épargnait. Il n'y eut point de lutte entre le corps et l'esprit pour se séparer. Peut-être que déjà l'âme était envolée vers Dieu, sur les ailes d'un songe qui la réunissait à celle de son fils, tandis que nous avions veillé ce corps inerte et insensible.

Julie lui fit une dernière toilette, avec le même soin que dans les meilleurs jours. Elle lui mit son bonnet de dentelle, ses rubans, ses bagues. L'usage chez nous est d'enterrer les morts avec un crucifix et un livre de religion. J'apportai ceux que j'avais préférés au couvent. Quand elle fut parée pour la tombe, elle était encore belle. Aucune contraction n'avait altéré ses traits nobles et purs. L'expression en était sublime de tranquillité.

Dans la nuit, Deschartres vint m'appeler ; il était fort exalté et me dit d'une voix brève : « Avez-vous du courage ? Ne pensez-vous pas qu'il faut rendre aux morts un culte plus tendre encore que celui des prières et des larmes ? Ne croyez-vous pas que de là-haut ils nous voient et sont touchés de la fidélité de nos regrets ? Si vous pensez toujours ainsi, venez avec moi. »

Il était environ une heure du matin. Il faisait une nuit claire et froide. Le verglas, venu par-dessus la neige, rendait la marche si difficile, que, pour traverser la cour et entrer dans le cimetière qui y touche, nous tombâmes plusieurs fois.

« Soyez calme, me dit Deschartres toujours exalté sous une apparence de sang-froid étrange. Vous allez voir celui qui fut votre père. » Nous approchâmes de la fosse ouverte pour recevoir ma grand-mère. Sous un petit caveau, formé de pierres brutes, était un cercueil que l'autre devait rejoindre dans quelques heures.

« J'ai voulu voir cela, dit Deschartres, et surveiller les ouvriers qui ont ouvert cette fosse dans la journée. Le cercueil de votre père est encore intact ; seulement les clous étaient tombés. Quand j'ai été seul, j'ai voulu soulever le couvercle. J'ai vu le squelette. La tête s'était détachée d'elle-même. Je l'ai soulevée, je l'ai baisée. J'en ai éprouvé un si grand soulagement, moi qui n'ai pu recevoir son dernier baiser, que je me suis dit que vous ne l'aviez peut-être pas reçu non plus. Demain cette fosse sera fermée. On ne la rouvrira sans doute plus que pour vous. Il faut y descendre, il faut baiser cette relique. Ce sera un souvenir pour toute votre vie. Quelque jour, il faudra écrire l'histoire de votre père, ne fût-ce que pour le faire aimer à vos enfants, qui ne l'auront pas connu. Donnez maintenant à celui que vous avez connu à peine vous-même, et qui vous aimait tant, une marque d'amour et de respect. Je vous dis que là où il est maintenant, il vous verra et vous bénira. »

J'étais assez émue et exaltée moi-même pour trouver tout simple ce que me disait mon pauvre précepteur. Je n'y éprouvai aucune répugnance, je n'y trouvai aucune bizarrerie, j'aurais blâmé et regretté qu'ayant conçu cette pensée il ne l'eût pas exécutée. Nous descendîmes dans la fosse et je fis religieusement l'acte de dévotion dont il me donna l'exemple.

« Ne parlons de cela à personne, me dit-il, toujours calme en apparence, après avoir refermé le cercueil et sortant avec moi du cimetière : on croirait que nous sommes fous, et pourtant nous ne le sommes pas, n'est-il pas vrai ?

– Non certes », répondis-je avec conviction.

Depuis ce moment, j'ai observé que les croyances de Deschartres avaient complètement changé. Il avait toujours été matérialiste et n'avait pas réussi à me le cacher, bien qu'il eût eu soin de chercher dans ses paroles des termes moyens pour ne pas s'expliquer sur la Divinité et l'immatérialité de l'âme humaine. Ma grand-mère était déiste, comme on disait de son temps, et lui avait défendu de me rendre athée. Il avait eu bien de la peine à s'en défendre, et, pour peu que j'eusse été portée à la négation, il m'y aurait confirmée malgré lui.

Mais il se fit en lui une révolution soudaine et même extrême comme son caractère, car peu de temps après

je l'entendis soutenir avec feu l'autorité de l'Église. Sa
conversion avait été un mouvement du cœur, comme
la mienne. En présence de ces froids ossements d'un
être chéri, il n'avait pu accepter l'horreur du néant. La
mort de ma grand-mère ravivant le souvenir de celle de
mon père, il s'était trouvé devant cette double tombe
écrasé sous les deux plus grandes douleurs de sa vie, et
son âme ardente avait protesté, en dépit de sa raison
froide, contre l'arrêt d'une éternelle séparation.

Dans la journée qui suivit cette nuit d'une étrange
solennité, nous conduisîmes ensemble la dépouille de
la mère auprès de celle du fils. Tous nos amis y vinrent
et tous les habitants du village y assistèrent. Mais le
bruit, les figures hébétées, les batailles des mendiants
qui, pressés de recevoir la distribution d'usage, nous
poussaient jusque dans la fosse pour se trouver les premiers à la portée de l'aumône, les compliments de
condoléance, les airs de compassion fausse ou vraie,
les pleurs bruyants et les banales exclamations de
quelques serviteurs bien intentionnés, enfin tout ce qui
est de forme et de regret extérieur me fut pénible et me
parut irréligieux. J'étais impatiente que tout ce monde
fût parti. Je savais un gré infini à Deschartres de
m'avoir amenée là, dans la nuit, pour rendre à cette
tombe un hommage grave et profond.

Le soir, toute la maison, vaincue par la fatigue,
s'endormit de bonne heure, Deschartres lui-même,
brisé d'une émotion qui avait pris une forme toute
nouvelle dans sa vie.

Je ne me sentis pas accablée. J'avais été profondément pénétrée de la majesté de la mort ; mes émotions,
conformes à mes croyances, avaient été d'une tristesse
paisible. Je voulus revoir la chambre de ma grand-mère
et donner cette dernière nuit de veille à son souvenir,
comme j'en avais donné tant d'autres à sa présence.

Aussitôt que tout le bruit eut cessé dans la maison, et
que je me fus assurée d'y être bien seule debout, je des-
cendis et m'enfermai dans cette chambre. On n'avait
pas encore songé à la remettre en ordre. Le lit était
ouvert, et le premier détail qui me saisit fut l'empreinte

exacte du corps, que la mort avait frappé d'une pesanteur inerte et qui se dessinait sur le matelas et sur le drap. Je voyais là toute sa forme gravée en creux. Il me sembla, en y appuyant mes lèvres, que j'en sentais encore le froid.

Des fioles à demi vides étaient encore à côté de son chevet. Les parfums qu'on avait brûlés autour du cadavre remplissaient l'atmosphère. C'était du benjoin, qu'elle avait toujours préféré pendant sa vie, et qui lui avait été rapporté de l'Inde, dans une noix de coco, par M. Dupleix[60]. Il y en avait encore, j'en brûlai encore. J'arrangeai ses fioles comme la dernière fois elle les avait demandées ; je tirai le rideau à demi, comme il avait coutume d'être quand elle le faisait disposer. J'allumai la veilleuse, qui avait encore de l'huile. Je ranimai le feu, qui n'était pas encore éteint. Je m'étendis dans le grand fauteuil, et je m'imaginai qu'elle était encore là, et qu'en tâchant de m'assoupir j'entendrais peut-être encore une fois sa faible voix m'appeler.

Je ne dormis pas, et cependant il me sembla entendre deux ou trois fois sa respiration, et l'espèce de gémissement, de réveil, que mes oreilles connaissaient si bien. Mais rien de net ne se produisit à mon imagination, trop désireuse de quelque douce vision pour arriver à l'exaltation qui eût pu la produire.

J'avais eu dans mon enfance des accès de terreur à propos des spectres, et au couvent il m'en était revenu quelques appréhensions. Depuis mon retour à Nohant, cela s'était si complètement dissipé, que je le regrettais, craignant, quand je lisais les poètes, d'avoir l'imagination morte. L'acte religieux et romanesque que Deschartres m'avait fait accomplir la veille était de nature à me ramener les troubles de l'enfance ; mais loin de là : il m'avait pénétrée d'une désespérance absolue de pouvoir communiquer directement avec les morts aimés. Je ne pensais donc pas que ma pauvre grand-mère pût m'apparaître réellement, mais je me flattais que ma tête fatiguée pourrait éprouver quelque vertige qui me

ferait revoir sa figure éclairée du rayon de la vie éternelle.

Il n'en fut rien. La bise siffla au-dehors, la bouillotte
chanta dans l'âtre, et aussi le grillon, que ma grand-
mère n'avait jamais voulu laisser persécuter par Deschartres, bien qu'il la réveillât souvent. La pendule
sonna les heures. La montre à répétition, accrochée au
chevet de la malade, et qu'elle avait coutume d'interroger souvent du doigt, resta muette. Je finis par ressentir une fatigue qui m'endormit profondément.

Mais quand je m'éveillai, au bout de quelques
heures, j'avais tout oublié, et je me soulevai pour
regarder si elle dormait tranquille. Alors le souvenir me
revint avec des larmes, qui me soulagèrent, et dont je
couvris son oreiller toujours empreint de la forme de sa
tête. Puis je sortis de cette chambre, où les scellés
furent mis le lendemain, et qui me parut profanée par
les formalités d'intérêt matériel.

VII

Mon tuteur. – Arrivée de ma mère et de ma tante. – Étrange
changement de relations. – Ouverture du testament. – Clause
illégale. – Résistance de ma mère. – Je quitte Nohant. – Paris,
Clotilde. – 1823. – Deschartres à Paris. – Mon serment. –
Rupture avec ma famille paternelle. – Mon cousin Auguste. –
Divorce avec la noblesse. – Souffrances domestiques.

Mon cousin René de Villeneuve, puis ma mère, avec
mon oncle et ma tante Maréchal, arrivèrent peu de
jours après. Ils venaient assister à l'ouverture du testament et à la levée des scellés. De la valeur de ce testament allait dépendre mon existence nouvelle ; je ne
parle pas sous le rapport de l'argent, je n'y pensais pas,

et ma grand-mère y avait pourvu de reste ; mais sous le rapport de l'autorité qui allait succéder pour moi à la sienne.

Elle avait désiré, par-dessus tout, que je ne fusse point confiée à ma mère, et la manière dont elle me l'avait exprimé, à l'époque de pleine lucidité où elle avait rédigé ses dernières volontés, m'avait fortement ébranlée. « Ta mère, m'avait-elle dit, est plus bizarre que tu ne penses, et tu ne la connais pas du tout. Elle est si inculte qu'elle aime ses petits à la manière des oiseaux, avec de grands soins et de grandes ardeurs pour la première enfance ; mais quand ils ont des ailes, quand il s'agit de raisonner et d'utiliser la tendresse instinctive, elle vole sur un autre arbre et les chasse à coups de bec. Tu ne vivrais pas à présent trois jours avec elle sans te sentir horriblement malheureuse. Son caractère, son éducation, ses goûts, ses habitudes, ses idées te choqueront complètement, quand elle ne sera plus retenue par mon autorité entre vous deux. Ne t'expose pas à ces chagrins, consens à aller habiter avec la famille de ton père, qui veut se charger de toi après ma mort. Ta mère y consentira très volontiers, comme tu peux déjà le pressentir, et tu garderas avec elle des relations douces et durables que vous n'aurez point si vous vous rapprochez davantage. On m'assure que, par une clause de mon testament, je peux confier la suite de ton éducation et le soin de t'établir à René de Villeneuve, que je nomme ton tuteur ; mais je veux que tu acquiesces d'avance à cet arrangement, car madame de Villeneuve surtout ne se chargerait pas volontiers d'une jeune personne qui la suivrait à contrecœur. »

À ces moments de courte mais vive lueur de sagesse, ma grand-mère avait pris sur moi un empire complet. Ce qui donnait aussi beaucoup de poids à ses paroles, c'était l'attitude singulière et même blessante de ma mère, son refus de venir me soutenir dans mes angoisses, le peu de pitié que l'état de ma grand-mère lui inspirait, et l'espèce d'amertume railleuse, parfois menaçante, de ses lettres rares et singulièrement irri- tées. N'ayant pas mérité cette sourde colère qui paraissait gronder en elle, je m'en affligeais, et j'étais forcée de constater qu'il y avait chez elle soit de l'injustice, soit de la bizarrerie. Je savais que ma sœur Caroline n'était point heureuse avec elle, et ma mère m'avait écrit : « Caroline va se marier. Elle est lasse de vivre avec moi. Je crois, après tout, que je serai plus libre et plus heureuse quand je vivrai seule. »

Mon cousin était venu bientôt après passer une quinzaine avec nous. Je crois que pour se bien décider, ou tout au moins pour décider sa femme à se charger de moi, il avait voulu me connaître davantage. De mon côté, je désirais aussi connaître ce père d'adoption, que je n'avais pas beaucoup vu depuis mon enfance. Sa douceur et la grâce de ses manières m'avaient toujours été sympathiques ; mais il me fallait savoir s'il n'y avait pas derrière ces formes agréables un fond de croyances quelconques, inconciliables avec celles qui avaient surgi en moi.

Il était gai, d'une égalité charmante de caractère, d'un esprit aimable et cultivé, et d'une politesse si exquise que les gens de toute condition en étaient satisfaits ou touchés. Il avait beaucoup de littérature, et une mémoire si fidèle qu'il avait retenu, je crois, tous les vers qu'il avait lus. Il m'interrogeait sur mes lectures, et dès que je lui nommais un poète, il m'en récitait les plus beaux passages d'une manière aisée, sans déclamation, avec une voix et une prononciation charmantes. Il n'avait point d'intolérance dans le goût et se plaisait à Ossian aussi bien qu'à Gresset[61]. Sa causerie était un livre toujours ouvert et qui vous présentait toujours une page choisie.

Il aimait la campagne et la promenade. Il n'avait, à cette époque, que quarante-cinq ans, et comme il n'en paraissait que trente, on ne manqua pas de dire à La Châtre, en nous voyant monter à cheval ensemble, qu'il était mon prétendu, et que c'était une nouvelle impertinence de ma part de courir seule avec lui, *au nez du monde*.

Je ne trouvai en lui aucun des préjugés étroits et des appréciations mesquines des provinciaux. Il avait tou-

jours vécu dans le plus grand monde, et mes *excentricités* ne le blessaient en rien. Il tirait le pistolet avec moi,
il se laissait aller à lire et à causer jusqu'à deux ou trois
heures du matin ; il luttait avec moi d'adresse à sauter
les fossés à cheval ; il ne se moquait pas de mes essais
de philosophie, et même il m'exhortait à écrire, assurant que c'était ma vocation, et que je m'en tirerais
agréablement.

Par son conseil, j'avais essayé de faire encore un
roman ; mais celui-ci ne réussit pas mieux que ceux du
couvent. Il ne s'y trouva pas d'amour. C'était toujours
une fiction en dehors de moi et que je sentais ne pouvoir peindre. Je m'en amusai quelque temps et y
renonçai au moment où cela tournait à la dissertation.
Je me sentais pédante comme un livre, et, ne voulant
pas l'être, j'aimais mieux me taire et poursuivre intérieurement l'éternel poème de *Corambé*, où je me sentais dans le vrai de mes émotions.

En trouvant mon tuteur si conciliant et d'un commerce si agréable, je ne songeais pas qu'une lutte
d'idées pût jamais s'engager entre nous. À cette
époque, les idées philosophiques étaient toutes spécu-
latives dans mon imagination. Je n'en croyais pas
l'application générale possible. Elles n'excitaient ni
alarmes ni antipathies personnelles chez ceux qui ne
s'en occupaient pas sérieusement. Mon cousin riait de
mon libéralisme et ne s'en fâchait guère. Il voyait la
nouvelle cour, mais il restait attaché aux souvenirs de
l'Empire, et, comme, en ce temps-là, bonapartisme et
libéralisme se fondaient souvent dans un même instinct d'opposition, il m'avouait que ce monde de
dévots et d'obscurantistes lui donnait des nausées, et
qu'il ne supportait qu'avec dégoût l'intolérance religieuse et monarchique de certains salons.

Il me faisait bien certaines recommandations de respect et de déférence envers madame de Villeneuve, qui
me donnaient à penser qu'il n'était pas le maître absolu
chez lui ; mais ma cousine n'était pas dévote alors, et
tenait surtout aux manières et au savoir-vivre. Comme
je m'inquiétais de ma rusticité, il m'assura qu'il n'y

paraissait pas quand je voulais, et qu'il ne s'agissait que
de vouloir toujours. « Au reste, me disait-il, si tu
trouves quelquefois ta cousine un peu sévère, tu feras à
ses exigences du moment le sacrifice de ta petite vanité
d'écolier, et aussitôt qu'elle t'aura vue plier de bonne
grâce, elle t'en récompensera par un grand esprit de
justice et de générosité. Chenonceaux te semblera un
paradis terrestre, à toi qui n'as jamais rien vu, et si tu y
as quelques moments de contrainte, je saurai te les
faire oublier. Je sens que tu me seras une société
charmante : nous lirons, nous disserterons, nous cour-
rons, et même nous rirons ensemble, car je vois que tu
es gaie aussi, quand tu n'as pas trop de sujets de
chagrin. »

Je m'en remettais donc à lui de mon sort futur avec
une grande confiance. Il m'assurait aussi que sa fille
Emma, madame de La Roche-Aymon, partageait la
sympathie particulière que j'avais toujours eue pour
elle, et qu'à nous trois nous oublierions la gêne du
monde, que ni elle ni lui n'aimaient plus que moi.

Il m'avait également parlé de ma mère, sans aigreur
et en termes très convenables, en me confirmant tout
ce que ma grand-mère m'avait dit en dernier lieu de
son peu de désir de m'avoir avec elle. Loin de me prescrire une rupture absolue, il m'encourageait à persister
dans ma déférence envers elle. « Seulement, me disait-
il, puisque le lien entre vous semble se détendre de lui-
même, ne le resserre pas imprudemment, ne lui écris
pas plus qu'elle ne paraît le souhaiter, et ne te plains
pas de la froideur qu'elle te témoigne. C'est ce qui peut
arriver de mieux. »

Cette prescription me fut pénible. Malgré tout ce
que j'y trouvais de sage, et peut-être de nécessaire au
bonheur de ma mère elle-même, mon cœur avait toujours pour elle des élans passionnés, suivis d'une
morne tristesse. Je ne me disais pas qu'elle ne m'aimait
point ; je sentais qu'elle m'en voulait trop d'aimer ma
grand-mère pour n'être pas jalouse aussi à sa manière :
mais cette manière m'effrayait, je ne la connaissais pas.

Jusqu'à ces derniers temps, ma préférence pour elle lui avait été trop bien démontrée.

Quand, après quelques mois, et au lendemain de la mort de ma grand-mère, mon cousin René revint pour m'emmener, j'étais bien décidée à le suivre. Pourtant l'arrivée de ma mère me bouleversa. Ses premières caresses furent si ardentes et si vraies, j'étais si heureuse aussi de revoir ma petite tante Lucie, avec son parler populaire, sa gaieté, sa vivacité, sa franchise et ses maternelles gâteries, que je me flattai d'avoir retrouvé le rêve de bonheur de mon enfance dans la famille de ma mère.

Mais, au bout d'un quart d'heure tout au plus, ma mère, très irritée par la fatigue du voyage, par la présence de M. de Villeneuve, par les airs refrognés de Deschartres, et surtout par les douloureux souvenirs de Nohant, exhala toutes les amertumes amassées dans son cœur contre ma grand-mère. Incapable de se contenir, malgré les efforts de ma tante pour la calmer et pour atténuer par des plaisanteries l'effet de ce qu'elle appelait ses *exagérations*, elle me fit voir qu'un abîme s'était creusé à mon insu entre nous, et que le fantôme de la pauvre morte se placerait là longtemps pour nous désespérer.

Ses invectives contre elle me consternèrent. Je les avais entendues autrefois, mais je ne les avais pas toujours comprises. Je n'y avais vu que des rigueurs à blâmer, des ridicules à supporter. Maintenant elle était accusée de vices de cœur, cette pauvre sainte femme ! Ma mère, je dois le dire aussi, ma pauvre mère disait des choses inouïes dans la colère.

Ma résistance ferme et froide à ce torrent d'injustice la révolta. J'étais, certes, bien émue intérieurement, mais la voyant si exaltée, je pensais devoir me contenir, et lui montrer, dès le premier orage, une volonté inébranlable de respecter le souvenir de ma bienfaitrice. Comme cette révolte contre ses sentiments était par elle-même bien assez offensante pour son dépit, je ne croyais pas pouvoir y mettre trop de formes, trop de calme apparent, trop d'empire sur ma secrète indignation.

Cet effort de raison, ce sacrifice de ma propre colère intérieure au sentiment du devoir, était précisément ce que je pouvais imaginer de pire avec une nature comme celle de ma mère. Il eût fallu faire comme elle, crier, tempêter, casser quelque chose, l'effrayer enfin, lui faire croire que j'étais aussi violente qu'elle et qu'elle n'aurait pas bon marché de moi.

« Tu t'y prends tout de travers, me dit ma tante quand nous fûmes seules ensemble. Tu es trop tranquille et trop fière ; ce n'est pas comme cela qu'il faut se conduire avec ma sœur. Je la connais bien, moi ! Elle est mon aînée, et elle m'aurait rendue bien malheureuse dans mon enfance et dans ma jeunesse si j'avais fait comme toi ; mais quand je la voyais de mauvaise humeur et couvant une grosse querelle, je la taquinais et me moquais d'elle jusqu'à ce que je l'eusse fait éclater. Ça allait plus vite. Alors quand je la sentais bien montée, je me fâchais aussi, et tout à coup je lui disais : « En voilà assez ; veux-tu m'embrasser et faire la paix ? Dépêche-toi, car sans cela je te quitte. » Elle revenait aussitôt, et la crainte de me voir recommencer l'empêchait de recommencer trop souvent elle-même. »

Je ne pus profiter de ce conseil. Je n'étais pas la sœur, l'égale par conséquent, de cette femme ardente et infortunée. J'étais sa fille. Je ne pouvais oublier le sentiment et les formes du respect. Quand elle revenait d'elle-même, je lui restituais ma tendresse avec tous ses témoignages ; mais il m'était impossible de prévenir ce retour en allant baiser des lèvres encore chaudes d'injures contre celle que je vénérais.

L'ouverture du testament amena de nouvelles tempêtes. Ma mère, prévenue par quelqu'un qui trahissait tous les secrets de ma grand-mère (je n'ai jamais su qui), connaissait depuis longtemps la clause qui me séparait d'elle. Elle savait aussi mon adhésion à cette clause : de là sa colère anticipée.

Elle feignit d'ignorer tout jusqu'au dernier moment, et nous nous flattions encore, mon cousin et moi, que

l'espèce d'aversion qu'elle me témoignait lui ferait
accepter avec empressement cette disposition testa-
mentaire ; mais elle était armée de toutes pièces pour
en accueillir la déclaration. Sans doute quelqu'un
l'avait influencée d'avance, et lui avait fait voir là une
injure qu'elle ne devait point accepter. Elle déclara
donc très nettement qu'elle ne se laisserait pas réputer
indigne de garder sa fille, qu'elle savait la clause nulle,
puisqu'elle était ma tutrice naturelle et légitime, qu'elle
invoquait la loi, et que ni prières ni menaces ne la
feraient renoncer à son droit, qui était effectivement
complet et absolu.

Qui m'eût dit cinq ans auparavant que cette réunion
tant désirée serait un chagrin et un malheur pour moi ?
Elle me rappela ces jours de ma passion pour elle et me
reprocha amèrement d'avoir laissé corrompre mon
cœur par ma grand-mère et par Deschartres. « Ah ! ma
pauvre mère, m'écriai-je, que ne m'avez-vous prise au
mot dans ce temps-là ! Je n'aurais rien regretté alors.
J'aurais tout quitté pour vous. Pourquoi m'avez-vous
trompée dans mes espérances et abandonnée si
complètement ? J'ai douté de votre tendresse, je
l'avoue. Et à présent, que faites-vous ? Vous brisez,
vous blessez mortellement ce cœur que vous voulez
guérir et ramener ! Vous savez qu'il a fallu quatre ans à
ma grand-mère pour me faire oublier un moment
d'injustice contre vous, et vous m'accablez tous les
jours, à toute heure, de vos injustices contre elle ! »

Comme d'ailleurs je me soumettais sans murmure à
sa volonté de me garder avec elle, elle parut s'apaiser.
La politesse extrême de mon cousin la désarmait par
moments. Elle ne ferma pas tout à fait l'oreille à l'idée
de me permettre de rentrer au couvent, comme pensionnaire en chambre, et j'en écrivis à madame Alicia
et à la supérieure, afin d'avoir une retraite toute prête à
me recevoir aussitôt que j'aurais conquis la permission
d'en profiter.

Il ne se trouva pas un logement vacant, grand
comme la main, aux Anglaises. On m'aurait reprise
volontiers comme pensionnaire en classe ; mais ma

mère ne voulait pas qu'il en fût ainsi, disant qu'elle
comptait me faire sortir sans en être empêchée par les
règlements, qu'elle voulait me marier à sa guise, par
conséquent n'avoir pas, dans ses relations avec moi,
l'obstacle d'une grille et d'une consigne de tourière.

Mon cousin me quitta en me disant de prendre courage et de persister avec douceur et adresse dans le
désir d'aller au couvent. Il me promettait de s'occuper
de me caser au Sacré-Cœur ou à l'Abbaye-aux-Bois.

Ma mère ne voulait pas entendre parler de rester
avec moi à Nohant, encore moins de m'y laisser avec
Deschartres et Julie, l'une qui y conservait son logement selon le désir exprimé par ma grand-mère, l'autre
qui, ayant encore une année de bail, devait y rester
comme fermier. Ma mère ne savait vivre qu'à Paris, et
pourtant elle avait l'intuition vraie de la poésie des
champs, l'amour et le talent du jardinage et une grande
simplicité de goûts ; mais elle arrivait à l'âge où les
habitudes sont impérieuses. Il lui fallait le bruit de la
rue et le mouvement des boulevards. Ma sœur était
tout récemment mariée ; nous devions habiter, ma
mère et moi, l'appartement de ma grand-mère, rue
Neuve-des-Mathurins.

Je quittai Nohant avec un serrement de cœur pareil à
celui que j'avais éprouvé en quittant les Anglaises. J'y
laissais toutes mes habitudes studieuses, tous mes souvenirs de cœur, et mon pauvre Deschartres seul et
comme abruti de tristesse.

Ma mère ne me laissa emporter que quelques livres
de prédilection. Elle avait un profond mépris pour ce
qu'elle appelait mon originalité. Elle me permit cependant de garder ma femme de chambre Sophie, à
laquelle j'étais attachée, et d'emmener mon chien.

Je ne sais plus quelle circonstance nous empêcha de
nous installer tout de suite rue Neuve-des-Mathurins.
Peut-être une levée de scellés à faire. Nous descendîmes chez ma tante, rue de Bourgogne, et nous y passâmes une quinzaine avant de nous installer dans
l'appartement de ma grand-mère.

J'eus une grande consolation à retrouver ma cousine Clotilde, belle et bonne âme, droite, courageuse, discrète, fidèle aux affections, avec un caractère charmant, un enjouement soutenu, des talents et la science du cœur, préférable à celle des livres. Quelque enveloppées d'orages domestiques que nous fussions alors, il n'y eut jamais, ni alors ni depuis, un nuage entre nous deux. Elle aussi me trouvait un peu *originale* ; mais elle trouvait cela *très joli, très amusant,* et m'aimait *comme j'étais.*

Sa douce gaieté était un baume pour moi. Quelque malheureuse ou intempestivement tournée aux choses sérieuses que l'on soit, on a besoin de rire et de folâtrer à dix-sept ans, comme on a besoin d'exister. Ah ! si j'avais eu à Nohant cette adorable compagne, je n'aurais peut-être jamais lu tant de belles choses, mais j'aurais aimé et accepté la vie.

Nous fîmes beaucoup de musique ensemble, nous apprenant l'une à l'autre ce que nous savions un peu, moi lire, elle dire. Sa voix, un peu voilée, était d'une souplesse extrême et sa prononciation facile et agréable. Quand je me mettais avec elle au piano, j'oubliais tout.

À cette époque se place une circonstance qui m'impressionna beaucoup, non qu'elle soit bien importante, mais parce qu'elle me mettait aux prises, dès mon entrée dans la vie, avec certaines probabilités entrevues d'avance. Deschartres fut appelé à venir rendre à une assemblée de famille compte de son administration. Cela se passait chez ma tante. Mon oncle, qui faisait carrément les choses et qui était le conseil de ma mère, trouvait une lacune dans le payement des fermes, une lacune de trois ans, par conséquent dix-huit mille francs à réclamer à Deschartres. On avait appelé, je ne sais plus pourquoi, un avoué à cette conférence.

En effet, il y avait trois ans que Deschartres n'avait payé. J'ignore si, par tolérance ou par crainte de le laisser ruiné, ma grand-mère lui avait donné quittance d'une partie ; mais ces quittances ne se trouvèrent point. Quant à moi, je n'avais rien touché de lui et ne lui avais, par conséquent, donné aucune décharge.

Le pauvre grand homme avait, comme je l'ai dit, acheté un petit domaine dans les landes, non loin de chez nous. Comme il avait plus d'imagination que de bonheur dans ses entreprises, il avait rêvé là, à tort, une fortune ; non qu'il aimât l'argent, mais parce que toute sa science, tout son amour-propre s'engouffraient dans la perspective de transformer un terrain maigre et inculte en une terre grasse et luxuriante. Il s'était jeté dans cette aventure agricole avec la foi et la précipitation de son infaillibilité. Les choses avaient mal tourné, son régisseur l'avait volé ! Et puis il avait voulu, croyant bien faire, échanger les produits de nos terres avec ceux de la sienne. Il nous amenait du bétail maigre qui n'engraissait pas chez nous, ou qui y crevait de plé- thore en peu de jours. Il envoyait chez lui nos bestiaux gourmands et gâtés qui ne s'accommodaient pas de ses ajoncs et de ses genêts, et qui y dépérissaient rapide- ment. Il en était ainsi des grains et de tout le reste. En somme, sa terre lui avait peu rapporté, et Nohant encore moins, relativement. Des pertes considérables et répétées l'avaient mis dans la nécessité de vendre son petit bien, mais il ne trouvait pas d'acquéreurs et ne pouvait combler son arriéré.

Je savais tout cela, bien qu'il ne m'en eût jamais parlé. Ma grand-mère m'en avait avertie, et je savais que nous ne vivions à Nohant que du produit de la maison de la rue de La Harpe et de quelques rentes sur l'État.

Ce n'était pas suffisant pour les habitudes de ma grand-mère ; sa maladie d'ailleurs avait occasionné d'assez grands frais. La gêne était réelle dans la maison, et n'ayant pas de quoi renouveler ma garde- robe, j'arrivais à Paris avec un bagage qui eût tenu dans un mouchoir de poche, et une robe pour toute toilette.

Deschartres ne pouvant fournir ces malheureuses quittances, auxquelles nous n'avions pas songé, arri- vait donc de son côté pour donner ou essayer de donner des explications, ou d'obtenir des délais. Il se présenta fort troublé. J'aurais voulu être un moment seule avec lui pour le rassurer ; ma mère nous garda à vue, et l'interrogatoire commença autour d'une table chargée de registres et de paperasses.

Ma mère, fortement prévenue contre mon pauvre pédagogue et avide de lui rendre tout ce qu'il lui avait fait souffrir autrefois, goûtait, à voir son embarras, une joie terrible. Elle tenait surtout à le faire passer pour un malhonnête homme vis-à-vis de moi, à qui elle faisait un principal grief de ne pas partager son aversion.

Je vis qu'il n'y avait pas à hésiter. Ma mère avait laissé échapper le mot de prison pour dettes ; j'espère qu'elle n'eût pas exécuté une si dure menace ; mais l'orgueilleux Deschartres, attaqué dans son honneur, était capable de se brûler la cervelle. Sa figure pâle et contractée était celle d'un homme qui a pris cette résolution.

Je ne le laissai pas répondre. Je déclarai qu'il avait payé entre mes mains, et que, dans le trouble où nous avait si souvent mis l'état de ma grand-mère, nous n'avions songé ni l'un ni l'autre à la formalité des quittances.

Ma mère se leva, les yeux enflammés et la voix brève : « Ainsi, vous avez reçu dix-huit mille francs, me dit-elle, où sont-ils ?

– Je les ai dépensés apparemment, puisque je ne les ai plus.

– Vous devez les représenter ou en prouver l'emploi. »

J'invoquai l'avoué. Je lui demandai si, étant unique héritière, je me devais des comptes à moi-même, et si ma tutrice avait le droit d'exiger ceux de ma gestion des revenus de ma grand-mère.

« Non certes, répondit l'avoué. On n'a pas de questions à vous faire là-dessus. Je demande qu'on insiste seulement sur la réalité de vos recettes. Vous êtes mineure et n'avez pas le droit de remettre une dette. Votre tutrice a celui d'exiger les rentrées qui vous sont acquises. »

Cette réponse me rendit la force prête à m'abandonner. Tomber dans une série de mensonges et de fausses explications ne m'eût peut-être pas été possible. Mais, du moment qu'il ne s'agissait que de persister dans un *oui* pour sauver Deschartres, je crus que je ne devais pas hésiter. Je ne sais pas s'il était en aussi grand péril que je me l'imaginais. Sans doute on lui eût donné le temps de vendre son domaine pour s'acquitter, et l'eût-il vendu à bas prix, il lui restait pour vivre la pension que lui avait assignée ma grand-mère par son testament *. Mais les idées de déshonneur et de prison pour dettes me bouleversaient l'esprit.

Ma mère insista comme le lui suggéra l'avoué : « Si M. Deschartres vous a versé dix-huit mille francs, c'est ce qu'on saura bien. Vous n'en donneriez pas votre parole d'honneur ? »

Je sentis un frisson, et je vis Deschartres prêt à tout confesser.

« Je la donnerais ! m'écriai-je.

— Donne-la en ce cas, me dit ma tante, qui me croyait sincère et qui voulait voir finir ce débat.

— Non, mademoiselle, reprit l'avoué, ne la donnez pas.

— Je veux qu'elle la donne ! s'écria ma mère, à qui j'eus ensuite bien de la peine à pardonner de m'avoir infligé cette torture.

— Je la donne, lui répondis-je très émue, et Dieu est avec moi contre vous dans cette affaire-ci !

— Elle a menti, elle ment ! cria ma mère. Une dévote ! une philosophailleuse ! Elle ment et se vole elle-même !

— Oh ! pour cela, dit l'avoué en souriant, elle en a bien le droit, et ne fait de tort qu'à sa dot.

— Je la conduirai, avec son Deschartres, jusque chez le juge de paix, dit ma mère. Je lui ferai faire serment sur le Christ, sur l'Évangile !

---

* Elle avait été de quinze cents francs dans le premier brouillon du testament. Il l'avait fait réduire à mille francs, avec beaucoup d'instance et même d'emportement (NdA).

– Non, madame, dit l'avoué, tranquille comme un homme d'affaires, vous vous en tiendrez là ; et quant à vous, mademoiselle, me dit-il avec une certaine bienveillance, soit d'approbation, soit de pitié pour mon désintéressement, je vous demande pardon de vous avoir tourmentée. Chargé de soutenir vos intérêts, je m'y suis cru obligé. Mais personne ici n'a le droit de révoquer votre parole en doute, et je pense que l'on doit passer outre sur ce détail. »

J'ignore ce qu'il pensait de tout ceci. Je ne m'en occupai point et je n'eusse point su lire à travers la figure d'un avoué. La dette de Deschartres fut rayée au registre, on s'occupa d'autre chose et on se sépara.

Je réussis à me trouver seule un instant sur l'escalier avec mon pauvre précepteur. « Aurore, me dit-il avec les larmes dans les yeux, je vous payerai, vous n'en doutez pas ?

– Certes, je n'en doute pas, répondis-je voyant qu'il éprouvait quelque humiliation. La belle affaire ! Dans deux ou trois ans votre domaine sera en plein rapport.

– Sans doute ! bien certainement ! s'écria-t-il, rendu à la joie de ses illusions. Dans trois ans, ou il me rapportera trois mille livres de rente, ou je le vendrai cinquante mille francs. Mais j'avoue que, pour le moment, je n'en trouve que douze mille, et que si l'on m'eût retenu la pension de votre grand-mère pendant six années, il m'aurait fallu mendier je ne sais quel gagne-pain. Vous m'avez sauvé, vous avez souffert. Je vous remercie. »

Tant que je pus rester chez ma tante auprès de Clotilde, mon existence, malgré de fréquentes secousses, me parut tolérable. Mais quand je fus installée rue Neuve-des-Mathurins, elle ne le fut point.

Ma mère, irritée contre tout ce que j'aimais, me déclara que je n'irais point au couvent. Elle m'y laissa aller embrasser une fois mes religieuses et mes compagnes, et me défendit d'y retourner. Elle renvoya brusquement ma femme de chambre, qui lui déplaisait, et chassa même mon chien. Je le pleurai, parce que c'était la goutte d'eau qui faisait déborder le vase.

M. de Villeneuve vint lui demander de m'emmener
dîner chez lui. Elle lui répondit que madame de Villeneuve eût à venir elle-même lui faire cette demande.
Elle était dans son droit sans doute, mais elle parlait si
sèchement que mon cousin perdit patience, lui
répondit que jamais sa femme ne mettrait les pieds
chez elle, et partit pour ne plus revenir. Je ne l'ai revu
que plus de vingt ans après.

De même que mon bon cousin m'a pardonné et me
pardonne encore de ne pas partager toutes ses idées, je
lui pardonne de m'avoir abandonnée ainsi à mon triste
sort. Pouvait-il ne pas le faire ? Je ne sais. Il eût fallu de
sa part une patience que je n'aurais certes pas eue pour
mon compte, si je n'eusse eu affaire à ma propre mère.
Et puis, quand même il eût dévoré en silence sa première algarade, n'eût-elle pas recommencé le lendemain ?

Cependant il m'a fallu des années, je le confesse,
pour oublier la manière dont il me quitta, sans même
me dire un mot d'adieu et de consolation, sans jeter les
yeux sur moi, sans me laisser une espérance, sans
m'écrire le lendemain pour me dire que je trouverais
toujours un appui en lui quand il me serait possible de
l'invoquer. Je m'imaginai qu'il était las des ennuis que
lui suscitait son impuissante tutelle, et qu'il était
content de trouver une vive occasion de s'en débarrasser. Je me demandai si madame de Villeneuve, qui
avait déjà l'âge d'une matrone, n'aurait pas pu, par un
léger simulacre de politesse dont ma mère eût été
flattée, la décider à me laisser continuer mes visites
chez elle ; si, tout au moins, on n'eût pas pu tenter un
peu plus, sauf à me laisser là, avec la confiance d'inspirer quelque intérêt et de pouvoir y recourir plus tard
sans crainte d'être importune. Je m'attendais à quelque
chose de semblable. Il n'en fut rien. La famille de mon
père resta muette. L'appréhension de la trouver close
m'empêcha d'y jamais frapper. Je ne sais si ma fierté
fut exagérée, mais il me fut impossible de la faire plier
à des avances. J'étais un enfant, il est vrai, et, bien que

je n'eusse aucun tort, je devais faire les premiers pas ; mais on va voir ce qui m'en empêcha.

Mon autre cousin, Auguste de Villeneuve, frère de René, vint me voir aussi une dernière fois. Sans être aussi liée avec lui, j'étais plus familière, je ne sais pourquoi. Il était aussi très bon, mais il manquait un peu de tact. Je me plaignis à lui de l'abandon de René : « Ah dame ! me dit-il avec son grand sang-froid indolent, tu n'as pas agi comme on te le recommandait. On voulait te voir entrer au couvent, tu ne l'as pas fait. Tu sors avec ta mère, avec sa fille, avec le mari de sa fille, avec M. Pierret. On t'a vue dans la rue avec tout ce monde-là. C'est une société impossible : je ne dis pas pour moi, ça me serait bien égal, mais pour ma belle-sœur et pour les femmes de toute famille honorable où nous aurions pu te faire entrer par un bon mariage. »

Sa franchise éclaircissait une grande question d'avenir pour moi. Je lui demandai d'abord comment il m'était possible, ayant affaire à une personne que la résistance la plus polie et la plus humble exaspérait, d'entrer au couvent contre sa volonté, de refuser de sortir avec elle et de ne pas voir son entourage. – Comme il ne pouvait me donner une réponse satisfaisante, je lui demandai si, d'ailleurs, refuser de voir ma sœur, son mari et Pierret, au cas où cela me serait possible, lui paraissait conciliable avec les liens du sang, de l'amitié et du devoir.

Il ne me répondit pas davantage ; seulement il me dit : « Je vois que tu tiens à ta famille maternelle et que tu es décidée à ne jamais rompre avec tous ces braves gens-là. Je croyais le contraire ! C'est différent.

– J'ai pu, lui dis-je, dans des moments de douleur et de colère intérieure, souhaiter de quitter ma mère, qui me rend fort malheureuse, et comme je ne vois pas qu'elle soit heureuse de notre réunion, je désirerais encore beaucoup le couvent, ou bien je m'arrangerais d'un mariage qui me soustrairait à son autorité absolue ; mais quelque tort qu'elle puisse avoir, j'ai toujours été résolue à la fréquenter et à ne me rendre complice d'aucun affront qui lui serait fait.

– Eh bien, reprit-il, toujours aussi froid et faisant des grimaces nerveuses qui lui étaient habituelles et qui semblaient lui servir à rassembler ses idées et ses paroles ; en bonne religion, tu as raison ; mais ainsi ne va pas le monde. Ce que nous appelons un bon mariage pour toi, c'est un homme ayant quelque fortune et de la naissance. Je t'assure qu'aucun de ces hommes-là ne viendra te trouver ici, et que, même quand tu auras attendu trois ans, l'époque de ta majorité, tu ne seras pas plus facile à bien marier qu'aujourd'hui. Quant à moi, je ne m'en chargerais pas : on me jetterait à la tête que tu as vécu trois ans chez ta mère et avec toutes sortes de bonnes gens qu'on ne serait pas fort aise de fréquenter. Ainsi, je te conseille de te marier toi-même comme tu pourras. Qu'est-ce que ça me fait, à moi, que tu épouses un roturier ? S'il est honnête homme, je le verrai parfaitement et je ne t'en aimerai certainement pas moins. Or donc, à revoir, dans ce temps-là ! car je vois que ta mère tourne autour de nous, et qu'elle va me flanquer à la porte ! »

Là-dessus, il prit son chapeau et s'en fut en me disant : « Adieu, ma tante ! »

Je ne lui en voulus pas, à lui. Il ne s'était jamais chargé de moi. Sa franchise me mettait à l'aise, et sa promesse d'amitié constante me consolait amplement de la perte d'un *bon parti*. Je l'ai retrouvé aussi amicalement insouciant et tranquillement bon peu d'années après mon mariage.

Mais cette rupture momentanée de sa part, absolue de celle de tout le reste de la famille, me donna bien à penser.

J'avais peut-être oublié, depuis quelques années, qui j'étais, et comme quoi mon sang royal s'était perdu dans mes veines en s'alliant, dans le sein de ma mère, au sang plébéien. Je ne crois pas, je suis même certaine que je n'avais pas cru m'élever au-dessus de moi-même en regardant comme naturelle et inévitable l'idée d'entrer dans une famille noble, de même que je ne me crus pas déchue pour n'avoir plus à y prétendre. Au contraire, je me sentais soulagée d'un grand poids.

J'avais toujours eu de la répugnance, d'abord par instinct, ensuite par raisonnement, à m'incorporer dans une caste qui n'existait que par la négation de l'égalité. À supposer que j'eusse été décidée au mariage, ce qui n'était réellement pas encore, j'aurais, autant que possible, suivi le vœu de ma grand-mère, mais sans être persuadée que la naissance eût la moindre valeur sérieuse, et dans le cas seulement où j'aurais rencontré un patricien sans morgue et sans préjugés.

Mon cousin Auguste me signifiait, de par la loi du monde, qu'il n'en est pas et qu'il ne peut y en avoir. Tout en avouant que ma manière de voir était religieuse et honorable pour moi, il déclarait qu'elle me déshonorait aux yeux du monde, que personne ne m'y pardonnerait d'avoir fait mon devoir, et que lui-même ne se chargerait pas de trouver quelqu'un qui dût m'approuver.

Que devais-je donc faire selon lui et selon son monde ? M'enfuir de chez ma mère, faire connaître, par un éclat, qu'elle ne me rendait pas heureuse, ou faire supposer pis encore, c'est-à-dire que mon honneur était en danger auprès d'elle ? Cela n'était pas, et si cela eût été, le retentissement de ma situation ainsi proclamée m'eût-il rendue beaucoup plus *mariable* au gré de mes cousins ?

Devais-je, à défaut de la fuite, me révolter ouvertement contre ma mère, l'injurier, la menacer ? Quoi ? que voulait-on de moi ? Tout ce que j'eusse pu faire eût été si impossible et si odieux, que je ne le comprends pas encore.

C'est bien trop me défendre sans doute d'avoir fait mon devoir ; mais si j'insiste sur ma situation personnelle, c'est que j'ai fort à cœur de prouver ce que c'est que l'opinion du monde, la justice de ses arrêts et l'importance de sa protection.

On représente toujours ceux qui secouent ses entraves comme des esprits pervers, ou tout au moins si orgueilleux et si brouillons qu'ils troublent l'ordre établi et la coutume régnante, pour le seul plaisir de mal faire. Je suis pourtant un petit exemple, entre mille plus sérieux et plus concluants, de l'injustice et de l'inconséquence de cette grande coterie plus ou moins nobiliaire qui s'intitule modestement le *monde*. En disant inconséquence et injustice, je suis calme jusqu'à l'indulgence ; je devrais dire l'impiété : car, pour mon compte, je ne pouvais envisager autrement la réprobation qui devait s'attacher à moi pour avoir observé les devoirs les plus sacrés de la famille.

Qu'on sache bien que je ne m'en prenais pas, que je ne m'en suis jamais prise à mes parents paternels. Ils étaient de ce monde-là, ils n'en pouvaient refaire le code à leur usage et au mien. Ma grand-mère, ne pouvant se décider à envisager pour moi un avenir contraire à ses vœux, avait arraché d'eux la promesse de me réintégrer dans la caste où, par leurs femmes * (les Villeneuve n'étaient pas de vieille souche), ils avaient été réintégrés eux-mêmes. Les sacrifices qu'ils avaient dû faire pour s'y tenir, ils trouvaient naturel de me les imposer. Mais ils oubliaient que pour pousser ces sacrifices jusqu'à fouler aux pieds le respect filial (ce que certes ils n'eussent pas fait eux-mêmes), il m'eût fallu, outre un mauvais cœur et une mauvaise conscience, la croyance à l'inégalité originelle.

Or je n'acceptais pas cette inégalité. Je ne l'avais jamais comprise, jamais supposée. Depuis le dernier des mendiants jusqu'au premier des rois, je *savais*, par mon instinct, par ma conscience, par la loi du Christ surtout, que Dieu n'avait mis au front de personne ni un sceau de noblesse, ni un sceau de vasselage. Les dons mêmes de l'intelligence n'étaient rien devant lui sans la volonté du bien, et d'ailleurs cette intelligence innée, il la laissait tomber dans le cerveau d'un crocheteur tout aussi bien que dans celui d'un prince.

Je donnai des larmes à l'abandon de mes parents. Je les aimais. Ils étaient les fils de la sœur de mon père, mon père les avait chéris ; ma grand-mère les avait bénis ; ils avaient souri à mon enfance ; j'aimais certains de leurs enfants : madame de La Roche-Aymon,

---

* Mademoiselle de Guibert et mademoiselle de Ségur (NdA).

fille de René ; Félicie, fille d'Auguste, adorable créature, morte à la fleur de l'âge, et son frère Léonce, d'un
esprit charmant.

Mais je pris vite mon parti sur ce qui devait être
rompu entre nous tous : les liens de l'affection et de la
famille, non, certes, mais bien ceux de la solidarité
d'opinion et de position.

Quant au beau mariage qu'ils devaient me procurer,
je confesse que ce fut une grande satisfaction pour moi
d'en être débarrassée. J'avais donné mon assentiment à
une proposition de madame de Pontcarré, que ma
mère repoussa. Je vis que, d'une part, ma mère ne voudrait jamais de noblesse, que, de l'autre, la noblesse ne
voulait plus de moi. Je me sentis enfin libre, par la force
des choses, de rompre le vœu de ma grand-mère et de
me marier selon mon cœur (comme avait fait mon
père), le jour où je m'y sentirais portée.

Je l'étais encore si peu que je ne renonçais point à
l'idée de me faire religieuse. Ma courte visite au couvent avait ravivé mon idéal de bonheur de ce côté-là. Je
me disais bien que je n'étais plus dévote à la manière
de mes chères recluses ; mais l'une d'elles, madame
Françoise, ne l'était pas et passait pour s'occuper de
science. Elle vivait là en paix comme un père domini-
cain des anciens jours. La pensée de m'élever par
l'étude et la contemplation des plus hautes vérités au-
dessus des orages de la famille et des petitesses du
monde me souriait une dernière fois.

Il est bien possible que j'eusse pris ce parti à ma
majorité, c'est-à-dire après trois ans d'attente, si ma vie
eût été tolérable jusque-là. Mais elle le devenait de
moins en moins. Ma mère ne se laissait toucher et persuader par aucune de mes résignations. Elle s'obstinait
à voir en moi une ennemie secrètement irréconciliable.
D'abord elle triompha de se voir débarrassée du
contrôle de mon tuteur et me railla du désespoir qu'elle
m'attribuait. Elle fut étonnée de me voir si bien détachée des grandeurs du monde ; mais elle n'y crut pas
et jura qu'elle *briserait ma sournoiserie.*

Soupçonneuse à l'excès et portée d'une manière toute maladive, toute délirante, à incriminer ce qu'elle ne comprenait pas, elle élevait, à tout propos, des querelles incroyables. Elle venait m'arracher mes livres des mains, disant qu'elle avait essayé de les lire, qu'elle n'y avait entendu goutte, et que ce devaient être de mauvais livres. Croyait-elle réellement que je fusse vicieuse ou égarée, ou bien avait-elle besoin de trouver un prétexte à ses imputations, afin de pouvoir dénigrer la *belle éducation* que j'avais reçue ? Tous les jours c'étaient de nouvelles découvertes qu'elle me faisait faire sur ma *perversité*.

Quand je lui demandais avec insistance où elle avait pris de si étranges notions sur mon compte, elle disait avoir eu des correspondances à La Châtre, et savoir, jour par jour, heure par heure, tous les désordres de ma conduite. Je n'y croyais pas, je m'effrayais de l'idée que ma pauvre mère était folle. Elle le devina, un jour, au redoublement de silence et de soins qui étaient ma réponse habituelle à ses invectives. « Je vois bien, dit-elle, que tu fais semblant de me croire en délire. Je vais te prouver que je vois clair et que je marche droit. »

Elle exhiba alors cette correspondance sans vouloir me laisser jeter les yeux sur l'écriture, mais en me lisant des pages entières qu'elle n'improvisait certes pas. C'était le tissu de calomnies monstrueuses et d'aberrations stupides dont j'ai déjà parlé et dont je m'étais tant moquée à Nohant. Les ordures de la petite ville s'étaient emparées de l'imagination vive et faible de ma mère. Elles s'y étaient gravées jusqu'à y détruire le plus simple raisonnement. Elles n'en sortirent entièrement qu'au bout de plusieurs années, quand elle me vit sans prévention et que tous ses sujets d'amertume eurent disparu.

Elle se disait renseignée ainsi par un des plus intimes amis de notre maison. Je ne répondis rien, je ne pouvais rien répondre. Le cœur me levait de dégoût. Elle se mit au lit, triomphante de m'avoir *écrasée*. Je me retirai dans ma chambre ; j'y restai sur une chaise jusqu'au grand jour, hébétée, ne pensant à rien, sentant mourir mon corps et mon âme tout ensemble.

VIII

Singularités, grandeurs et agitations de ma mère. – Une nuit d'expansion. – Parallèle. – Le Plessis. – Mon père James et ma mère Angèle. – Bonheur de la campagne. – Retour à la santé, à la jeunesse et à la gaieté. – Les enfants de la maison. – Opinions du temps. – Loïsa Puget. – M. Stanislas et son cabinet mystérieux. – Je rencontre mon futur mari. – Sa prédiction. – Notre amitié. – Son père. – Bizarreries nouvelles. – Retour de mon frère. – La baronne Dudevant. – Le régime dotal. – Mon mariage. – Retour à Nohant. – Automne 1823.

Pour supporter une telle existence, il eût fallu être une sainte. Je ne l'étais pas, malgré mon ambition de le devenir. Je ne sentais pas mon organisation seconder les efforts de ma volonté. J'étais affreusement ébranlée dans tout mon être. Ce *bouquet* à toutes mes agitations et à toutes mes tristesses portait un si rude coup à mon système nerveux, que je ne dormais plus du tout et que je me sentais mourir de faim, sans pouvoir surmonter le dégoût que me causait la vue des aliments. J'étais secouée à tout instant par des sursauts fébriles, et je sentais mon cœur aussi malade que mon corps. Je ne pouvais plus prier. J'essayai de faire mes dévotions à Pâques. Ma mère ne voulut pas me permettre d'aller voir l'abbé de Prémord, qui m'eût fortifiée et consolée. Je me confessai à un vieux bourru qui, ne comprenant rien aux révoltes intérieures contre le respect filial dont je m'accusais, me demanda le pourquoi et le comment, et si ces révoltes de mon cœur étaient bien ou mal fondées.

« Ce n'est pas là la question, lui répondis-je. Selon ma religion, elles ne doivent jamais être assez fondées pour n'être pas combattues. Je m'accuse d'avoir soutenu ce combat avec mollesse. »

Il persista à me demander de lui faire la confession de ma mère. Je ne répondis rien, voulant recevoir l'absolution et ne pas recommencer la scène de La Châtre.

« Au reste, si je vous interroge, dit-il, frappé de mon silence, c'est pour vous éprouver. Je voulais voir si vous accuseriez votre mère, et puisque vous ne le faites pas, je vois que votre repentir est réel et que je peux vous absoudre. »

Je trouvai cette épreuve inconvenante et dangereuse pour la sûreté des familles. Je me promis de ne plus me confesser au premier venu, et je commençai à sentir un grand dégoût pour la pratique d'un sacrement si mal administré. Je communiai le lendemain, mais sans ferveur, quelque effort que je fisse, et encore plus dérangée et choquée du bruit qui se faisait dans les églises que je ne l'avais été à la campagne [62].

Les personnes qui entouraient ma mère étaient excellentes envers moi, mais ne pouvaient ou ne savaient pas me protéger. Ma bonne tante prétendait qu'il fallait rire des lubies de sa sœur, et croyait la chose possible de ma part. Pierret, plus juste et plus intelligent que ma mère à l'habitude, mais parfois aussi susceptible et aussi fantasque, prenait ma tristesse pour de la froideur, et me la reprochait avec sa manière furibonde et comique qui ne pouvait plus me divertir. Ma bonne Clotilde ne pouvait rien pour moi. Ma sœur était froide et avait répondu à mes premières effusions avec une sorte de méfiance, comme si elle se fût attendue à de mauvais procédés de ma part. Son mari était un excellent homme qui n'avait aucune influence sur la famille. Mon grand-oncle de Beaumont ne fut point tendre. Il avait toujours eu un fonds d'égoïsme qui ne lui permettait plus de supporter une figure pâle et triste à sa table sans la taquiner jusqu'à la dureté. Il vieillissait aussi beaucoup, souffrait de la goutte, et faisait de fréquentes algarades dans son intérieur, et même à ses convives quand ils ne s'efforçaient pas de le distraire et ne réussissaient pas à l'amuser. Il commençait à aimer les commérages, et je ne sais jusqu'à quel point ma mère ne l'avait pas imprégné de ceux dont j'étais l'objet à *La Châtre* !

Ma mère n'était cependant pas toujours tendue et irritée. Elle avait ses bons retours de candeur et de tendresse par où elle me reprenait. C'était là le pire. Si j'avais pu arriver à la froideur et à l'indifférence, je serais peut-être arrivée au stoïcisme ; mais cela m'était impossible. Qu'elle versât une larme, qu'elle eût pour moi une inquiétude, un soin maternel, je recommençais à l'aimer et à espérer. C'était la route du désespoir : tout était brisé et remis en question le lendemain.

Elle était malade. Elle traversait une crise qui fut exceptionnellement longue et douloureuse chez elle, sans jamais abattre son activité, son courage et son irritation. Cette énergique organisation ne pouvait franchir sans un combat terrible le seuil de la vieillesse. Encore jolie et rieuse, elle n'avait pourtant aucune jalousie de femme contre la jeunesse et la beauté des autres. C'était une nature chaste, quoi qu'on en ait dit et pensé, et ses mœurs étaient irréprochables. Elle avait le besoin des émotions violentes, et, quoique sa vie en eût été abreuvée, ce n'était jamais assez pour cette sorte de haine étrange et bien certainement fatale qu'elle avait pour le repos de l'esprit et du corps. Il lui fallait toujours renouveler son atmosphère agitée par des agitations nouvelles, changer de logement, se brouiller ou se raccommoder avec quelqu'un ou quelque chose, aller passer quelques heures à la campagne, et se dépêcher de revenir tout d'un coup pour fuir la campagne ; dîner dans un restaurant, et puis dans un autre ; bouleverser même sa toilette de fond en comble chaque semaine.

Elle avait de petites manies qui résumaient bien cette mobilité inquiète. Elle achetait un chapeau qui lui semblait charmant. Le soir même, elle le trouvait hideux.

Elle en ôtait le nœud, et puis les fleurs, et puis les
ruches. Elle transposait tout cela avec beaucoup
d'adresse et de goût. Son chapeau lui plaisait ainsi tout
le lendemain. Mais le jour suivant c'était un autre
changement radical ; et ainsi pendant huit jours,
jusqu'à ce que le malheureux chapeau, toujours transformé, lui devînt indifférent. Alors elle le portait avec
un profond mépris, disant qu'elle ne se souciait
d'aucune toilette, en attendant qu'elle se prît de fantaisie pour un chapeau neuf.

Elle avait encore de très beaux cheveux noirs. Elle
s'ennuya d'être brune et mit une perruque blonde qui
ne réussit point à l'enlaidir. Elle s'aima blonde pendant
quelque temps, puis elle se déclara *filasse* et prit le châ-
tain clair. Elle revint bientôt à un blond cendré, puis
retourna à un noir doux, et fit si bien que je la vis avec
des cheveux différents pour chaque jour de la semaine.

Cette frivolité enfantine n'excluait pas des occupations laborieuses et des soins domestiques très minutieux. Elle avait aussi ses délices d'imagination et lisait
M. d'Arlincourt[63] avec rage jusqu'au milieu de la nuit,
ce qui ne l'empêchait pas d'être debout à six heures du
matin et de recommencer ses toilettes, ses courses, ses
travaux d'aiguille, ses rires, ses désespoirs et ses
emportements.

Quand elle était de bonne humeur, elle était vraiment charmante, et il était impossible de ne pas se
laisser aller à sa gaieté pleine de verve et de saillies pittoresques. Malheureusement cela ne durait jamais une
journée entière, et la foudre tombait sur vous on ne
savait de quel coin du ciel.

Elle m'aimait cependant, ou du moins elle aimait en
moi le souvenir de mon père et celui de mon enfance ;
mais elle haïssait aussi en moi le souvenir de ma grand-
mère et de Deschartres. Elle avait couvé trop de ressentiments et dévoré trop d'humiliations intérieures
pour n'avoir pas besoin d'une éruption de volcan
longue, terrible, complète. La réalité ne lui suffisait pas
pour accuser et maudire. Il fallait que l'imagination se

mît de la partie. Si elle digérait mal, elle se croyait empoisonnée et n'était pas loin de m'en accuser.

Un jour, ou plutôt une nuit, je crus que toute amertume devait être effacée entre nous et que nous allions nous entendre et nous aimer sans souffrance.

Elle avait été dans le jour d'une violence extrême, et comme de coutume, elle était bonne et pleine de raison dans son apaisement. Elle se coucha et me dit de rester près de son lit jusqu'à ce qu'elle dormît, parce qu'elle se sentait triste. Je l'amenai, je ne sais comment, à m'ouvrir son cœur, et j'y lus tout le malheur de sa vie et de son organisation. Elle me raconta plus de choses que je n'en voulais savoir, mais je dois dire qu'elle le fit avec une simplicité et une sorte de grandeur singulière. Elle s'anima au souvenir de ses émotions, rit, pleura, accusa, raisonna même avec beaucoup d'esprit, de sensibilité et de force. Elle voulait m'initier au secret de toutes ses infortunes, et, comme emportée par une fatalité de la douleur, elle cherchait en moi l'excuse de ses souffrances et la réhabilitation de son âme.

« Après tout, dit-elle en se résumant et en s'asseyant sur son lit, où elle était belle avec son madras rouge sur sa figure pâle qu'éclairaient de si grands yeux noirs, je ne me sens coupable de rien. Il ne me semble pas que j'aie jamais commis sciemment une mauvaise action ; j'ai été entraînée, poussée, souvent forcée de voir et d'agir. Tout mon crime, c'est d'avoir aimé. Ah ! si je n'avais pas aimé ton père, je serais riche, libre, insouciante et sans reproche, puisque avant ce jour-là je n'avais jamais réfléchi à quoi que ce soit. Est-ce qu'on m'avait enseigné à réfléchir, moi ? Je ne savais ni *a* ni *b*. Je n'étais pas plus fautive qu'une linotte. Je disais mes prières soir et matin comme on me les avait apprises, et jamais Dieu ne m'avait fait sentir qu'elles ne fussent pas bien reçues.

« Mais à peine me fus-je attachée à ton père que le malheur et le tourment se mirent après moi. On me dit, on m'apprit que j'étais indigne d'aimer. Je n'en savais rien et je n'y croyais guère. Je sentais mon cœur plus aimant et mon amour plus vrai que ceux de ces grandes dames qui me méprisaient et à qui je le rendais bien. J'étais aimée. Ton père me disait : « Moque-toi de tout cela comme je m'en moque. » J'étais heureuse et je le voyais heureux. Comment aurais-je pu me persuader que je le déshonorais ?

« Voilà pourtant ce qu'on m'a dit sur tous les tons, quand il n'a plus été là pour me défendre. Il m'a fallu alors réfléchir, m'étonner, me questionner, arriver à me sentir humiliée et à me détester moi-même, ou bien à humilier les autres dans leur hypocrisie et à les détester de toutes mes forces.

« C'est alors que moi, si gaie, si insouciante, si sûre de moi, si franche, je me suis senti des ennemis. Je n'avais jamais haï : je me suis mise à haïr presque tout le monde. Je n'avais jamais pensé à ce que c'est que votre belle société avec sa morale, ses manières, ses prétentions. Ce que j'en avais vu m'avait toujours fait rire comme très drôle. J'ai vu que c'était méchant et faux. Ah ! je te déclare bien que si, depuis mon veuvage, j'ai vécu sagement, ce n'est pas pour faire plaisir à ces gens-là, qui exigent des autres ce qu'ils ne font pas. C'est parce que je ne pouvais plus faire autrement. Je n'ai aimé qu'un homme dans ma vie, et après l'avoir perdu, je ne me souciais plus de rien ni de personne. »

Elle pleura, au souvenir de mon père, des torrents de larmes, s'écriant : « Ah ! que je serais devenue bonne si nous avions pu vieillir ensemble ! Mais Dieu me l'a arraché tout au milieu de mon bonheur. Je ne maudis pas Dieu : il est le maître ; mais je déteste et maudis l'humanité !... » – Et elle ajouta naïvement et comme lasse de cette effusion : « *Quand j'y pense.* Heureusement je n'y pense pas toujours. »

C'était la contrepartie de la confession de ma grand-mère que j'entendais et recevais. La mère et l'épouse se trouvaient là en complète opposition dans l'effet de leur douleur. L'une qui, ne sachant plus que faire de sa passion et ne pouvant la reporter sur personne, acceptait l'arrêt du ciel, mais sentait son énergie se convertir en haine contre le genre humain ; l'autre qui, ne sachant plus que faire de sa tendresse, avait accusé

Dieu, mais avait reporté sur ses semblables des trésors de charité.

Je restais ensevelie dans les réflexions que soulevait en moi ce double problème. Ma mère me dit brusquement : « Eh bien ! je t'en ai trop dit, je le vois, et à présent tu me condamnes et me méprises en connaissance de cause ! J'aime mieux ça. J'aime mieux t'arracher de mon cœur et n'avoir plus rien à aimer après ton père, pas même toi !

– Quant à mon mépris, lui répondis-je en la prenant toute tremblante et toute crispée entre mes bras, vous vous trompez bien. Ce que je méprise, c'est le mépris du monde. Je suis aujourd'hui pour vous contre lui, bien plus que je ne l'étais à cet âge que vous me reprochez toujours d'avoir oublié. Vous n'aviez que mon cœur, et à présent ma raison et ma conscience sont avec vous. C'est le résultat de ma *belle éducation* que vous raillez trop, de la religion et de la philosophie que vous détestez tant. Pour moi, votre passé est sacré, non pas seulement parce que vous êtes ma mère, mais parce qu'il m'est prouvé par le raisonnement que vous n'avez jamais été coupable.

– Ah ! vraiment ! mon Dieu ! s'écria ma mère, qui m'écoutait avec avidité. Alors, qu'est-ce que tu condamnes donc en moi ?

– Votre aversion et vos rancunes contre ce monde, ce genre humain tout entier sur qui vous êtes entraînée à vous venger de vos souffrances. L'amour vous avait faite heureuse et grande, la haine vous fait injuste et malheureuse.

– C'est vrai, c'est vrai ! dit-elle. C'est trop vrai ! Mais comment faire ? Il faut aimer ou haïr. Je ne peux pas être indifférente et pardonner par lassitude.

– Pardonnez au moins par charité.

– La charité ? oui, tant qu'on voudra pour les pauvres malheureux qu'on oublie ou qu'on méprise parce qu'ils sont faibles ! Pour les pauvres filles perdues qui meurent dans la crotte pour n'avoir jamais pu être aimées. De la charité pour ceux qui souffrent sans l'avoir mérité ? Je leur donnerais jusqu'à ma chemise, tu le sais bien ! Mais de la charité pour *les comtesses*, pour madame une telle qui a déshonoré cent fois un mari aussi bon que le mien, par galanterie ; pour monsieur un tel qui n'a blâmé l'amour de ton père que le jour où j'ai refusé d'être sa maîtresse... Tous ces gens-là, vois-tu, sont des infâmes ; ils font le mal, ils aiment le mal, et ils ont de la religion et de la vertu plein la bouche.

– Vous voyez pourtant qu'il y a, outre la loi divine, une loi fatale qui nous prescrit le pardon des injures et l'oubli des souffrances personnelles, car cette loi nous frappe et nous punit quand nous l'avons trop méconnue.

– Comment ça ? explique-toi clairement.

– À force de nous tendre l'esprit et de nous armer le cœur contre les gens mauvais et coupables, nous prenons l'habitude de méconnaître les innocents et d'accabler de nos soupçons et de nos rigueurs ceux qui nous respectent et nous chérissent.

– Ah ! tu dis cela pour toi ! s'écria-t-elle.

– Oui, je le dis pour moi ; mais je pourrais aussi le dire pour ma sœur, pour la vôtre, pour Pierret. Ne le croyez-vous pas, ne le dites-vous pas vous-même, quand vous êtes calme ?

– C'est vrai que je fais enrager tout le monde quand je m'y mets, reprit-elle ; mais je ne sais pas le moyen de faire autrement. Plus j'y pense, plus je recommence, et ce qui m'a paru le plus injuste de ma part en m'endormant est ce qui me paraît le plus juste quand je me réveille. Ma tête travaille trop. Je sens quelquefois qu'elle éclate. Je ne suis bien portante et raisonnable que quand je ne pense à rien ; mais cela ne dépend pas de moi du tout. Plus je veux ne pas penser, plus je pense. Il faut que l'oubli vienne tout seul, à force de fatigue. C'est donc ce qu'on apprend dans tes livres, la faculté de ne rien penser du tout ? »

On voit par cet entretien combien il m'était impossible d'agir sur l'instinct passionné de ma mère par le raisonnement, puisqu'elle prenait l'émotion de ses pensées tumultueuses pour de la réflexion, et cherchait son soulagement dans un étourdissement de lassitude qui lui ôtait toute conscience soutenue de ses injustices. Il y avait en elle un fonds de droiture admirable, obscurci à chaque instant par une fièvre d'imagination malade qu'elle n'était plus d'âge à combattre, ayant d'ailleurs vécu dans une complète ignorance des armes intellectuelles qu'il eût fallu employer.

C'était pourtant une âme très religieuse, et elle aimait Dieu ardemment, comme un refuge contre l'injustice des autres et contre la sienne propre. Elle ne voyait de clémence et d'équité qu'en lui, et, comptant sur une miséricorde sans limites, elle ne songeait pas à ranimer et à développer en elle le reflet de cette perfection. Il n'était même pas possible de lui faire entendre par des mots l'idée de cette relation de la volonté avec Celui qui nous la donne. « Dieu, disait-elle, sait bien que nous sommes faibles, puisqu'il lui a plu de nous faire ainsi. »

La dévotion de ma sœur l'irritait souvent. Elle abhorrait les prêtres, et lui parlait de *ses* curés comme elle me parlait de *mes* vieilles *comtesses*. Elle ouvrait souvent les Évangiles pour en lire quelques versets. Cela lui faisait du bien ou du mal, selon qu'elle était bien ou mal disposée. Calme, elle s'attendrissait aux larmes et aux parfums de Madeleine ; irritée, elle traitait le prochain comme Jésus traita les vendeurs dans le temple.

Elle s'endormit en me bénissant, en me remerciant *du bien que je lui avais fait*, et en déclarant qu'elle serait désormais toujours juste pour moi. « Ne t'inquiète plus, me dit-elle ; je vois bien à présent que tu ne mérites pas tout le chagrin que je t'ai fait. Tu vois juste, tu as de bons sentiments. Aime-moi, et sois bien certaine qu'au fond je t'adore. »

Cela dura trois jours. C'était bien long pour ma pauvre mère. Le printemps était arrivé, et, à cette époque de l'année, ma grand-mère avait toujours remarqué que son caractère s'aigrissait davantage, et frisait par moments l'aliénation ; je vis qu'elle ne s'était pas trompée.

Je crois que ma mère elle-même sentit son mal et désira être seule pour me le cacher. Elle me mena à la campagne, chez des personnes qu'elle avait vues trois jours auparavant à un dîner chez un vieux ami de mon oncle de Beaumont, et me quitta le lendemain de notre arrivée en me disant : « Tu n'es pas bien portante : l'air de la campagne te fera du bien. Je viendrai te chercher la semaine prochaine. »

Elle m'y laissa quatre ou cinq mois.

J'aborde de nouveaux personnages, un nouveau milieu où le hasard me jeta brusquement, et où la Providence me fit trouver des êtres excellents, des amis généreux, un temps d'arrêt dans mes souffrances, et un nouvel aspect des choses humaines.

Madame Roëttiers du Plessis était la plus franche et la plus généreuse créature du monde. Riche héritière, elle avait aimé dès l'enfance son oncle James Roëttiers, capitaine de chasseurs, *troupier fini*, dont la vive jeunesse avait beaucoup effrayé la famille. Mais l'instinct du cœur n'avait pas trompé la jeune Angèle. James fut le meilleur des époux et des pères. Ils avaient cinq enfants et dix ans de mariage quand je les connus. Ils s'aimaient comme au premier jour et se sont toujours aimés ainsi.

Madame Angèle, bien qu'à vingt-sept ans elle eût les cheveux gris, était charmante. Elle manquait de grâce, ayant toujours eu la pétulance, la franchise d'un garçon, et la plus complète absence de coquetterie ; mais sa figure était délicate et jolie ; sa fraîcheur, qui contrastait avec cette chevelure argentée, rendait sa beauté très originale.

James avait la quarantaine et le front très dégarni ; mais ses yeux, bleus et ronds, pétillaient d'esprit et de gaieté, et toute sa physionomie peignait la bonté et la sincérité de son âme.

Les cinq enfants étaient cinq filles, dont une était élevée par le frère aîné de James, les quatre autres, habillées en garçons, couraient et grouillaient dans la maison la plus rieuse et la plus bruyante que j'eusse jamais vue.

Le château était une grande villa du temps de Louis XVI, jetée en pleine Brie, à deux lieues de Melun. Absence complète de vue et de poésie aux alentours, mais en revanche un parc très vaste et d'une belle végétation : des fleurs, des gazons immenses, toutes les aises d'une habitation que l'on ne quitte en aucune saison, et le voisinage d'une ferme considérable qui peuplait de bestiaux magnifiques les prairies environnantes. Madame Angèle et moi nous nous prîmes d'amitié à première vue. Bien qu'elle eût l'air d'un garçon sans en avoir les habitudes, tandis que j'en avais un peu l'éducation sans en avoir l'air, il y avait entre nous ce rapport, que nous ne connaissions ni ruses ni vanités de femme, et nous sentîmes tout d'abord que nous ne serions jamais, en rien et à propos de personne, la rivale l'une de l'autre ; que, par conséquent, nous pouvions nous aimer sans méfiance et sans risque de nous brouiller jamais.

Ce fut elle qui provoqua ma mère à me laisser chez elle. Elle avait compté que nous y passerions huit jours. Ma mère s'ennuya dès le lendemain, et comme je soupirais en quittant déjà ce beau parc tout souriant de sa parure printanière, et ces figures ouvertes et sympathiques qui interrogeaient la mienne, madame Angèle, par sa décision de caractère et sa bienveillance assurée, trancha la difficulté. Elle était mère de famille si irréprochable, que ma propre mère ne pouvait s'inquiéter du *qu'en dira-t-on*, et comme cette maison était un terrain neutre pour ses antipathies et ses ressentiments, elle accepta sans se faire prier.

Cependant, comme au bout de la semaine, elle ne faisait pas mine de revenir, je commençai à m'inquiéter, non pas de mon abandon dans une famille que je voyais si respectable et si parfaite, mais de la crainte d'être à charge, et j'avouai mon embarras.

James me prit à part et me dit : « Nous savons toute l'histoire de votre famille. J'ai un peu connu votre père à l'armée, et j'ai été mis au courant, le jour où je vous ai vue à Paris, de ce qui s'est passé depuis sa mort ; comment vous avez été élevée par votre grand-mère, et comment vous êtes retombée sous la domination de votre mère. J'ai demandé pourquoi vous ne pouviez pas vous entendre avec elle. On m'a appris, et je l'ai vu au bout de cinq minutes, qu'elle ne pouvait se défendre de dire du mal de sa belle-mère devant vous, que cela vous blessait mortellement, et qu'elle vous tourmentait d'autant plus que vous baissiez la tête en silence. Votre air malheureux m'a intéressé à vous. Je me suis dit que ma femme vous aimerait comme je vous aimais déjà, que vous seriez pour elle une société sûre et une amie agréable. Vous avez parlé en soupirant du bonheur de vivre à la campagne. Je me suis promis du plaisir à vous donner ce plaisir-là. J'ai parlé le soir tout franche-ment à votre mère, et comme elle me disait avec la même franchise qu'elle s'ennuyait de votre figure triste et désirait vous voir mariée [64], je lui ai dit qu'il n'y avait rien de plus facile que de marier une fille qui a une dot, mais qu'elle ne vivait pas de manière à vous mettre à même de choisir ; car je voyais bien que vous êtes une personne à vouloir choisir, et vous avez raison. Alors je l'ai engagée à venir passer quelques semaines ici, où vous voyez que nous recevons beaucoup d'amis ou de camarades à moi, que je connais à fond, et sur lesquels je ne la laisserais pas se tromper. Elle a eu confiance, elle est venue ; mais elle s'est ennuyée, et elle est partie. Je suis sûr qu'elle consentira très bien à vous laisser avec nous tant que vous voudrez. Y consentez-vous vous-même ? Vous nous ferez plaisir, nous vous aimons déjà tout à fait. Vous me faites l'effet d'être ma fille, et ma femme raffole de vous. Nous ne vous tour-menterons pas sur l'article du mariage. Nous ne vous en parlerons jamais, parce que nous aurions l'air de vouloir nous débarrasser de vous, ce qui ne ferait pas le compte d'Angèle ; mais si, parmi les braves gens qui nous entourent et nous fréquentent, il se trouve quelqu'un qui vous plaise, dites-le-nous, et nous vous dirons loyalement s'il vous convient ou non. »

Madame Angèle vint joindre ses instances à celles de son mari. Il n'y avait pas moyen de se tromper à leur sincérité, à leur sympathie. Ils voulaient être mon père et ma mère, et je pris l'habitude, que j'ai toujours gardée, de les appeler ainsi. Toute la maison s'y habitua aussitôt, jusqu'aux domestiques, qui me disaient : « Mademoiselle, votre père vous cherche, votre mère vous demande. » Ces mots en disent plus que ne le ferait un récit détaillé des soins, des attentions, des tendresses délicates et soutenues qu'eurent pour moi ces deux excellents êtres. Madame Angèle me vêtit et me chaussa, car j'étais en guenilles et en savates. J'eus à ma disposition une bibliothèque, un piano et un cheval excellent. C'était le superflu de mon bonheur.

J'eus quelque ennui d'abord des assiduités d'un brave officier en retraite qui me fit la cour. Il n'avait absolument rien que sa demi-solde et il était le fils d'un paysan. Cela me mit bien mal à l'aise pour le décourager. Il ne me plaisait pas du tout, et il était si honnête homme que je n'osais point croire qu'il ne fût épris que de ma dot. J'en parlai au père James en lui remontrant qu'il m'ennuyait, mais que j'avais si grand-peur de l'humilier et de lui laisser croire que je le dédaignais à cause de sa pauvreté, que je ne savais comment m'y prendre pour m'en débarrasser. Il s'en chargea, et ce brave garçon partit sans rancune contre moi.

Plusieurs autres offres de mariage furent faites par mon oncle Maréchal, mon oncle de Beaumont, Pierret, etc. Il y en eut de très satisfaisantes, pour parler le langage du monde, sous le rapport de la fortune et même de la naissance, malgré la prédiction de mon cousin Auguste. Je refusai tout, non pas brusquement, ma mère s'y fût obstinée, mais avec assez d'adresse pour qu'on me laissât tranquille. Je ne pouvais accepter l'idée d'être demandée en mariage par des gens qui ne me connaissaient pas, qui ne m'avaient jamais vue, et qui par conséquent ne songeaient qu'à faire *une affaire*.

Mes bons parents du Plessis, voyant bien réellement que je n'étais pas pressée, me prouvèrent bien réellement aussi qu'ils n'étaient pas pressés non plus de me voir prendre un parti. Ma vie auprès d'eux était enfin conforme à mes goûts et salutaire à mon cœur malade.

Je n'ai pas dit tout ce que j'avais souffert de la part de ma mère. Je n'ai pas besoin d'entrer dans le détail de ses violences et de leurs causes, qui étaient si fantasques qu'elles en paraîtraient invraisemblables. À quoi bon d'ailleurs ? Elles sont bien mille fois pardonnées dans mon cœur, et comme je ne me crois pas meilleure que Dieu, je suis bien certaine qu'il les lui a pardonnées aussi. Pourquoi offrirais-je ce détail au jugement de beaucoup de lecteurs, qui ne sont peut-être ni plus patients, ni plus justes à l'habitude, que ne l'était ma pauvre mère dans ses crises nerveuses ? J'ai tracé fidèlement son caractère, j'en ai montré le côté grand et le côté faible. Il n'y a à voir en elle qu'un exemple de la fatalité produite bien moins par l'organisation de l'individu que par les influences de l'ordre social : la réhabilitation refusée à l'être qui s'en montre digne ; le désespoir et l'indignation de cet être généreux, réduit à douter de tout et à ne pouvoir plus se gouverner lui-même.

Cela seul était utile à dire. Le reste ne regarde que moi. Je dirai donc seulement que je manquai de force pour supporter ces inévitables résultats de sa douleur. La mort de mon père avait été pour moi une catastrophe que mon jeune âge m'avait empêchée de comprendre, mais dont je devais subir et sentir les conséquences pendant toute ma jeunesse.

Je les comprenais enfin, mais cela ne me donnait pas encore le courage nécessaire pour les accepter. Il faut avoir connu les passions de la femme et les tendresses de la mère pour entrer dans la tolérance complète dont j'aurais eu besoin. J'avais l'orgueil de ma candeur, de mon inexpérience, de ma facile égalité d'âme. Ma mère avait raison de me dire souvent : « Quand tu auras souffert comme moi, tu ne seras plus *sainte Tranquille* ! »

J'avais réussi à me contenir, c'était tout ; mais j'avais eu plusieurs accès de colère muette, qui m'avaient fait un mal affreux, et après lesquels je m'étais sentie reprise de ma maladie de suicide. Toujours ce mal étrange changeait de forme dans mon imagination.

Cette fois j'avais éprouvé le désir de mourir d'inanition, et j'avais failli le satisfaire malgré moi, car il me fallait pour manger un tel effort de volonté, que mon estomac repoussait les aliments, mon gosier se serrait, rien ne passait, et je ne pouvais pas me défendre d'une joie secrète en me disant que cette mort par la faim allait arriver sans que j'en fusse complice.

J'étais donc très malade quand j'allai au Plessis, et ma tristesse était tournée à l'hébétement. Peut-être que c'était trop d'émotions répétées pour mon âge.

L'air des champs, la vie bien réglée, une nourriture abondante et variée, où je pouvais choisir, au commencement, ce qui répugnait le moins aux révoltes de mon appétit détruit ; l'absence de tracasseries et d'inquiétudes, et l'amitié surtout, la sainte amitié, dont j'avais besoin plus que de tout le reste, m'eurent bientôt guérie. Jusque-là je n'avais pas su combien j'aimais la campagne et combien elle m'était nécessaire. Je croyais n'aimer que Nohant. Le Plessis s'empara de moi comme un Éden. Le parc était à lui seul toute la nature qui méritât un regard dans cet affreux pays plat. Mais qu'il était charmant, ce parc immense, où les chevreuils bondissaient dans des fourrés épais, dans des clairières profondes, autour des eaux endormies de ces mares mystérieuses que l'on découvre sous les vieux saules et sous les grandes herbes sauvages ! Certains endroits avaient la poésie d'une forêt vierge. Un bois vigoureux est toujours et en toute saison une chose admirable.

Il y avait aussi de belles fleurs et des orangers embaumés autour de la maison, un jardin potager luxuriant. J'ai toujours aimé les potagers. Tout cela était moins rustique, mieux tenu, mieux distribué, partant moins pittoresque et moins rêveur que Nohant ; mais quelles longues voûtes de branches, quelles perspectives de verdure, quels beaux temps de galop dans les allées sablonneuses ! Et puis, des hôtes jeunes, des figures toujours gaies, des enfants terribles si bons enfants ! Des cris, des rires, des parties de barres effrénées, une escarpolette à se casser le cou ! Je sentis que j'étais encore un enfant moi-même. Je l'avais oublié. Je repris mes goûts de pensionnaire, les courses échevelées, les rires sans sujet, le bruit pour l'amour du bruit, le mouvement pour l'amour du mouvement. Ce n'étaient plus les promenades fiévreuses ou les mornes rêveries de Nohant, l'activité où l'on se jette avec rage pour secouer le chagrin, l'abattement où l'on voudrait pouvoir s'oublier toujours. C'était la véritable partie de plaisir, l'amusement à plusieurs, la vie de famille pour laquelle, sans m'en douter, j'étais si bien faite, que je n'ai jamais pu en supporter d'autre sans tomber dans le spleen.

C'est là que je renonçai pour la dernière fois aux rêves du couvent. Depuis quelques mois, j'y étais revenue naturellement dans toutes les crises de ma vie extérieure. Je compris enfin, au Plessis, que je ne vivrais pas facilement ailleurs que dans un air libre et sur un vaste espace, toujours le même si besoin était, mais sans contrainte dans l'emploi du temps et sans séparation forcée avec le spectacle de la vie paisible et poétique des champs.

Et puis, j'y compris aussi, non pas l'exaltation de l'amour, mais les parfaites douceurs de l'union conjugale et de l'amitié vraie, en voyant le bonheur d'Angèle ; cette confiance suprême, ce dévouement tranquille et absolu, cette sécurité d'âme qui régnaient entre elle et son mari au lendemain déjà de la première jeunesse. Pour quiconque n'eût pu obtenir du ciel que la promesse de dix années d'un tel bonheur, ces dix années valaient toute une vie.

J'avais toujours adoré les enfants, toujours recherché, à Nohant et au couvent, la société fréquente d'enfants plus jeunes que moi. J'avais tant aimé et tant soigné mes poupées, que j'avais l'instinct prononcé de la maternité. Les quatre filles de ma mère Angèle lui donnaient bien du tourment ; mais c'était le *cher tourment* dont se plaignait madame Alicia avec moi, et c'était encore bien mieux : c'étaient les enfants de ses entrailles, l'orgueil de son hyménée, la préoccupation de tous ses instants, le rêve de son avenir.

James n'avait qu'un regret, c'était de n'avoir pas au moins un fils. Pour s'en donner l'illusion, il voulait voir le plus longtemps possible ses filles habillées en garçon. Elles portaient des pantalons et des jaquettes rouges, garnis de boutons d'argent, et avaient la mine de petits soldats mutins et courageux. À elles se joignaient souvent les trois filles de sa sœur madame Gondoin Saint-Aignan, dont l'aînée m'a été bien chère ; et puis Loïsa Puget, dont le père était associé à mon père James dans l'exploitation d'une usine ; enfin quelques garçons de la famille ou de l'intimité, Norbert Saint-Martin, fils du plus jeune des Roëttiers, Eugène Sandré et les neveux d'un vieux ami. Quand tout ce petit monde était réuni, j'étais l'aînée de la bande et je menais les jeux, où je prenais, assez longtemps encore après mon mariage, autant de plaisir pour mon compte que le dernier de la nichée.

Je redevenais donc jeune, je retrouvais mon âge véritable au Plessis. J'aurais pu lire, veiller, réfléchir ; j'avais des livres à discrétion et la plus entière liberté. Il ne me vint pas à l'esprit d'en profiter. Après les cavalcades et les jeux de la journée, je tombais de sommeil aussitôt que j'avais mis le pied dans ma chambre, et je me réveillais pour recommencer. Les seules réflexions qui me vinssent, c'était la crainte d'avoir à réfléchir. J'en avais trop pris à la fois ; j'avais besoin d'oublier le monde des idées, et de m'abandonner à la vie de sentiment paisible et d'activité juvénile.

Il paraît que ma mère m'avait annoncée là comme une *pédante*, un *esprit fort*, une *originale*. Cela avait un peu effrayé ma mère Angèle, qui en avait eu d'autant plus de mérite à s'intéresser quand même à mon malheur ; mais elle attendit vainement que je fisse paraître mon bel esprit et ma vanité. Deschartres était le seul être avec qui je me fusse permis d'être pédante ; puisqu'il était pédant lui-même et dogmatisait sur toutes choses, il n'y avait guère moyen de ne pas disserter avec lui. Qu'aurais-je fait au Plessis de mon petit bagage d'écolier ? Cela n'eût ébloui personne, et je trouvais bien plus agréable de l'oublier que d'en repaître les autres et moi-même. Je n'éprouvais le besoin d'aucune discussion, puisque mes idées ne rencontraient autour de moi aucune espèce de contradiction. La chimère de la naissance n'eût été, dans cette famille d'ancienne bourgeoisie, qu'un sujet de plaisanterie sans aigreur, et comme elle n'y avait pas d'adeptes, elle n'y avait pas non plus d'adversaires. On n'y pensait pas, on ne s'en occupait jamais.

À cette époque, la bourgeoisie n'avait pas la morgue qu'elle a acquise depuis et l'amour de l'argent n'était point passé en dogme de morale publique[65]. Quand même il en eût été ainsi d'ailleurs, il en eût été autrement au Plessis. James avait de l'esprit, de l'honneur et du bon sens. Sa femme, qui était tout cœur et toute tendresse, l'avait enrichi alors qu'il n'avait rien. Le pur amour, le complet désintéressement étaient la religion et la morale de cette noble femme. Comment me serais-je trouvée en désaccord sur quoi que ce soit avec elle ou avec les siens ? Cela n'arriva jamais.

Leur opinion politique était le bonapartisme non raisonné, à l'état de passion contre la restauration monarchique, œuvre de la lance des Cosaques et de la trahison des grands généraux de l'Empire. Ils ne voyaient pas dans la bourgeoisie dont ils faisaient partie une trahison plus vaste, une invasion plus décisive. Cela ne se voyait pas alors, et la chute de l'empereur n'était bien comprise par personne. Les débris de la grande armée ne songeaient pas à l'imputer au libéralisme doctrinaire, qui en avait pourtant bien pris sa bonne part. Dans les temps d'oppression, toutes les oppositions arrivent vite à se donner la main. L'idée républicaine se personnifiait alors dans Carnot[66], et les bonapartistes purs se réconciliaient avec l'idée, à cause de l'homme qui avait été grand avec Napoléon dans le malheur et dans le danger de la patrie.

Je pouvais donc continuer à être républicaine avec Jean-Jacques Rousseau, et bonapartiste avec mes amis du Plessis, ne connaissant pas assez l'histoire de mon temps, et n'étant pas, en ce moment-là, assez portée à la réflexion et à l'étude des causes pour me débrouiller dans la divergence des faits ; mes amis, comme la plupart des Français à cette époque, n'y voyaient pas moins trouble que moi.

Il y avait pourtant des opinions auprès de nous qui eussent dû me donner à penser. Le frère aîné de James et quelques-uns de ses plus vieux amis s'étaient ralliés avec ardeur à la monarchie et détestaient le souvenir des guerres ruineuses de l'Empire. Était-ce affaire d'intérêt, considération de fortune, ou amour de la sécurité ? James bataillait contre eux en vrai chevalier de la France, ne voyant que l'honneur du drapeau, l'horreur de l'étranger, la honte de la défaite et la douleur de la trahison. Après sept ans de Restauration, il avait encore des larmes pour les héros du passé, et comme il n'était ni bête, ni ridicule, ni *culotte de peau*, on écoutait avec émotion ses longues histoires de guerre souvent répétées, mais toujours pittoresques et saisissantes. Je les savais par cœur, et je les écoutais encore, y découvrant un talent de romancier historique qui m'attachait, quoique je fusse bien loin de songer à devenir un romancier moi-même. Quelques passages du roman de *Jacques*⁶⁷ m'ont été suggérés par de vagues souvenirs des récits de mon père James.

Puisque j'ai nommé Loïsa Puget, que j'ai perdue de vue au bout de deux ou trois ans, je dois un souvenir à cette enfant remarquable que j'ai à peine connue jeune fille⁶⁸. Elle avait quelques années de moins que moi, et cela faisait alors une si grande différence, que je ne me rappelle pas sans quelque étonnement l'espèce de liaison que nous avions ensemble. Il est certain qu'elle fut à peu près le seul être avec qui je m'entretins parfois d'art et de littérature au Plessis. Elle était donc d'une grande précocité d'esprit et montrait une aptitude en même temps qu'une paresse singulières dans toutes ses études. Elle fut, je crois, une victime de la *facilité*. Elle comprenait tout d'emblée et s'assimilait promptement toutes les idées musicales et littéraires. Sa mère avait été cantatrice en province, et quoiqu'elle eût la voix cassée, chantait encore admirablement bien quand elle consentait à se faire entendre en petit

comité. Elle était aussi très bonne musicienne et tourmentait Loïsa pour qu'elle étudiât sérieusement, au
lieu d'improviser au hasard. Loïsa, qui avait du bonheur dans ses improvisations, ne l'écoutait guère.
C'était un enfant terrible, plus terrible que tous ceux
du Plessis. Jolie comme un ange, pleine de reparties
drôles, elle savait se faire gâter par tout le monde. Je
crois qu'elle s'est gâtée aussi elle-même, à force de se
contenter, esprit facile, de ses idées faciles. Elle a produit des choses gaies d'intention, spontanées, d'un
rythme heureux, d'une couleur nette et d'une parfaite
rondeur. Ce sont des qualités qui l'emportent encore
sur la vulgarité du genre. Mais moi qui me souviens
d'elle plus qu'elle ne l'imagine peut-être (car j'étais
déjà dans l'âge de l'attention quand elle n'était encore
que dans celui de l'intuition), je sais qu'il y avait en elle
beaucoup plus qu'elle n'a donné ; et si l'on me disait
que, retirée et comme oubliée en province, elle a produit quelque œuvre plus sérieuse et plus sentie que ses
anciennes chansons, ne fût-ce que d'autres chansons
(car la forme et la dimension ne font rien à la qualité
des choses), je ne serais pas étonnée du tout d'un progrès immense de sa part.

Il y avait dans la maison un personnage assez fantastique qui s'appelait M. Stanislas Hue. C'était un vieux
garçon surmonté d'un gazon jaunâtre et dont les traits
durs n'étaient pas sans quelque analogie avec ceux de
Deschartres : mais il ne s'y trouvait point la ligne de
beauté originelle qui, en dépit du hâle, de l'âge et de
l'expression à la fois bourrue et comique, révélait la
beauté de l'âme de mon pédagogue. Le père Stanislas,
on appelle volontiers ainsi ces vieux hommes sans
famille qui passent à l'état de moines grognons, n'était
ni bon ni dévoué. Il était souvent aimable, ne manquant ni de savoir ni d'esprit : mais il pensait et disait
volontiers du mal de tout le monde. Il voyait en noir, et
n'avait peut-être pas le droit d'être misanthrope,
n'étant pas meilleur et plus aimant qu'un autre.

Ses manies divertissaient la famille, bien qu'on
n'osât pas en rire devant lui. Je l'osai pourtant, ayant

l'habitude de faire rire Deschartres de lui-même et croyant la plaisanterie ouverte plus acceptable que la moquerie détournée. Je le rendis furieux, et puis il en revint. Et puis, il se refâcha et se défâcha je ne sais combien de fois. Tantôt il avait un faible pour mes taquineries et les provoquait. Tantôt elles l'irritaient d'une façon burlesque. Il était pourtant très obligeant pour moi en général. Le beau cheval que je montais était à lui. C'était un andalou noir appelé Figaro qui avait vingt-cinq ans, mais qui avait encore la souplesse, l'ardeur et la solidité d'un jeune cheval. Quelquefois son maître me le refusait, quand je l'avais mis de mauvaise humeur. Figaro se trouvait tout à coup boiteux. Mon père James allait me le chercher pendant que M. Stanislas avait le dos tourné. Nous partions au grand galop, et au bout de deux heures nous revenions lui dire que Figaro allait beaucoup mieux, l'air lui ayant fait du bien. Il s'en vengeait, au dire de James, par une bonne note bien méchante dans son journal ; car il faisait un journal jour par jour, heure par heure, de tout ce qui se disait et se faisait autour de lui, et il avait ainsi, disait-on, vingt-cinq ans de sa vie consignés, jusqu'aux plus insignifiants détails, dans une montagne de cahiers pour lesquels il lui fallait une voiture de transport dans ses déplacements et une chambre particulière dans ses établissements. Je ne crois pas qu'il y ait eu d'homme plus chargé de ses souvenirs et plus embarrassé de son passé.

Une autre manie consistait à ne rien laisser perdre de ce qui traînait. Il ramassait, dans tous les coins de la maison et du jardin, les objets oubliés ou abandonnés, une bêche cassée, un mouchoir de poche, un vieux soulier, un vieux chenet, une paire de ciseaux. L'appartement qu'il occupait au Plessis était un musée encombré jusqu'au plafond de guenilles et de vieilles ferrailles. Ce n'était ni avarice ni penchant au larcin, car tout cela était pour lui sans usage, et une fois entré dans son capharnaüm, n'en devait sortir qu'à sa mort. Tout ce qu'on peut présumer de la cause de cette fantaisie, c'est que son vieux fonds de malice et de critique le portait à faire chercher aux gens peu soigneux les objets égarés. C'était une secrète joie pour lui de mettre les domestiques, les enfants et les hôtes de la maison en peine et en recherches. On n'avait pas la liberté de poser un livre sur le piano ou sur la table du salon, d'accrocher son chapeau à un arbre, de mettre un râteau contre un mur, ou un bougeoir sur l'escalier, sans qu'au retour, fût-ce au bout de cinq minutes, l'objet n'eût disparu pour ne jamais reparaître, tandis qu'il vous épiait, riant en sa barbe et se frottant le menton. « Ne cherchez pas, disait madame Angèle, ou pénétrez, si vous pouvez, dans le magasin du père Stanislas. » Or, c'était là chose impossible. Le père Stanislas se renfermait au verrou quand il entrait chez lui et emportait sa clef quand il en sortait. Jamais *âme vivante* n'avait balayé ou épousseté son cabinet de *curiosités*. Il a été mourir dans un autre château, chez M. de Rochambeau[69], je crois, où il avait transporté dans des fourgons tout son attirail, et quand tous ces trésors sortirent de la poussière pour être inventoriés, on m'a dit qu'il y en aurait eu pour des frais considérables d'inventaire, si l'on n'eût pris le parti d'estimer le tout à dix-huit francs.

Ce vieux renard avait, disait-on, douze mille livres de rente. Il avait été administrateur des guerres, si j'ai bonne mémoire. Ne voulant pas dépenser sa petite fortune, il se mettait en pension chez des amis, au moindre prix possible, et accumulait son revenu. C'était un pensionnaire insupportable à la longue, grognant à sa manière, qui consistait à railler amèrement le café trouble ou la sauce tournée, et à déchirer à belles dents la gouvernante ou le cuisinier. Il était le parrain de la dernière fille de James, paraissait l'aimer beaucoup, et faisait entendre adroitement qu'il se chargeait de sa dot dans l'avenir ; mais il n'en fit rien, et, content d'avoir fait enrager son monde, mourut sans songer à personne.

Ma mère, ma sœur et Pierret vinrent rarement passer un jour ou deux au Plessis, pour savoir si je m'y trouvais bien et si je désirais y rester. C'était tout mon désir, et tout alla bien entre ma mère et moi jusque vers la fin du printemps.

À cette époque, M. et madame Duplessis allèrent passer quelques jours à Paris, et bien que je demeurasse chez ma mère, ils venaient me prendre tous les matins pour courir avec eux, dîner au *cabaret*, comme ils disaient, et *flâner* le soir sur les boulevards. Ce cabaret c'était toujours le *café de Paris* ou les *Frères provençaux* ; cette flânerie, c'était l'Opéra, la *Porte-Saint-Martin* ou quelque mimodrame du Cirque, qui réveillait les souvenirs guerriers de James. Ma mère était invitée à toutes ces parties ; mais bien qu'elle aimât ce genre d'amusement, elle m'y laissait aller sans elle le plus souvent. Il semblait qu'elle voulût remettre tous ses droits et toutes ses fonctions maternelles à madame Duplessis.

Un de ces soirs-là, nous prenions après le spectacle des glaces chez Tortoni, quand ma mère Angèle dit à son mari : « Tiens, voilà Casimir ! » Un jeune homme mince, assez élégant, d'une figure gaie et d'une allure militaire, vint leur serrer la main et répondre aux questions empressées qu'on lui adressait sur son père, le colonel Dudevant, très aimé et respecté de la famille. Il s'assit auprès de madame Angèle et lui demanda tout bas qui j'étais. « C'est ma fille, répondit-elle tout haut. – Alors, reprit-il tout bas, c'est donc ma femme ? Vous savez que vous m'avez promis la main de votre fille aînée. Je croyais que ce serait Wilfrid, mais comme celle-ci me paraît d'un âge mieux assorti au mien, je l'accepte, si vous voulez me la donner. » Madame Angèle se mit à rire, mais cette plaisanterie fut une prédiction.

Quelques jours après, Casimir Dudevant vint au Plessis et se mit de nos parties d'enfants avec un entrain et une gaieté pour son propre compte qui ne pouvaient me sembler que de bon augure pour son caractère. Il ne me fit pas la cour, ce qui eût troublé notre sans-gêne, et n'y songea même pas. Il se faisait entre nous une camaraderie tranquille, et il disait à madame Angèle, qui avait depuis longtemps l'habitude

de l'appeler son gendre : « Votre fille est un bon
garçon » ; tandis que je disais de mon côté : « Votre
gendre est un bon enfant. »

Je ne sais qui poussa à continuer tout haut la plaisanterie. Le père Stanislas, pressé d'y entendre malice, me
criait dans le jardin quand on y jouait aux barres :
« Courez donc après *votre mari* ! » Casimir, emporté
par le jeu, criait de son côté : « Délivrez donc *ma
femme* ! » Nous en vînmes à nous traiter de mari et
femme avec aussi peu d'embarras et de passion que le
petit Norbert et la petite Justine eussent pu en avoir.

Un jour, le père Stanislas m'ayant dit à ce propos je
ne sais quelle méchanceté dans le parc, je passai mon
bras sous le sien, et demandai à ce vieux ours pourquoi
il voulait donner une tournure amère aux choses les
plus insignifiantes.

« Parce que vous êtes folle de vous imaginer, répondit-il, que vous allez épouser ce garçon-là. Il aura
soixante ou quatre-vingt mille livres de rente, et certainement il ne veut point de vous pour femme.

– Je vous donne ma parole d'honneur, lui dis-je, que
je n'ai pas songé un seul instant à l'avoir pour mari ; et
puisqu'une plaisanterie, qui eût été de mauvais ton si
elle n'eût commencé entre des personnes aussi chastes
que nous le sommes toutes ici, peut tourner au sérieux
dans des cervelles chagrines comme la vôtre, je vais
prier *mon père* et *ma mère* de la faire cesser bien vite. »

Le père James, que je rencontrai le premier en rentrant dans la maison, répondit à ma réclamation que le
père Stanislas radotait. « Si vous voulez faire attention
aux épigrammes de ce vieux chinois, dit-il, vous ne
pourrez jamais lever un doigt qu'il n'y trouve à gloser.
Il ne s'agit pas de ça. Parlons sérieusement. Le colonel
Dudevant a, en effet, une belle fortune, un beau
revenu, moitié du fait de sa femme, moitié du sien ;
mais dans le sien il faut considérer comme personnelles ses pensions de retraite, d'officier de la Légion
d'honneur, de baron de l'Empire, etc. [70]. Il n'a de son
chef qu'une assez belle terre en Gascogne, et son fils,
qui n'est pas celui de sa femme, et qui est fils naturel,

n'a droit qu'à la moitié de cet héritage. Probablement il aura le tout, parce que son père l'aime et n'a pas d'autres enfants ; mais, tout compte fait, sa fortune n'excédera jamais la vôtre et même sera moindre au commencement. Ainsi, il n'y a rien d'impossible à ce que vous soyez réellement mari et femme, comme nous en faisions la plaisanterie, et ce mariage serait encore plus avantageux pour lui qu'il ne le serait pour vous. Ayez donc la conscience en repos, et faites comme vous voudrez. Repoussez la plaisanterie si elle vous choque ; n'y faites pas attention, si elle vous est indifférente.

— Elle m'est indifférente, répondis-je, et je craindrais d'être ridicule et de lui donner de la consistance si je m'en occupais. »

Les choses en restèrent là. Casimir partit et revint. À son retour, il fut plus sérieux avec moi et me demanda ma main à moi-même avec beaucoup de franchise et de netteté. « Cela n'est peut-être pas conforme aux usages, me dit-il ; mais je ne veux obtenir le premier consentement que de vous seule, en toute liberté d'esprit. Si je ne vous suis pas antipathique et que vous ne puissiez pourtant pas vous prononcer si vite, faites un peu plus d'attention à moi, et vous me direz dans quelques jours, dans quelque temps, quand vous voudrez, si vous m'autorisez à faire agir mon père auprès de votre mère. »

Cela me mettait fort à l'aise. M. et madame Duplessis m'avaient dit tant de bien de Casimir et de sa famille, que je n'avais pas de motifs pour ne pas lui accorder une attention plus sérieuse que je n'avais encore fait. Je trouvais de la sincérité dans ses paroles et dans toute sa manière d'être. Il ne me parlait point d'amour et s'avouait peu disposé à la passion subite, à l'enthousiasme, et, dans tous les cas, inhabile à l'exprimer d'une manière séduisante. Il parlait d'une amitié à toute épreuve, et comparait le tranquille bonheur domestique de nos hôtes à celui qu'il croyait pouvoir jurer de me procurer. « Pour vous prouver que je suis sûr de moi, disait-il, je veux vous avouer que j'ai été

frappé, à la première vue, de votre air bon et raisonnable. Je ne vous ai trouvée ni belle ni jolie ; je ne savais
pas qui vous étiez, je n'avais jamais entendu parler de
vous ; et cependant, lorsque j'ai dit en riant à madame
Angèle que vous seriez ma femme, j'ai senti tout à
coup en moi la pensée que si une telle chose arrivait,
j'en serais bien heureux. Cette idée vague m'est
revenue tous les jours plus nette, et quand je me suis
mis à rire et à jouer avec vous, il m'a semblé que je
vous connaissais depuis longtemps et que nous étions
deux vieux amis. »

Je crois qu'à l'époque de ma vie où je me trouvais, et
au sortir de si grandes irrésolutions entre le couvent et
la famille, une passion brusque m'eût épouvantée. Je
ne l'eusse pas comprise, elle m'eût peut-être semblé
jouée ou ridicule, comme celle du premier prétendant
qui s'était offert au Plessis. Mon cœur n'avait jamais
fait un pas en avant de mon ignorance ; aucune inquiétude de mon être n'eût troublé mon raisonnement ou
endormi ma méfiance.

Je trouvai donc le raisonnement de Casimir sympathique, et, après avoir consulté mes hôtes, je restai avec
lui dans les termes de cette douce camaraderie qui
venait de prendre une sorte de droit d'exister entre
nous.

Je n'avais jamais été l'objet de ces soins exclusifs, de
cette soumission volontaire et heureuse qui étonnent et
touchent un jeune cœur. Je ne pouvais pas ne point
regarder bientôt Casimir comme le meilleur et le plus
sûr de mes amis.

Nous arrangeâmes avec madame Angèle une entrevue entre le colonel et ma mère, et jusque-là nous ne
fîmes point de projets, puisque l'avenir dépendait du
caprice de ma mère, qui pouvait faire tout manquer. Si
elle eût refusé, nous devions n'y plus songer et rester
en bonne estime l'un de l'autre.

Ma mère vint au Plessis et fut frappée, comme moi,
d'un tendre respect pour la belle figure, les cheveux
d'argent, l'air de distinction et de bonté du vieux
colonel. Ils causèrent ensemble et avec nos hôtes. Ma

mère me dit ensuite : « J'ai dit oui, mais pas de manière à ne m'en pas dédire. Je ne sais pas encore si le fils me plaît. Il n'est pas beau. J'aurais aimé un beau gendre pour me donner le bras. » Le colonel prit le mien pour aller voir une prairie artificielle derrière la maison, tout en causant agriculture avec James. Il marchait difficilement, ayant eu déjà de violentes attaques de goutte. Quand nous fûmes séparés avec James des autres promeneurs, il me parla avec une grande affection, me dit que je lui plaisais extraordinairement et qu'il regarderait comme un très grand bonheur dans sa vie de m'avoir pour sa fille.

Ma mère resta quelques jours, fut aimable et gaie, taquina son futur gendre pour l'éprouver, le trouva bon garçon, et partit en nous permettant de rester ensemble sous les yeux de madame Angèle. Il avait été convenu que l'on attendrait pour fixer l'époque du mariage le retour à Paris de madame Dudevant, qui avait été passer quelque temps dans sa famille, au Mans. Jusque-là on devait prendre connaissance entre parents de la fortune réciproque, et le colonel devait régler le sort que, de son vivant, il voulait assurer à son fils.

Au bout d'une quinzaine, ma mère retomba comme une bombe au Plessis. Elle avait *découvert* que Casimir, au milieu d'une existence désordonnée, avait été pendant quelque temps garçon de café. Je ne sais où elle avait pêché cette billevesée. Je crois que c'était un rêve qu'elle avait fait la nuit précédente et qu'au réveil elle avait pris au sérieux. Ce grief fut accueilli par des rires qui la mirent en colère. James eut beau lui répondre sérieusement, lui dire qu'il n'avait presque jamais perdu de vue la famille Dudevant, que Casimir n'était jamais tombé dans aucun désordre ; Casimir lui-même eut beau protester qu'il n'y avait pas de honte à être garçon de café, mais que n'ayant quitté l'école militaire que pour faire campagne comme sous-lieutenant, et n'ayant quitté l'armée au licenciement que pour faire son droit à Paris, demeurant chez son père et jouissant d'une bonne pension, ou le suivant à la campagne où il était sur le pied d'un fils de famille, il n'avait jamais eu, même pendant huit jours, même pendant douze heures, le *loisir* de servir dans un café ; elle s'y obstina, prétendit qu'on se jouait d'elle, et m'emmenant dehors, se répandit en invectives délirantes contre madame Angèle, ses mœurs, le ton de sa maison et les *intrigues* de Duplessis, qui faisait métier de marier les héritières avec des aventuriers pour en tirer des pots-de-vin, etc., etc.

Elle était dans un paroxysme si violent que j'en fus effrayée pour sa raison et m'efforçai de l'en distraire en lui disant que j'allais faire mon paquet et partir tout de suite avec elle ; qu'à Paris, elle prendrait toutes les informations qu'elle pourrait souhaiter, et que, tant qu'elle ne serait pas satisfaite, nous ne verrions pas Casimir. Elle se calma aussitôt. « Oui, oui ! dit-elle. Allons faire nos paquets ! » Mais à peine avais-je commencé, qu'elle me dit : « Réflexion faite, je m'en vas. Je me déplais ici. Tu t'y plais, restes-y. Je m'informerai, et je te ferai savoir ce que l'on m'aura dit. »

Elle partit le soir même, revint encore faire des scènes du même genre, et, en somme, sans en être beaucoup priée, me laissa au Plessis jusqu'à l'arrivée de madame Dudevant à Paris. Voyant alors qu'elle donnait suite au mariage et me rappelait auprès d'elle avec des intentions qui paraissaient sérieuses, je la rejoignis rue Saint-Lazare, dans un nouvel appartement assez petit et assez laid, qu'elle avait loué derrière l'ancien Tivoli. Des fenêtres de mon cabinet de toilette je voyais ce vaste jardin, et dans la journée, je pouvais, pour une très mince rétribution, m'y promener avec mon frère, qui venait d'arriver et qui s'installa dans une soupente au-dessus de nous.

Hippolyte avait fini son temps, et, bien qu'à la veille d'être nommé officier, il n'avait pas voulu renouveler son engagement. Il avait pris en horreur l'état militaire, où il s'était jeté avec passion. Il avait compté y faire un avancement plus rapide : mais il voyait bien que l'abandon des Villeneuve s'était étendu jusqu'à lui, et il trouvait ce métier de troupier en garnison, sans espoir de guerre et d'honneur, abrutissant pour l'intelligence et infructueux pour l'avenir. Il pouvait vivre sans misère avec sa petite pension, et je lui offris, sans être contrariée par ma mère, qui l'aimait beaucoup, de demeurer chez moi jusqu'à ce qu'il eût avisé, comme il en avait le dessein, à se pourvoir d'un nouvel état.

Son intervention entre ma mère et moi fut très bonne. Il savait beaucoup mieux que moi trouver le joint de ce caractère malade. Il riait de ses emportements, la flattait ou la raillait. Il la grondait même, et de lui elle souffrait tout. Son *cuir* de hussard n'était pas aussi facile à entamer que ma susceptibilité de jeune fille, et l'insouciance qu'il montrait devant ses algarades les rendait tellement inutiles qu'elle y renonçait aussitôt. Il me réconfortait de son mieux, trouvant que j'étais folle de me tant affecter de ces inégalités d'humeur, qui lui semblaient de bien petites choses en comparaison de la salle de police et des *coups de torchon* du régiment.

Madame Dudevant vint faire sa visite officielle à ma mère. Elle ne la valait certes pas pour le cœur et l'intelligence, mais elle avait des manières de grande dame et l'extérieur d'un ange de douceur. Je donnai tête baissée dans la sympathie que son petit air souffrant, sa voix faible et sa jolie figure distinguée inspiraient dès l'abord, et m'inspirèrent, à moi, plus longtemps que de raison. Ma mère fut flattée de ses avances qui caressaient justement l'endroit froissé de son orgueil. Le mariage fut décidé ; et puis il fut remis en question, et puis rompu, et puis repris au gré des caprices qui durèrent jusqu'à l'automne et qui me rendirent encore souvent bien malheureuse et bien malade ; car j'avais beau reconnaître avec mon frère qu'au fond de tout cela ma mère m'aimait et ne pensait pas un mot des affronts que prodiguait sa langue, je ne pouvais m'habituer à ces alternatives de gaieté folle et de sombre colère, de tendresse expansive et d'indifférence apparente ou d'aversion fantasque.

Elle n'avait point de retours pour Casimir. Elle l'avait pris en grippe, parce que, disait-elle, son nez ne lui plaisait pas. Elle acceptait ses soins et s'amusait à exercer sa patience, qui n'était pas grande et qui pourtant se soutint, avec l'aide d'Hippolyte et l'intervention de Pierret. Mais elle m'en disait pis que pendre, et ses accusations portaient si à faux qu'il leur était impossible de ne pas produire une réaction d'indulgence ou de foi dans les cœurs qu'elle voulait aigrir ou désabuser.

Enfin elle se décida, après bien des pourparlers d'affaires assez blessants. Elle voulait me marier sous le régime dotal[71], et M. Dudevant père y faisait quelque résistance à cause des motifs de méfiance contre son fils qu'elle lui exprimait sans ménagement. J'avais engagé Casimir à résister de son mieux à cette mesure conservatrice de la propriété, qui a presque toujours pour résultat de sacrifier la liberté morale de l'individu à l'immobilité tyrannique de l'immeuble. Pour rien au monde je n'eusse vendu la maison et le jardin de Nohant, mais bien une partie des terres, afin de me faire un revenu en rapport avec la dépense qu'entraînait l'importance relative de l'habitation. Je savais que ma grand-mère avait toujours été gênée à cause de cette disproportion ; mais mon mari dut céder devant l'obstination de ma mère, qui goûtait le plaisir de faire un dernier acte d'autorité.

Nous fûmes mariés en septembre 1822, et après les visites et retours de noces, après une pause de quelques jours chez nos amis du Plessis, nous partîmes avec mon frère pour Nohant, où nous fûmes reçus avec joie par le bon Deschartres.

IX *

Retraite à Nohant. – Travaux d'aiguille moralement utiles aux femmes. – Équilibre désirable entre la fatigue et le loisir. – Mon rouge-gorge. – Deschartres quitte Nohant. – Naissance de mon fils. – Deschartres à Paris. – Hiver de 1824 à Nohant. – Changements et améliorations qui me donnent le spleen. – Été au Plessis. – Les enfants. – L'idéal dans leur société. – Aversion pour la vie positive. – Ormesson. – Funérailles de Louis XVIII à Saint-Denis. – Le jardin désert. – Les Essais *de Montaigne. – Nous revenons à Paris. – L'abbé de Prémord. – Retraite au couvent. – Aspirations à la vie monastique. – Maurice au couvent. – Sœur Hélène nous chasse.*

Je passai à Nohant l'hiver de 1822-1823, assez malade, mais absorbée par le sentiment de l'amour maternel qui se révélait à moi à travers les plus doux rêves et les plus vives aspirations. La transformation qui s'opère à ce moment dans la vie et dans les pensées de la femme est, en général, complète et soudaine. Elle le fut pour moi comme pour le grand nombre. Les besoins de l'intelligence, l'inquiétude des pensées, les curiosités de l'étude, comme celles de l'observation, tout disparut aussitôt que le doux fardeau se fit sentir et même avant que ses premiers tressaillements m'eussent manifesté son existence. La Providence veut que, dans cette phase d'attente et d'espoir, la vie physique et la vie de sentiment prédominent. Aussi les veilles, les lectures, les rêveries, la vie intellectuelle en un mot fut naturellement supprimée, et sans le moindre mérite ni le moindre regret.

L'hiver fut long et rude, une neige épaisse couvrit longtemps la terre durcie d'avance par de fortes gelées. Mon mari aimait aussi la campagne, bien que ce fût autrement que moi, et, passionné pour la chasse, il me laissait de longs loisirs que je remplissais par le travail

---

* Cette partie a été écrite en 1853 et 1854 (NdA).

de la layette. Je n'avais jamais cousu de ma vie. Tout en
disant que cela était nécessaire à savoir, ma grand-
mère ne m'y avait jamais poussée, et je m'y croyais
d'une maladresse extrême. Mais quand cela eut pour
but d'habiller le petit être que je voyais dans tous mes
songes, je m'y jetai avec une sorte de passion. Ma
bonne Ursule vint me donner les premières notions du
surjet et du *rabattu*. Je fus bien étonnée de voir combien
cela était facile ; mais en même temps je compris que
là, comme dans tout, il pouvait y avoir l'invention, et la
maestria du coup de ciseaux.

Depuis j'ai toujours aimé le travail à l'aiguille, et
c'est pour moi une récréation où je me passionne quelquefois jusqu'à la fièvre. J'essayai même de broder les
petits bonnets, mais je dus me borner à deux ou trois :
j'y aurais perdu la vue. J'avais la vue longue, excellente ; mais c'est ce qu'on appelle chez nous une *vue
grosse*. Je ne distingue pas les petits objets ; et compter
les fils d'une mousseline, lire un caractère fin, regarder
de près, en un mot, est une souffrance qui me donne le
vertige et qui m'enfonce mille épingles au fond du
crâne.

J'ai souvent entendu dire à des femmes de talent que
les travaux du ménage, et ceux de l'aiguille particulièrement, étaient abrutissants, insipides, et faisaient
partie de l'esclavage auquel on a condamné notre sexe.
Je n'ai pas de goût pour la théorie de l'esclavage, mais
je nie que ces travaux en soient une conséquence. Il
m'a toujours semblé qu'ils avaient pour nous un attrait
naturel, invincible, puisque je l'ai ressenti à toutes les
époques de ma vie, et qu'ils ont calmé parfois en moi
de grandes agitations d'esprit. Leur influence n'est
abrutissante que pour celles qui les dédaignent et qui
ne savent pas chercher ce qui se trouve dans tout : le
bien-faire. L'homme qui bêche ne fait-il pas une tâche
plus rude et aussi monotone que la femme qui coud ?
Pourtant le bon ouvrier qui bêche vite et bien ne
s'ennuie pas de bêcher, et il vous dit en souriant qu'il
aime la peine.

Aimer la peine, c'est un mot simple et profond du paysan, que tout homme et toute femme peuvent commenter sans risque de trouver au fond la loi du servage. C'est par là, au contraire, que notre destinée échappe à cette loi rigoureuse de l'homme exploité par l'homme.

La peine est une loi naturelle à laquelle nul de nous ne peut se soustraire sans tomber dans le mal. Dans les conjectures et les aspirations socialistes de ces derniers temps, certains esprits ont trop cru résoudre le problème du travail en rêvant un système de machines qui supprimerait entièrement l'effort et la lassitude physiques. Si cela se réalisait, l'abus de la vie intellectuelle serait aussi déplorable que l'est aujourd'hui le défaut d'équilibre entre ces deux modes d'existence. Chercher cet équilibre, voilà le problème à résoudre ; faire que l'homme de *peine* ait la somme suffisante de loisir, et que l'homme de loisir ait la somme suffisante de peine, la vie physique et morale de tous les hommes l'exige absolument ; et si l'on n'y peut pas arriver, n'espérons pas nous arrêter sur cette pente de décadence qui nous entraîne vers la fin de tout bonheur, de toute dignité, de toute sagesse, de toute santé du corps, de toute lucidité de l'esprit. Nous y courons vite, il ne faut pas se le dissimuler.

La cause n'est pas autre, selon moi, que celle-ci : une portion de l'humanité a l'esprit trop libre, l'autre l'a trop enchaîné. Vous chercherez en vain des formes politiques et sociales, il vous faut, avant tout, des hommes nouveaux. Cette génération-ci est malade jusqu'à la moelle des os. Après un essai de république où le but véritable, au point de départ, était de chercher à rétablir, autant que possible, l'égalité dans les conditions, on a dû reconnaître qu'il ne suffisait pas de rendre les citoyens égaux devant la loi. Je me hasarde même à penser qu'il n'eût pas suffi de les rendre égaux devant la fortune. Il eût fallu pouvoir les rendre égaux devant le sens de la vérité.

Trop d'ambition, de loisir et de pouvoir d'un côté ; de l'autre, trop d'indifférence pour la participation au pouvoir et aux nobles loisirs, voilà ce qu'on a trouvé au

fond de cette nation d'où l'homme véritable avait disparu, si tant est qu'il y eût jamais existé. Des hommes
du peuple éclairés d'une soudaine intelligence et
poussés par de grandes aspirations ont surgi, et se sont
trouvés sans influence et sans prestige sur leurs frères.
Ces hommes-là étaient également sages et se préoccu-
paient de la solution du travail. La masse leur répondait : « Plus de travail, ou l'ancienne loi sur le travail.
Faites-nous un monde tout neuf, ou ne nous tirez pas
de notre corvée par des chimères. Le nécessaire assuré,
ou le superflu sans limites ; nous ne voyons pas le
milieu possible, nous n'y croyons pas, nous ne voulons
pas l'essayer, nous ne pouvons pas l'attendre. »

Il le faudra pourtant bien. Jamais les machines ne
remplaceront l'homme d'une manière absolue ; grâce
au ciel, car ce serait la fin du monde. L'homme n'est
pas fait pour penser toujours. Quand il pense trop il
devient fou, de même qu'il devient stupide quand il ne
pense pas assez. Pascal l'a dit : « Nous ne sommes ni
anges ni bêtes. »

Et quant aux femmes, qui, ni plus ni moins que les
hommes, ont besoin de la vie intellectuelle, elles ont
également besoin de travaux manuels appropriés à leur
force. Tant pis pour celles qui ne savent y porter ni
goût, ni persévérance, ni adresse, ni le courage qui est
le plaisir dans la peine ! Celles-là ne sont ni hommes ni
femmes.

L'hiver est beau à la campagne, quoi qu'on en dise.
Je n'en étais pas à mon apprentissage, et celui-là
s'écoula comme un jour sauf six semaines que je dus
passer au lit dans une inaction complète. Cette prescription de Deschartres me sembla rude, mais que
n'aurais-je pas fait pour conserver l'espoir d'être
mère ? C'était la première fois que je me voyais prison-
nière pour cause de santé. Il m'arriva un dédommagement imprévu. La neige était si épaisse et si tenace
dans ce moment-là, que les oiseaux, mourant de faim,
se laissaient prendre à la main. On m'en apporta de
toutes sortes, on couvrit mon lit d'une toile verte, on
fixa aux coins de grandes branches de sapin, et je

vécus dans ce bosquet, environnée de pinsons, de rouges-gorges, de verdiers et de moineaux qui, apprivoisés soudainement par la chaleur et la nourriture, venaient manger dans mes mains et se réchauffer sur mes genoux. Quand ils sortaient de leur paralysie, ils volaient dans la chambre, d'abord avec gaieté, puis avec inquiétude, et je leur faisais ouvrir la fenêtre. On m'en apportait d'autres qui dégelaient de même et qui, après quelques heures ou quelques jours d'intimité avec moi (cela variait suivant les espèces et le degré de souffrance qu'ils avaient éprouvé), me réclamaient leur liberté. Il arriva que l'on me rapporta quelques-uns de ceux que j'avais relâchés déjà, et auxquels j'avais mis des marques. Ceux-là semblaient vraiment me reconnaître et reprendre possession de leur maison de santé après une rechute.

Un seul rouge-gorge s'obstina à demeurer avec moi. La fenêtre fut ouverte vingt fois, vingt fois il alla jusqu'au bord, regarda la neige, essaya ses ailes à l'air libre, fit comme une pirouette de grâces et rentra, avec la figure expressive d'un personnage raisonnable qui reste où il se trouve bien. Il resta ainsi jusqu'à la moitié du printemps, même avec les fenêtres ouvertes pendant des journées entières. C'était l'hôte le plus spirituel et le plus aimable que ce petit oiseau. Il était d'une pétulance, d'une audace et d'une gaieté inouïes. Perché sur la tête d'un chenet, dans les jours froids, ou sur le bout de mon pied étendu devant le feu, il lui prenait, à la vue de la flamme brillante, de véritables accès de folie. Il s'élançait au beau milieu, la traversait d'un vol rapide et revenait prendre sa place sans avoir une seule plume grillée. Au commencement cette chose insensée m'effraya, car je l'aimais beaucoup ; mais je m'y habituai en voyant qu'il la faisait impunément.

Il avait des goûts aussi bizarres que ses exercices, et, curieux d'essayer de tout, il s'indigérait de bougie et de pâte d'amandes. En un mot, la domesticité volontaire l'avait transformé au point qu'il eut beaucoup de peine à s'habituer à la vie rustique, quand, après avoir cédé au magnétisme du soleil, vers le quinze avril, il se trouva dans le jardin. Nous le vîmes longtemps courir de branche en branche autour de nous, et je ne me promenais jamais sans qu'il vînt crier et voltiger près de moi.

Mon mari fit bon ménage avec Deschartres, qui finissait son bail à Nohant[72]. J'avais prévenu M. Dudevant de son caractère absolu et irascible, et il m'avait promis de le ménager. Il me tint parole, mais il lui tardait naturellement de prendre possession de son autorité dans nos affaires, et, de son côté, Deschartres désirait s'occuper exclusivement des siennes propres. J'obtins qu'il lui fût offert de demeurer chez nous tout le reste de sa vie, et je l'y engageai vivement. Il ne me semblait pas que Deschartres pût vivre ailleurs et je ne me trompais pas ; mais il refusa expressément et m'en dit naïvement la raison. « Il y a vingt-cinq ans que je suis le seul maître absolu dans la maison, me dit-il, gouvernant toutes choses, commandant à tout le monde et n'ayant pour me contrôler que des femmes, car votre père ne s'est jamais mêlé de rien. Votre mari ne m'a donné aucun déplaisir, parce qu'il ne s'est pas occupé de ma gestion. À présent qu'elle est finie, c'est moi qui le fâcherais malgré moi par mes critiques et mes contradictions. Je m'ennuierais de n'avoir rien à faire, je me dépiterais de ne pas être écouté ; et puis, je veux agir et commander pour mon compte. Vous savez que j'ai toujours eu le projet de faire fortune, et je sens que le moment est venu. »

L'illusion tenace de mon pauvre pédagogue pouvait être encore moins combattue que son appétit de domination. Il fut décidé qu'il quitterait Nohant à la Saint-Jean, c'est-à-dire au 24 juin, terme de son bail. Nous partîmes avant lui pour Paris, où, après quelques jours passés au Plessis chez nos bons amis, je louai un petit appartement garni, hôtel de Florence, rue Neuve-des-Mathurins, chez un ancien chef de cuisine de l'empereur. Cet homme, qui se nommait Gaillot, et qui était un très honnête et excellent homme, avait contracté au service de l'*en-cas* une étrange habitude, celle de ne jamais se coucher. On sait que l'*en-cas* de l'empereur

était un poulet toujours rôti à point, à quelque heure de
jour et de nuit que ce fût. Une existence d'homme
avait été vouée à la présence de ce poulet à la broche, et
Gaillot, chargé de le surveiller, avait dormi dix ans sur
une chaise, tout habillé, toujours en mesure d'être sur
pied en un instant. Ce dur régime ne l'avait pas pré-
servé de l'obésité. Il le continuait, ne pouvant plus
s'étendre dans un lit sans étouffer, et prétendant ne
pouvoir dormir bien que d'un œil. Il est mort d'une
maladie de foie entre cinquante et soixante ans. Sa
femme avait été femme de chambre de l'impératrice
Joséphine.

C'est dans l'hôtel qu'ils avaient meublé que je
trouvai, au fond d'une seconde cour plantée en jardin,
un petit pavillon où mon fils Maurice vint au monde, le
30 juin 1823, sans encombre et très vivace. Ce fut le
plus beau moment de ma vie que celui où, après une
heure de profond sommeil qui succéda aux douleurs
terribles de cette crise, je vis en m'éveillant ce petit être
endormi sur mon oreiller. J'avais tant rêvé de lui
d'avance, et j'étais si faible, que je n'étais pas sûre de ne
pas rêver encore. Je craignais de remuer et de voir la
vision s'envoler comme les autres jours.

On me tint au lit beaucoup plus longtemps qu'il ne
fallait. C'est l'usage à Paris de prendre plus de précautions pour les femmes dans cette situation qu'on ne le
fait dans nos campagnes. Quand je fus mère pour la
seconde fois, je me levai le second jour et m'en trouvai
fort bien.

Je fus la nourrice de mon fils, comme plus tard je fus
la nourrice de sa sœur. Ma mère fut sa marraine et
mon beau-père son parrain.

Deschartres arriva de Nohant tout rempli de ses
projets de fortune et tout gourmé dans son antique
habit bleu barbeau à boutons d'or. Il avait l'air si provincial dans sa toilette surannée, qu'on se retournait
dans les rues pour le regarder. Mais il ne s'en souciait
pas et passait dans sa majesté. Il examina Maurice avec
attention, le démaillota et le retourna de tous côtés
pour s'assurer qu'il n'y avait rien à redresser ou à criti-

quer. Il ne le caressa pas : je n'ai pas souvenance
d'avoir vu une caresse, un baiser de Deschartres à qui
que ce soit ; mais il le tint endormi sur ses genoux et le
considéra longtemps. Puis, la vue de cet enfant l'ayant
satisfait, il continua à dire qu'il était temps qu'il vécût
pour lui-même.

Je passai l'automne et l'hiver suivants à Nohant, tout
occupée de Maurice. Au printemps de 1824, je fus
prise d'un grand spleen dont je n'aurais pu dire la
cause. Elle était dans tout et dans rien. Nohant était
amélioré, mais bouleversé ; la maison avait changé
d'habitudes, le jardin avait changé d'aspect. Il y avait
plus d'ordre, moins d'abus dans la domesticité ; les
appartements étaient mieux tenus, les allées plus
droites, l'enclos plus vaste ; on avait fait du feu avec les
arbres morts, on avait tué les vieux chiens infirmes et
malpropres, vendu les vieux chevaux hors de service,
renouvelé toutes choses, en un mot. C'était mieux, à
coup sûr. Tout cela d'ailleurs occupait et satisfaisait
mon mari. J'approuvais tout et n'avais raisonnablement rien à regretter ; mais l'esprit a ses bizarreries.
Quand cette transformation fut opérée, quand je ne vis
plus le vieux Phanor s'emparer de la cheminée et
mettre ses pattes crottées sur le tapis, quand on
m'apprit que le vieux paon qui mangeait dans la main
de ma grand-mère ne mangerait plus les fraises du
jardin, quand je ne retrouvai plus les coins sombres et
abandonnés où j'avais promené mes jeux d'enfant et
les rêveries de mon adolescence, quand, en somme, un
nouvel intérieur me parla d'un avenir où rien de mes
joies et de mes douleurs passées n'allait entrer avec
moi, je me troublai, et sans réflexion, sans conscience
d'aucun mal présent, je me sentis écrasée d'un nouveau dégoût de la vie qui prit encore un caractère
maladif.

Un matin en déjeunant, sans aucun sujet immédiat
de contrariété, je me trouvai subitement étouffée par
les larmes. Mon mari s'en étonna. Je ne pouvais rien lui
expliquer, sinon que j'avais déjà éprouvé de semblables
accès de désespoir sans cause, et que probablement

j'étais un cerveau faible ou détraqué. Ce fut son avis, et il attribua au séjour à Nohant, à la perte encore trop récente de ma grand-mère, dont tout le monde l'entretenait d'une façon attristante, à l'air du pays, à des causes extérieures enfin, l'espèce d'ennui qu'il éprouvait lui-même en dépit de la chasse, de la promenade et de l'activité de sa vie de propriétaire. Il m'avoua qu'il ne se plaisait point du tout en Berry et qu'il aimerait mieux essayer de vivre partout ailleurs. Nous convînmes d'essayer, et nous partîmes pour le Plessis.

Par suite d'un arrangement pécuniaire que, pour me mettre à l'aise, nos amis voulurent bien faire avec nous, nous passâmes l'été auprès d'eux et j'y retrouvai la distraction et l'irréflexion nécessaires à la jeunesse. La vie du Plessis était charmante, l'aimable caractère des maîtres de la maison se reflétant sur les diverses humeurs de leurs hôtes nombreux. On jouait la comédie, on chassait dans le parc, on faisait de grandes promenades, on recevait tant de monde, qu'il était facile à chacun de choisir un groupe de préférence pour sa société. La mienne se forma de tout ce qu'il y avait de plus enfant dans le château. Depuis les marmots jusqu'aux jeunes filles et aux jeunes garçons, cousins, neveux et amis de la famille, nous nous trouvâmes une douzaine, qui s'augmenta encore des enfants et adolescents de la ferme. Je n'étais pas la personne la plus âgée de la bande, mais étant la seule mariée, j'avais le gouvernement naturel de ce personnel respectable. Loïsa Puget, qui était devenue une jeune fille charmante ; Félicie Saint-Agnan, qui était encore une grande fille, mais dont l'adorable caractère m'inspirait une prédilection qui devint avec le temps de l'amitié sérieuse ; Tonine Duplessis, la seconde fille de ma mère Angèle, qui était encore un enfant, et qui devait mourir comme Félicie dans la fleur de l'âge, c'étaient là mes compagnes préférées. Nous organisions des parties de jeu de toutes sortes, depuis le volant jusqu'aux barres, et nous inventions des règles qui permettaient même à ceux qui, comme Maurice, marchaient encore à quatre pattes, de prendre une part fictive à l'action générale.

Puis c'étaient des voyages, voyages véritables, eu égard aux courtes jambes qui nous suivaient, à travers le parc et les immenses jardins. Au besoin les plus grands portaient les plus petits, et la gaieté, le mouvement ne tarissaient pas. Le soir, les grandes personnes étant réunies, il arrivait souvent que beaucoup d'entre elles prenaient part à notre vacarme ; mais quand elles en étaient lasses, ce qui arrivait bien vite, nous avions la malice de nous dire entre nous que les dames et les messieurs ne savaient pas jouer et qu'il faudrait les éreinter à la course le lendemain pour les en dégoûter.

Mon mari, comme beaucoup d'autres, s'étonnait un peu de me voir redevenue tout à coup si vivante et si folle, dans ce milieu qui semblait si contraire à mes habitudes mélancoliques ; moi seule et ma bande insouciante ne nous en étonnions pas. Les enfants sont peu sceptiques à l'endroit de leurs plaisirs, et comprennent volontiers qu'on ne puisse songer à rien de mieux. Quant à moi, je me retrouvais dans une des deux faces de mon caractère, tout comme à Nohant de huit à douze ans, tout comme au couvent de treize à seize, alternative continuelle de solitude recueillie et d'étourdissement complet, dans des conditions d'innocence primitive.

À cinquante ans, je suis exactement ce que j'étais alors. J'aime la rêverie, la méditation et le travail ; mais, au-delà d'une certaine mesure, la tristesse arrive, parce que la réflexion tourne au noir, et si la réalité m'apparaît forcément dans ce qu'elle a de sinistre, il faut que mon âme succombe, ou que la gaieté vienne me chercher.

Or, j'ai besoin absolument d'une gaieté saine et vraie. Celle qui est égrillarde me dégoûte, celle qui est de bel esprit m'ennuie. La conversation brillante me plaît à écouter quand je suis disposée au travail de l'attention ; mais je ne peux supporter longtemps aucune espèce de conversation suivie sans éprouver une grande fatigue. Si c'est sérieux, cela me fait l'effet d'une séance politique ou d'une conférence d'affaires ; si c'est méchant, ce n'est plus gai pour moi. Dans une heure, quand on a quelque chose à dire ou à entendre, on a épuisé le sujet, et après cela on ne fait plus qu'y patauger. Je n'ai pas, moi, l'esprit assez puissant pour traiter de plusieurs matières graves successivement, et c'est peut-être pour me consoler de cette infirmité que je me persuade, en écoutant les gens qui parlent beaucoup, que personne n'est fort en paroles plus d'une heure par jour.

Que faire donc pour égayer les heures de la vie en commun dans l'intimité de tous les jours ? Parler politique occupe les hommes en général, parler toilette dédommage les femmes. Je ne suis ni homme ni femme sous ces rapports-là ; je suis enfant. Il faut qu'en faisant quelque ouvrage de mes mains, qui amuse mes yeux, ou quelque promenade qui occupe mes jambes, j'entende autour de moi un échange de vitalité qui ne me fasse pas sentir le vide et l'horreur des choses humaines. Accuser, blâmer, soupçonner, maudire, railler, condamner, voilà ce qu'il y a au bout de toute causerie politique ou littéraire, car la sympathie, la confiance et l'admiration ont malheureusement des formules plus concises que l'aversion, la critique et la commérage. Je n'ai pas la sainteté infuse avec la vie, mais j'ai la poésie pour condition d'existence, et tout ce qui tue trop cruellement le rêve du bon, du simple et du vrai, qui seul me soutient contre l'effroi du siècle, est une torture à laquelle je me dérobe autant qu'il m'est possible.

Voilà pourquoi, ayant rencontré fort peu d'exceptions au positivisme effrayant de mes contemporains d'âge, j'ai presque toujours vécu par instinct et par goût avec des personnes dont j'aurais pu, à peu d'années près, être la mère. En outre, dans toutes les conditions où j'ai été libre de choisir ma manière d'être, j'ai cherché un moyen d'idéaliser la réalité autour de moi et de la transformer en une sorte d'oasis fictive, où les méchants et les oisifs ne seraient pas tentés d'entrer ou de rester. Un songe d'âge d'or, un mirage d'innocence champêtre, artiste ou poétique, m'a prise dès l'enfance et m'a suivie dans l'âge mûr.

De là une foule d'amusements très simples et pourtant très actifs, qui ont été partagés réellement autour de moi, et plus naïvement, plus cordialement par ceux dont le cœur a été le plus pur. Ceux-là, en me connaissant, ne se sont plus étonnés du contraste d'un esprit si porté à s'assombrir et si avide de s'égayer ; je devrais dire peut-être d'une âme si impossible à contenter avec ce qui intéresse la plupart des hommes, et si facile à charmer avec ce qu'ils jugent puéril et illusoire. Je ne peux pas m'expliquer mieux moi-même. Je ne me connais pas beaucoup au point de vue de la théorie ; j'ai seulement l'expérience de ce qui me tue ou me ranime dans la pratique de la vie.

Mais grâce à ces contrastes, certaines gens prirent de moi l'opinion que j'étais tout à fait bizarre. Mon mari, plus indulgent, me jugea idiote. Il n'avait peut-être pas tort, et peu à peu il arriva, avec le temps, à me faire tellement sentir la supériorité de sa raison et de son intelligence, que j'en fus longtemps écrasée et comme hébétée devant le monde. Je ne m'en plaignis pas. Deschartres m'avait habituée à ne pas contredire violemment l'infaillibilité d'autrui, et ma paresse s'arrangeait fort bien de ce régime d'effacement et de silence.

Aux approches de l'hiver, comme madame Duplessis allait à Paris, nous nous consultâmes mon mari et moi sur la résidence que nous choisirions ; nous n'avions pas le moyen de vivre à Paris, et, d'ailleurs, nous n'aimions Paris ni l'un ni l'autre. Nous aimions la campagne, mais nous avions peur de Nohant ; peur probablement de nous retrouver vis-à-vis l'un de l'autre, avec des instincts différents à tous autres égards et des caractères qui ne se pénétraient pas mutuellement. Sans vouloir nous rien cacher, nous ne savions rien nous expliquer ; nous ne nous disputions jamais sur rien, j'ai trop horreur de la discussion pour vouloir entamer l'esprit d'un autre ; je faisais, au contraire, de grands efforts pour voir par les yeux de mon mari, pour penser et agir comme il souhaitait. Mais, à peine m'étais-je mise d'accord avec lui, que, ne me sentant plus d'accord avec mes propres instincts, je tombais dans une tristesse effroyable.

Il éprouvait probablement quelque chose d'analogue sans s'en rendre compte, et il abondait dans mon sens quand je lui parlais de nous entourer et de nous distraire. Si j'avais eu l'art de nous établir dans une vie un peu extérieure et animée, si j'avais été un peu légère d'esprit, si je m'étais plu dans le mouvement des relations variées, il eût été secoué et maintenu par le commerce du monde. Mais je n'étais pas du tout la compagne qu'il lui eût fallu. J'étais trop exclusive, trop concentrée, trop en dehors du convenu. Si j'avais su d'où venait le mal, si la cause de son ennui et du mien se fût dessinée dans mon esprit sans expérience et sans pénétration, j'aurais trouvé le remède ; j'aurais peut-être réussi à me transformer ; mais je ne comprenais rien du tout à lui ni à moi-même.

Nous cherchâmes une maisonnette à louer aux environs de Paris, et, comme nous étions assez gênés, nous eûmes grand-peine à trouver un peu de confortable sans dépenser beaucoup d'argent. Nous ne le trouvâmes même pas, car le pavillon qui nous fut loué était une assez pauvre demeure. Mais c'était à Ormesson, dans un beau jardin et dans un centre de relations fort agréables.

L'endroit était alors laid et triste, des chemins affreux, des coteaux de vignes qui interceptaient la vue, un hameau malpropre. Mais, à deux pas de là, l'étang d'Enghien et le beau parc de Saint-Gratien offraient des promenades charmantes. Notre pavillon faisait partie de l'habitation d'une femme très distinguée, madame Richardot, qui avait d'aimables enfants. Une habitation mitoyenne, appartenant à M. Hédée, *boulanger du roi*, était louée et occupée par la famille de Malus, et chaque soir nos trois familles se réunissaient chez madame Richardot pour jouer des charades en costumes improvisés des plus comiques. En outre, ma bonne tante Lucie et ma chère Clotilde sa fille vinrent passer quelques jours avec nous. Cette saison d'automne fut donc très bénigne dans ma destinée.

Mon mari sortait beaucoup ; il était appelé souvent à Paris pour je ne sais plus quelles affaires et revenait le soir pour prendre part aux divertissements de la réunion. Ce genre de vie serait assez normal : les hommes occupés au-dehors dans la journée, les femmes chez elles avec leurs enfants, et le soir la récréation des familles en commun.

Une solennité étrange et magnifique, la dernière de ce genre que la France ait vue, et qu'elle ne reverra probablement jamais sous la même forme, vint nous convier tous comme à un spectacle. Ce fut la cérémonie des funérailles de Louis XVIII à Saint-Denis [73].

Louis XVIII était mort sans que cet événement eût ébranlé l'assiette de la restauration bourbonnienne. Charles X succédait sans orage. Le parti libéral l'accueillait même avec une bienveillance naïve ou simulée. La nation entière porta le deuil de cour. Chose singulière, ce deuil prit spontanément comme une mode, et, après avoir lutté quelque temps contre ce qui me paraissait une hypocrisie ou une adulation gratuite, je m'y conformai, afin de ne me pas voir me détacher seule, comme un point de couleur criarde, au milieu de toutes les autres femmes, noires de la tête aux pieds. Celles qui m'entouraient étaient toutes de l'opposition bonapartiste ou libérale et portaient en riant ces crêpes funèbres, disant que le noir allait bien et que l'on avait l'air d'une provinciale ou d'une épicière en ne le portant pas. Je dus le porter, moi, pour ne pas être considérée comme *esprit fort*.

Aucun de nous n'avait songé à se munir de billets pour la cérémonie. Aucun de nous ne désirait braver l'attente, la foule, la fatigue inséparables de ces vastes solennités. La veille au soir, la fantaisie en vint tout à coup à madame Richardot. Active et décidée, elle nous entraîna tous, et, bien que l'accès de l'église parût impossible, dès sept heures du matin nous partîmes à tout hasard. Ce qu'elle nous avait prédit arriva : des milliers de personnes munies de billets longtemps à l'avance durent s'en retourner à Paris sans avoir pu entrer, et nous, qui n'en avions pas, nous fûmes placés

d'emblée dans une des meilleures travées. « Il faut toujours, dans ces occasions-là, disait madame Richardot,
compter sur deux choses, le désordre qu'on trouve et
la volonté qu'on apporte. »

Elle se présenta résolument aux officiers de service
et demanda un petit coin pour elle et sa société. « À la
bonne heure, lui fut-il répondu après quelques pourparlers, si vous n'êtes pas nombreux. – Oh ! mon Dieu,
reprit-elle avec aplomb, nous ne sommes que seize ! »
L'officier se mit à rire et nous plaça tous les seize, si
bien que nous ne perdîmes pas un détail du spectacle.

Cela était terrible à voir : des frises de bougies
ardentes sur le fond noir des tentures, et dans le fond
de la nef une immense croix flamboyante, brûlaient la
vue et donnaient immédiatement la migraine. La belle
architecture de la basilique était complètement perdue
sous les draperies ; la profusion des lumières éblouis-
sait et ne combattait pas les ténèbres de ce deuil monu-
mental. Il fallait deux heures au moins pour s'habituer
à ce scintillement sec sur le velours opaque. J'entendis
madame Pasta[74] dire à côté de moi à des gens qui
admiraient la richesse de ce décor : « Ce n'est pas beau,
c'est affreux. Cela ressemble à l'enfer, ou tout au
moins à un *temple de sorciers.* »

La musique, bien qu'admirable, fut sourde et
comme ensevelie dans une cave. La cérémonie fut
interminable. Ces formes de l'antique étiquette monarchique et religieuse eussent eu un intérêt historique à
mes yeux, sans la foule de détails oiseux et incompréhensibles qui les surchargeait. Une oraison funèbre
prononcée d'une voix frêle dans un local complètement sourd ne fut pas entendue de vingt personnes. Je
ne sais quelle antienne, chantée autour d'un prélat
assis, que deux lévites coiffaient et décoiffaient des
ailes de sa mitre à chaque verset et répons, dura deux
heures et me parut la plus mauvaise plaisanterie à
laquelle un homme pût se prêter gravement. Puis vinrent tous les princes de la famille royale, en deuil de
cour violet et en costumes rappelant ceux des derniers
Valois. Ils quittèrent leurs places, les reprirent, firent de

grandes révérences, mirent le genou sur des coussins, saluèrent le roi trépassé, le roi nouveau, mais tout cela dans une pantomime si énigmatique, qu'il eût fallu un livret ou un *cicerone* à chaque spectateur pour lui expliquer le sens et le but de chaque formule. Ce fut la première fois que je vis Louis-Philippe, alors duc d'Orléans [75]. Il était encore jeune d'aspect, et le paraissait d'autant plus que tous les autres princes étaient vieux, cassés, embarrassés de leur allure ou gênés dans leur costume. Il portait le sien avec aisance et paraissait avoir répété sa scène, car il l'exécuta le jarret tendu, la tête haute et avec une sorte de sourire au front. J'entendis qu'autour de moi les uns vantaient sa bonne mine, tandis que les autres maudissaient son air audacieux et railleur. Quelqu'un rapporta un mauvais calembour politique, qui venait d'être fait dans l'auditoire et qui courait déjà de tribune en tribune. « On aurait dû présenter à M. le duc d'Orléans un coussin différent de celui où les princes se sont agenouillés, un coussin *sans glands*. »

Ce qui n'était pas bien sanglant, c'était le mot même, quoiqu'il eût la prétention d'être une allusion directe à la part qu'on supposait avoir été prise dans le drame de la mort de Louis XVI par Philippe-Égalité, père de Louis-Philippe [76].

Enfin vint le moment vraiment dramatique, celui où le colossal cercueil de plomb fut descendu dans le caveau ouvert. Les cordes se rompirent, les gardes du corps qui le portaient faillirent être entraînés et écrasés. L'expression que l'effort et le danger de cette opération donnèrent à leurs physionomies, les accents lugubres du tam-tam et des cymbales, l'émotion instinctive qui passa dans le public brisèrent la monotonie de la représentation, et beaucoup de femmes, dont les nerfs étaient tendus et excités par la faim, la fatigue et l'ennui, fondirent en larmes et laissèrent échapper des cris ou des sanglots.

Enfin, à quatre heures du soir nous pûmes sortir de l'église, où nous étions entrés à huit heures du matin.

Jamais la vue du jour et la sensation de l'air ne me parurent si agréables.

Quand l'hiver se fit tout à fait, la famille Richardot et la famille Malus retournèrent à Paris. Nous restâmes seuls à Ormesson. Je ne m'y plaisais pas moins. Je passais de longues heures dans la solitude de ce vaste jardin anglais, mélancolique paysage de gazons et de grands arbres. Il y avait une fontaine fort jolie et un tombeau ombragé de lourds cyprès qui n'étaient là qu'un ornement de fantaisie, mais qui n'en avaient pas moins beaucoup de caractère. J'ai pensé plus tard à ce tombeau en écrivant quelques pages du roman de *Lélia*[77].

Maurice venait à merveille et courait autour de moi pendant que je lisais en marchant. C'est dans ce parc que j'ai lu les *Essais* de Montaigne en entier. Je ne pouvais me lasser de cette forme charmante et de cet aimable bon sens, dont le scepticisme ne m'a jamais paru dangereux et affligeant, comme je l'ai ouï dire. Montaigne ne me fait pas l'effet d'un sceptique, mais d'un stoïque. S'il ne conclut guère, il enseigne toujours : il donne, sans rien prêcher, l'amour de la sagesse, de la raison, de l'indulgence pour les autres, de l'attention sur soi-même. Son cynisme inspire le goût de la chasteté, ses doutes conduisent au besoin de la foi. Enfin, il en est de son œuvre comme de tout ce qui sort d'une belle intelligence : elle fait réfléchir, mais d'une réflexion saine et calmante.

Un jour, que je faisais sauter Maurice sur un coin de gazon large comme ses deux pauvres petits pieds, le jardinier de la maison, qui était une sorte de régisseur en l'absence des maîtres, m'admonesta vertement sur le *dégât* que faisait mon *jeune homme*. Je lui répondis sans aigreur que le *dégât* me paraissait nul, et j'emportai mon enfant ; mais, chaque fois que je rencontrais cet homme bourru, il me lançait des regards si féroces et répondait avec tant de hauteur au salut par lequel je le prévenais, qu'il me faisait peur pour mon marmot et gênait la sécurité de ma promenade.

Mon mari passait quelquefois les nuits à Paris, mon domestique couchait dans des bâtiments éloignés, j'étais seule avec ma servante dans ce pavillon, isolé lui-même de toute demeure habitée. Je m'étais mis en tête des idées sombres, depuis que j'avais entendu, dans une de ces nuits de brouillard dont la sonorité est étrangement lugubre, les cris de détresse d'un homme qu'on battait et qu'on semblait égorger. J'ai su, depuis, le mot de ce drame étrange ; mais je ne peux ni ne veux le raconter[78].

Je me rassurai en voyant peu à peu que le jardinier qui m'effrayait ne m'en voulait pas personnellement, mais qu'il était fort contrarié de notre présence, gênante peut-être pour quelque projet d'occupation du pavillon, ou quelque dilapidation domestique. Je me rappelai Jean-Jacques Rousseau chassé de château en château, d'ermitage en ermitage, par des calculs et des mauvais vouloirs de ce genre, et je commençai à regretter de n'être pas chez moi.

Pourtant je quittai cette retraite avec regret, lorsqu'un jour mon mari, s'étant querellé violemment avec ce même jardinier, résolut de transporter notre établissement à Paris. Nous prîmes un appartement meublé, petit, mais agréable par son isolement et la vue des jardins, dans la rue du Faubourg-Saint-Honoré. J'y vis souvent mes amis anciens et nouveaux, et notre milieu fut assez gai.

Pourtant la tristesse me revint, une tristesse sans but et sans nom, maladive peut-être. J'étais très fatiguée d'avoir nourri mon fils ; je ne m'étais pas remise depuis ce temps-là. Je me reprochai cet abattement, et je pensai que le refroidissement insensible de ma foi religieuse pouvait bien en être la cause. J'allai voir mon jésuite, l'abbé de Prémord. Il était bien vieilli depuis trois ans. Sa voix était si faible, sa poitrine si épuisée, qu'on l'entendait à peine. Nous causâmes pourtant longtemps, plusieurs fois, et il retrouva sa douce éloquence pour me consoler ; mais il n'y parvint pas, il y avait trop de tolérance dans sa doctrine pour une âme aussi avide de croyance absolue que l'était la mienne.

Cette croyance m'échappait ; je ne sais qui eût pu me la rendre, mais, à coup sûr, ce n'était pas lui. Il était trop compatissant à la souffrance du doute. Il la comprenait trop bien peut-être. Il était trop intelligent ou trop humain. Il me conseilla d'aller passer quelques jours dans mon couvent. Il en demanda pour moi la permission à la supérieure, madame Eugénie. Je demandai la même permission à mon mari, et j'entrai en retraite aux Anglaises.

Mon mari n'était nullement religieux, mais il trouvait fort bon que je le fusse. Je ne lui parlais pas de mes combats intérieurs à l'endroit de la foi : il n'eût rien compris à un genre d'angoisse qu'il n'avait jamais éprouvée.

Je fus reçue dans mon couvent avec des tendresses infinies, et, comme j'étais réellement souffrante, on m'y entoura des soins maternels. Ce n'était pas là peut-être ce qu'il m'eût fallu pour me rattacher à ma vie nouvelle. Toute cette bonté suave, toutes ces délicates sollicitudes me rappelaient un bonheur dont la privation m'avait été longtemps insupportable, et me faisaient paraître le présent vide, l'avenir effrayant. J'errais dans les cloîtres avec un cœur navré et tremblant. Je me demandais si je n'avais pas résisté à ma vocation, à mes instincts, à ma destinée, en quittant cet asile de silence et d'ignorance, qui eût enseveli les agitations de mon esprit timoré et enchaîné à une règle indiscutable une inquiétude de volonté dont je ne savais que faire. J'entrais dans cette petite église où j'avais senti tant d'ardeurs saintes et de divins ravissements. Je n'y retrouvais que le regret des jours où je croyais avoir la force d'y prononcer des vœux éternels. Je n'avais pas eu cette force, et maintenant je sentais que je n'avais pas celle de vivre dans le monde.

Je m'efforçais aussi de voir le côté sombre et asservi de la vie monastique, afin de me rattacher aux douceurs de la liberté que je pouvais reprendre à l'instant même. Le soir, quand j'entendais la ronde de la religieuse qui fermait les nombreuses portes des galeries, j'aurais bien voulu frissonner au grincement des verrous et au bruit sonore des échos bondissants de voûte en voûte ; mais je n'éprouvais rien de semblable : le cloître n'avait pas de terreurs pour moi. Il me semblait que je chérissais et regrettais tout dans cette vie de communauté où l'on s'appartient véritablement, parce qu'en dépendant de tous on ne dépend réellement de personne. Je voyais tant d'aise et de liberté, au contraire, dans cette captivité qui vous préserve, dans cette discipline qui assure vos heures de recueillement, dans cette monotonie de devoirs qui vous sauve des troubles de l'imprévu !

J'allais m'asseoir dans la classe, et sur ces bancs froids, au milieu de ces pupitres enfumés, je voyais rire les pensionnaires en récréation. Quelques-unes de mes anciennes compagnes étaient encore là, mais il fallut qu'on me les nommât, tant elles avaient déjà grandi et changé. Elles étaient curieuses de mon existence, elles enviaient ma *libération*, tandis que je n'étais occupée intérieurement qu'à ressaisir les mille souvenirs que me retraçaient le moindre coin de cette classe, le moindre chiffre écrit sur la muraille, la moindre écornure du poêle ou des tables.

Ma chère bonne mère Alicia ne m'encourageait pas plus que par le passé à me nourrir de vains rêves. « Vous avez un charmant enfant, disait-elle, c'est tout ce qu'il faut pour votre bonheur en ce monde. La vie est courte. »

Oui, la vie paisible est courte. Cinquante ans passent comme un jour dans le sommeil de l'âme ; mais la vie d'émotions et d'événements résume en un jour des siècles de malaise et de fatigue.

Pourtant ce qu'elle me disait du bonheur d'être mère, bonheur qu'elle ne se permettait pas de regretter, mais qu'elle eût vivement savouré, on le voyait bien, répondait à un de mes plus intimes instincts. Je ne comprenais pas comment j'aurais pu me résigner à perdre Maurice, et, tout en aspirant malgré moi à ne pas sortir du couvent, je le cherchais autour de moi à chaque pas que j'y faisais. Je demandai de le prendre avec moi. « Ah, oui-da ! dit Poulette en riant, un garçon chez des nonnes ! Est-il bien petit, au moins, ce monsieur-là ? Voyons-le : s'il passe par le tour, on lui permettra de pénétrer chez nous. »

Le tour est un cylindre creux tournant sur un pivot dans la muraille. Il a une seule ouverture où l'on met les paquets qu'on apporte du dehors ; on la tourne vers l'intérieur, et on déballe. Maurice se trouva fort à l'aise dans cette cage et sauta en riant au milieu des nonnes accourues pour le recevoir. Tous ces voiles noirs, toutes ces robes blanches l'étonnèrent un peu, et il se mit à crier un des trois ou quatre mots qu'il savait : *Lapins ! lapins !* Mais il fut si bien accueilli et bourré de tant de friandises qu'il s'habitua vite aux douceurs du couvent et put s'ébattre dans le jardin sans qu'aucun gardien farouche vînt lui reprocher, comme à Ormesson, la place que ses pieds foulaient sur le gazon.

On me permit de l'avoir tous les jours. On le gâtait, et ma bonne mère Alicia l'appelait orgueilleusement son petit-fils. J'aurais voulu passer ainsi tout le carême ; mais un mot de sœur Hélène me fit partir.

J'avais retrouvé cette chère sainte guérie et fortifiée au physique comme au moral. Au physique, c'était bien nécessaire, car je l'avais laissée encore une fois en train de mourir. Mais au moral, c'était superflu, c'était trop. Elle était devenue rude et comme sauvage de prosélytisme. Elle ne me fit pas grand accueil, me reprocha sèchement mon *bonheur terrestre*, et, comme je lui montrais mon enfant pour lui répondre, elle le regarda dédaigneusement et me dit en anglais, dans son style biblique : « Tout est déception et vanité, hors l'amour du Seigneur. Cet enfant si précieux n'a que le souffle. Mettre son cœur en lui, c'est écrire sur le sable. »

Je lui fis observer que l'enfant était rond et rose, et, comme si elle n'eût pas voulu avoir le démenti d'une sentence où elle avait mis toute sa conviction, elle me dit en le regardant encore : « Bah ! il est trop rose ; il est probablement phtisique ! »

Justement l'enfant toussait un peu. Je m'imaginai
aussitôt qu'il était malade, et je me laissai frapper
l'esprit par la prétendue prophétie d'Hélène. Je sentis
contre cette nature entière et farouche que j'avais tant
admirée et enviée une sorte de répulsion subite. Elle
me faisait l'effet d'une sibylle de malheur. Je montai en
fiacre, et je passai la nuit à me tourmenter du sommeil
de mon petit garçon, à écouter son souffle, à m'épou-
vanter de ses jolies couleurs vives.

Le médecin vint le voir dès le matin. Il n'avait rien
du tout, et il me fut prescrit de le soigner beaucoup
moins que je ne faisais. Pourtant l'effroi que j'avais eu
m'ôta l'envie de retourner au couvent. Je n'y pouvais
garder Maurice la nuit, et il y faisait d'ailleurs affreusement froid le jour. J'allai faire mes adieux et mes
remerciements.

X

Émilie de Wismes. – Sidonie Macdonald. – M. de Sémonville. –
Les demoiselles B***. – Mort mystérieuse de Deschartres,
peut-être un suicide. – Mon frère commence à accomplir le sien
par une passion funeste. – Aimée et Jane à Nohant. – Voyage
aux Pyrénées. – Fragments d'un journal écrit en 1825. – Cau-
terets, Argelès, Luz, Saint-Sauveur, le Marboré, etc. – Les
pâtres descendent de la montagne. – Passage des troupeaux. –
Un rêve de vie pastorale s'empare de moi. – Bagnères-de-
Bigorre. – Les spélonques de Lourdes. – Frayeur rétrospective.
– Départ pour Nérac.

Avant de trouver un appartement qui nous convînt,
nous avions passé une quinzaine chez ma bonne petite
tante. Clotilde, sa fille, était toujours pour moi une
amie parfaite. Nous faisions ensemble beaucoup de

musique. Installée dans leur voisinage, je les vis souvent durant l'hiver.

Je revis à cette époque plusieurs de mes amies de couvent rentrées dans le monde ou mariées. Émilie de Wismes, toujours doucement railleuse, épousa un M. de Cornulier qu'elle s'amusa à me dépeindre vieux et laid. Je m'étonnais de la voir prendre si gaiement son parti. Je la rencontrai, un soir, avec ses parents à la sortie de l'Opéra. « Tiens ! me dit-elle, regarde. Je veux que tu le connaisses ; le voilà qui passe. » C'était le premier passant ridicule qui se trouvait dans le couloir ; un habit râpé, une tête à perruque. J'étais consternée, lorsqu'elle éclata de rire. « Console-toi, me dit-elle enfin, ce n'est pas ce monsieur-là, que je ne connais pas. Mon prétendu a vingt-deux ans, et il est mieux. »

Je revis, logée au Luxembourg, dans le même appartement où plus de vingt ans après j'ai dîné chez Louis Blanc, membre du gouvernement provisoire de la République[79], Sidonie Macdonald, mariée au petit-fils de M. de Sémonville, grand référendaire de la Chambre des pairs. C'est en 1839 seulement que j'ai connu M. de Sémonville, un vieillard aimable et charmant, qui avait l'esprit et le cœur d'un jeune homme à quatre-vingt-deux ans, et qui, s'étant pris, à première vue, d'une sympathie exaltée pour moi, me parlait de son amour avec la timidité et la naïveté d'un collégien. On m'a dit qu'il avait été fort libertin ; il y paraissait si peu à son langage, que je croirais plutôt qu'il a dû être romanesque et enthousiaste. Il est mort bien peu de temps après l'époque où je l'ai rencontré.

Les amies que je fréquentais le plus, c'étaient toujours les demoiselles B★★★[80]. L'aînée était morte ; la seconde, Aimée, était assez gravement malade ; Jane, la plus jeune, mon amie de prédilection, restait douce et sérieuse. La mort de Chérie avait brisé Aimée. Jane, la plus chétive, la plus délicate des trois, trouvait des forces surnaturelles dans le dévouement, et soignait sa sœur avec une tendresse angélique. Je n'ai jamais connu une plus belle âme que celle de Jane. Elle est restée pour moi le type de la véritable sainte. Son aus-

térité volontaire ne pouvait rien ajouter à la candeur, à
la pureté exquise de ses instincts. Avec ou sans piété, je
crois qu'elle était de ces rares natures à qui la pensée
du mal est inconnue, à qui le mal serait impossible.
C'était la raison d'une personne mûre avec l'indestruc-
tible naïveté d'un petit enfant. Un calme souverain,
divin presque, avec une sensibilité exquise, une humilité chrétienne qu'aidaient tout naturellement le goût
de la modestie et l'éternel besoin de sacrifier sa personnalité à celle d'autrui. Toute cette beauté morale était
dans ses grands yeux noirs, timides à l'habitude, attentifs et pénétrants à l'occasion, profonds comme une
nuit sereine, doux comme un soleil généreux.

Heureux celui qui l'a épousée s'il a connu son bonheur.

Leur père était riche et vivait grandement, mais dans
une retraite presque absolue. Je n'ai jamais compris
quel homme c'était, et pourquoi il a marié si tard ses
filles. Il n'épargnait rien pour leur faire une existence
enchantée. Leur intérieur était splendide. Jardins, chevaux, voyages, maîtres d'élite dans les arts, fleurs rares,
oiseaux précieux, maisons de campagne superbes, tout
ce qui pouvait entretenir et flatter des goûts charmants
leur était prodigué. Leurs moindres désirs étaient
même devancés par de délicates et somptueuses préve-
nances. Et pourtant elles n'étaient point heureuses, du
moins Aimée languissait sous le poids d'un mal profond et d'un ennui vainement combattu par la crainte
d'affliger sa sœur, et Jane, qui se fût trouvée heureuse
partout avec des oiseaux et des fleurs, souffrait inces-
samment des souffrances d'Aimée.

Elles devaient faire le voyage des Pyrénées au mois
de juin suivant, mon mari devait me conduire chez son
père près de Nérac. Il fut convenu qu'elles passeraient
par Nohant et que nous irions les rejoindre à Cauterets, avant d'aller à *Guillery*.

Le colonel Dudevant était à Paris avec sa femme,
que je faisais mon possible pour aimer, bien qu'elle ne
fût pas fort aimable. Le beau-père était le meilleur des
hommes. Nous dînions souvent chez eux avec Des-

chartres, que le vieux colonel aimait à taquiner et qu'il traitait de jésuite, tandis que Deschartres le traitait de jacobin, épithètes aussi peu méritées d'une part que de l'autre.

Deschartres s'était logé à la place Royale. Il avait là, pour fort peu d'argent, un très joli appartement. Il s'était meublé et paraissait jouir d'un certain bien-être. Il nous entretenait de petites affaires qui avaient manqué, mais qui devaient aboutir à une grande affaire d'un succès infaillible. Qu'était-ce que cette grande affaire ? Je n'y comprenais pas grand-chose ; je ne pouvais prendre sur moi de prêter beaucoup d'attention aux lourdes expositions de mon pauvre pédagogue. Il était question d'huile de navette[81] et de colza. Deschartres était las de l'agriculture pratique. Il ne voulait plus semer et récolter, il voulait acheter et vendre. Il avait noué des relations avec des gens *à idées*, comme lui, hélas ! Il faisait des projets, des calculs sur le papier, et, chose étrange, lui si peu bienveillant et si obstiné à n'estimer que son propre jugement, il accordait sa confiance et prêtait ses fonds à des inconnus.

Mon beau-père lui disait souvent : « Monsieur Deschartres, vous êtes un rêveur, vous vous ferez tromper. » Il levait les épaules et n'en tenait compte.

Il aimait beaucoup Maurice, lequel était plantureusement gâté par le colonel. Quant à madame Dudevant, elle ne pouvait pas souffrir les marmots, et le mien ayant eu quelques malheurs sur le parquet, elle fut si révoltée de cette inconvenance qu'elle m'engagea à ne plus l'amener chez elle qu'atteint et convaincu d'avoir pris toutes les précautions désirables. C'était fort difficile, Maurice n'ayant pas encore bien compris la religion du serment. Il avait dix-huit mois.

Au printemps de 1825 nous retournâmes à Nohant, et trois mois s'écoulèrent sans que Deschartres me donnât de ses nouvelles. Étonnée de voir mes lettres sans réponse, et ne pouvant m'adresser à mon beau-père, qui avait quitté Paris, j'envoyai aux informations à la place Royale.

Le pauvre Deschartres était mort. Toute sa petite fortune avait été risquée et perdue dans des entreprises malheureuses. Il avait gardé un silence complet jusqu'à sa dernière heure. Personne n'avait rien su et personne ne l'avait vu, lui, depuis assez longtemps. Il avait légué son mobilier et ses effets à une blanchisseuse qui l'avait soigné avec dévouement. Du reste, pas un mot de souvenir, pas une plainte, pas un appel, pas un adieu à personne. Il avait disparu tout entier, emportant le secret de son ambition déçue ou de sa confiance trahie ; calme probablement, car, en tout ce qui touchait à lui seul, dans les souffrances physiques comme dans les revers de fortune, c'était un véritable stoïcien.

Cette mort m'affecta plus que je ne voulus le dire. Si j'avais éprouvé d'abord une sorte de soulagement involontaire à être délivrée de son dogmatisme fatigant, j'avais déjà bien senti qu'avec lui j'avais perdu la présence d'un cœur dévoué et le commerce d'un esprit remarquable à beaucoup d'égards. Mon frère, qui l'avait haï comme un tyran, plaignit sa fin, mais ne le regretta pas. Ma mère ne lui faisait pas grâce au-delà de la tombe, et elle écrivait : « Enfin Deschartres n'est plus de ce monde ! » Beaucoup des personnes qui l'avaient connu ne lui firent pas la part bien belle dans leurs souvenirs. Tout ce que l'on pouvait accorder à un être si peu sociable, c'était de le reconnaître honnête homme. Enfin, à l'exception de deux ou trois paysans dont il avait sauvé la vie et refusé l'argent selon sa coutume, il n'y eut guère que moi au monde qui pleurai le *grand homme*, et encore dus-je m'en cacher pour n'être pas raillée et pour ne pas blesser ceux qu'il avait trop cruellement blessés. Mais, en fait, il emportait avec lui dans le néant des choses finies toute une notable portion de ma vie, tous mes souvenirs d'enfance, agréables et tristes, tout le stimulant, tantôt fâcheux, tantôt bienfaisant, de mon développement intellectuel. Je sentis que j'étais un peu plus orpheline qu'auparavant. Pauvre Deschartres ! il avait contrarié sa nature et sa destinée en cessant de vivre pour l'amitié. Il s'était cru égoïste, il s'était trompé : il était incapable de vivre pour lui-même et par lui-même.

L'idée me vint qu'il avait fini par le suicide. Je ne pus avoir sur ses derniers moments aucun détail précis. Il avait été malade pendant quelques semaines, malade de chagrin probablement ; mais je ne pouvais croire qu'une organisation si robuste pût être si vite brisée par l'appréhension de la misère. D'ailleurs il avait dû recevoir une dernière lettre de moi, où je l'invitais encore à venir à Nohant. Avec son esprit entreprenant et sa croyance aux ressources inépuisables de son génie, n'eût-il pas repris espoir et confiance, s'il se fût laissé le temps de la réflexion ? N'avait-il pas plutôt cédé à une heure de découragement, en précipitant la catastrophe par quelque remède énergique, propre à emporter le mal et le chagrin avec la vie ? Il m'avait tant chapitrée sur ce sujet, que je n'eusse guère cru à une funeste inconséquence de sa part, si je ne me fusse rappelé que mon pauvre précepteur était l'inconséquence personnifiée. En d'autres moments, il m'avait dit : « Le jour où votre père est mort, j'ai été bien près de me brûler la cervelle. » Une autre fois je l'avais entendu dire à quelqu'un : « Si je me sentais infirme et incurable, je ne voudrais être à charge à personne. Je ne dirais rien, et je m'administrerais une dose d'opium pour avoir plus tôt fini. » Enfin, il avait coutume de parler de la mort avec le mépris des anciens et d'approuver les *sages* qui s'étaient volontairement soustraits par le suicide à la tyrannie des choses extérieures.

Il est temps que je parle de mon frère, qui déjà m'avait causé d'assez vifs chagrins, et qui vivait tantôt chez moi, tantôt à La Châtre, tantôt à Paris.

Il s'était marié, peu de temps après moi, avec mademoiselle Émilie de Villeneuve, une personne excellente et riche relativement, qui possédait une maison à Paris, et devait hériter bientôt d'une terre voisine de la nôtre. Il ne gérait pas très bien dès lors sa petite fortune. Tour à tour occupé de ses intérêts matériels avec une inquiétude fiévreuse, et absorbé par la malheureuse passion

du vin du cru, si répandue chez les campagnards berrichons, que s'en abstenir à un certain âge est presque
un fait exceptionnel, il diminua plus qu'il n'augmenta
le bien-être de sa famille, et se vit souvent tourmenté
de dettes dont il noyait le souci dans l'ivresse.

Cette absurde et funeste infirmité, car je ne puis
considérer l'ivrognerie que comme une maladie lente
et obstinée, fut le tombeau d'une des plus charmantes
intelligences, d'un des meilleurs cœurs et d'un des plus
aimables caractères que j'aie jamais rencontrés. Mon
frère avait beaucoup de l'esprit et de l'âme de notre
père, comme il avait beaucoup de son air et de sa tournure dans sa jeunesse. Mais, dès l'âge de trente ans,
l'épaississement moral et physique effaça cette ressemblance, et il entra avec acharnement dans un système
de suicide, où son caractère se dénatura, où ses facultés
s'éteignirent, où son cœur même s'aigrit, et où son
corps survécut de quelques années à son âme.

De là des souffrances et des malheurs réels autour
de lui ; mais, hélas, dans ce résumé de haute équité,
que les morts ne nous *permettent* pas seulement, mais
qu'ils nous *commandent* de faire de leur vie, je sens
combien ses torts furent involontaires, et combien
l'être moral qui est aujourd'hui délivré d'un fatal abrutissement, était nativement inoffensif, intelligent et
bon. Un commerce égal et sensé lui était devenu
impossible dans les dernières années de sa vie ; mais,
en rassemblant, dans cette vie morcelée par l'aliénation
périodique de l'ivresse, toutes les heures de lucidité où
il fut lui-même, on pourrait encore reconstruire une
vie précieuse et des souvenirs bénis.

Cette fureur de sauvage à l'endroit du vin et des
liqueurs fortes vint jeter une grosse pierre au milieu de
mon repos domestique. D'autres en furent atteints
autour de moi. D'autres qui en sont morts aussi,
d'autres qui s'en sont corrigés, je ne dirai pas à temps
pour le bonheur de leur famille, mais pour la conserva-
tion de leur existence.

Mon frère et sa femme avaient une jolie petite fille à
peu près de l'âge de Maurice. Ils me l'amenaient sou-

vent et me la laissaient même quelquefois des saisons
entières pour qu'elle se fortifiât à la campagne, quand
l'exploitation de la maison de Paris les forçait à s'éloigner un peu longtemps. Léontine fut donc élevée en
bonne partie avec Maurice, sous mes yeux.

Hippolyte était auprès de nous, je m'en souviens,
quand M. Bazouin vint avec ses filles et un vieux magistrat fort aimable, de ses amis, M. Gaillard. Nous fîmes
tous ensemble des promenades en voiture. Aimée
monta ma laide et généreuse Colette, escortée par mon
frère, qui s'abstint de boire pendant quelques jours.

Le 30 juin, nos domestiques et nos ouvriers fêtèrent
l'anniversaire de Maurice. On me l'apporta dans une
châsse de fleurs [82], montée par le menuisier du village,
décorée par le jardinier, et assez semblable à celle où
l'on promène des reliques ou des figures de saint à la
procession de la Fête-Dieu. On plaça l'enfant et la
châsse au milieu de la table, on tira force coups de pistolet et on dansa la bourrée.

Le 5 juillet suivant, c'était aussi mon anniversaire.
J'avais vingt et un ans. Ce jour-là nous partîmes pour le
Midi. J'ai conservé une relation en forme de journal
que j'écrivis à cette époque et qui sert d'itinéraire à
mes souvenirs. Il s'y trouve quelques pages qui pei-
gnent ma situation morale et que je vais rapporter.
J'étais assez mécontente de la vie, comme on le verra.
En outre, j'étais malade, moins pourtant que je ne le
paraissais. J'avais une toux opiniâtre, des battements
de cœur fréquents et quelques symptômes de phtisie.
Mais j'ai été souvent reprise de ce mal, qui s'est toujours dissipé de lui-même, et que j'ai dû attribuer à un
état nerveux. À l'époque où j'en suis de mon récit, je
ne me croyais pas nerveuse, je me croyais phtisique.

5 juillet 1825.

VOYAGE AUX PYRÉNÉES

Dans dix minutes, j'aurai quitté Nohant. Je n'y laisse
rien qui puisse m'inspirer de véritables regrets, si ce
n'est mon frère. Mais que cette vieille amitié d'autre-

fois s'est donc refroidie ! Il rit, il est gai, à l'heure de
mon départ, lui ! Allons, adieu, Nohant, je ne te
reverrai peut-être plus...
....

CHALUS

Mes domestiques pleuraient. Je n'ai pas pu y tenir :
j'ai fait comme eux. J'ai lu en voiture quelques pages
d'Ossian. Le soleil m'a plantée là, au beau milieu de
mes ombres et de mes étoiles errantes ; j'ai pris le parti
de réfléchir, et ce n'est pas une petite affaire pour
moi, qui voudrais pouvoir vivre sans penser à rien.
J'ai pris de belles résolutions pour le voyage : ne pas
m'inquiéter du moindre cri de Maurice, ne pas
m'impatienter de la longueur du chemin, ne pas me
chagriner des moments d'humeur de *mon ami*............

PÉRIGUEUX

J'ai parcouru des pays charmants ; j'ai vu de beaux
chevaux. Cette ville-ci me paraît agréable, mais je suis
triste à la mort. J'ai beaucoup pleuré en marchant ;
mais à quoi sert de pleurer ? Il faut s'habituer à avoir la
mort dans l'âme et le visage riant.

TARBES

Un beau ciel, des eaux vives, des constructions
bizarres faites d'énormes galets apportés par le gave [83],
des costumes variés, un rendez-vous forain, des types
animés de tout ce côté sud de la France. C'est très joli,
Tarbes ; mais mon mari est toujours de bien mauvaise
humeur. Il s'ennuie en voyage, il voudrait être arrivé. Je
comprends ça ; mais ce n'est pas ma faute si le voyage
est de deux cents lieues..
....

Peu à peu cet amphithéâtre de montagnes blanches
se rapproche et se colore. Malgré l'excessive chaleur, je
suis montée sur le siège de la voiture avec mon mari
pour mieux voir le pays. Enfin nous sommes entrés
dans les Pyrénées. La surprise et l'admiration m'ont

saisie jusqu'à l'étouffement. J'ai toujours rêvé les hautes montagnes. J'avais gardé de celles-ci un souvenir confus qui se réveille et se complète à présent ; mais ni le souvenir ni l'imagination ne m'avaient préparée à l'émotion que j'éprouve. Je ne me figurais pas la hauteur de ces masses qui touchent les nuages et la variété des adorables détails qu'elles présentent. Les unes sont fertiles et cultivées jusqu'à leur sommet ; les autres sont dépourvues de végétation, mais hérissées de rocs formidables en désordre comme au lendemain d'un cataclysme universel.

La route suit le gave en remontant son cours jusqu'à Cauterets. C'est en quittant Pierrefitte, c'est en gravissant une montagne inouïe de rapidité pour des chevaux attelés, c'est en entendant mugir le torrent dans toute sa fureur, que l'âme se resserre et qu'un sentiment d'effroi insurmontable vient glacer le cœur. Là, le jour devient bleuâtre, de noires montagnes de marbre et d'ardoise où se traînent une sombre bruyère et des arbres nains resserrent le ciel. La route serpente aux flancs d'une gorge, aux parois d'un abîme. Les blocs se penchent et surplombent. Le précipice se creuse, le gave s'enfonce et gronde, tantôt complètement disparu sous une masse de sauvage et splendide végétation, tantôt écumeux, blanc comme la neige dans les murailles arides qui le pressent, ou parmi les rochers qui l'encombrent. Ailleurs, il se rapproche, il s'apaise, il devient limpide et bleu comme le ciel. Des tilleuls à petites feuilles, couverts de fleurs, croissent sur ses rives et apportent aux voyageurs leurs têtes parfumées au niveau du chemin.

Tout cela m'a paru horrible et délicieux en même temps. J'avais peur, une peur inouïe et sans cause, une peur de vertige et qui n'était pas sans charme. J'étais ivre et j'avais envie de crier. Notre domestique Vincent, dont j'avais pris la place sur le siège, et qui était dans la voiture avec Maurice et Fanchon, passait la tête à la portière et disait de temps en temps : « C'est bien gentil ; c'est, ma foi, très gentil. »

Enfin j'aperçus Jane et Aimée à une croisée. Un instant après nous nous embrassions follement. Il y a une chambre pour nous à côté de la leur.

....

Les appartements sont d'une simplicité primitive et d'une cherté exorbitante. La petite ville ou plutôt le hameau est tout bâti en marbre brut. Les ruisseaux sont de cristal ; tout est propre, réparé à chaque dégel, et tout est plein de beau monde assez laid. C'est un vaste hôtel garni.

Ce matin, à peine éveillée, j'ai couru à la fenêtre. Bon ! nous voilà en pays de plaine. Où sont donc les montagnes d'hier soir ? Où se cachent donc les cataractes dont j'entends le vacarme ? Le brouillard était descendu si blanc et si épais que l'on ne voyait pas même le pied des Pyrénées. Il s'éleva peu à peu, mais par déchirures singulières. Ce n'était pas, comme dans nos pays plats, un rideau léger qui se roule tout doucement sur lui-même. C'était un voile opaque qui se fendait par étroites zones, ou qui se trouait par petites brèches. Cauterets est bâti dans un entonnoir dont les cimes placent l'horizon non pas sous les yeux, mais au-dessus de la tête. À travers ces déchirures du brouillard, je vis avec étonnement un petit coin de paysage, un chalet, un arbre, un troupeau, une courte prairie, placés verticalement comme un tableau suspendu à rien, comme un rêve jeté dans l'espace. La brume, qui se déplaçait, l'enveloppa bien vite et mit à découvert un autre paysage, un sentier, une roche, un massif. Cela était incompréhensible à la vue. Enfin tout s'éclaircit, tout s'éclaira. Ce que j'avais pris pour le ciel était la nuée, ce qui me paraissait l'espace était la densité.

....

Monsieur ★★★ chasse avec passion[84]. Il tue des chamois et des aigles. Il se lève à deux heures du matin et rentre à la nuit. Sa femme s'en plaint. Il n'a pas l'air de prévoir qu'un temps peut venir où elle s'en réjouira.

CAUTERETS

Dans le rêve qu'il est permis de faire d'un amour parfait, l'époux ne se créerait pas volontiers la nécessité continuelle de l'absence. Quand des devoirs inévitables, des occupations sérieuses la lui auraient imposée, la tendresse qu'il éprouverait et qu'il inspirerait au retour serait d'autant plus vive et mieux fondée. Il me semble que l'absence subie à regret doit être un stimulant pour l'affection, mais que l'absence cherchée passionnément par l'un des deux est une grande leçon de philosophie et de modestie pour l'autre. Belle leçon sans doute, mais bien refroidissante !

Le mariage est beau pour les amants et utile pour les saints.

En dehors des saints et des amants, il y a une foule d'esprits ordinaires et de cœurs paisibles qui ne connaissent pas l'amour et qui ne peuvent atteindre à la sainteté.

Le mariage est le but suprême de l'amour. Quand l'amour n'y est plus ou n'y est pas, reste le sacrifice.
– Très bien pour qui comprend le sacrifice. Cela suppose une dose de cœur et un degré d'intelligence qui ne courent pas les rues.

Il y a au sacrifice des compensations que l'esprit vulgaire peut apprécier. L'approbation du monde, la douceur routinière de l'usage, une petite dévotion tranquille et sensée qui ne tient pas à s'exalter, ou bien de l'argent, c'est-à-dire des jouets, des chiffons, du luxe : que sais-je ? mille petites choses qui font oublier qu'on est privé de bonheur.

Alors tout est bien apparemment, puisque le grand nombre est vulgaire ; c'est une infériorité de jugement et de bon sens que de ne pas se contenter des goûts du vulgaire.

Il n'y a peut-être pas de milieu entre la puissance des grandes âmes qui fait la sainteté, et le commode hébétement des petits esprits qui fait l'insensibilité.

– Si fait, il y a un milieu : c'est le désespoir.

....

Mais il y a aussi l'enfantillage, bonne et douce chose à conserver, quoi qu'on en dise ! Courir, monter à cheval, rire d'un rien, ne pas se soucier de la santé et de la vie ! Aimée me gronde beaucoup. Elle ne comprend pas qu'on s'étourdisse et qu'on ait besoin d'oublier. « Oublier quoi ? me dit-elle. – Que sais-je ? Oublier tout, oublier surtout qu'on existe. »

....

Voilà Maurice malade, et je le redeviens. Je ne vis plus du tout, ou plutôt je vis trop. Je ne peux plus me distraire.

....

Maurice est guéri. Je redeviens folle. Mon mari arrange la partie d'aller à Gavarnie avec la famille Leroy. J'ai envie d'en être, et puis non, et puis oui.

....

Ma foi, oui. Il y a de l'humeur ici. Je me prends de grande amitié pour Zoé, quoique ★[85] veuille m'en détourner. Elle prétend que Zoé est trop gaie ; elle ne voit pas clair. Zoé est gaie... comme moi. ★ veut que je m'amuse dans la société de madame ★★★, dont elle s'est mise à raffoler, et qui n'est pour moi qu'une chipie. On veut que je chante ce soir : *Ebben, per mia memoria.* – *Ebbene*, ça m'ennuie de chanter. Est-ce que je sais chanter, moi ? Est-ce que je suis venue à Cauterets pour aller en soirée et retrouver Paris dans ce pays d'aigles et de chamois ? Non. Je m'en vas voir des neiges, des torrents, des ours, s'il plaît à Dieu. Il y en avait un l'autre jour à une lieue d'ici, à cent pas du chemin. Il nous regardait passer d'un air bien méprisant.

....

Je suis partie assez triste ; ★ m'a dit des choses dures. Une madame ★★★, qui dit à tout le monde qu'elle vient aux eaux dans l'espoir de faire un enfant, ce qui ne me paraît pas bien chaste à faire savoir, lui a dit que j'avais tort de faire des courses sans mon mari. Je ne vois pas que cela soit, puisqu'il prend les devants et que je vas où il veut aller.

Je vois que je ne suis pas sympathique aux personnes qui plaisent à *. Je dois dire que c'est réciproque. Il ne faut pas se disputer là-dessus ; il faut se distraire de ces petites tracasseries et ne pas entrer dans une vie de petites jalousies et de petits propos. Jane est toujours un ange. Sa sœur aussi, après tout. Un peu de divergence dans les points de vue sur le monde. Ça passera, comme dit ma tante.

Ma tante !... Je pense à toi. Comme tu es bonne, toi ! comme tu es gaie ! comme tu es drôle quand tu dis : « Tout ça, tout ça... il n'y a pas de quoi fouetter un chat ! » Tu dis cela à propos de tout. Ah ! si tu pouvais avoir raison !

....

De Cauterets à Luz, c'est encore plus beau que tout le reste. Même genre de beauté que de Pierrefitte à Cauterets, mais plus sombre, plus déchiré, plus effrayant encore. Le gouffre du pont d'Enfer donne envie de se jeter dedans. C'est un torrent épouvantable qui, en se précipitant, se roule sur lui-même avec une gaieté folle.

....

LUZ

Nous avons vu, par les fenêtres ouvertes du rez-de-chaussée, le bal de Saint-Sauveur. C'est aussi bête que celui de Cauterets, bien qu'un peu plus décoré. Toujours la sauvage musique à base de tympanon. Cela serait peut-être très caractéristique avec les airs du pays, mais personne ne s'en soucie. Ces bons ménétriers jouent des contredanses à faire grincer des dents. Les belles dames et les beaux messieurs font toilette et figurent, en se parlant de leurs maux d'entrailles et de leurs rhumatismes.

....

Je n'avais rien vu, en vérité. De Luz à Gavarnie, c'est le chaos primitif, c'est l'enfer. Le torrent, c'est le *rauco suon della tartarea tromba*[86]. La grotte du jardin de Gèdre, c'est la grotte d'Apollon à Versailles faite par la

nature et dans des proportions cyclopéennes. Seulement il n'y a pas d'Apollon, et c'est bien mieux. Le
Marboré, c'est quelque chose d'indescriptible. Une
muraille de glaces, de neiges, de rochers incommensurables entourant un cirque où l'on est mouillé par la
chute de cascades de douze cents pieds perpendicu-
laires. Des ponts de neige sur lesquels passent des
caravanes de pâtres et de troupeaux ! Que sais-je ? On
ne voit pas bien, on ne peut pas regarder assez. Il y a
trop d'étonnement. On ne pense pas même au danger.
Mon mari est des plus intrépides. Il va partout et je le
suis. Il se retourne et il me gronde. Il dit que je me *singularise*. Je veux être pendue si j'y songe. Je me
retourne, et je vois Zoé qui me suit. Je lui dis qu'elle se
singularise. Mon mari se fâche parce que Zoé rit. Mais
la pluie des cataractes est un grand calmant, et on s'y
défâche vite.

Les uns ont peur, les autres ont froid. Un monsieur
qui est dans le commerce compare la vallée coupée par
petits enclos cultivés à une *carte d'échantillons*. Une très
jolie Bordelaise, très élégante, s'écrie tout à coup avec
une voix flûtée et un accent renforcé : *Oh ! la tripe me
jappe !* Ça signifie qu'elle a faim. Son mari, au
contraire, se plaint de la colique et de ses conséquences. Mademoiselle ★★★ se trouve mal dans sa
chaise à porteurs. Ses porteurs, qui ont fait sept lieues
au pas de course, ne se trouvent pas mieux, bien qu'ils
n'aient pas fait la sottise de se mettre en route avec
trois grands verres de cette traîtreuse source purgative
dans l'estomac. Cette singulière cumulation de régime,
les eaux et la promenade, font de toutes les parties de
plaisir une ambulance.

Je reste à soigner mademoiselle ★★★, qui est belle et
aimable, ce qui me prive de me singulariser jusqu'à
admirer le Marboré à mon aise. Zoé me dit en
soupirant : « C'est affreux de ne pas être seules ou avec
des gens intelligents ou bien portants tout au moins.
On se tue pour venir voir une chose inouïe de magnifi-
cence, une chose unique dans l'univers, et il faut tenir

la tête à l'une, rassurer l'autre, écouter les bêtises de tous ! »

Le pire, c'est qu'à peine arrivé il faut partir. Il n'y a pas de gîte, il faut refaire sept lieues sur une corniche de deux ou trois pieds de large, où les chevaux ne plaisantent pas avec la nuit. Et puis, dès que le soleil baisse, un froid mortel vous chasse. Les dents claquent dans la bouche dès que l'on n'est plus trempé de sueur par la fatigue de la course.

Moi, je voulais retourner à Cauterets le soir même. Je ne trouve pas Maurice assez guéri pour le laisser deux nuits de suite avec sa bonne et Vincent. J'avais loué le matin un cheval de rechange à Luz, un cheval affreux, mais excellent. Nous partons devant, Zoé et moi. Nous laissons vite les guides et la caravane derrière nous. Nous franchissons au galop les passages les plus fantastiques. Zoé est insensée de courage. Cela me grise ; me voilà à son niveau. Nous arrivons à l'endroit appelé le *Chaos* une demi-heure avant tout le monde. Nous pouvons nous arrêter et contempler. « Mon Dieu, dit Zoé, nous voilà seules, quel bonheur ! Singularisons-nous tout à notre aise. Regardons et admirons. »

Zoé s'exalte. Il y a bien de quoi. J'aime cette nature enthousiaste, cet esprit généreux, ce cœur intelligent. Nous repartons au galop en entendant arriver la caravane, et nous ne nous ralentissons que quand nous sommes à portée de reprendre la conversation en liberté. De quoi parlons-nous ? Ah ! que de belles théories en pure perte ! L'amour, le mariage, la religion, l'amitié, que sais-je ? Elle conclut ainsi : « Nous avons un peu plus d'intelligence et de réflexion que beaucoup d'autres qui ne pensent à rien, et c'est tant pis pour nous ! »

J'ai dit bonsoir à Saint-Sauveur et adieu à l'excellent cheval qui ne m'a point cassé le cou, bien que j'y aie fait mon possible. J'ai repris mon autre monture et je suis rentrée à Cauterets à la nuit, après avoir fait trente-six lieues à cheval. Je ne m'en porte pas plus mal, d'autant plus que j'ai trouvé Maurice dormant comme un ange, et les petites querelles oubliées. Pourtant Aimée me boude un peu à l'occasion. Elle tient pour le grand monde. Elle n'en est pourtant pas, et moi je n'en suis plus, Dieu merci !

....

On se rend des visites [87]. C'est absurde, puisqu'on ne se reverra pas, et c'est ennuyeux. Nous avons reçu celle de la princesse de Condé, veuve du duc d'Enghien. Elle n'est ni jeune ni belle, et n'a point l'air distingué. Un grand air de bonhomie protectrice, que les badauds prennent pour de la bienveillance, et dont ils sont très fiers. Il n'y a pas de quoi.

Le général Foy est ici. Il est bien malade. Je l'ai rencontré seul, très pâle, une douce figure, triste, abattue. Il mourra, dit-on.

Madame de Rumford, veuve d'un savant connu des imbéciles comme moi par ses soupes et ses cheminées, vient d'arriver avec une jeune nièce fort jolie.

Un autre savant, Magendie, vient d'explorer le passage des montagnes par le tour Mallet. Il a manqué périr de froid en route. Ses porteurs se sont démoralisés et ont failli l'abandonner au milieu des glaces.

Nous vivons d'ours et de chamois, mais nous n'en voyons guère. Pourtant, l'autre jour, en allant au lac de Gaube, nous avons vu un isard et un essai de chasse. L'isard s'est moqué des chasseurs.

CAUTERETS
(Suite du journal.)

Le pont d'Espagne, la chute de Cerizey, le lac de Gaube, le glacier de Vignemale, quelles admirables choses ! Mais on voit tout cela trop vite. Il faudrait pouvoir vivre un mois dans chaque site, et y vivre à sa guise et avec les amis de son choix. Tout cela est si beau, si attachant, si bouleversant, qu'on n'est que fou et comme ivre à la première vue. Et puis, vite, vite, il faut passer outre, parce qu'il faut arriver. Et à peine arrivé, il faut partir encore, parce qu'il faut rentrer. Je ne sais où donner de la tête. Je suis toujours pressée, pour mon compte aussi, de retrouver mon marmot, et je reste toujours sur ma soif devant les merveilles de la nature.

S'en lasserait-on, si on les avait à discrétion ? Non, ce n'est pas possible, à moins que cet air vif et cette excitation de l'esprit ne fussent mortels à nous autres gens de la plaine. Je ne sais pas, mais quant à moi, jusqu'ici, plus je me fatigue, plus j'ai envie de recommencer. Le mouvement m'a saisie comme une fièvre. Je tousse et j'étouffe à chaque instant, mais je ne sais pas si je souffre. Oui, au fait, je souffre, je m'en aperçois quand je suis seule. L'autre jour, je me promenais dans des rochers, derrière le jardin Labatte. J'ai été prise de crampes d'estomac si abominables, que j'ai été obligée de me coucher sur l'herbe. Une bonne femme qui allait au lavoir m'avait vue entrer dans ces rochers ; elle m'a suivie pour me dire qu'il y avait des serpents et qu'il y avait danger à rester là. Ça m'était égal, tant je souffrais et me sentais brisée ; mais j'ai fait un effort pour m'en aller, afin de ne pas tourmenter cette femme, qui avait l'air compatissant. Je l'ai suivie au lavoir et l'ai regardée battre et tordre son linge. Elle se faisait à peu près entendre en français et se trouvait bien malheureuse d'habiter ce beau pays où je voudrais passer ma vie, mais dont elle ne voit que les horreurs et les rigueurs. Tous ces montagnards parlent de l'hiver avec épouvante. Leur été est si court, qu'ils n'ont pas le temps de le prendre en amitié.

Mes amies B*** ne s'amusent point ici. Elles se sont constituées baigneuses et buveuses d'eau, à la lettre. Je ne sais pas quelle est la maladie d'Aimée. Elle est certainement malade, mais il ne me semble pas qu'elle le soit moitié autant que moi, et je me figure que si elle ne buvait rien du tout et se fatiguait à la promenade, elle reprendrait ses forces. Mais son père est vieux et lourd, et elles sont ici prisonnières, ne jouissant de rien, ne voyant rien, faisant de petites promenades de *santé* qui entretiennent parfaitement la maladie, et s'imaginant que je me tue parce que je ne veux pas me laisser tuer

par les médecins. Celui d'ici est furieux contre moi
parce que je ne l'écoute pas.

J'écrivis beaucoup sur les Pyrénées durant et après
ce voyage. Mes premières notes jetées sur un agenda
de poche, et d'où je viens d'extraire ces lignes, sont
rédigées avec assez de spontanéité, comme l'on voit.
Mais il m'arriva après coup cę qui doit être arrivé à
beaucoup d'écrivains en herbe. Mécontente du laisser-
aller de ma première forme, je rédigeai sur des cahiers
un voyage que je relis en ce moment et qui se trouve
très lourd et très prétentieux de style. Et pourtant ce
prétentieux fut naïvement cherché, je m'en souviens. À
mesure que je m'éloignais des Pyrénées, j'avais peur de
laisser échapper les vives impressions que j'y avais
reçues, et je cherchais des mots et des phrases pour les
fixer, sans en trouver qui fussent à la hauteur de mon
sujet. Mon admiration rétrospective n'avait plus de
limites, et j'étais emphatique consciencieusement.

Au reste, je sentis bien que je n'étais pas capable de
me contenter moi-même par mes écrits, car je ne com-
plétai rien et ne pris pas encore le goût d'écrire.

Ce journal me retrace une circonstance que j'avais
presque oubliée, c'est qu'il y eut un peu de dissidence
entre l'aînée des demoiselles B★★★ et moi à propos du
choix de nos relations, qui se trouva différer autant que
nos habitudes de régime. Aimée était une personne
accomplie et d'une distinction exquise. Elle aimait tout
ce qui est élégant et *orné* d'une façon quelconque dans
la société : les noms, les manières, les talents, les titres.
Moi, écervelée (car je l'étais à coup sûr), je traitais tout
cela de vanité en moi-même, et j'allais chercher l'intimité et la simplicité avec la poésie. Grâce à Dieu, je les
trouvai dans Zoé, qui était réellement une personne de
mérite, et, en outre, une femme d'un cœur aussi avide
d'affection que le mien. Elle était aussi romanesque
qu'Aimée était positive, aussi expansive que Jane était
rêveuse et réservée. J'aimais ces diverses natures, qui
malheureusement ne sympathisaient pas entre elles.

Ce en quoi j'eus bien raison, ce fut de ne vouloir pas me soumettre au traitement des eaux. Quand je me vis, après une douche écrasante, enveloppée de couvertures comme une momie, emballée dans une chaise à porteurs, et ramenée dans ma chambre avec injonction de me coucher pendant le reste de la matinée, je crus que j'allais devenir folle, et j'entrai en révolte ouverte. À ce métier-là, avec les visites à recevoir et à rendre, je n'aurais pas vu mon enfant de la journée et je n'aurais pas aperçu les Pyrénées. Je me hâtai de supprimer le traitement et de ne fréquenter que les personnes avec qui je me plaisais. Zoé et sa famille demeuraient précisément dans la maison en face de la nôtre. La rue n'était pas large. Nous pouvions causer par la fenêtre et aller et venir dix fois par jour les unes chez les autres.

Nous quittâmes Cauterets à la fin d'août, je crois, chassés déjà par les brouillards qui s'épaississaient et refroidissaient l'atmosphère. Les baigneurs s'en allaient, quelques promeneurs attardés se dépitaient comme moi de voir la nature s'obscurcir et se voiler au moment où la solitude leur permettait de la savourer. Je dis la solitude relativement aux gens du monde, car, à ce moment, il se faisait, au contraire, un grand mouvement chez les indigènes. Toute la population des pasteurs de troupeaux descendait les cimes où elle avait parqué les trois mois de la belle saison avec le bétail, et retournait à la plaine. C'était un passage continuel d'hommes et d'animaux quasi sauvages, et c'était vraiment un beau spectacle que cette migration. Les robustes bergers, bronzés par le soleil et plus semblables à des Arabes qu'à des Français, marchaient par groupes dans leur pittoresque costume, accompagnés de petits chevaux ou de mulets portant leur mobilier, c'est-à-dire quelques couvertures, des cordes, des chaînes, et ces grands vases de cuivre éblouissants où ils reçoivent et travaillent le laitage. Derrière eux suivaient leurs troupeaux réunis, vaches, moutons, chèvres, veaux et poulains. Bon nombre, nés dans la saison sur la montagne, n'avaient encore jamais vu d'autres hommes que leurs gardiens, et, saisis d'une

indicible terreur en traversant les hameaux, ils s'engouffraient, suants et désespérés, dans les rues étroites,
et il ne faisait pas bon se trouver sur leur passage. Sur
les flancs de ces caravanes couraient ces grands chiens
des Pyrénées, les types primitifs, dit-on, de la race
canine, animaux superbes qui, à la manière des tau-
reaux de race pure, ont la tête, l'encolure et les épaules
disproportionnées en raison du train de derrière, qui
semble évidé pour la course. La voix de ces molosses
est une basse-taille profonde, et, dans la nuit, quand ils
passaient sous ma fenêtre, il y avait quelque chose
d'étrange et de farouche dans leur aboiement sonore et
dans le bruit lourd et précipité des pieds des troupeaux
sur le granit.

La vie des pâtres sur la montagne se présentait à
mon imagination comme un rêve divin, et je me rappelais ce que Deschartres m'avait expliqué : *O fortu-
natos !...* c'est-à-dire : « Ô heureux les habitants des
campagnes, s'ils connaissaient leur bonheur[88] ! »

Vivre ainsi dans la solitude des monts sublimes, dans
la plus belle saison de l'année, au-dessus, moralement
et réellement, de la région des orages ; être seul ou avec
quelques amis de même nature que soi, en présence de
Dieu ; être assez aux prises avec la vie physique, avec
les loups et les ours, avec les périls de l'isolement et les
fureurs de la tempête, pour se sentir, en tant qu'animal
soi-même, ingénieux, agile, courageux et fort ; avoir à
soi les longues heures du recueillement, la contemplation du ciel étoilé, les bruits magiques du désert, enfin
la possession de ce qu'il y a de plus beau dans la création unie à la possession de soi-même, voilà l'idéal qui
succéda, dans ma jeune tête, à celui de la vie monastique et qui la remplit pendant de longues années.

Je me rappelais Isabella Clifford, mon amie de couvent, me racontant la Suisse et son rêve d'être bergère
dans un beau chalet de l'Oberland. Moi, j'aurais voulu
devenir berger, avoir la poitrine large et les fortes
jambes de ces espèces de sauvages que je voyais passer,
graves, pensifs et comme déshabitués de voir et
d'entendre les autres hommes. J'aurais voulu pouvoir

mettre sur un mulet mon enfant, ma couverture, quelques livres, c'est-à-dire tout mon bonheur, tout mon bien-être, toute ma fortune, et m'en aller passer trois mois chaque année dans une Thébaïde poétique.

Mais j'aurais voulu emporter là mon cœur et ma pensée. Ces bergers, dont plusieurs étaient des espèces de vieux prêtres, étudiant leurs missels et chantant ensemble leurs vieux cantiques, avaient certainement à mes yeux, et dans la réalité peut-être, de la grandeur et de la poésie. Mais ils ne sentaient que vaguement les mystérieuses délices de leur existence, et les livres saints étaient pour eux, disaient-ils, un préservatif contre l'effroi et l'ennui de l'exil au désert. Pour moi, les pensées bibliques eussent été, au contraire, le complément de cette vie contemplative, et il me semblait que ma prière eût été là, non pas une tremblante supplication, mais un hymne perpétuel.

Ces pensées me sont bien présentes, car, outre que j'en retrouve la trace dans tous mes souvenirs, ce que j'en dis est le résumé des longues et naïves *tartines* de mon journal.

Nous voulûmes voir Bagnères-de-Bigorre avant de quitter les montagnes. En sortant des gorges et des crêtes médianes de la chaîne pyrénéenne, nous trouvâmes l'été brûlant des côtes et des larges vallées. La chaleur était insupportable à Bagnères, et la nature, belle encore, n'avait plus ce prestige de grandeur et d'étrangeté qui m'avait saisie. Et puis c'était une ville de plaisir, beaucoup d'Anglais, des demeures opulentes, des exhibitions de chevaux et d'attelages de luxe, des fêtes, des spectacles, du monde et du bruit. Ce n'était plus là mon fait. Nous n'y passâmes que peu de jours, bien que Maurice s'accommodât fort de ce beau soleil et de tous ces *dadas* splendidement équipés.

Avant de prendre le chemin de Nérac, et nous retardions le plus possible, à cause de la chaleur encore plus intense que nous devions y retrouver et dont je craignais que l'enfant ne souffrît en route, nous fîmes une excursion très intéressante, mon mari et moi, avec un de ceux de nos amis de Cauterets que nous avions retrouvés à Bagnères. Cet ami avait ouï parler des *espé-luques* ou *spélonques* de Lourdes[89]. C'était une aventure pénible et qui tentait peu de voyageurs. Elle nous tenta. Nous fîmes la route à cheval, et après avoir déjeuné à Lourdes, nous prîmes un guide et le chemin des cavernes.

L'entrée n'en était pas attrayante. Il fallait ramper un à un, à plat ventre sous le rocher, et bien qu'il y eût la place nécessaire, cet ensevelissement d'un instant dans les ténèbres a quelque chose de terrifiant pour l'esprit.

Mais une promenade de plusieurs heures dans ce monde souterrain fut un enchantement véritable. Des galeries tantôt resserrées, étouffantes, tantôt incommensurables à la clarté des torches, des torrents invisibles rugissant dans les profondes entrailles de la terre, des salles bizarrement superposées, des puits sans fond, c'est-à-dire des gouffres perdus dans des abîmes impénétrables et battant avec fureur leurs parois sonores de leurs eaux puissantes, des chauves-souris effarées, des portiques, des voûtes, des chemins croisés, toute une ville fantastique creusée et dressée par ce que l'on appelle bénignement le caprice de la nature, c'est-à-dire par les épouvantables convulsions de la formation géologique : c'était un beau voyage pour l'imagination, terrible pour le corps ; mais nous n'y pensions pas. Nous voulions pénétrer partout, découvrir toujours. Nous étions un peu fous, et le guide menaçait de nous abandonner. Nous marchions sur des corniches au-dessus d'abîmes qui faisaient penser à l'enfer de Dante, et il y en eut un où nous voulûmes descendre. Ces messieurs s'y enfoncèrent résolument en marchant à la manière des ramoneurs sur des anfractuosités, et je les y suivis, liée à une corde que l'on fit avec tous nos foulards noués au bout les uns des autres. Il fallut s'arrêter bientôt, tout manquait, les points de repère pour les pieds et les foulards pour le sauvetage.

Nous revînmes à cheval pendant la nuit, par une pluie fine et un clair de lune doucement voilé. Nous étions à Bagnères à deux heures du matin. J'étais plus excitée que lasse, et je ressentis, pendant mon sommeil, le phénomène de la peur rétrospective. Je n'avais songé, dans les spélonques, qu'à rire et à oser. Dans mes songes, la cité souterraine m'apparut avec toutes ses terreurs. Elle se brisait, elle s'entassait sur moi ; j'étais suspendue à des cordes de mille pieds, qui rompaient tout à coup, et je me trouvais seule dans une autre ville plus enfouie encore, descendant toujours et se perdant par mille galeries et recoins piranésiques [90] jusqu'au centre du globe. Je me réveillais baignée d'une sueur froide, et, en me rendormant, je partais pour d'autres voyages et d'autres visions encore plus fiévreuses.

Je n'ai gardé aucun souvenir du voyage de Bagnères à Nérac. Il en est ainsi de beaucoup de pays que j'ai traversés sous l'empire de quelque préoccupation intérieure ; je ne les ai pas vus. Les Pyrénées m'avaient exaltée et enivrée comme un rêve qui devait me suivre et me charmer pendant des années. Je les emportais avec moi pour m'y promener en imagination le jour et la nuit, pour placer mon oasis fantastique dans ces tableaux enchanteurs et grandioses que j'avais traversés si vite, et qui restaient pourtant si complets et si nets dans mon souvenir, que je les voyais encore dans leurs moindres détails.

XI

Guillery, le château de mon beau-père. – Les chasses au renard. – Peyrounine *et* Tant-belle. *– Les Gascons, gens excellents et bien calomniés. – Les paysans, les bourgeois et les gentilshommes grands mangeurs, paresseux splendides, bons voisins et bons amis. – Voyage à La Brède. – Digressions sur les pressentiments. – Retour par Castel-Jaloux, la nuit, à cheval, au milieu des bois, avec escorte de loups. – Pigon mangé par les*

*loups. – Ils viennent sous nos fenêtres. – Un loup mange la
porte de ma chambre. – Mon beau-père attaqué par quatorze
loups. – Les Espagnols pasteurs nomades et bandits dans les
Landes. – La culture et la récolte du liège. – Beauté des hivers
dans ces pays. – Mort de mon beau-père. – Portrait et caractère
de sa veuve, la baronne Dudevant. – Malheur de sa situation.
– Retour à Nohant. – Parallèle entre la Gascogne et le Berry. –
Blois. – Le Mont-d'Or. – Ursule. – M. Duris-Dufresne,
député de l'Indre. – Une chanson. – Grand scandale à La
Châtre. – Rapide résumé de divers petits voyages et circonstances jusqu'en 1831.*

Guillery, le *château* de mon beau-père, était une
maisonnette de cinq croisées de front, ressemblant
assez à une guinguette des environs de Paris, et meublée comme toutes les bastides méridionales, c'est-à-
dire très modestement. Néanmoins l'habitation en était
agréable et assez commode. Le pays me sembla
d'abord fort laid ; mais je m'y habituai vite. Quand vint
l'hiver, qui est la plus agréable saison de cette région de
sables brûlants, les forêts de pins et de chênes-lièges
prirent, sous les lichens, un aspect druidique, tandis
que le sol, raffermi et rafraîchi par les pluies, se couvrit
d'une végétation printanière qui devait disparaître à
l'époque qui est le printemps au nord de la France. Les
genêts épineux fleurirent, des mousses luxuriantes,
semées de violettes, s'étendirent sous les taillis, les
loups hurlèrent, les lièvres bondirent, Colette arriva de
Nohant, et la chasse résonna dans les bois.

J'y pris grand goût. C'était la chasse sans luxe, sans
vaniteuse exhibition d'équipages et de costumes, sans
jargon scientifique, sans habits rouges, sans prétentions ni jalousies de *sport* ; c'était la chasse comme je
pouvais l'aimer, la chasse pour la chasse. Les amis et
les voisins arrivaient la veille, on envoyait vite boucher
le plus de terriers possible ; on partait avec le jour,
monté comme on pouvait, sur des chevaux dont on
n'exigeait que de bonnes jambes et dont on ne raillait
pourtant pas les chutes, inévitables quelquefois dans
des chemins traversés de racines que le sable dérobe

absolument à la vue et contre lesquelles toute prévoyance est superflue. On tombe sur le sable fin, on se relève, et tout est dit. Je ne tombai cependant jamais ; fut-ce par bonne chance ou par la supériorité des instincts de Colette, je n'en sais rien.

On se mettait en chasse quelque temps qu'il fît. De bons paysans aisés des environs, fins braconniers, amenaient leur petite meute, bien modeste en apparence, mais bien plus exercée que celle des amateurs. Je me rappellerai toujours la gravité modeste de *Peyrounine* amenant ses trois *couples et demie* au rendez-vous, prenant tranquillement la piste, et disant de sa voix douce et claire, avec un imperceptible sourire de satisfaction : « *Aneim, ma tan belo !* » *aneim*, c'est *allons, courage* ; c'est le *animo* des Italiens ; *tan belo*, c'était *Tant-Belle*, la reine des bassets à jambes torses, la dépisteuse, l'obstinée, la sagace, l'infatigable par excellence, toujours la première à la découverte, toujours la dernière à la retraite.

Nous étions assez nombreux, mais les bois sont immenses et la promenade n'était plus, comme aux Pyrénées, une marche forcée sur une corniche qui ne permet pas de s'éparpiller. Je pouvais m'en aller seule à la découverte sans craindre de me perdre, en me tenant à portée de la petite fanfare que Peyrounine sifflait à ses chiens. De temps en temps, je l'entendais, sous bois, admirer, à part lui, les prouesses de sa chienne favorite et manifester discrètement son orgueil en murmurant : *Oh ! ma tant belle ! oh ! ma tant bonne !*

Mon beau-père était enjoué et bienveillant ; colère, mais tendre, sensible et juste. J'aurais volontiers passé ma vie auprès de cet aimable vieillard, et je suis certaine que nul orage domestique n'eût approché de nous ; mais j'étais condamnée à perdre tous mes protecteurs naturels, et je ne devais pas conserver longtemps celui-là.

Les Gascons sont de très excellentes gens, pas plus menteurs, pas plus vantards que les autres provinciaux, qui le sont tous un peu. Ils ont de l'esprit, peu d'instruction, beaucoup de paresse, de la bonté, de la libéralité, du cœur et du courage. Les bourgeois, à l'époque que je raconte, étaient, pour l'éducation et la culture de l'esprit, très au-dessous de ceux de ma province ; mais ils avaient une gaieté plus vraie, le caractère plus liant, l'âme plus ouverte à la sympathie. Les caquets de village étaient là tout aussi nombreux, mais infiniment moins méchants que chez nous, et s'il m'en souvient bien, ils ne l'étaient même pas du tout.

Les paysans, que je ne pus fréquenter beaucoup, car ce fut seulement vers la fin de mon séjour que je commençai à entendre un peu leur idiome, me parurent plus heureux et plus indépendants que ceux de chez nous. Tous ceux qui entouraient, à quelque distance, la demeure isolée de Guillery étaient fort aisés, et je n'en ai jamais vu aucun venir demander des secours. Loin de là, ils semblaient traiter d'égal à égal avec *mousu le varon*[91], et quoique très polis et même cérémonieux, ils avaient presque l'air de s'entendre pour lui accorder une sorte de protection, comme à un voisin honorable qu'ils étaient jaloux de récompenser. On le comblait de présents, et il vivait tout l'hiver des volailles et du gibier vivants qu'on lui apportait en étrennes. Il est vrai que c'était un échange de réfection pantagruélesque[92]. Ce pays est celui de la déesse Manducée. Les jambons, les poulardes farcies, les oies grasses, les canards obèses, les truffes, les gâteaux de millet et de maïs y pleuvent comme dans cette île où Panurge se trouvait si bien ; et la maisonnette de Guillery, si pauvre de bien-être apparent, était, sous le rapport de la cuisine, une abbaye de Thélème d'où nul ne sortait, qu'il fût noble ou vilain, sans s'apercevoir d'une notable augmentation de poids dans sa personne.

Ce régime ne m'allait pas du tout. La sauce à la graisse était pour moi une espèce d'empoisonnement, et je m'abstenais souvent de manger, quoique ayant grand-faim au retour de la chasse. Aussi je me portais fort mal et maigrissais à vue d'œil, au milieu des innombrables cages où les ortolans et les palombes étaient occupés à mourir d'indigestion.

À l'automne, nous avions fait une course à Bordeaux, mon mari et moi, et nous avions poussé jusqu'à La Brède, où la famille de Zoé avait une maison de campagne. J'eus là un très violent chagrin, dont cette inappréciable amie me sauva par l'éloquence du courage et de l'amitié[93]. L'influence que son intelligence vive et sa parole nette eurent sur moi en ce moment de désespérance absolue disposa de plusieurs années de ma vie et fit entrer ma conscience dans un équilibre vainement cherché jusqu'alors. Je revins à Guillery brisée de fatigue, mais calme, après avoir promené sous les grands chênes plantés par Montesquieu des pensées enthousiastes et des méditations riantes où le souvenir du philosophe n'eut aucune part, je l'avoue.

Et pourtant j'aurais pu faire ce jeu de mots que l'*Esprit des lois* était entré d'une certaine façon et à certains égards dans ma nouvelle manière d'accepter la vie.

Nous avions descendu la Garonne pour aller à Bordeaux ; la remonter pour retourner à Nérac eût été trop long, et je ne m'absentais pas trois jours sans être malade d'inquiétude sur le compte de Maurice. Le mot de sœur Hélène au couvent et un mot d'Aimée à Cauterets m'avaient mis martel en tête, au point que je me faisais et me fis longtemps de l'amour maternel un véritable supplice. Je me laissais surprendre par des terreurs imbéciles et de prétendus pressentiments. Je me souviens qu'un soir, ayant dîné chez des amis à La Châtre, il me passa par l'imagination que Nohant brûlait et que je voyais Maurice au milieu des flammes. J'avais honte de ma sottise et ne disais rien. Mais je demande mon cheval, je pars à la hâte, et j'arrive au triple galop, si convaincue de mon rêve, qu'en voyant la maison debout et tranquille, je ne pouvais en croire mes yeux.

Je revins donc de Bordeaux par terre, afin d'arriver plus vite. À cette époque, les routes manquaient ou étaient mal servies. Nous arrivâmes à Castel-Jaloux à minuit, et, au sortir d'une affreuse patache, je fus fort aise de trouver mon domestique qui avait amené nos

chevaux à notre rencontre. Il ne nous restait que quatre
lieues à faire, mais des lieues de pays sur un chemin
détestable, par une nuit noire et à travers une forêt de
pins immense, absolument inhabitée, un véritable
coupe-gorge où rôdaient des bandes d'Espagnols,
désagréables à rencontrer même en plein jour. Nous
n'aperçûmes pourtant pas d'autres êtres vivants que
des loups. Comme nous allions forcément au pas dans
les ténèbres, ces messieurs nous suivaient tranquillement. Mon mari s'en aperçut à l'inquiétude de son
cheval, et il me dit de passer devant et de bien tenir
Colette pour qu'elle ne s'effrayât pas. Je vis alors briller
deux yeux à ma droite, puis je les vis passer à gauche.
« Combien y en a-t-il ? demandai-je. – Je crois qu'il n'y
en a que deux, me répondit mon mari ; mais il en peut
venir d'autres ; ne vous endormez pas. C'est tout ce
qu'il y a à faire. »

J'étais si lasse, que l'avertissement n'était pas de trop.
Je me tins en garde, et nous gagnâmes la maison, à
quatre heures du matin, sans accident.

On était très habitué alors à ces rencontres dans les
forêts de pins et de lièges. Il ne se passait pas de jour
que l'on n'entendît les bergers crier pour s'avertir, d'un
taillis à l'autre, de la présence de l'ennemi. Ces bergers,
moins poétiques que ceux des Pyrénées, avaient
cependant assez de caractère, avec leurs manteaux
tailladés et leurs fusils en guise de houlette. Leurs
maigres chiens noirs étaient moins imposants, mais
aussi hardis que ceux de la montagne.

Pendant quelque temps il y eut bonne défense aussi
à Guillery. Pigon était un métis plaine et montagne[94],
non seulement courageux, mais héroïque à l'endroit
des loups. Il s'en allait, la nuit, tout seul, les provoquer
dans les bois, et il revenait, le matin, avec des lambeaux
de leur chair et de leur peau attachés à son redoutable
collier hérissé de pointes de fer. Mais un soir, hélas ! on
oublia de lui remettre son armure de guerre ; l'intré-
pide animal partit pour sa chasse nocturne et ne revint
pas.

L'hiver fut un peu plus rude que de coutume en ce pays. La Garonne déborda et, par contre[95], ses affluents. Nous fûmes bloqués pendant quelques jours ; les loups affamés devinrent très hardis : ils mangèrent tous nos jeunes chiens. La maison était bâtie en pleine campagne, sans cour ni clôture d'aucune sorte. Ces bêtes sauvages venaient donc hurler sous nos fenêtres, et il y en eut une qui s'amusa, pendant une nuit, à ronger la porte de notre appartement, situé au niveau du sol. Je l'entendais fort bien. Je lisais dans une chambre, mon mari dormait dans l'autre. J'ouvris la porte vitrée et appelai Pigon, pensant que c'était lui qui revenait et voulait entrer. J'allais ouvrir le volet quand mon mari s'éveilla et me cria : « Eh non, non, c'est le loup ! » Telle est la tranquillité de l'habitude, que mon mari se rendormit sur l'autre oreille et que je repris mon livre, tandis que le loup continuait à manger la porte. Il ne put l'entamer beaucoup, elle était solide ; mais il la mâchura de manière à y laisser ses traces. Je ne crois pas qu'il eût de mauvais desseins. Peut-être était-ce un jeune sujet qui voulait faire ses dents sur le premier objet venu, à la manière des jeunes chiens.

Un jour que, vers le coucher du soleil, mon beau-père allait voir un de ses amis à une demi-lieue de la maison, il rencontra à mi-chemin un loup, puis deux, puis trois, et en un instant il en compta quatorze. Il n'y fit pas grande attention : les loups n'attaquent guère, ils suivent : ils attendent que le cheval s'effraye, qu'il renverse son cavalier, ou qu'il bronche et tombe avec lui. Alors il faut se relever vite ; autrement ils vous étranglent. Mon beau-père, ayant un cheval habitué à ces rencontres, continua assez tranquillement sa route ; mais lorsqu'il s'arrêta à la grille de son voisin pour sonner, un de ses quatorze acolytes sauta au flanc de son cheval et mordit le bord de son manteau. Il n'avait pour défense qu'une cravache, dont il s'escrima sans effrayer l'ennemi ; alors il imagina de sauter à terre et de secouer violemment son manteau au nez des assaillants, qui s'enfuirent à toutes jambes. Cependant il avouait avoir trouvé la grille bien lente à s'ouvrir et l'avoir vue enfin ouverte avec une grande satisfaction.

Cette aventure du vieux colonel était déjà ancienne. À l'époque de mon récit il était si goutteux qu'il fallait deux hommes pour le mettre sur son cheval et l'en faire descendre. Pourtant, lorsqu'il était sur son petit bidet brun miroité, à crinière blonde, malgré sa grosse houppelande, ses longues guêtres en drap olive et ses cheveux blancs flottant au vent, il avait encore une tournure martiale et maniait tout doucement sa monture mieux qu'aucun de nous.

J'ai parlé des bandes d'Espagnols qui couraient le pays. C'étaient des Catalans principalement, habitants nomades du revers des Pyrénées. Les uns venaient chercher de l'ouvrage comme journaliers et inspiraient assez de confiance malgré leur mauvaise mine ; les autres arrivaient par groupes avec des troupeaux de chèvres qu'ils faisaient pâturer dans les vastes espaces incultes des landes environnantes ; mais ils s'aventuraient souvent sur la lisière des bois, où leurs bêtes étaient fort nuisibles. Les pourparlers étaient désagréables. Ils se retiraient sans rien dire, prenaient leur distance, et, maniant la fronde ou lançant le bâton avec une grande adresse, ils vous donnaient avis de ne pas trop les déranger à l'avenir. On les craignait beaucoup, et j'ignore si on est parvenu à se débarrasser de leur parcours ; mais je sais que cet abus persistait encore il y a quelques années, et que des propriétaires avaient été blessés et même tués dans ces combats.

C'était pourtant la même race d'hommes que ces montagnards austères dont j'avais envié aux Pyrénées le poétique destin. Ils étaient fort dévots, et qui sait s'ils ne croyaient pas consacrer comme un droit religieux l'occupation de nos landes par leurs troupeaux ? Peut-être regardaient-ils cette terre immense et quasi déserte comme un pays vierge que Dieu leur avait livré, et qu'ils devaient défendre en son nom contre les envahissements de la propriété individuelle.

C'était donc un pays de loups et de brigands que Guillery, et pourtant nous y étions tranquilles et joyeux. On s'y voyait beaucoup. Les grands et petits propriétaires d'alentour n'ayant absolument rien à faire, et cultivant, en outre, le goût de ne rien faire, leur vie se passait en promenades, en chasses, en réunions et en repas les uns chez les autres.

Le liège est un produit magnifiquement lucratif de ces contrées. C'est le seul coin de la France où il pousse abondamment ; et, comme il reste fort supérieur en qualité à celui de l'Espagne, il se vend fort cher. J'étais étonnée quand mon beau-père, me montrant un petit tas d'écorces d'arbres empilées sous un petit hangar, me disait : «Voici la récolte de l'année, quatre cents francs de dépense et vingt-cinq mille francs de profit net. »

Le chêne-liège est un gros vilain arbre en été. Son feuillage est rude et terne ; son ombre épaisse étouffe toute végétation autour de lui, et le soin qu'on prend de lui enlever son écorce, qui est le liège même, jusqu'à la naissance des maîtresses branches, le laisse dépouillé et difforme. Les plus frais de ces écorchés sont d'un rouge sanglant, tandis que d'autres, brunis déjà par un commencement de nouvelle peau, sont d'un noir brûlé ou enfumé, comme si un incendie avait passé et pris ces géants jusqu'à la ceinture. Mais, l'hiver, cette verdure éternelle a son prix. La seule chose dont j'eusse vraiment peur dans ces bois, c'était des troupeaux innombrables de cochons tachetés de noir, qui erraient, en criant d'un ton aigre et sauvage à la dispute de la glandée.

Le *surier* ou chêne-liège n'exige aucun soin. On ne le taille ni ne le dirige. Il se fait sa place, et vit enchanté d'un sable aride en apparence. À vingt ou trente ans, il commence à être bon à écorcher. À mesure qu'il prend de l'âge, sa peau devient meilleure et se renouvelle plus vite, car dès lors, tous les dix ans on procède à sa toilette en lui faisant deux grandes incisions verticales en temps utile. Puis, quand il a pris soin lui-même d'aider, par un travail naturel préalable, au travail de l'ouvrier, celui-ci lui glisse un petit outil *ad hoc* entre cuir et chair, et s'empare aisément du liège, qui vient en deux grands morceaux proprement coupés. Je ne sais pourquoi cette opération me répugnait comme une chose cruelle. Pourtant ces arbres étranges ne paraissaient pas en souffrir le moins du monde et grandissaient deux fois centenaires sous le régime de cette décortication périodique *.

Les *pignades* (bois de pins) de futaie n'étaient guère plus gaies que les *surettes* (bois de lièges). Ces troncs lisses et tous semblables, comme des colonnes élancées, surmontés d'une grosse tête ronde d'une fraîcheur monotone, cette ombre impénétrable, ces blessures d'où pleurait la résine, c'était à donner le spleen quand on avait à faire une longue route sans autre distraction que ce que mon beau-père appelait *compter les orangers lanusquets*[96]. Mais, en revanche, les jeunes bois, coupés de petits chemins de sable bien sinueux et ondulés, les petits ruisseaux babillant sous les grandes fougères, les folles clairières tourbeuses qui s'ouvraient sur la lande immense, infinie, rase et bleue comme la mer ; les vieux manoirs pittoresques, géants d'un autre âge, qui semblaient grandir de toute la petitesse, particulière à ce pays, des modernes constructions environnantes ; enfin, la chaîne des Pyrénées, qui, malgré la distance de trente lieues à vol d'oiseau, tout à coup, en de certaines dispositions de l'atmosphère, se dressait à l'horizon comme une muraille d'argent rosée, dentelée de rubis ; c'était, en somme, une nature intéressante sous un climat délicieux.

À une demi-lieue nous allions voir, chaque semaine, la marquise de Lusignan, belle et aimable châtelaine du très romantique et imposant manoir de Xaintrailles. Lahire était un peu plus loin. À Buzet, dans les splendides plaines de la Garonne, la famille de Beaumont nous attirait par des réunions nombreuses et des cha-

* Le grand débit du liège ne consiste pas dans les bouchons, auxquels on ne sacrifie que les rognures et le rebut : il s'expédie en planches d'écorce que l'on décourbe et aplatit, et dont on tapisse tous les appartements riches en Russie, entre la muraille et la tenture. C'est donc une denrée d'une cherté excessive, puisqu'elle croît sur un rayon de peu d'étendue (NdA).

rades en action dans un château magnifique. De Loga-
reil, à deux pas de chez nous, à travers bois, le bon
Auguste Berthet venait chaque jour. D'ailleurs venaient
Grammont, Trinqueléon et le bon petit médecin Lar-
naude. De Nérac venaient Lespinasse, d'Ast et tant
d'autres que je me rappelle avec affection, tous gens
aimables, pleins de bienveillance et de sympathie pour
moi, hommes et femmes ; bons enfants, actifs et
jeunes, même les vieux, vivant en bonne intelligence,
sans distinction de caste et sans querelles d'opinion. Je
n'ai gardé de ce pays-là que des souvenirs doux et
charmants.

J'espérais voir à Nérac ma chère Fannelly, devenue
madame Le Franc de Pompignan. Elle était à Toulouse
ou à Paris, je ne sais plus. Je ne trouvai que sa sœur
Aména, une charmante femme aussi, avec qui j'eus le
plaisir de parler du couvent.

Nous allâmes achever l'hiver à Bordeaux, où nous
retrouvâmes l'agréable société des eaux de Cauterets,
et où je fis connaissance avec les oncles, tantes, cousins
et cousines de mon mari, tous gens très honorables et
qui me témoignèrent de l'amitié.

Je voyais tous les jours ma chère Zoé, ses sœurs et
ses frères. Un jour que j'étais chez elle sans Maurice,
mon mari entra brusquement, très pâle, en me disant :
Il est mort ! Je crus que c'était Maurice ; je tombai sur
mes genoux. Zoé, qui comprit et entendit ce qu'ajoutait mon mari, me cria vite : *Non, non, votre beau-père !*
Les entrailles maternelles sont féroces : j'eus un violent
mouvement de joie ; mais ce fut un éclair. J'aimais
véritablement mon vieux papa, et je fondis en larmes.

Nous partîmes le jour même pour Guillery, et nous
passâmes une quinzaine auprès de madame Dudevant.
Nous la trouvâmes dans la chambre même où, en deux
jours, son mari était mort d'une attaque de goutte dans
l'estomac. Elle n'était pas encore sortie de cette
chambre qu'elle avait habitée une vingtaine d'années
avec lui, et où les deux lits restaient côte à côte. Je
trouvai cela touchant et respectable. C'était de la douleur comme je la comprenais, sans effroi ni dégoût de

la mort d'un être bien-aimé. J'embrassai madame
Dudevant avec une véritable effusion, et je pleurai tant
tout le jour auprès d'elle, que je ne songeai pas à
m'étonner de ses yeux secs et de son air tranquille. Je
pensais d'ailleurs que l'excès de la douleur retenait les
larmes et qu'elle devait affreusement souffrir de n'en
pouvoir répandre ; mais mon imagination faisait tous
les frais de cette sensibilité refoulée. Madame Dudevant était une personne glacée autant que glaciale. Elle
avait certainement aimé son excellent compagnon, et
elle le regrettait autant qu'il lui était possible ; mais elle
était de la nature des lièges, elle avait une écorce très
épaisse qui la garantissait du contact des choses
extérieures ; seulement cette écorce tenait bien et ne
tombait jamais.

Ce n'est pas qu'elle ne fût aimable : elle était gracieuse à la surface, un grand savoir-vivre lui tenant lieu
de grâce véritable. Mais elle n'aimait réellement personne, et ne s'intéressait à rien qu'à elle-même. Elle
avait une jolie figure douce sur un corps plat, osseux,
carré et large d'épaules. Cette figure donnait
confiance, mais la face seule ne traduit pas l'organisation entière. En regardant ses mains sèches et dures,
ses doigts noueux et ses grands pieds, on sentait une
nature sans charme, sans nuances, sans élans ni retours
de tendresse. Elle était maladive, et entretenait la
maladie par un régime de petits soins dont le résultat
était l'étiolement. Elle était vêtue en hiver de quatorze
jupons qui ne réussissaient pas à arrondir sa personne.
Elle prenait mille petites drogues, faisait à peine
quelques pas autour de sa maison, quand elle rencontrait, un jour par mois, le temps désirable. Elle parlait
peu et d'une voix si mourante, qu'on se penchait vers
elle avec le respect instinctif qu'inspire la faiblesse.
Mais dans son sourire banal il y avait quelque chose
d'amer et de perfide, dont par moments j'étais frappée
et que je ne m'expliquais pas. Ses compliments
cachaient les petites aiguilles fines d'une intention épi-
grammatique. Si elle eût eu de l'esprit, elle eût été
méchante.

Je ne crois pourtant pas qu'elle fût foncièrement mauvaise. Privée de santé et de courage, elle était aigrie intérieurement, et, à force de se tenir sur la défensive contre le froid et le chaud et de se défier de tous les agents extérieurs qui pouvaient apporter dans son état physique une perturbation quelconque, elle en était venue à étendre ces précautions et cette abstention aux choses morales, aux affections et aux idées. Elle n'en était que plus tendue et plus nerveuse, et, quand elle était surprise par la colère, on pouvait s'émerveiller de voir ce corps brisé retrouver une vigueur fébrile, et d'entendre cette voix languissante et cette parole doucereuse prendre un accent très âpre et trouver des expressions très énergiques.

Elle était, je crois, tout à fait impropre à gouverner ses affaires, et quand elle se vit à la tête de sa maison et de sa fortune, il se fit en elle une crise d'effroi et d'inquiétude égoïste qui la conduisit spontanément à l'avarice, à l'ingratitude et à une sorte de fausseté. Ennuyée de sa froide oisiveté, elle attira tour à tour auprès d'elle des amis, des parents, ceux de son mari et les siens. Elle exploita leurs dévouements successifs, ne put vivre avec aucun d'eux et s'amusa à les tromper tous en morcelant sa fortune entre plusieurs héritiers qu'elle connaissait à peine, et en frustrant d'une récompense méritée jusqu'à de vieux serviteurs qui lui avaient consacré trente ans de soins et de fidélité.

Elle était riche par elle-même, et n'ayant pas d'enfants, même adoptifs[97], il semble qu'elle eût dû abandonner à son beau-fils au moins une partie de l'héritage paternel. Il n'en fut rien. Elle s'était assuré de longue main, par testament, la jouissance de cette petite fortune, et même elle avait tenté d'en saisir la possession par la rédaction d'une clause qui se trouva, heureusement pour l'avenir de mon mari, contraire aux droits que la loi lui assurait.

Mon mari, connaissant d'avance les dispositions testamentaires de son père, ne fut pas surpris de ne voir aucun changement dans sa situation. Il resta très soumis et aussi tendre qu'il lui fut possible auprès de sa

belle-mère, espérant qu'elle lui ferait plus tard la part
meilleure ; mais ce fut en pure perte. Elle ne l'aima
jamais, le chassa de son lit de mort et ne lui laissa que
ce qu'elle n'avait pu lui ôter.

Cette pauvre femme m'a fait, à moi, sous d'autres
rapports, tout le mal qu'elle a pu ; mais je l'ai toujours
plainte. Je ne connais pas d'existence qui mérite plus
de pitié que celle d'une personne riche sans postérité,
qui se sent entourée d'égards qu'elle peut croire inté-
ressés, et qui voit dans tous ceux qui l'approchent des
aspirants à ses largesses. Être égoïste par instinct avec
cela, c'est trop, car c'est le complément d'une destinée
stérile et amère.

Nous retournâmes à Bordeaux, puis encore à
Guillery au mois de mai, et cette fois le pays ne me
parut pas agréable. Ce sable fin devient si léger, quand
il est sec, que le moindre pas le soulève en nuages
ardents qu'on avale quoi qu'on fasse. Nous passâmes
l'été à Nohant, et, de cette époque jusqu'à 1831, je ne
fis plus que de très courtes absences.

Ce fut donc une sorte d'établissement que je
regardai comme définitif et qui décida de mon avenir
conjugal. C'était, en apparence, le parti le plus sage à
prendre que de vivre chez soi modestement et dans un
milieu restreint, toujours le même. Pourtant il eût
mieux valu poursuivre une vie nomade et des relations
nombreuses. Nohant est une retraite austère par elle-
même, élégante et riante d'aspect par rapport à
Guillery, mais, en réalité, plus solitaire, et pour ainsi
dire imprégnée de mélancolie. Qu'on s'y rassemble,
qu'on la remplisse de rires et de bruit, le fond de l'âme
n'en reste pas moins sérieux et même frappé d'une
espèce de langueur qui tient au climat et au caractère
des hommes et des choses environnantes. Le Berrichon est lourd. Quand, par exception, il a la tête vive et
le sang chaud, il s'expatrie, irrité de ne pouvoir rien
agiter autour de lui ; ou, s'il est condamné à rester chez
nous, il se jette dans le vin et la débauche, mais tristement, à la manière des Anglais, dont le sang a été mêlé
plus qu'on ne croit à sa race. Quand un Gascon est

gris, un Berrichon est déjà ivre, et quand l'autre est un peu ivre, limite qu'il ne dépassera guère, le Berrichon est complètement *soûl* et ira s'abêtissant jusqu'à ce qu'il tombe. Il faut bien dire ce vilain mot, le seul qui peigne l'effet de la boisson sur les gens d'ici. La mauvaise qualité du vin y est pour beaucoup ; mais, dans l'intempérance avec laquelle on en use, il faut bien voir une fatalité de ce tempérament mélancolique et flegmatique, qui ne supporte pas l'excitation, et qui s'efforce de l'éteindre dans l'abrutissement.

En dehors des ivrognes, qui sont nombreux, et dont le désordre réduit les familles à la misère ou au désespoir, la population est bonne et sage, mais froide et rarement aimable. On se voit peu. L'agriculture est peu avancée, pénible, patiente et absorbante pour le propriétaire. Le vivre est cher, relativement au Midi. L'hospitalité se fait donc rare, pour garder, à l'occasion, l'apparence du faste ; et, par-dessus tout, il y a une paresse, un effroi de la locomotion qui tiennent à la longueur des hivers, à la difficulté des transports et encore plus à la torpeur des esprits.

Il y a vingt-cinq ans, cette manière d'être était encore plus tranchée ; les routes étaient plus rares et les hommes plus casaniers. Ce beau pays, quoique assez habité et bien cultivé, était complètement morne, et mon mari était comme surpris et effrayé du silence solennel qui plane sur nos champs dès que le soleil emporte avec lui les bruits déjà rares et contenus du travail. Là, point de loups qui hurlent, mais aussi plus de chants et de rires ; plus de cris de bergers et de clameurs de chasse. Tout est paisible, mais tout est muet. Tout repose, mais tout semble mort.

J'ai toujours aimé ce pays, cette nature et ce silence. Je n'en chéris pas seulement le charme, j'en subis le poids, et il m'en coûte de le secouer, quand même j'en vois le danger. Mais mon mari n'était pas né pour l'étude et la méditation. Quoique Gascon, il n'était pas non plus naturellement enjoué. Sa mère était Espagnole, son père descendait de l'Écossais Law [98]. La réflexion ne l'attristait pas, comme moi. Elle l'irritait. Il se fût soutenu dans le Midi, le Berry l'accabla. Il le détesta longtemps ; mais quand il en eut goûté les distractions et contracté les habitudes, il s'y cramponna comme à une seconde patrie.

Je compris bientôt que je devais m'efforcer d'étendre mes relations, que la vieillesse et la maladie de ma grand-mère avaient beaucoup restreintes et que mes années d'absence avaient encore refroidies. Je retrouvai mes compagnons d'enfance, qui, en général, ne plurent pas à M. Dudevant. Il se fit d'autres amis. J'acceptai franchement ceux qui me furent sympathiques sur quelque point, et j'attirai de plus loin ceux qui devaient convenir à lui comme à moi.

Le bon James et son excellente femme, ma chère mère Angèle, vinrent passer deux ou trois mois avec nous. Puis leur sœur, madame Saint-Agnan, avec ses filles. L'aînée, Félicie, était un ange.

Les Malus vinrent aussi. Le plus jeune, Adolphe, un cœur d'or, ayant été malade chez nous, nous lui fîmes la conduite jusqu'à Blois, avec mon frère, et nous vîmes le vieux château, alors converti en caserne et en poudrière, et abandonné aux dégradations des soldats, dont le bruit et le mouvement n'empêchaient pas certains corps de logis d'être occupés par des myriades d'oiseaux de proie. Dans le bâtiment de Gaston d'Orléans, le guano des hiboux et des chouettes était si épais, qu'il était impossible d'y pénétrer.

Je n'avais jamais vu une aussi belle chose de la Renaissance que ce vaste monument, tout abandonné et dévasté qu'il était. Je l'ai revu restauré, lambrissé, admirablement rajeuni et pour ainsi dire retrouvé sous les outrages du temps et de l'incurie : mais ce que je n'ai pas retrouvé, moi, c'est l'impression étrange et profonde que je subis la première fois, lorsque au lever du soleil je cueillis des violiers jaunes dans les crevasses des pierres fatidiques de l'observatoire de Catherine de Médicis.

En 1827, nous passâmes une quinzaine aux eaux du Mont-d'Or. J'avais fait une chute, et je souffris longtemps d'une entorse. Maurice vint avec nous. Il se faisait gamin et commençait à regarder la nature avec ses grands yeux attentifs, tout au beau milieu de son vacarme.

L'Auvergne me sembla un pays adorable. Moins vaste et moins sublime que les Pyrénées, il en avait la fraîcheur, les belles eaux et les recoins charmants. Les bois de sapins sont même plus agréables que les épicéas des grandes montagnes. Les cascades, moins terribles, ont de plus douces harmonies, et le sol, moins tourmenté par les orages et les éboulements, se couvre partout de fleurs luxuriantes.

Ursule était venue vivre chez moi en qualité de femme de charge. Cela ne put durer. Il y eut incompatibilité d'humeur entre elle et mon mari. Elle m'en voulut un peu de ne pas m'être prononcée pour elle. Elle me quitta presque fâchée, et puis, tout aussitôt, elle comprit que je n'avais pas dû agir autrement et me rendit son amitié, qui ne s'est jamais démentie depuis. Elle se maria à La Châtre avec un excellent homme qui l'a rendue heureuse, et elle est maintenant le seul être avec qui je puisse, sans lacune notable, repasser toute ma vie, depuis la première enfance jusqu'au demi-siècle accompli.

Les élections de 1827 signalèrent un mouvement d'opposition très marqué et très général en France. La haine du ministère Villèle produisit une fusion définitive entre les libéraux et les bonapartistes, qu'ils fussent noblesse ou bourgeoisie. Le peuple resta étranger au débat dans notre province. Les fonctionnaires seuls luttaient pour le ministère ; pas tous, cependant. Mon cousin Auguste de Villeneuve vint du Blanc voter à La Châtre, et, quoique fonctionnaire éminent (il était toujours trésorier de la ville de Paris), il se trouva d'accord avec mon mari et ses amis pour nommer M. Duris-Dufresne. Il passa quelques jours chez nous et me témoigna, ainsi qu'à Maurice, qu'il appelait son grand-oncle, beaucoup d'affection. J'oubliai qu'il m'avait fort blessée autrefois, en voyant qu'il ne s'en doutait pas et me traitait paternellement.

M. Duris-Dufresne, beau-frère du général Bertrand[99], était un républicain de vieille roche. C'était un homme d'une droiture antique, d'une grande simplicité de cœur, d'un esprit aimable et bienveillant. J'aimais ce type d'un autre temps, encore empreint de l'élégance du Directoire, avec des idées et des mœurs plus laconiennes[100]. Sa petite perruque rase et ses boucles d'oreilles donnaient de l'originalité à sa physionomie vive et fine. Ses manières avaient une distinction extrême. C'était un *jacobin* fort sociable.

Mon mari, s'occupant beaucoup d'opposition à cette époque, était presque toujours à la ville. Il désira s'y créer un centre de réunions et y louer une maison où nous donnâmes des bals et des soirées qui continuèrent même après la nomination de M. Duris-Dufresne.

Mais nos réceptions donnèrent lieu à un scandale fort comique. Il y avait alors, et il y a encore un peu à La Châtre, deux ou trois *sociétés* qui, de mémoire d'homme, ne s'étaient mêlées à la danse. Les distinctions entre la première, la seconde et la troisième étaient fort arbitraires, et la délimitation insaisissable pour qui n'avait pas étudié à fond la matière.

Bien qu'en *guerre* d'opinions avec la sous-préfecture, j'étais fort liée avec M. et madame de Périgny[101], couple aimable et jeune, avec qui j'avais les meilleures relations de voisinage. Eux aussi voulurent ouvrir leur salon ; leur position leur en faisait une sorte de devoir, et nous convînmes de simplifier le détail des invitations en nous servant de la même liste.

Je leur communiquai la mienne, qui était fort générale, et où naturellement j'avais inscrit toutes les personnes que je connaissais tant soit peu. Mais, ô abomination ! il se trouva que plusieurs des familles que j'aimais et estimais à plus juste titre étaient reléguées au second et au troisième rang dans les us et coutumes de l'aristocratie bourgeoise de La Châtre. Aussi, quand ces hauts personnages se virent en présence de leurs *inférieurs*, il y eut colère, indignation, malédiction sur l'arrogant sous-préfet, qui n'avait agi ainsi, disait-on, que pour marquer son mépris à tous les gens du pays, en les mettant *comme des œufs dans le même panier.*

> *La semaine suivante*
> *Le punch est préparé ;*
> *La maîtresse est brillante,*
> *Le salon est ciré.*
> *Il vint trois invités, de chétive encolure :*
> *Dans la ville on disait : Bravo !*
> *On donne un bal incognito*
> *À la sous-préfecture.*

Ce couplet d'une chanson que je fis le soir même avec Duteil [102] contient en peu de mots le récit véridique de l'immense événement. En la relisant, je vois que, sans être bien drôle, cette chanson est affaire de mœurs locales et qu'elle mérite de rester dans les archives de la tradition… à La Châtre ! Elle est intitulée *Soirée administrative, ou le Sous-préfet philosophe.* Voici les deux premiers couplets, qui résument l'affaire. C'est sur l'air des *Bourgeois de Chartres :*

> *Habitants de La Châtre,*
> *Nobles, bourgeois, vilains,*
> *D'un petit gentillâtre*
> *Apprenez les dédains :*
> *Ce jeune homme, égaré par la philosophie,*
> *Oubliant, dans sa déraison,*
> *Les usages et le bon ton,*
> *Vexe la bourgeoisie.*

> *Voyant que dans la ville*
> *Plus d'un original*
> *Tranche de l'homme habile*
> *Et se dit libéral,*
> *À nos tendres moitiés qui frondent la noblesse*
> *Il crut plaire en donnant un bal,*
> *Où chacun pût d'un pas égal*
> *Aller comme à la messe.*

On a vu le dénouement. La chanson faillit le pousser jusqu'au tragique. Elle avait été faite au coin du feu de Périgny, et devait rester entre nous ; mais Duteil ne put se tenir de la chanter. On la retint, on la copia ; elle passa dans toutes les mains et souleva des tempêtes. Au moment où je l'avais complètement oubliée, je vis des yeux féroces et j'entendis des cris de rage autour de moi. Cela eut le bon résultat de détourner la foudre de la tête de mes amis Périgny et de l'attirer sur la mienne. Les plus gros bonnets de l'endroit firent serment de ne point m'honorer de leur présence ; Périgny, piqué de tant de sottise, ferma son salon. Je laissai le mien ouvert et augmentai mes invitations à la seconde société. C'était la meilleure leçon à donner à la première, car, n'étant pas fonctionnaire, j'avais le droit de me passer d'elle. Mais sa rancune ne tint pas contre deux ou trois soupers. D'ailleurs, dans cette *première*, j'avais d'excellents amis qui se moquaient de la conspiration et qui trahissaient ouvertement la *bonne cause*. Mon salon fut donc si rempli qu'on y étouffait, et la confusion y fut telle, que les dames de la première et de la seconde race se laissèrent entraîner à se toucher le bout des doigts pour faire la figure de contredanse qu'on appelle le *moulinet*. Quelques orthodoxes dirent que c'était une *cohue*. Je m'amusai à les remercier très humblement de l'honneur qu'ils me faisaient de venir chez moi, bien que je fusse de la troisième société. On cria anathème, mais on n'en mangea pas moins les pâtés, et on n'en fêta pas moins le champagne de l'insurrection. Ce fut le signal d'une grande décadence dans les constitutions hiérarchiques de cette petite oligarchie.

Au mois de septembre 1828, ma fille Solange vint au monde à Nohant. Le médecin arriva quand je dormais déjà et que la pouponne était habillée et parée de ses rubans roses. J'avais beaucoup désiré avoir une fille, et cependant je n'éprouvai pas la joie que Maurice m'avait donnée. Je craignais que ma fille ne vécût pas, parce que j'étais accouchée avant terme, à la suite d'une frayeur. Ma petite nièce Léontine, ayant fait un mauvais rêve la veille au soir, s'était mise à jeter des cris si aigus dans l'escalier, où elle s'était élancée pour appeler sa mère, que je m'imaginai qu'elle avait roulé les marches et qu'elle était brisée. Je commençai aussitôt à sentir des douleurs, et en m'éveillant le lendemain, je n'eus que le temps de préparer les petits bonnets et les petites brassières, qu'heureusement j'avais terminés.

Je me souviens de l'étonnement d'un de nos amis de Bordeaux qui était venu nous voir, quand il me trouva, de grand matin, seule au salon, dépliant et arrangeant la layette, qui était encore en partie dans ma boîte à ouvrage. « Que faites-vous donc là ? me dit-il. – Ma foi, vous le voyez, lui répondis-je, je me dépêche pour quelqu'un qui arrive plus tôt que je ne pensais. »

Mon frère, qui avait vu ma frayeur de la veille à propos de sa fille, et qui m'aimait véritablement quand il avait sa tête, courut ventre à terre pour amener un médecin. Tout était fini quand il revint, et il eut une si grande joie de voir l'enfant vivant, qu'il était comme fou. Il vint m'embrasser et me rassurer en me disant que ma fille était belle, forte, et qu'elle vivrait. Mais je ne me tranquillisai intérieurement qu'au bout de quelques jours, en la voyant venir à merveille.

Au retour de ce temps de galop, mon frère était affamé. On se mit à table, et deux heures après il rentra chez moi tellement ivre que, croyant s'asseoir sur le pied de mon lit, il tomba sur son derrière au milieu de la chambre. J'avais encore les nerfs très excités ; j'eus un tel fou rire, qu'il s'en aperçut et fit de grands efforts pour retrouver ses idées. « Eh bien, je suis gris, me dit-il, voilà tout. Que veux-tu ? j'ai été très ému, très inquiet, ce matin ; ensuite j'ai été très content, très heureux, et c'est la joie qui m'a grisé ; ce n'est pas le vin, je te jure, c'est l'amitié que j'ai pour toi qui m'empêche de me tenir sur mes jambes. » Il fallait bien pardonner en vue d'un si beau raisonnement.

Je passai l'hiver suivant à Nohant. Au printemps de 1829, j'allai à Bordeaux avec mon mari et mes deux enfants. Solange était sevrée, et elle était devenue la plus robuste des deux.

À l'automne, j'allai passer à Périgueux quelques jours auprès de Félicie Molliet, une de mes amies du

Berry. Je poussai jusqu'à Bordeaux pour embrasser Zoé. Le froid me prit en route, et j'en souffris beaucoup au retour.

Enfin, en 1830, je fis avec Maurice, au mois de mai, je crois, une nouvelle course rapide de Nohant à Paris. J'oublie ou je confonds les époques de trois ou quatre autres apparitions de quelques jours à Paris, avec ou sans mon mari. L'une eut pour but une consultation sur ma santé, qui s'était beaucoup altérée. Broussais me dit que j'avais un anévrisme au cœur ; Landré-Beauvais, que j'étais phtisique ; Rostan, que je n'avais rien du tout.

Malgré ces courts déplacements annuels, je peux dire que, de 1826 à 1831, j'avais constamment vécu à Nohant. Jusque-là, malgré des ennuis et des chagrins sérieux, je m'y étais trouvée dans les meilleures conditions possibles pour ma santé morale. À partir de ce moment-là, l'équilibre entre les peines et les satisfactions se trouva rompu. Je sentis la nécessité de prendre un parti. Je le pris sans hésiter, et mon mari y donna les mains : j'allai vivre à Paris avec ma fille, moyennant un arrangement qui me permettait de revenir tous les trois mois passer trois mois à Nohant ; et jusqu'à l'époque où Maurice entra au collège à Paris, je suivis très exactement le plan que je m'étais tracé [103]. Je le laissais entre les mains d'un précepteur qui était avec nous déjà depuis deux ans, et qui a toujours été, depuis ce temps-là, un de mes amis les plus sûrs et les plus parfaits. Ce n'était pas seulement un instituteur pour mon fils, c'était un compagnon, un frère aîné, presque une mère. Pourtant il m'était impossible de me séparer de Maurice pour longtemps et de ne pas veiller sur lui la moitié de l'année.

J'ai dû esquisser rapidement ces jours de retraite et d'apparente inaction. Ce n'est pas qu'ils ne soient remplis pour moi de souvenirs ; mais l'action de ma volonté y fut tellement intérieure et ma personnalité s'y effaça si bien, que je n'aurais à raconter que l'histoire des autres autour de moi [104] ; et c'est un droit que je ne crois avoir que dans de certaines limites, surtout à l'égard de certaines personnes.

Pour ne pas revenir en arrière, et pour résumer cependant le résultat de ces années écoulées sur l'histoire de ma propre vie, je dirai ce que j'étais lorsque, dans l'hiver de 1831, je vins à Paris avec l'intention d'écrire.

XII

Coup d'œil rétrospectif sur quelques années esquissées dans le précédent chapitre. – Intérieur troublé. – Rêves évanouis. – Ma religion. – Question de la liberté des cultes n'impliquant pas la liberté de s'abstenir de culte extérieur. – Mort douce d'une idée fixe. – Mort d'un cricri. – Projets d'un avenir à ma guise, vagues, mais persistants. – Pourquoi ces projets. – La gestion d'une année de revenu. – Ma démission. – Sorte d'interdiction de fait. – Mon frère et sa passion fâcheuse. – Les vents salés, les figures salées. – Essai d'un petit métier. – Le musée de peinture. – Révélation de l'art, sans certitude d'aucune spécialité. – Inaptitude pour les sciences naturelles, malgré l'amour de la nature. – On m'accorde une pension et la liberté. – Je quitte Nohant pour trois mois.

J'avais énormément vécu dans ce peu d'années. Il me semblait même avoir vécu cent ans sous l'empire de la même idée, tant je me sentais lasse d'une gaieté sans expansion, d'un intérieur sans intimité, d'une solitude que le bruit et l'ivresse rendaient plus absolue autour de moi. Je n'avais pourtant à me plaindre sérieusement d'aucun mauvais procédé direct, et quand cela même eût été, je n'aurais pas consenti à m'en apercevoir. Le désordre de mon pauvre frère et de ceux qui se laissaient entraîner avec lui[105] n'en était pas venu à ce point que je ne me sentisse plus leur inspirer une sorte de crainte qui n'était pas de la condescendance, mais un respect instinctif. J'y avais mis, de mon côté, toute la tolérance possible. Tant que l'on se bornait à être radoteur, fatigant, bruyant, malade même et fort dégoûtant, je tâchais de rire, et je m'étais même habituée à supporter un ton de plaisanterie qui dans le principe m'avait révoltée. Mais quand les nerfs se mettaient de la partie, quand on devenait obscène et grossier, quand mon pauvre frère lui-même, si long-temps soumis et repentant devant mes remontrances, devenait brutal et méchant, je me faisais sourde, et, dès que je le pouvais, je rentrais, sans faire semblant de rien, dans ma petite chambre.

Là, je savais bien m'occuper et me distraire du vacarme extérieur, qui durait souvent jusqu'à six ou sept heures du matin. Je m'étais habituée à travailler, la nuit, auprès de ma grand-mère malade ; maintenant j'avais d'autres malades, non à soigner, mais à entendre divaguer.

Mais la solitude morale était profonde, absolue : elle eût été mortelle à une âme tendre et à une jeunesse encore dans sa fleur, si elle ne se fût remplie d'un rêve qui avait pris l'importance d'une passion, non pas dans ma vie, puisque j'avais sacrifié ma vie au devoir, mais dans ma pensée. Un être absent, avec lequel je m'entre-tenais sans cesse, à qui je rapportais toutes mes réflexions, toutes mes rêveries, toutes mes humbles vertus, tout mon platonique enthousiasme, un être excellent en réalité, mais que je parais de toutes les per-fections que ne comporte pas l'humaine nature, un homme enfin qui m'apparaissait quelques jours, quelques heures parfois, dans le courant d'une année, et qui, romanesque auprès de moi autant que moi-même, n'avait mis aucun effroi dans ma religion, aucun trouble dans ma conscience, ce fut là le soutien et la consolation de mon exil dans le monde de la réalité [106].

Ma religion, elle était restée la même, elle n'a jamais varié quant au fond. Les formes du passé se sont éva-nouies pour moi comme pour mon siècle [107] à la lumière de l'étude et de la réflexion ; mais la doctrine éternelle des croyants, le Dieu bon, l'âme immortelle et les espérances de l'autre vie, voilà ce qui, en moi, a résisté à tout examen, à toute discussion et même à des intervalles de doute désespéré. Des cagots m'ont jugée autrement et m'ont déclarée sans principes, dès le commencement de ma carrière littéraire, parce que je me suis permis de regarder en face les institutions purement humaines dans lesquelles il leur plaisait de faire intervenir la Divinité. Des politiques m'ont décrétée aussi d'athéisme à l'endroit de leurs dogmes étroits ou variables. Il n'y a pas de principes, selon les intolérants ou les hypocrites de toutes les croyances, là où il n'y a pas d'aveuglement ou de poltronnerie. Qu'importe ?

Je n'écris pas pour me défendre de ceux qui ont un parti pris contre moi. J'écris pour ceux dont la sympathie naturelle, fondée sur une conformité d'instincts, m'ouvre le cœur et m'assure la confiance. C'est à ceux-là seulement que je peux faire quelque bien [108]. Le mal que les autres peuvent me faire, à moi, je ne m'en suis jamais beaucoup aperçue.

Il n'est pas indispensable, d'ailleurs, au salut de l'humanité que j'aie trouvé ou perdu la vérité. D'autres la retrouveront, quelque égarée qu'elle soit dans le monde et dans le siècle. Tout ce que je peux et dois faire, moi, c'est de confesser ma foi simplement, dût-elle paraître insuffisante aux uns, excessive aux autres.

Entrer dans la discussion des formes religieuses est une question de culte extérieur dont cet ouvrage-ci n'est pas le cadre. Je n'ai donc pas à dire pourquoi et comment je m'en détachai jour par jour, comment j'essayai de les admettre encore pour satisfaire ma logique naturelle, et comment je les abandonnai franchement et définitivement, le jour où je crus reconnaître que la logique même m'ordonnait de m'en dégager. Là n'est pas le point religieux important de ma vie. Là je ne trouve ni angoisses ni incertitudes dans mes souvenirs. La vraie question religieuse, je l'avais prise de plus haut dès mes jeunes années. Dieu, son existence éternelle, sa perfection infinie, n'étaient guère révoqués en doute que dans des heures de spleen maladif, et l'exception de la vie intellectuelle ne doit pas compter dans un résumé de la vie entière de l'âme.

Ce qui m'absorbait, à Nohant comme au couvent, c'était la recherche ardente ou mélancolique, mais assidue, des rapports qui peuvent, qui doivent exister entre l'âme individuelle et cette âme universelle que nous appelons Dieu. Comme je n'appartenais au monde ni de fait ni d'intention ; comme ma nature contemplative se dérobait absolument à ses influences ; comme, en un mot, je ne pouvais et ne voulais agir qu'en vertu d'une loi supérieure à la coutume et à l'opinion, il m'importait fort de chercher en Dieu le mot de l'énigme de ma vie, la notion de mes vrais devoirs, la sanction de mes sentiments les plus intimes.

Pour ceux qui ne voient dans la Divinité qu'une loi fatale, aveugle et sourde aux larmes et aux prières de la créature intelligente, ce perpétuel entretien de l'esprit avec un problème insoluble rentre probablement dans ce qu'on a appelé le mysticisme. Mystique ? soit ! Il n'y a pas une très grande variété de types intellectuels dans l'espèce humaine, et j'appartenais apparemment à ce type-là. Il ne dépendait pas de moi de me conduire par la lumière de la raison pure, par les calculs de l'intérêt personnel, par la force de mon jugement ou par la soumission à celui des autres. Il me fallait trouver, non pas en dehors, mais au-dessus des conceptions passagères de l'humanité, au-dessus de moi-même, un idéal de force, de vérité, un type de perfection immuable à embrasser, à contempler, à consulter et à implorer sans cesse. Longtemps je fus gênée par les habitudes de prière que j'avais contractées, non quant à la lettre, on a vu que je n'avais jamais pu m'y astreindre, mais quant à l'esprit. Quand l'idée de Dieu se fut agrandie en même temps que mon âme s'était complétée, quand je crus comprendre ce que j'avais à dire à Dieu, de quoi le remercier, quoi lui demander, je retrouvai mes effusions, mes larmes, mon enthousiasme et ma confiance d'autrefois.

Alors j'enfermai en moi la croyance, comme un mystère, et, ne voulant pas la discuter, je la laissai discuter et railler aux autres sans écouter, sans entendre, sans être entamée ni troublée un seul instant. Je dirai comment cette foi sereine fut encore ébranlée plus tard ; mais elle ne le fut que par ma propre fièvre, sans que l'action des autres y fût pour rien.

Je n'eus jamais le pédantisme de ma préoccupation ; personne ne s'en douta jamais, et quand, peu d'années après, j'eus écrit *Lélia* et *Spiridion*[109], deux ouvrages qui résument pour moi beaucoup d'agitations morales, mes plus intimes amis se demandaient avec stupeur en quels jours, à quelles heures de ma vie, j'avais passé par ces âpres chemins entre les cimes de la foi et les abîmes de l'épouvante.

Voici quelques mots que m'écrivait le Malgache[110] après *Lélia*. « Que diable est-ce là ? Où avez-vous pris tout cela ? Pourquoi avez-vous fait ce livre ? D'où sort-il, où va-t-il ? Je vous savais bien rêveuse, je vous *croyais croyante*, au fond ; mais je ne me serais jamais douté que vous pussiez attacher tant d'importance à pénétrer les secrets de ce grand *peut-être*, et à retourner dans tous les sens cet immense point d'interrogation dont vous feriez mieux de ne pas vous soucier plus que moi.

« On se moque de moi ici parce que j'aime ce livre. J'ai peut-être tort de l'aimer, mais il s'est emparé de moi et m'empêche de dormir. Que le bon Dieu vous bénisse de me secouer et de m'agiter comme ça ? mais qui donc est l'auteur de *Lélia* ? Est-ce vous ? Non. Ce type, c'est une fantaisie. Ça ne vous ressemble pas, à vous qui êtes gaie, qui dansez la bourrée, qui appréciez le lépidoptère, qui ne méprisez pas le calembour, qui ne cousez pas mal, et qui faites très bien les confitures ! Peut-être bien, après tout, que nous ne vous connaissions pas, et que vous nous cachiez sournoisement vos rêveries. Mais est-il possible que vous ayez pensé à tant de choses, retourné tant de questions et avalé tant de couleuvres psychologiques, sans que personne s'en soit jamais douté ? »

J'arrivais donc à Paris, c'est-à-dire au début d'une nouvelle phase de mon existence, avec des idées très arrêtées sur les choses abstraites à mon usage, mais avec une grande indifférence et une complète ignorance des choses de la réalité. Je ne tenais pas à les savoir ; je n'avais de parti pris sur quoi que ce soit, dans cette société à laquelle je voulais de moins en moins appartenir. Je ne comptais pas la réformer : je ne m'intéressais pas assez à elle pour avoir cette ambition. C'était un tort, sans doute, que ce détachement et cette paresse ; mais c'était l'inévitable résultat d'une vie d'isolement et d'apathie.

Un dernier mot pourtant sur le catholicisme ortho-doxe. En passant légèrement sur l'abandon du culte extérieur, je ne prétends pas faire aussi bon marché de la question de culte en général que j'ai peut-être eu l'air de le dire. Raconter et juger est un travail simultané peu facile, quand on ne veut pas s'arrêter trop souvent et lasser la patience du lecteur [111].

Disons donc ici très vite que la nécessité des cultes n'est pas encore chose jugée pour moi, et que je vois aujourd'hui autant de bonnes raisons pour l'admettre que pour la rejeter. Cependant, si l'on reconnaît, avec toutes les écoles de la philosophie moderne, un prin-cipe de tolérance absolue à cet égard dans les gouver-nements, je me trouve parfaitement dans mon droit de refuser de m'astreindre à des formules qui ne me satis-font pas et dont aucune ne peut remplacer ni même laisser libre l'élan de ma pensée et l'inspiration de ma prière. Dans ce cas, il faut reconnaître encore que, s'il est des esprits qui ont besoin, pour garder la foi, de s'assujettir à des pratiques extérieures, il en est aussi qui ont besoin, dans le même but, de s'isoler entière-ment.

Pourtant il y a là une grave question morale pour le législateur.

L'homme sera-t-il meilleur en adorant Dieu à sa guise, ou en acceptant une règle établie ? Je vois dans la prière ou dans l'action de grâces en commun, dans les honneurs rendus aux morts, dans la consécration de la naissance et des principaux actes de la vie, des choses admirables et saintes que ne remplacent pas les contrats et les actes purement civils. Je vois aussi l'esprit de ces institutions tellement perdu et dénaturé, qu'en bien des cas l'homme les observe de manière à en faire un sacrilège. Je ne puis prendre mon parti sur des pratiques admises par prudence, par calcul, c'est-à-dire par lâcheté ou par hypocrisie. La routine de l'habitude me paraît une profanation moindre, mais c'en est une encore, et quel sera le moyen d'empêcher que toute espèce de culte n'en soit pas souillée ?

Tout mon siècle a cherché et cherche encore. Je n'en sais pas plus long que mon siècle ★ [112].

....

Pourquoi cette solitude qui avait franchi les plus vives années de ma jeunesse ne me convenait-elle plus, voilà ce que je n'ai pas dit et ce que je peux très bien dire.

L'être absent, je pourrais presque dire l'*invisible*, dont j'avais fait le troisième terme de mon existence (*Dieu, lui et moi*), était fatigué de cette aspiration surhumaine à l'amour sublime. Généreux et tendre, il ne le disait pas, mais ses lettres devenaient plus rares, ses expressions plus vives ou plus froides, selon le sens que je voulais y attacher. Ses passions avaient besoin d'un autre aliment que l'amitié enthousiaste et la vie épistolaire. Il avait fait un serment qu'il m'avait tenu religieusement et sans lequel j'eusse rompu avec lui ; mais il ne

* Il y a quelques années, j'aurais volontiers admis, en principe d'avenir, une religion d'État avec la liberté de discussion, et une loi de discipline dans cette même discussion. J'avoue que depuis j'ai varié dans cette croyance. Je n'ai pas admis intérieurement sans réserve la doctrine de liberté absolue ; mais j'ai trouvé dans les travaux socialistes de M. Émile de Girardin une si forte démonstration du droit de liberté individuelle, que j'ai besoin de chercher encore comment la liberté morale échappera à ses propres excès si l'on accorde à l'homme, dès l'enfance, le droit d'incrédulité absolue. Quand je dis *chercher*, je me vante. Que trouve-t-on à soi tout seul ? Le doute. J'aurais dû dire *attendre*. Les questions s'éclairent avec le temps par l'œuvre collective des esprits supérieurs, et cette œuvre-là est toujours collective en dépit des divergences apparentes. Il ne s'agit que d'avoir patience, et la lumière se fait. Ce qui la retarde beaucoup, c'est l'ardeur orgueilleuse que nous avons tous, en ce monde, de prendre parti pour une des formes de la vérité. Il est bon que nous ayons cette ardeur, mais il est bon aussi qu'à certaines heures nous ayons la bonne foi de dire : Je ne sais pas (NdA).

m'avait pas fait de serment restrictif à l'égard des joies
ou des plaisirs qu'il pouvait rencontrer ailleurs. Je
sentis que je devenais pour lui une chaîne terrible, ou
que je n'étais plus qu'un amusement d'esprit. Je pen-
chai trop modestement vers cette dernière opinion, et
j'ai su plus tard que je m'étais trompée. Je ne m'en suis
que davantage applaudie d'avoir mis fin à la contrainte
de son cœur et à l'empêchement de sa destinée. Je
l'aimai longtemps encore dans le silence et l'abattement. Puis je pensai à lui avec calme, avec reconnaissance, et je n'y pense jamais qu'avec une amitié
sérieuse et une estime fondée.

Il n'y eut ni explication ni reproche, dès que mon
parti fut pris. De quoi me serais-je plainte ? Que pou-
vais-je exiger ? Pourquoi aurais-je tourmenté cette
belle et bonne âme, gâté cette vie pleine d'avenir ? Il y
a, d'ailleurs, un point de détachement où celui qui a
fait le premier pas ne doit plus être interrogé et persé-
cuté, sous peine d'être forcé de devenir cruel ou malheureux. Je ne voulais pas qu'il en fût ainsi. Il n'avait
pas mérité de souffrir, *lui* ; et moi, je ne voulais pas
descendre dans son respect, en risquant de l'irriter. Je
ne sais pas si j'ai raison de regarder la fierté comme un
des premiers devoirs de la femme, mais il n'est pas en
mon pouvoir de ne pas mépriser la passion qui
s'acharne. Il me semble qu'il y a là un attentat contre le
ciel, qui seul donne et reprend les vraies affections. On
ne doit pas plus disputer la possession d'une âme que
celle d'un esclave. On doit rendre à l'homme sa liberté,
à l'âme son élan, à Dieu la flamme émanée de lui.

Quand ce divorce tranquille, mais sans retour, fut
accompli, j'essayai de continuer l'existence que rien
d'extérieur n'avait dérangée ni modifiée ; mais cela fut
impossible. Ma petite chambre ne voulait plus de
moi [113].

J'habitais alors l'ancien boudoir de ma grand-mère,
parce qu'il n'y avait qu'une porte et que ce n'était un
passage pour personne, sous aucun prétexte que ce
fût. Mes deux enfants occupaient la grande chambre
attenante. Je les entendais respirer, et je pouvais veiller

sans troubler leur sommeil. Ce boudoir était si petit, qu'avec mes livres, mes herbiers, mes papillons et mes cailloux (j'allais toujours m'amusant à l'histoire naturelle sans rien apprendre), il n'y avait pas de place pour un lit. J'y suppléais par un hamac. Je faisais mon bureau d'une armoire qui s'ouvrait en manière de secrétaire et qu'un *cricri*[114], que l'habitude de me voir avait apprivoisé, occupa longtemps avec moi. Il y vivait de mes pains à cacheter, que j'avais soin de choisir blancs, dans la crainte qu'il ne s'empoisonnât. Il venait manger sur mon papier pendant que j'écrivais, après quoi il allait chanter dans un certain tiroir de prédilection. Quelquefois il marchait sur mon écriture, et j'étais obligée de le chasser pour qu'il ne s'avisât pas de goûter à l'encre fraîche. Un soir, ne l'entendant plus remuer et ne le voyant pas venir, je le cherchai partout. Je ne trouvai de mon ami que les deux pattes de derrière entre la croisée et la boiserie. Il ne m'avait pas dit qu'il avait l'habitude de sortir, la servante l'avait écrasé en fermant la fenêtre.

J'ensevelis ses tristes restes dans une fleur de datura, que je gardai longtemps comme une relique ; mais je ne saurais dire quelle impression me fit ce puéril incident, par sa coïncidence avec la fin de mes poétiques amours. J'essayai bien de faire là-dessus de la poésie, j'avais ouï dire que le bel esprit console de tout ; mais, tout en écrivant *la Vie et la Mort d'un esprit familier*, ouvrage inédit et bien fait pour l'être toujours[115], je me surpris plus d'une fois tout en larmes. Je songeais malgré moi que ce petit cri du grillon, qui est comme la voix même du foyer domestique, aurait pu chanter mon bonheur réel, qu'il avait bercé au moins les derniers épanchements d'une illusion douce, et qu'il venait de s'envoler pour toujours avec elle.

La mort du grillon marqua donc, comme d'une manière symbolique, la fin de mon séjour à Nohant. Je m'inspirai d'autres pensées, je changeai ma manière de vivre, je sortis, je me promenai beaucoup durant l'automne. J'ébauchai une espèce de roman qui n'a jamais vu le jour ; puis, l'ayant lu, je me convainquis qu'il ne valait rien, mais que j'en pouvais faire de moins mauvais, et qu'en somme il ne l'était pas plus que beaucoup d'autres qui faisaient vivre tant bien que mal leurs auteurs. Je reconnus que j'écrivais vite, facilement, longtemps sans fatigue ; que mes idées, engourdies dans mon cerveau, s'éveillaient et s'enchaînaient, par la déduction, au courant de la plume ; que, dans ma vie de recueillement, j'avais beaucoup observé et assez bien compris les caractères que le hasard avait fait passer devant moi, et que, par conséquent, je connaissais assez la nature humaine pour la dépeindre ; enfin, que, de tous les petits travaux dont j'étais capable, la littérature proprement dite était celui qui m'offrait le plus de chances de succès comme métier, et, tranchons le mot, comme gagne-pain.

Quelques personnes, avec qui je m'en expliquai au commencement, crièrent *fi* ! La poésie pouvait-elle exister, disaient-elles, avec une semblable préoccupation ? Était-ce donc pour trouver une profession matérielle que j'avais tant vécu dans l'idéal ?

Moi, j'avais mon idée là-dessus depuis longtemps. Dès avant mon mariage j'avais senti que ma situation dans la vie, ma petite fortune, ma liberté de ne rien faire, mon prétendu droit de commander à un certain nombre d'êtres humains, paysans et domestiques, enfin mon rôle d'héritière et de châtelaine, malgré ses minces proportions et son imperceptible importance, était contraire à mon goût, à ma logique, à mes facultés. Que l'on se rappelle comment la pauvreté de ma mère, qui l'avait séparée de moi, avait agi sur ma petite cervelle et sur mon pauvre cœur d'enfant ; comment j'avais, dans mon for intérieur, repoussé l'héritage, et projeté longtemps de fuir le bien-être pour le travail.

À ces idées romanesques succéda, dans les commencements de mon mariage, la volonté de complaire à mon mari et d'être la femme de ménage qu'il souhaitait que je fusse. Les soins domestiques ne m'ont jamais ennuyée, et je ne suis pas de ces esprits sublimes qui ne peuvent descendre de leurs nuages. Je vis beaucoup dans les nuages, certainement, et c'est une raison de plus pour que j'éprouve le besoin de me retrouver souvent sur la terre. Souvent, fatiguée et obsédée par mes propres agitations, j'aurais volontiers dit, comme Panurge sur la mer en fureur : « Heureux celui qui plante choux ! il a un pied sur la terre, et l'autre n'en est distant que d'un fer de bêche [116] ! »

Mais ce fer de bêche, ce quelque chose entre la terre et mon second pied, voilà justement ce dont j'avais besoin et ce que je ne trouvais pas. J'aurais voulu une raison, un motif aussi simple que l'action de *planter choux*, mais aussi logique, pour m'expliquer à moi-même le but de mon activité. Je voyais bien qu'en me donnant beaucoup de soins pour économiser sur toutes choses, comme cela m'était recommandé, je n'arrivais qu'à me pénétrer de l'impossibilité d'être économe sans égoïsme en certains cas ; plus j'appro-chais de la terre, en creusant le petit problème de lui faire rapporter le plus possible, et plus je voyais que la terre rapporte peu et que ceux qui ont peu ou point de terre à bêcher ne peuvent pas exister avec leurs deux bras. Le salaire était trop faible, le travail trop peu assuré, l'épuisement et la maladie trop inévitables. Mon mari n'était pas inhumain et ne m'arrêtait pas dans le détail de la dépense ; mais quand, au bout du mois, il voyait mes comptes, il perdait la tête et me la faisait perdre aussi en me disant que mon revenu était de moitié trop faible pour ma libéralité, et qu'il n'y avait aucune possibilité de vivre à Nohant et avec Nohant sur ce pied-là. C'était la vérité ; mais je ne pouvais prendre sur moi de réduire au strict nécessaire l'aisance de ceux que je gouvernais et de refuser le nécessaire à ceux que je ne gouvernais pas. Je ne résis-tais à rien de ce qui m'était imposé ou conseillé, mais je ne savais pas m'y prendre. Je m'impatientais et j'étais débonnaire. On le savait, et on en abusait souvent.

Ma gestion ne dura qu'une année. On m'avait pres-crit de ne pas dépasser dix mille francs ; j'en dépensai quatorze, de quoi j'étais penaude comme un enfant pris en faute. J'offris ma démission, et on l'accepta. Je

rendis mon portefeuille et renonçai même à une pension de quinze cents francs qui m'était assurée par
contrat de mariage pour ma toilette. Il ne m'en fallait
pas tant, et j'aimais mieux être à la discrétion de mon
gouvernement que de réclamer. Depuis cette époque
jusqu'en 1831, je ne possédais pas une obole, je ne pris
pas cent sous dans la bourse commune sans les
demander à mon mari, et quand je le priai de payer
mes dettes personnelles au bout de neuf ans de
mariage, elles se montaient à cinq cents francs.

Je ne rapporte pas ces petites choses pour me
plaindre d'avoir subi aucune contrainte ni souffert
d'aucune avarice. Mon mari n'était pas avare, et il ne
me refusait rien ; mais je n'avais pas de besoins, je ne
désirais rien en dehors des dépenses courantes établies
par lui dans la maison, et, contente de n'avoir plus
aucune responsabilité, je lui laissais une autorité sans
limites et sans contrôle. Il avait donc pris tout naturellement l'habitude de me regarder comme un enfant en
tutelle, et il n'avait pas sujet de s'irriter contre un
enfant si tranquille.

Si je suis entrée dans ce détail, c'est que j'ai à dire
comment, au milieu de cette vie de religieuse que je
menais bien réellement à Nohant, et à laquelle ne manquaient ni la cellule, ni le vœu d'obéissance, ni celui de
silence, ni celui de pauvreté, le besoin d'exister par
moi-même se fit enfin sentir. Je souffrais de me voir
inutile. Ne pouvant assister autrement les pauvres
gens, je m'étais faite médecin de campagne, et ma
clientèle gratuite s'était accrue au point de m'écraser
de fatigue. Par économie, je m'étais faite aussi un peu
pharmacien, et quand je rentrais de mes visites, je
m'abrutissais dans la confection des onguents et des
sirops. Je ne me lassais pas du métier ; que m'importait
de rêver là où ailleurs ? Mais je me disais qu'avec un
peu d'argent à moi, mes malades seraient mieux soi-
gnés et que ma pratique pourrait s'aider de quelques
lumières.

Et puis l'esclavage est quelque chose d'antihumain
que l'on n'accepte qu'à la condition de rêver toujours

la liberté. Je n'étais pas esclave de mon mari, il me laissait bien volontiers à mes lectures et à mes juleps [117] ; mais j'étais asservie à une situation donnée, dont il ne dépendait pas de lui de m'affranchir. Si je lui eusse demandé la lune, il m'eût dit en riant : « Ayez de quoi la payer, je vous l'achète » ; et si je me fusse laissée aller à dire que j'aimerais à voir la Chine, il m'eût répondu : « Ayez de l'argent, faites que Nohant en rapporte, et allez en Chine. »

J'avais donc agité en moi plus d'une fois le problème d'avoir des ressources, si modestes qu'elles fussent, mais dont je pusse disposer sans remords et sans contrôle, pour un bonheur d'artiste, pour une aumône bien placée, pour un beau livre, pour une semaine de voyage, pour un petit cadeau à une amie pauvre, que sais-je ! pour tous ces riens dont on peut se priver, mais sans lesquels pourtant on n'est pas homme ou femme, mais bien plutôt ange ou bête. Dans notre société toute factice, l'absence totale de numéraire constitue une situation impossible, la misère effroyable ou l'impuissance absolue. L'irresponsabilité est un état de servage ; c'est quelque chose comme la honte de l'interdiction.

Je m'étais dit aussi qu'un moment viendrait où je ne pourrais plus rester à Nohant. Cela tenait à des causes encore passagères alors, mais que parfois je voyais s'aggraver d'une manière menaçante. Il eût fallu chasser mon frère, qui, gêné par une mauvaise gestion de son propre bien, était venu vivre chez nous par économie, et un autre ami de la maison pour qui j'avais, malgré sa fièvre bachique, une très vénérable amitié ; un homme qui, comme mon frère, avait du cœur et de l'esprit à revendre, un jour sur trois, sur quatre, ou sur cinq, selon *le vent*, disaient-ils. Or, il y avait des *vents salés* qui faisaient faire bien des folies, des *figures salées* qu'on ne pouvait rencontrer sans avoir envie de boire, et quand on avait bu, il se trouvait que, de toutes choses, le vin était encore la plus salée. Il n'y a rien de pis que des ivrognes spirituels et bons, on ne peut se fâcher avec eux. Mon frère avait le vin sensible, et

j'étais forcée de m'enfermer dans ma cellule pour qu'il
ne vînt pas pleurer toute la nuit, les fois où il n'avait pas
dépassé une certaine dose qui lui donnait envie
d'étrangler ses meilleurs amis. Pauvre Hippolyte !
Comme il était charmant dans ses bons jours, et insupportable dans ses mauvaises heures ! Tel qu'il était, et
malgré des résultats indirects plus sérieux que ses
radotages, ses pleurs et ses colères, j'aimais mieux
songer à m'exiler qu'à le renvoyer. D'ailleurs sa femme
habitait avec nous aussi, sa pauvre excellente femme,
qui n'avait qu'un bonheur au monde, celui d'être
d'une santé si frêle qu'elle passait dans son lit plus de
temps que sur ses pieds, et qu'elle dormait d'un sommeil assez accablé pour ne pas trop s'apercevoir encore
de ce qui se passait autour de nous.

Dans la vue de m'affranchir et de soustraire mes
enfants à de fâcheuses influences, un jour possibles,
certaine qu'on me laisserait m'éloigner, à la condition
de ne pas demander le partage, même très inégal, de
mon revenu, j'avais tenté de me créer quelque petit
métier. J'avais essayé de faire des traductions : c'était
trop long, j'y mettais trop de scrupule et de conscience ; des portraits au crayon ou à l'aquarelle en
quelques heures : je saisissais très bien la ressemblance,
je ne dessinais pas mal mes petites têtes ; mais cela
manquait d'originalité ; de la couture : j'allais vite,
mais je ne voyais pas assez fin, et j'appris que cela rap-
porterait tout au plus dix sous par jour ; des modes : je
pensais à ma mère, qui n'avait pu s'y remettre faute
d'un petit capital. Pendant quatre ans, j'allai tâtonnant
et travaillant comme un nègre à ne rien faire qui vaille,
pour découvrir en moi une capacité quelconque. Je
crus un instant l'avoir trouvée. J'avais peint des fleurs
et des oiseaux d'ornement, en compositions microscopiques sur des tabatières et des étuis à cigares en bois
de Spa. Il s'en trouva de très jolis que le vernisseur
admira lorsque à un de mes petits voyages à Paris je les
lui portai. Il me demanda si c'était mon état, je
répondis que oui, pour voir ce qu'il avait à me dire. Il
me dit qu'il mettrait ces petits objets sur sa *montre* et

qu'il les laisserait marchander. Au bout de quelques jours, il m'apprit qu'il avait refusé quatre-vingts francs de l'étui à cigares : je lui avais dit, à tout hasard, que j'en voulais cent francs, pensant qu'on ne m'en offrirait pas cent sous.

J'allai trouver les employés de la maison Giroux et leur montrai mes échantillons. Ils me conseillèrent d'essayer beaucoup d'objets différents, des éventails, des boîtes à thé, des coffrets à ouvrage, et m'assurèrent que j'en aurais le débit chez eux. J'emportai donc de Paris une provision de matériaux, mais j'usai mes yeux, mon temps et ma peine à la recherche des procédés. Certains bois réussissaient comme par miracle, d'autres laissaient tout partir ou tout gâter au vernissage. J'avais des accidents qui me retardaient, et, somme toute, les matières premières coûtaient si cher, qu'avec le temps perdu et les objets gâtés, je ne voyais, en supposant un débit soutenu, que de quoi manger du pain très sec. Je m'y obstinai pourtant, mais la mode de ces objets passa à temps pour m'empêcher d'y poursuivre un échec.

Et puis, malgré moi, je me sentais artiste, sans avoir jamais songé à me dire que je pouvais l'être [118]. Dans un de mes courts séjours à Paris, j'étais entrée un jour au musée de peinture. Ce n'était sans doute pas la première fois, mais j'avais toujours regardé sans voir, persuadée que je ne m'y connaissais pas, et ne sachant pas tout ce qu'on peut sentir sans comprendre. Je commençai à m'émouvoir singulièrement. J'y retournai le lendemain, puis le surlendemain ; et, à mon voyage suivant, voulant connaître un à un tous les chefs-d'œuvre et me rendre compte de la différence des écoles un peu plus que par la nature des types et des sujets, je m'en allais mystérieusement toute seule, dès que le musée était ouvert, et j'y restais jusqu'à ce qu'il fermât. J'étais comme enivrée, comme clouée devant les Titien, les Tintoret, les Rubens. C'était d'abord l'école flamande qui m'avait saisie par la poésie dans la réalité, et peu à peu j'arrivais à sentir pourquoi l'école italienne était si appréciée. Comme je n'avais personne

pour me dire en quoi c'était beau, mon admiration
croissante avait tout l'attrait d'une découverte, et j'étais
toute surprise et toute ravie de trouver devant la peinture des jouissances égales à celles que j'avais goûtées
dans la musique. J'étais loin d'avoir un grand discernement, je n'avais jamais eu la moindre notion sérieuse
de cet art, qui, pas plus que les autres, ne se révèle aux
sens sans le secours de facultés et d'éducation spéciales. Je savais très bien que dire devant un tableau :
« Je juge parce que je vois, et je vois parce que j'ai des
yeux », est une impertinence d'épicier cuistre. Je ne
disais donc rien, je ne m'interrogeais pas même pour
savoir ce qu'il y avait d'obstacles ou d'affinités entre
moi et les créations du génie. Je contemplais, j'étais
dominée, j'étais transportée dans un monde nouveau.
La nuit, je voyais passer devant moi toutes ces grandes
figures qui, sous la main des maîtres, ont pris un
cachet de puissance morale, même celles qui n'expri-
ment que la force ou la santé physiques. C'est dans la
belle peinture qu'on sent ce que c'est que la vie : c'est
comme un résumé splendide de la forme et de
l'expression des êtres et des choses, trop souvent voi-
lées ou flottantes dans le mouvement de la réalité et
dans l'appréciation de celui qui les contemple ; c'est le
spectacle de la nature et de l'humanité vu à travers le
sentiment du génie qui l'a composé et mis en scène.
Quelle bonne fortune pour un esprit naïf qui n'apporte
devant de telles œuvres ni préventions de critique ni
prétentions de capacité personnelle ! L'univers se révélait à moi. Je voyais à la fois dans le présent et dans le
passé, je devenais classique et romantique en même
temps, sans savoir ce que signifiait la querelle agitée
dans les arts. Je voyais le monde du vrai surgir à travers
tous les fantômes de ma fantaisie et toutes les hésita-
tions de mon regard. Il me semblait avoir conquis je ne
sais quel trésor d'infini dont j'avais ignoré l'existence.
Je n'aurais pu dire quoi, je ne savais pas de nom pour
ce que je sentais se presser dans mon esprit réchauffé
et comme dilaté ; mais j'avais la fièvre, et je m'en revenais du musée, me perdant de rue en rue, ne sachant

où j'allais, oubliant de manger, et m'apercevant tout à coup que l'heure était venue d'aller entendre le *Freischütz* ou *Guillaume Tell*[119]. J'entrais alors chez un pâtissier, je dînais d'une brioche, me disant avec satisfaction, devant la petite bourse dont on m'avait munie, que la suppression de mon repas me donnait le droit et le moyen d'aller au spectacle.

On voit qu'au milieu de mes projets et de mes émotions je n'avais rien appris. J'avais lu de l'histoire et des romans ; j'avais déchiffré des partitions ; j'avais jeté un œil distrait sur les journaux et un peu fermé l'oreille à dessein aux entretiens politiques du moment. Mon ami Néraud, un vrai savant, artiste jusqu'au bout des ongles dans la science, avait essayé de m'apprendre la botanique ; mais, en courant avec lui dans la campagne, lui chargé de sa boîte de fer-blanc, moi portant Maurice sur mes épaules, je ne m'étais amusée, comme disent les bonnes gens, qu'à la moutarde ; encore n'avais-je pas bien étudié la moutarde et savais-je tout au plus que cette plante est de la famille des crucifères. Je me laissais distraire des classifications et des individus par le soleil dorant les brouillards, par les papillons courant après les fleurs et Maurice courant après les papillons.

Et puis j'aurais voulu tout voir et tout savoir en même temps. Je faisais causer mon professeur, et sur toutes choses il était brillant et intéressant ; mais je ne m'initiai avec lui qu'à la beauté des détails, et le côté exact de la science me semblait aride pour ma mémoire récalcitrante. J'eus grand tort ; mon Malgache, c'est ainsi que j'appelais Néraud, était un initiateur admirable, et j'étais encore en âge d'apprendre. Il ne tenait qu'à moi de m'instruire d'une manière générale, qui m'eût permis de me livrer seule ensuite à de bonnes études. Je me bornai à comprendre un ensemble de choses qu'il résumait en lettres ravissantes sur l'histoire naturelle et en récits de ses lointains voyages, qui m'ouvrirent un peu le monde des tropiques. J'ai retrouvé la vision qu'il m'avait donnée de l'Ile-de-France en écrivant le roman d'*Indiana*, et, pour

ne pas copier les cahiers qu'il avait rassemblés pour
moi, je n'ai pas su faire autre chose que de gâter ses
descriptions en les appropriant aux scènes de mon
livre.

Il est tout simple que, n'apportant dans mes projets
littéraires ni talent éprouvé, ni études spéciales, ni souvenirs d'une vie agitée à la surface, ni connaissance
approfondie du monde des faits, je n'eusse aucune
espèce d'ambition. L'ambition s'appuie sur la
confiance en soi-même, et je n'étais pas assez sotte
pour compter sur mon petit génie. Je me sentais riche
d'un fonds très restreint ; l'analyse des sentiments, la
peinture d'un certain nombre de caractères, l'amour
de la nature, la familiarisation, si je puis parler ainsi,
avec les scènes et les mœurs de la campagne : c'était
assez pour commencer. « À mesure que je vivrai, me
disais-je, je verrai plus de gens et de choses, j'étendrai
mon cercle d'individualités, j'agrandirai le cadre des
scènes, et s'il faut, d'ailleurs, me retrancher dans le
roman d'inductions, qu'on appelle le roman historique, j'étudierai le détail de l'histoire, et je devinerai
par la pensée des hommes qui ne sont plus. »

Quand ma résolution fut mûre d'aller tenter la fortune, c'est-à-dire les mille écus de rente que j'avais toujours rêvés, la déclarer et la suivre fut l'affaire de trois
jours. Mon mari me devait une pension de quinze
cents francs. Je lui demandai ma fille, et la permission
de passer à Paris deux fois trois mois par an, avec deux
cent cinquante francs par mois d'absence. Cela ne
souffrit aucune difficulté. Il pensa que c'était un
caprice dont je serais bientôt lasse.

Mon frère, qui pensait de même, me dit : « Tu t'ima-
gines vivre à Paris avec un enfant moyennant deux
cent cinquante francs par mois ! C'est trop risible, toi
qui ne sais pas ce que coûte un poulet ! Tu vas revenir
avant quinze jours les mains vides, car ton mari est
bien décidé à être sourd à toute demande de nouveau
subside.

– C'est bien, lui répondis-je, j'essayerai. Prête-moi
pour huit jours l'appartement que tu occupes dans ta

maison de Paris, et garde-moi Solange jusqu'à ce que j'aie un logement. Je reviendrai effectivement bientôt. »

Mon frère fut le seul qui essaya de combattre ma résolution. Il se sentait un peu coupable du dégoût que m'inspirait ma maison. Il n'en voulait pas convenir avec lui-même, et il en convenait avec moi à son insu. Sa femme comprenait mieux et m'approuvait. Elle avait confiance dans mon courage et dans ma destinée. Elle sentait que je prenais le seul moyen d'éviter ou d'ajourner une détermination plus pénible.

Ma fille ne comprenait rien encore : Maurice n'eût rien compris si mon frère n'eût pris soin de lui dire que je m'en allais pour longtemps et que je ne reviendrais peut-être pas. Il agissait ainsi dans l'espoir que le chagrin de mon pauvre enfant me retiendrait. J'eus le cœur brisé de ses larmes, mais je parvins à le tranquilliser et à lui donner confiance en ma parole.

J'arrivai à Paris peu de temps après les scènes du Luxembourg et le procès des ministres [120].

XIII

Manière de préface à une nouvelle phase de mon récit. – Pourquoi je ne parle pas de toutes les personnes qui ont eu de l'influence sur ma vie, soit par la persuasion, soit par la persécution. – Quelques lignes de J.-J. Rousseau sur le même sujet. – Mon sentiment est tout l'opposé du sien. – Je ne sais pas attenter à la vie des autres, et, pour cause de christianisme invétéré, je n'ai pu me jeter dans la politique de personnalités. – Je reprends mon histoire. – La mansarde du quai Saint-Michel et la vie excentrique que j'ai menée pendant quelques mois avant de m'installer. – Déguisement qui réussit extraordinairement. – Méprises singulières. – M. Pinson. – Émile Paultre. – Le bouquet de mademoiselle Leverd. – M. Rollinat père. – Sa famille. – François Rollinat. – Digression assez longue. – Mon chapitre

de l'amitié moins beau, mais aussi senti que celui de Mon-
taigne.

Établissons un fait avant d'aller plus loin.

Comme je ne prétends pas donner le change sur
quoi que ce soit en racontant ce qui me concerne, je
dois commencer par dire nettement que je veux *taire* et
non *arranger* ni *déguiser* plusieurs circonstances de ma
vie. Je n'ai jamais cru avoir de secrets à garder pour
mon compte vis-à-vis de mes amis. J'ai agi, sous ce
rapport, avec une sincérité à laquelle j'ai dû la franchise de mes relations et le respect dont j'ai toujours
été entourée dans mon milieu d'intimité. Mais vis-à-vis
du public, je ne m'attribue pas le droit de disposer du
passé de toutes les personnes dont l'existence a côtoyé
la mienne.

Mon silence sera indulgence ou respect, oubli ou
déférence, je n'ai pas à m'expliquer sur ces causes.
Elles seront de diverses natures probablement, et je
déclare qu'on ne doit rien préjuger pour ou contre les
personnes dont je parlerai peu ou point.

Toutes mes affections ont été sérieuses, et pourtant
j'en ai brisé plusieurs sciemment et volontairement.
Aux yeux de mon entourage j'ai agi trop tôt ou trop
tard, j'ai eu tort ou raison, selon qu'on a plus ou moins
bien connu les causes de mes résolutions. Outre que
ces débats d'intérieur auraient peu d'intérêt pour le
lecteur, le seul fait de les présenter à son appréciation
serait contraire à toute délicatesse, car je serais forcée
de sacrifier parfois la personnalité d'autrui à la mienne
propre.

Puis-je, cependant, pousser cette délicatesse jusqu'à
dire que j'ai été injuste en de certaines occasions pour
le plaisir de l'être ? Là commencerait le mensonge, et
qui donc en serait dupe ? Tout le monde sait de reste
que dans toute querelle, qu'elle soit de famille ou
d'opinion, d'intérêt ou de cœur, de sentiment ou de
principes, d'amour ou d'amitié, il y a des torts réci-
proques et qu'on ne peut expliquer et motiver les uns

que par les autres. Il est des personnes que j'ai vues à travers un prisme d'enthousiasme et vis-à-vis desquelles j'ai eu le grand tort de recouvrer la lucidité de mon jugement. Tout ce qu'elles avaient à me demander, c'étaient de bons procédés, et je défie qui que ce soit de dire que j'aie manqué à ce fait. Pourtant leur irritation a été vive, et je le comprends très bien. On est disposé, dans le premier moment d'une rupture, à prendre le désenchantement pour un outrage. Le calme se fait, on devient plus juste. Quoi qu'il en soit de ces personnes, je ne veux pas avoir à les peindre ; je n'ai pas le droit de livrer leurs traits à la curiosité ou à l'indifférence des passants. Si elles vivent dans l'obscurité, laissons-les jouir de ce doux privilège. Si elles sont célèbres, laissons-les se peindre elles-mêmes, si elles le jugent à propos, et ne faisons pas le triste métier de biographe des vivants.

Les vivants ! on leur doit bien, je pense, de les laisser vivre, et il y a longtemps qu'on a dit que le ridicule était une arme mortelle. S'il en est ainsi, combien plus le blâme de telle ou telle action, ou seulement la révélation de quelque faiblesse ! Dans des situations plus graves que celles auxquelles je fais allusion ici, j'ai vu la perversité naître et grandir d'heure en heure ; je la connais, je l'ai observée, et je ne l'ai même pas prise pour type, en général, dans mes romans. On a critiqué en moi cette bénignité d'imagination. Si c'est une infirmité du cerveau, on peut bien croire qu'elle est dans mon cœur aussi et que je ne sais pas vouloir constater le laid dans la vie réelle. Voilà pourquoi je ne le montrerai pas dans une histoire véritable. Me fût-il prouvé que cela est utile à montrer, il n'en resterait pas moins certain pour moi que le pilori est un mauvais mode de prédication, et que celui qui a perdu l'espoir de se réhabiliter devant les hommes n'essayera pas de se réconcilier avec lui-même.

D'ailleurs, moi, je pardonne, et si des âmes très coupables devant moi se réhabilitent sous d'autres influences, je suis prête à bénir. Le public n'agit pas ainsi ; il condamne et lapide. Je ne veux donc pas livrer mes ennemis (si je peux me servir d'un mot qui n'a pas beaucoup de sens pour moi) à des juges sans entrailles ou sans lumières et aux arrêts d'une opinion que ne dirige pas la moindre pensée religieuse, que n'éclaire pas le moindre principe de charité.

Je ne suis pas une sainte : j'ai dû avoir, je le répète, et j'ai eu certainement ma part de torts, sérieux aussi, dans la lutte qui s'est engagée entre moi et plusieurs individualités. J'ai dû être injuste, violente de résolutions, comme le sont les organisations lentes à se décider, et subir des préventions cruelles, comme l'imagination en crée aux sensibilités surexcitées. L'esprit de mansuétude que j'apporte ici n'a pas toujours dominé mes émotions au moment où elles se sont produites. J'ai pu murmurer contre mes souffrances et me plaindre des faits dans le secret de l'amitié ; mais jamais de sang-froid, avec préméditation et sous l'empire d'un lâche sentiment de rancune ou de haine, je n'ai traduit personne à la barre de l'opinion. Je n'ai pas voulu le faire là où les gens les plus purs et les plus sérieux s'en attribuent le droit : en politique. Je ne suis pas née pour ce métier d'exécuteur, et si j'ai refusé obstinément d'entrer dans ce fait de guerre générale, par scrupule de conscience, par générosité ou débonnaireté de caractère, à plus forte raison ne me démentirai-je pas quand il s'agira de ma cause isolée.

Et qu'on ne dise pas qu'il est facile d'écrire sa vie quand on en retranche l'exposé de certaines applications essentielles de la volonté. Non, cela n'est pas facile, car il faut prendre franchement le parti de laisser courir des récits absurdes et de folles calomnies, et j'ai pris ce parti-là en commençant cet ouvrage. Je ne l'ai pas intitulé mes *Mémoires*, et c'est à dessein que je me suis servie de ces expressions : *Histoire de ma vie*, pour bien dire que je n'entendais pas raconter sans restriction celle des autres [121]. Or, dans toutes les circonstances où la vie de quelqu'un de mes semblables a pu faire dévier la mienne propre de la ligne tracée par sa logique naturelle, je n'ai rien à dire, ne voulant pas faire un procès public à des influences que j'ai subies ou repoussées, à des caractères qui, par persuasion ou par persécution, m'ont déterminée à agir dans un sens ou dans l'autre. Si j'ai flotté ou erré, j'ai, du moins, la grande consolation d'être aujourd'hui certaine de n'avoir jamais agi, après réflexion, qu'avec la conviction d'accomplir un devoir ou d'user d'un droit légitime, ce qui est au fond la même chose *.

J'ai reçu dernièrement un petit volume, récemment publié **, de fragments inédits de Jean-Jacques Rousseau, et j'ai été vivement frappée de ce passage qui faisait partie d'un projet de préface ou introduction aux *Confessions* : « Les liaisons que j'ai eues avec plusieurs personnes me forcent d'en parler aussi librement que de moi. Je ne puis me bien faire connaître que je ne les fasse connaître aussi ; et l'on ne doit pas s'attendre que, dissimulant dans cette occasion ce qui ne peut être tu sans nuire aux vérités que je dois dire, j'aurai pour d'autres des ménagements que je n'ai pas pour moi-même. »

Je ne sais pas si, lors même qu'on est Jean-Jacques Rousseau, on a le droit de traduire ainsi ses contemporains devant ses contemporains pour une cause toute personnelle. Il y a là quelque chose qui révolte la conscience publique. On aimerait que Rousseau se fût laissé accuser de légèreté et d'ingratitude envers madame de Warens, plutôt que d'apprendre par lui des détails qui souillent l'image de sa bienfaitrice. On eût pu pressentir qu'il y eût des motifs à son inconstance, des excuses à son oubli, et le juger avec d'autant plus de générosité qu'il en eût paru digne par sa générosité même.

---

* Oui, c'est la même chose. On recule parfois devant le devoir de défendre son droit par un mouvement de générosité irréfléchi. Je l'ai fait souvent, par faiblesse peut-être, et le résultat n'a jamais été bon pour les autres. L'impunité a empiré leur mauvais vouloir, et les a rendus plus coupables, partant plus mâlheureux. La sagesse consisterait à s'assurer bien froidement de la légitimité du droit en litige et à trouver le moyen de pouvoir se dire : « En étant généreux, je ne suis que juste » (NdA).

** Par M. Alfred de Bougy (NdA).

J'écrivais, il y a sept ans, aux premières pages de ce récit : « Comme nous sommes tous solidaires, il n'y a point de faute isolée. Il n'y a point d'erreur dont quelqu'un ne soit la cause ou le complice, et il est impossible de s'accuser sans accuser le prochain, non pas seulement l'ennemi qui nous dénonce, mais encore parfois l'ami qui nous défend. C'est ce qui est arrivé à Rousseau, et cela est mal. »

Oui, cela est mal. Après sept ans d'un travail cent fois interrompu par des préoccupations générales et particulières qui ont donné à mon esprit tout le loisir de nouvelles réflexions et tout le profit d'un nouvel examen, je me retrouve vis-à-vis de moi-même et de mon ouvrage dans la même conviction, dans la même certitude. Certaines confidences personnelles, qu'elles soient confession ou justification, deviennent, dans des conditions de publicité littéraire, un attentat à la conscience, à la réputation d'autrui, ou bien elles ne sont pas complètes, et par là elles ne sont pas vraies.

Tout ceci établi, je continue. Je retire à mes souvenirs une portion de leur intérêt, mais il leur restera encore assez d'utilité, sous plus d'un rapport, pour que je prenne la peine de les écrire [122].

Ici ma vie devient plus active, plus remplie de détails et d'incidents. Il me serait impossible de les retrouver dans un ordre de dates certaines. J'aime mieux les classer par ordre de progression dans leur importance.

Je cherchai un logement et m'établis bientôt quai Saint-Michel, dans une des mansardes de la grande maison qui fait le coin de la place, au bout du pont, en face de la Morgue. J'avais là trois petites pièces très propres donnant sur un balcon d'où je dominais une grande étendue du cours de la Seine, et d'où je contemplais face à face les monuments gigantesques de Notre-Dame, Saint-Jacques-la-Boucherie, la Sainte-Chapelle, etc. J'avais du ciel, de l'eau, de l'air, des hirondelles, de la verdure sur les toits ; je ne me sentais pas trop dans le Paris de la civilisation, qui n'eût convenu ni à mes goûts ni à mes ressources, mais plutôt dans le Paris pittoresque et poétique de Victor Hugo [123], dans la ville du passé.

J'avais, je crois, trois cents francs de loyer par an. Les cinq étages de l'escalier me chagrinaient fort, je n'ai jamais su monter ; mais il le fallait bien, et souvent avec ma grosse fille dans les bras. Je n'avais pas de servante ; ma portière, très fidèle, très propre et très bonne, m'aida à faire mon ménage pour quinze francs par mois. Je me fis apporter mon repas de chez un gargotier très propre et très honnête aussi, moyennant deux francs par jour. Je savonnais et repassais moi-même le *fin*. J'arrivai alors à trouver mon existence possible dans la limite de ma pension.

Le plus difficile fut d'acheter des meubles. Je n'y mis pas de luxe, comme on peut croire. On me fit crédit, et je parvins à payer ; mais cet établissement, si modeste qu'il fût, ne put s'organiser tout de suite ; quelques mois se passèrent, tant à Paris qu'à Nohant, avant que je pusse transplanter Solange de son *palais* de Nohant (relativement parlant) dans cette pauvreté sans qu'elle en souffrît, sans qu'elle s'en aperçût. Tout s'arrangea peu à peu, et dès que je l'eus auprès de moi, avec le vivre et le service assurés, je pus devenir sédentaire, ne sortir le jour que pour la mener promener au Luxembourg, et passer à écrire toutes mes soirées auprès d'elle. La Providence me vint en aide. En cultivant un pot de réséda sur mon balcon, je fis connaissance avec ma voisine, qui, plus luxueuse, cultivait un oranger sur le sien. C'était madame Badoureau, qui demeurait là avec son mari, instituteur primaire, et une charmante fille de quinze ans, douce et modeste blonde aux yeux baissés, qui se prit de passion pour Solange. Cette excellente famille m'offrit de la faire jouer avec d'autres enfants qui venaient prendre des leçons particulières, quand elle s'ennuierait du petit espace de ma mansarde et de la continuité des mêmes amusements. Cela rendit l'existence de l'enfant, non plus seulement possible, mais agréable, et il n'est pas de soins et de tendresses que ces braves gens ne lui aient prodigués, sans jamais vouloir me permettre de les en indemniser,

bien que leur profession eût rendu la chose toute naturelle, et la rétribution bien acquise.

Jusque-là, c'est-à-dire jusqu'à ce que ma fille fût
avec moi à Paris, j'avais vécu d'une manière moins
facile et même d'une manière très inusitée, mais qui
allait pourtant très directement à mon but.

Je ne voulais pas dépasser mon budget, je ne voulais
rien emprunter ; ma dette de cinq cents francs, la seule
de ma vie, m'avait tant tourmentée ! Et si
M. Dudevant eût refusé de la payer ! Il la paya de
bonne grâce ; mais je n'avais osé la lui déclarer
qu'étant très malade et craignant de mourir *insolvable*.
J'allais cherchant de l'ouvrage et n'en trouvant pas. Je
dirai tout à l'heure où j'en étais de mes chances littéraires. J'avais en *montre* un petit portrait dans le café du
quai Saint-Michel, dans la maison même, mais la pratique n'arrivait pas. J'avais *raté* la ressemblance de ma
portière : cela risquait de me faire bien du tort dans le
quartier.

J'aurais voulu lire, je n'avais pas de livres de fonds.
Et puis c'était l'hiver, et il n'est pas économique de
garder la chambre quand on doit compter les bûches.
J'essayai de m'installer à la bibliothèque Mazarine ;
mais il eût mieux valu, je crois, aller travailler sur les
tours de Notre-Dame, tant il y faisait froid. Je ne pus y
tenir, moi qui suis l'être le plus frileux que j'aie jamais
connu. Il y avait là de vieux *piocheurs*, qui s'installaient
à une table, immobiles, satisfaits, momifiés, et ne
paraissant pas s'apercevoir que leurs nez bleus se cris-
tallisaient. J'enviais cet état de pétrification : je les
regardais s'asseoir et se lever comme poussés par un
ressort, pour bien m'assurer qu'ils n'étaient pas en
bois.

Et puis encore j'étais avide de me déprovincialiser et
de me mettre au courant des choses, au niveau des
idées et des formes de mon temps. J'en sentais la
nécessité, j'en avais la curiosité ; excepté les œuvres
les plus saillantes, je ne connaissais rien des arts
modernes ; j'avais surtout soif du théâtre.

Je savais bien qu'il était impossible à une femme pauvre de se passer ces fantaisies. Balzac disait : « On ne peut pas être femme à Paris à moins d'avoir vingt-cinq mille francs de rente [124]. » Et ce paradoxe d'élégance devenait une vérité pour la femme qui voulait être artiste.

Pourtant je voyais mes jeunes amis berrichons, mes compagnons d'enfance, vivre à Paris avec aussi peu que moi et se tenir au courant de tout ce qui intéresse la jeunesse intelligente. Les événements littéraires et politiques, les émotions des théâtres et des musées, des clubs et de la rue, ils voyaient tout, ils étaient partout. J'avais d'aussi bonnes jambes qu'eux et de ces bons petits pieds du Berry qui ont appris à marcher dans les mauvais chemins, en équilibre sur de gros sabots. Mais sur le pavé de Paris, j'étais comme un bateau sur la glace. Les fines chaussures craquaient en deux jours, les socques [125] me faisaient tomber, je ne savais pas relever ma robe. J'étais crottée, fatiguée, enrhumée, et je voyais chaussures et vêtements, sans compter les petits chapeaux de velours arrosés par les gouttières, s'en aller en ruine avec une effrayante rapidité.

J'avais fait déjà ces remarques et ces expériences avant de songer à m'établir à Paris, et j'avais posé ce problème à ma mère, qui y vivait très élégante et très aisée avec trois mille cinq cents francs de rente : comment suffire à la plus modeste toilette dans cet affreux climat, à moins de vivre enfermée dans sa chambre sept jours sur huit ? Elle m'avait répondu : « C'est très possible à mon âge et avec mes habitudes ; mais quand j'étais jeune et que ton père manquait d'argent, il avait imaginé de m'habiller en garçon. Ma sœur en fit autant, et nous allions partout à pied avec nos maris, au théâtre, à toutes les places. Ce fut une économie de moitié dans nos ménages. »

Cette idée me parut d'abord divertissante et puis très ingénieuse. Ayant été habillée en garçon durant mon enfance, ayant ensuite chassé en blouse et en guêtres avec Deschartres, je ne me trouvai pas étonnée du tout de reprendre un costume qui n'était pas nou-

veau pour moi. À cette époque, la mode aidait singulièrement au déguisement. Les hommes portaient de
longues redingotes carrées, dites à la *propriétaire*, qui
tombaient jusqu'aux talons et qui dessinaient si peu la
taille que mon frère, en endossant la sienne à Nohant,
m'avait dit en riant : « C'est très joli, cela, n'est-ce pas ?
C'est la mode, et ça ne gêne pas. Le tailleur prend
mesure sur une guérite, et ça irait à ravir à tout un
régiment. »

Je me fis donc faire une *redingote-guérite* en gros drap
gris, pantalon et gilet pareils. Avec un chapeau gris et
une grosse cravate de laine, j'étais absolument un petit
étudiant de première année. Je ne peux pas dire quel
plaisir me firent mes bottes : j'aurais volontiers dormi
avec, comme fit mon frère dans son jeune âge, quand il
chaussa la première paire. Avec ces petits talons ferrés,
j'étais solide sur le trottoir. Je voltigeais d'un bout de
Paris à l'autre. Il me semblait que j'aurais fait le tour du
monde. Et puis, mes vêtements ne craignaient rien. Je
courais par tous les temps, je revenais à toutes les
heures, j'allais au parterre de tous les théâtres. Personne ne faisait attention à moi et ne se doutait de mon
déguisement. Outre que je le portais avec aisance,
l'absence de coquetterie du costume et de la physionomie écartait tout soupçon. J'étais trop mal vêtue, et
j'avais l'air trop simple (mon air habituel, distrait et
volontiers hébété) pour attirer ou fixer les regards. Les
femmes savent peu se déguiser, même sur le théâtre.
Elles ne veulent pas sacrifier la finesse de leur taille, la
petitesse de leurs pieds, la gentillesse de leurs mouvements, l'éclat de leurs yeux ; et c'est par tout cela pourtant, c'est par le regard surtout qu'elles peuvent arriver
à n'être pas facilement devinées. Il y a une manière de
se glisser partout sans que personne détourne la tête, et
de parler sur un diapason bas et sourd qui ne résonne
pas en flûte aux oreilles qui peuvent vous entendre. Au
reste, pour n'être pas remarquée en *homme*, il faut
avoir déjà l'habitude de ne pas se faire remarquer en
femme.

Je n'allais jamais seule au parterre, non pas que j'y aie vu les gens plus ou moins malappris qu'ailleurs, mais à cause de la claque payée et non payée, qui à cette époque était fort querelleuse [126]. On se bousculait beaucoup aux premières représentations, et je n'étais pas de force à lutter contre la foule. Je me plaçais toujours au centre du petit bataillon de mes amis berrichons, qui me protégeaient de leur mieux. Un jour pourtant, que nous étions près du lustre, et qu'il m'arriva de bâiller sans affectation, mais naïvement et sincèrement, les *romains* [127] voulurent me faire un mauvais parti. Ils me traitèrent de garçon perruquier. Je m'aperçus alors que j'étais très colère et très mauvaise tête quand on me cherchait noise, et si mes amis n'eussent été en nombre pour imposer à la claque, je crois bien que je me serais fait assommer.

Je raconte là un temps très passager et très accidentel dans ma vie, bien qu'on ait dit que j'avais passé plusieurs années ainsi, et que, dix ans plus tard, mon fils encore imberbe ait été souvent pris pour moi. Il s'est amusé de ces *quiproquos*, et, puisque je suis sur ce chapitre, je m'en rappelle plusieurs qui me sont propres et qui datent de 1831.

Je dînais alors chez Pinson, restaurateur, rue de l'Ancienne-Comédie. Un de mes amis m'ayant appelée madame devant lui, il crut devoir en faire autant. « Eh non, lui dis-je, vous êtes du secret, appelez-moi monsieur. » Le lendemain, je n'étais pas déguisée, il m'appela monsieur. Je lui en fis reproche, mais ce fréquent changement de costume ne put jamais s'arranger avec les habitudes de son langage. Il ne s'était pas plutôt accoutumé à dire monsieur que je reparaissais en femme, et il n'arrivait à dire madame que le jour où je redevenais monsieur. Ce brave et honnête père Pinson ! il était l'ami de ses clients, et, quand ils n'avaient pas de quoi payer, non seulement il attendait, mais encore il leur ouvrait sa bourse. Pour moi, bien que j'aie fort peu mis son obligeance à contribution, j'ai toujours été reconnaissante de sa confiance comme d'un service rendu.

Planet avait formé un petit club berrichon où, pour une très modique rétribution mensuelle, on pouvait lire les journaux et travailler dans un local passablement chauffé. Un jour que j'étais montée là pour lui parler, Émile Paultre, un Nivernais de nos amis, qui ne me connaissait pas encore, entra et prit part à la conversation. Le lendemain, je dînais avec Planet chez Pinson. Je n'étais pas déguisée. Paultre entra, et je dis à Planet de l'appeler auprès de nous pour voir s'il me reconnaîtrait. Comme il n'en faisait pas mine, Planet, voulant voir si c'était par discrétion, lui demanda s'il savait le nom du petit garçon de la veille. « Ma foi non, répondit-il. Qui est-ce ? – C'est *un tel* de La Châtre. – Ça m'est égal, reprit l'autre ; c'est un petit pédant qui m'a semblé insupportable. – Pourquoi ? lui demandai-je à mon tour. A-t-il dit quelque sottise ? – Non, mais il avait trop raison pour son âge. Si j'avais quinze ans, je pourrais trouver que Planet se trompe quelquefois, mais je ne me permettrais pas de le lui dire. » Je ne pus m'empêcher de rire. Il me regarda avec étonnement, puis, tout honteux : « Ah ! madame, s'écria-t-il, je vous demande pardon ! Ce jeune homme est votre frère ; car vous lui ressemblez extraordinairement. Eh bien, après tout, qu'ai-je dit ? Il est très gentil, ce garçon-là, seulement il a trop d'aplomb, mais ça se passera. »

« C'est égal, dit-il à Planet en sortant. J'ai fait une gaucherie. Cette dame m'en voudra. » Planet, autorisé par moi, voulut le tranquilliser en lui disant que le frère et la sœur étaient une seule et même personne. Il n'en voulut rien croire et se fâcha presque de ce qu'il prenait pour une mystification.

Nous avons été liés d'amitié depuis. C'est un digne et pur caractère, un esprit sérieux et une intelligence élevée.

Mais c'est à la première représentation de *la Reine d'Espagne* de Delatouche [128], que j'eus la comédie pour mon propre compte.

J'avais des billets d'auteur, et cette fois je me prélassais au balcon, dans ma redingote grise, au-dessous d'une loge où mademoiselle Leverd, une actrice de

grand talent, qui avait été jolie, mais que la petite
vérole avait défigurée, étalait un superbe bouquet
qu'elle laissa tomber sur mon épaule. Je n'étais pas
dans mon rôle au point de le ramasser. « Jeune homme,
me dit-elle d'un ton majestueux, mon bouquet ! Allons
donc ! » Je fis la sourde oreille. « Vous n'êtes guère
galant, me dit un vieux monsieur qui était à côté de
moi, et qui s'élança pour ramasser le bouquet. À votre
âge, je n'aurais pas été si distrait. » Il présenta le bouquet à mademoiselle Leverd, qui s'écria en grasseyant :
« Ah vraiment, c'est vous, monsieur Rollinat ? » Et ils
causèrent ensemble de la pièce nouvelle. « Bon, pensai-
je, me voilà auprès d'un compatriote qui me reconnaît
peut-être, bien que je ne me souvienne pas de l'avoir
jamais vu. » M. Rollinat le père était le premier avocat
de notre département.

Pendant qu'il causait avec mademoiselle Leverd,
M. Duris-Dufresne, qui était à l'orchestre, monta au
balcon pour me dire bonjour. Il m'avait déjà vue
déguisée, et s'asseyant un instant à la place vide de
M. Rollinat, il me parla, je m'en souviens, de La
Fayette, avec qui il voulait me faire faire connaissance.
M. Rollinat revint à sa place, et ils se parlèrent à voix
basse ; puis le député se retira en me saluant avec un
peu trop de déférence pour le costume que je portais.
Heureusement l'avocat n'y fit pas attention et me dit en
se rasseyant : « Ah çà, il paraît que nous sommes
compatriotes ? Notre député vient de me dire que vous
étiez un jeune homme très distingué. Pardon, moi,
j'aurais dit un enfant. Quel âge avez-vous donc ?
quinze ans, seize ans ? – Et vous, monsieur, lui dis-je,
vous qui êtes un avocat très distingué, quel âge avez-
vous donc ? – Oh, moi ! reprit-il en riant, j'ai passé la
septantaine. – Eh bien, vous êtes comme moi, vous ne
paraissez pas avoir votre âge. »

La réponse lui fut agréable, et la conversation
s'engagea. Quoique j'aie toujours eu fort peu d'esprit,
si peu qu'en ait une femme, elle en a toujours plus
qu'un collégien. Le bon père Rollinat fut si frappé de
ma *haute intelligence* qu'à plusieurs reprises il s'écria :

« Singulier, singulier ! » La pièce tomba violemment, malgré un feu roulant d'esprit, des situations charmantes et un dialogue tout inspiré de la verve de Molière ; mais il est certain que le sujet de l'intrigue et la crudité des détails étaient un anachronisme. Et puis, la jeunesse était romantique. Delatouche avait mortellement blessé ce que l'on appelait alors la *pléiade* en publiant un article intitulé *la Camaraderie* ; moi seule peut-être dans la salle, j'aimais à la fois Delatouche et les romantiques.

Dans les entractes, je causai jusqu'à la fin avec le vieil avocat, qui jugeait bien et sainement le fort et le faible de la pièce. Il aimait à parler et s'écoutait lui-même plus volontiers que les autres. Content d'être compris, il me prit en amitié, me demanda mon nom et m'engagea à l'aller voir. Je lui dis un nom en l'air qu'il s'étonna de ne pas connaître, et lui promis de le voir en Berry. Il conclut en me disant : « M. Dufresne ne m'avait pas trompé : vous êtes un enfant remarquable. Mais je vous trouve faible sur vos études classiques. Vous me dites que vos parents vous ont élevé à la maison et que vous n'avez fait ni ne comptez faire vos classes. Je vois bien que cette éducation-là a son bon côté : vous êtes artiste, et, sur tout ce qui est idée ou sentiment, vous en savez plus long que votre âge ne le comporte. Vous avez une convenance et des habitudes de langage qui me font croire que vous pourrez un jour écrire avec succès. Mais, croyez-moi, faites vos études classiques. Rien ne remplace ce fonds-là. J'ai douze enfants. J'ai mis tous mes garçons au collège. Il n'y en a pas un qui ait votre précocité de jugement, mais ils sont tous capables de se tirer d'affaire dans les diverses professions que la jeunesse peut choisir ; tandis que vous, vous êtes forcé d'être artiste, et rien autre chose. Or, si vous échouez dans l'art, vous regretterez beaucoup de n'avoir pas reçu l'éducation commune. »

J'étais persuadée que ce brave homme n'était pas la dupe de mon déguisement et qu'il s'amusait avec esprit à me pousser dans mon rôle. Cela me faisait l'effet d'une conversation de bal masqué, et je me donnais si peu de peine pour soutenir la fiction, que je fus fort étonnée d'apprendre plus tard qu'il y avait été de la meilleure foi du monde.

L'année suivante, M. Dudevant me présenta François Rollinat, qu'il avait invité à venir passer quelques jours à Nohant, et à qui je demandai d'interroger son père sur un petit bonhomme avec lequel il avait causé avec beaucoup de bonté à la première et dernière représentation de *la Reine d'Espagne*. « Eh ! précisément, répondit Rollinat, mon père nous parlait l'autre jour de cette rencontre à propos de l'éducation en général. Il disait avoir été frappé de l'aisance d'esprit et des manières des jeunes gens d'aujourd'hui, d'un, entre autres, qui lui avait parlé de toutes choses comme un petit docteur, tout en lui avouant qu'il ne savait ni latin ni grec, et qu'il n'étudiait ni droit ni médecine. – Et votre père ne s'est pas avisé de penser que ce petit docteur pouvait bien être une femme ? – Vous peut-être ? s'écria Rollinat. – Précisément ! – Eh bien ! de toutes les conjectures auxquelles mon père s'est livré, en s'enquérant en vain du fils de famille que vous pouviez être, voilà la seule qui ne se soit présentée ni à lui ni à nous. Il a été cependant frappé et intrigué, il cherche encore, et je veux me bien garder de le détromper. Je vous demande la permission de vous le présenter sans l'avertir de rien. – Soit ! mais il ne me reconnaîtra pas, car il est probable qu'il ne m'a pas regardée. »

Je me trompais ; M. Rollinat avait si bien fait attention à ma figure qu'en me voyant il fit un saut sur ses jambes grêles et encore lestes, en s'écriant : « Oh ! ai-je été assez bête ! »

Nous fûmes dès lors comme des amis de vingt ans, et puisque je tiens ce personnage, je parlerai ici de lui et de sa famille, bien que tout cela pousse mon récit un peu en avant de la période où je le laisse un moment pour le reprendre tout à l'heure.

M. Rollinat le père, malgré sa théorie sur l'éducation classique, était artiste de la tête aux pieds, comme le sont, au reste, tous les avocats un peu éminents. C'était un homme de sentiment et d'imagination, fou de poésie, très poète et pas mal fou lui-même, bon comme un ange, enthousiaste, prodigue, gagnant avec ardeur une fortune pour ses douze enfants, mais la mangeant à mesure sans s'en apercevoir ; les idolâtrant, les gâtant et les oubliant devant la table de jeu, où, gagnant et perdant tour à tour, il laissa son reste avec sa vie.

Il était impossible de voir un vieillard plus jeune et plus vif, buvant sec et ne se grisant jamais, chantant et folâtrant avec la jeunesse sans jamais se rendre ridicule, parce qu'il avait l'esprit chaste et le cœur naïf ; enthousiaste de toutes les choses d'art, doué d'une prodigieuse mémoire et d'un goût exquis, c'était à coup sûr une des plus heureuses organisations que le Berry ait produites.

Il n'épargna rien pour l'éducation de sa nombreuse famille. L'aîné fut avocat, un autre missionnaire, un troisième savant, un autre militaire, les autres artistes et professeurs, les filles comme les garçons. Ceux que j'ai connus plus particulièrement sont François, Charles et Marie-Louise. Cette dernière a été gouvernante de ma fille pendant un an. Charles, qui avait un admirable talent, une voix magnifique, un esprit charmant comme son caractère, mais dont l'âme fière et contemplative ne voulut jamais se livrer à la foule, a été se fixer en Russie, où il a fait successivement plusieurs éducations chez de grands personnages.

François avait terminé ses études de bonne heure. À vingt-deux ans, reçu avocat, il vint exercer à Châteauroux. Son père lui céda son cabinet, estimant lui donner une fortune, et ne doutant pas qu'il ne pût facilement faire face à tous les besoins de la famille avec un beau talent et une belle clientèle. En conséquence, il ne se tourmenta plus de rien, et mourut en jouant et en riant, laissant plus de dettes que de bien, et toute la famille à élever ou à établir.

François a porté cette charge effroyable avec la patience du bœuf berrichon. Homme d'imagination et de sentiment, lui aussi, artiste comme son père, mais philosophe plus sérieux, il a, dès l'âge de vingt-deux ans, absorbé sa vie, sa volonté, ses forces, dans l'aride travail de la procédure pour faire honneur à tous ses engagements et mener à bien l'existence de sa mère et de onze frères et sœurs. Ce qu'il a souffert de cette abnégation, de ce dégoût d'une profession qu'il n'a jamais aimée, et où le succès de son talent n'a jamais pu réussir à le griser, de cette vie étroite, refoulée, assujettie, des tracasseries du présent, des inquiétudes de l'avenir, du ver rongeur de la dette sacrée, nul ne s'en est douté, quoique le souci et la fatigue l'aient écrit sur sa figure assombrie et préoccupée. Lourd et distrait à l'habitude, Rollinat ne se révèle que par éclairs, mais alors c'est l'esprit le plus net, le tact le plus sûr, la pénétration la plus subtile, et quand il est retiré et bien caché dans l'intimité, quand son cœur satisfait ou soulagé permet à son esprit de s'égayer, c'est le fantaisiste le plus inouï, et je ne connais rien de désopilant comme ce passage subit d'une gravité presque lugubre à une verve presque délirante.

Mais tout ce que je raconte là ne dit pas et ne saurait dire les trésors d'exquise bonté, de candeur généreuse et de haute sagesse que renferme, à l'insu d'elle-même, cette âme d'élite. Je sus l'apprécier à première vue, et c'est par là que j'ai été digne d'une amitié que je place au nombre des plus précieuses bénédictions de ma destinée. Outre les motifs d'estime et de respect que j'avais pour ce caractère éprouvé par tant d'abnégation et de simplicité dans l'héroïsme domestique, une sympathie particulière, une douce entente d'idées, une conformité, ou, pour mieux dire, une similitude extraordinaire d'appréciation de toutes choses, nous révélèrent l'un à l'autre ce que nous avions rêvé de l'amitié parfaite, un sentiment à part de tous les autres sentiments humains par sa sainteté et sa sérénité.

Il est bien rare qu'entre un homme et une femme, quelque pensée plus vive que ne le comporte le lien fraternel ne vienne jeter quelque trouble, et souvent l'amitié fidèle d'un homme mûr n'est pour nous que la générosité d'une passion vaincue dans le passé. Une femme chaste et sincère échappe vite à ce danger, et l'homme qui ne lui pardonne pas de n'avoir pas partagé ses agitations secrètes n'est pas digne du bienfait de l'amitié. Je dois dire qu'en général j'ai été heureuse sous ce rapport, et que, malgré la confiance romanesque dont on m'a souvent raillée, j'ai eu, en somme, l'instinct de découvrir les belles âmes et d'en conserver l'affection. Je dois dire aussi que, n'étant pas du tout coquette, ayant même une sorte d'horreur pour cette étrange habitude de provocation dont ne se défendent pas toutes les femmes honnêtes, j'ai rarement eu à lutter contre l'amour dans l'amitié. Aussi, quand il a fallu l'y découvrir, je ne l'ai jamais trouvé offensant, parce qu'il était sérieux et respectueux.

Quant à Rollinat, il n'est pas le seul de mes amis qui m'ait fait, du premier jour jusqu'à celui-ci, l'honneur de ne voir en moi qu'un frère. Je leur ai toujours avoué à tous que j'avais pour lui une sorte de préférence inexplicable. D'autres m'ont autant que lui respectée dans leur esprit et servie de leur dévouement, d'autres que le lien des souvenirs d'enfance devrait pourtant me rendre plus précieux : ils ne me le sont pas moins ; mais c'est parce que je n'ai pas ce lien avec Rollinat, c'est parce que notre amitié n'a que vingt-cinq ans de date, que je dois la considérer comme plus fondée sur le choix que sur l'habitude. C'est d'elle que je me suis souvent plu à dire avec Montaigne :

« Si on me presse de dire pourquoy je l'aime, je sens que cela ne se peut exprimer qu'en respondant : Parce que c'est luy, parce que c'est moy. Il y a au delà de tout mon discours et de ce que j'en puis dire particulièrement je ne sçay quelle force inexplicable et fatale, médiatrice de cette union. Nous nous cherchions avant que de nous estre veus et par des rapports que nous oyions l'un de l'autre qui faisoient en notre affection plus d'effort que ne porte la raison des rapports. Et à notre première rencontre, nous nous trouvâmes si pris, si cognus, si obligez entre nous, que rien dès lors ne nous fut si proche que l'un à l'autre. Ayant si tard commencé, nostre intelligence n'avoit point à perdre temps et n'avoit à se reigler au patron des amitiés régulières auxquelles il faut tant de précautions de longue et préalable conversation [129]. »

Dès ma jeunesse, dès mon enfance, j'avais eu le rêve de l'amitié idéale, et je m'enthousiasmais pour ces grands exemples de l'antiquité, où je n'entendais pas malice. Il me fallut, dans la suite, apprendre qu'elle était accompagnée de cette déviation insensée ou maladive dont Cicéron disait : *Quis est enim iste amor amicitiæ* [130] ? Cela me causa une sorte de frayeur, comme tout ce qui porte le caractère de l'égarement et de la dépravation. J'avais vu des héros si purs, et il me fallait les concevoir si dépravés ou si sauvages ! Aussi fus-je saisie de dégoût jusqu'à la tristesse quand, à l'âge où l'on peut tout lire, je compris toute l'histoire d'Achille et de Patrocle, d'Harmodius et d'Aristogiton [131]. Ce fut justement le chapitre de Montaigne sur l'amitié qui m'apporta cette désillusion, et dès lors ce même chapitre si chaste et si ardent, cette expression mâle et sainte d'un sentiment élevé jusqu'à la vertu, devint une sorte de loi sacrée applicable à une aspiration de mon âme.

J'étais pourtant blessée au cœur du mépris que mon cher Montaigne faisait de mon sexe quand il disait : « À dire vray, la suffisance ordinaire des femmes n'est pas pour respondre à cette conférence et communication nourrisse de cette sainte cousture : ny leur âme ne semble assez ferme pour soustenir l'estreinte d'un nœud si pressé et si durable [132]. »

En méditant Montaigne dans le jardin d'Ormesson, je m'étais souvent sentie humiliée d'être femme, et j'avoue que dans toute lecture d'enseignement philosophique, même dans les livres saints, cette infériorité morale attribuée à la femme a révolté mon jeune orgueil. « Mais cela est faux ! m'écriais-je ; cette ineptie et cette frivolité que vous nous jetez à la figure, c'est le résultat de la mauvaise éducation à laquelle vous nous avez condamnées, et vous aggravez le mal en le constatant. Placez-nous dans de meilleures conditions, placez-y les hommes aussi ; faites qu'ils soient purs, sérieux et forts de volonté, et vous verrez bien que nos âmes sont sorties semblables des mains du Créateur. »

Puis, m'interrogeant moi-même et me rendant bien compte des alternatives de langueur et d'énergie, c'est-à-dire de l'irrégularité de mon organisation essentiellement féminine, je voyais bien qu'une éducation rendue un peu différente de celle des autres femmes par des circonstances fortuites avait modifié mon être ; que mes petits os s'étaient endurcis à la fatigue, ou bien que ma volonté, développée par les théories stoïciennes de Deschartres d'une part et les mortifications chrétiennes de l'autre, s'était habituée à dominer souvent les défaillances de la nature. Je sentais bien aussi que la stupide vanité des parures, pas plus que l'impur désir de plaire à tous les hommes, n'avaient de prise sur mon esprit, formé au mépris de ces choses par les leçons et les exemples de ma grand-mère. Je n'étais donc pas tout à fait une femme comme celles que censurent et raillent les moralistes ; j'avais dans l'âme l'enthousiasme du beau, la soif du vrai, et pourtant j'étais bien une femme comme toutes les autres, souffreteuse, nerveuse, dominée par l'imagination, puérilement accessible aux attendrissements et aux inquiétudes de la maternité. Cela devait-il me reléguer à un rang secondaire dans la création et dans la famille ? Cela étant réglé par la société, j'avais encore la force de m'y soumettre patiemment ou gaiement. Quel homme m'eût donné l'exemple de ce secret héroïsme qui n'avait que Dieu pour confident des protestations de la dignité méconnue ?

Que la femme soit différente de l'homme, que le cœur et l'esprit aient un sexe, je n'en doute pas. Le contraire fera toujours exception ; même en supposant que notre éducation fasse les progrès nécessaires (je ne la voudrais pas semblable à celle des hommes), la femme sera toujours plus artiste et plus poète dans sa vie, l'homme le sera toujours plus dans son œuvre. Mais cette différence, essentielle pour l'harmonie des choses et pour les charmes les plus élevés de l'amour, doit-elle constituer une infériorité morale ? Je ne parle

pas ici socialisme : au temps où cette question fonda-
mentale commença à me préoccuper, je ne savais ce
que c'était que le socialisme. Je dirai plus tard en quoi
et pourquoi mon esprit s'est refusé à le suivre sur la
voie de prétendu affranchissement où certaines opinions ont fait dévier, selon moi, la théorie des véritables instincts et des nobles destinées de la femme :
mais je philosophais dans le secret de ma pensée, et je
ne voyais pas que la vraie philosophie fût trop grande
dame pour nous admettre à l'égalité dans son estime,
comme le vrai Dieu nous y admet dans les promesses
du ciel.

J'allais donc nourrissant le rêve des mâles vertus
auxquelles les femmes peuvent s'élever, et à toute
heure j'interrogeais mon âme avec une naïve curiosité
pour savoir si elle avait la puissance de son aspiration,
et si la droiture, le désintéressement, la discrétion, la
persévérance dans le travail, toutes les forces enfin que
l'homme s'attribue exclusivement étaient interdites en
pratique à un cœur qui en acceptait ardemment et passionnément le précepte. Je ne me sentais ni perfide, ni
vaine, ni bavarde, ni paresseuse, et je me demandais
pourquoi Montaigne ne m'eût pas aimée et respectée à
l'égal d'un frère, à l'égal de son cher de La Boétie.

En méditant aussi ce passage sur l'absorption rêvée
par lui, mais par lui déclarée impossible, de l'être tout
entier dans l'*amor amicitiæ*, entre l'homme et la femme,
je crus avec lui longtemps que les transports et les
jalousies de l'amour étaient inconciliables avec la
divine sérénité de l'amitié, et, à l'époque où je connus
Rollinat, je cherchais l'amitié sans l'amour comme un
refuge et un sanctuaire où je pusse oublier l'existence
de toute affection orageuse et navrante. De douces et
fraternelles amitiés m'entouraient déjà de sollicitudes
et de dévouements dont je ne méconnaissais pas le
prix : mais, par une combinaison sans doute fortuite
de circonstances, aucun de mes anciens amis, homme
ou femme, n'était précisément d'âge à me bien
connaître et à me bien comprendre, les uns pour être
trop jeunes, les autres pour être trop vieux. Rollinat,

plus jeune que moi de quelques années, ne se trouva pas différent de moi pour cela. Une fatigue extrême de la vie l'avait déjà placé à un point de vue de désespérance, tandis qu'un enthousiasme invincible pour l'idéal le conservait vivant et agité sous le poids de la résignation absolue aux choses extérieures. Le contraste de cette vie intense, brûlant sous la glace, ou plutôt sous sa propre cendre, répondait à ma propre situation, et nous fûmes étonnés de n'avoir qu'à regarder chacun en soi-même pour nous connaître à l'état philosophique. Les habitudes de la vie étaient autres à la surface ; mais il y avait une ressemblance d'organisation qui rendit notre mutuel commerce aussi facile dès l'abord que s'il eût été fondé sur l'habitude : même manie d'analyse, même scrupule de jugement, allant jusqu'à l'indécision, même besoin de la notion du souverain bien, même absence de la plupart des passions et des appétits qui gouvernent ou accidentent la vie de la plupart des hommes ; par conséquent même rêverie incessante, mêmes accablements profonds, mêmes gaietés soudaines, même innocence de cœur, même incapacité d'ambition, mêmes paresses princières de la fantaisie aux moments dont les autres profitent pour mener à bien leur gloire et leur fortune, même satisfaction triomphante à l'idée de se croiser les bras devant toute chose réputée sérieuse qui nous paraissait frivole et en dehors des devoirs admis par nous comme sérieux ; enfin mêmes qualités ou mêmes défauts, mêmes sommeils et mêmes réveils de la volonté.

Le devoir nous a jetés cependant tout entiers dans le travail, pieds et poings liés, et nous y sommes restés avec une persistance invincible, cloués par ces devoirs acceptés sans discussion. D'autres caractères, plus brillants et plus actifs en apparence, m'ont souvent prêché le courage. Rollinat ne m'a jamais prêché que d'exemple, sans se douter même de la valeur et de l'effet de cet exemple. Avec lui et pour lui, je fis le code de la véritable et saine amitié, d'une amitié à la Montaigne, toute de choix, d'élection et de perfection. Cela ressembla d'abord à une convention romanesque, et cela a duré vingt-cinq ans, sans que la *sainte cousture* des âmes se soit relâchée un seul instant, sans qu'un doute ait effleuré la foi absolue que nous avons l'un dans l'autre, sans qu'une exigence, une préoccupation personnelle aient rappelé à l'un ou à l'autre qu'il était un être à part, une existence différente de l'âme unique en deux personnes.

D'autres attachements ont pris cependant la vie tout entière de chacun de nous, des affections plus complètes, eu égard aux lois de la vie réelle, mais qui n'ont rien ôté à l'union tout immatérielle de nos cœurs. Rien dans cette union paisible et pour ainsi dire paradisiaque ne pouvait rendre jalouses ou inquiètes les âmes associées à notre existence plus intime. L'être que l'un de nous préférait à tous les autres devenait aussitôt cher et sacré à l'autre et sa plus douce société. Enfin, cette amitié est restée digne des plus beaux romans de la chevalerie. Bien qu'elle n'ait jamais rien *posé*, elle en a, elle en aura toujours la grandeur en nous-mêmes, et ce pacte de deux cerveaux enthousiastes a pris toute la consistance d'une certitude religieuse. Fondée sur l'estime, dans le principe, elle a passé dans les entrailles à ce point de n'avoir plus besoin d'estime mutuelle, et s'il était possible que l'un de nous deux arrivât à l'aberration de quelque vice ou de quelque crime, il pourrait se dire encore qu'il existe sur la terre une âme pure et saine qui ne se détacherait pas de lui.

Je me souviens en ce moment d'une circonstance où un autre de mes amis l'accusa vivement auprès de moi d'un tort sérieux. Cela n'avait rien de fondé, et je ne sus que hausser les épaules ; mais quand je vis que la prévention s'obstinait contre lui, je ne pus m'empêcher de dire avec impatience : « Eh bien, quand cela serait ? Du moment que c'est lui, c'est bien. Ça m'est égal. »

Plus souvent accusée que lui, parce que j'ai eu une existence plus en vue, je suis certaine qu'il a dû plus d'une fois répondre à propos de moi comme j'ai fait à propos de lui. Il n'est pas un seul autre de mes amis qui n'ait discuté avec moi sur quelque opinion ou quelque

fait personnel, et qui par conséquent ne m'ait parfois
discutée vis-à-vis de lui-même. C'est un droit qu'il faut
reconnaître à l'amitié dans les conditions ordinaires de
la vie et qu'elle regarde souvent comme un devoir ;
mais là où ce droit n'a pas été réservé, pas même prévu
par une confiance sans limites, là où ce devoir disparaît
dans la plénitude d'une foi ardente, là seulement est la
grande, l'idéale amitié. Or, j'ai besoin d'idéal. Que
ceux qui n'en ont que faire s'en passent.

Mais vous qui flottez encore entre la mesure de
poésie et de réalité que la sagesse peut admettre, vous
pour qui j'écris et à qui j'ai promis de dire des choses
utiles, à l'occasion, vous me pardonnerez cette longue
digression en faveur de la conclusion qu'elle amène et
que voici :

Oui, il faut poétiser les beaux sentiments dans son
âme et ne pas craindre de les placer trop haut dans sa
propre estime. Il ne faut pas confondre tous les besoins
de l'âme dans un seul et même appétit de bonheur
qui nous rendrait volontiers égoïstes. L'amour idéal…
je n'en ai pas encore parlé, il n'est pas temps encore,
– l'amour idéal résumerait tous les plus divins sentiments que nous pouvons concevoir, et pourtant il n'ôte-
rait rien à l'amitié idéale. L'amour sera toujours de
l'égoïsme à deux, parce qu'il porte avec lui des satisfactions infinies. L'amitié est plus désintéressée, elle partage toutes les peines et non tous les plaisirs. Elle a
moins de racines dans la réalité, dans les intérêts, dans
les enivrements de la vie. Aussi est-elle plus rare, même
à un état très imparfait, que l'amour à quelque état
qu'on le prenne. Elle paraît cependant bien répandue ;
et le nom d'ami est devenu si commun qu'on peut dire
mes amis en parlant de deux cents personnes. Ce n'est
pas une profanation, en ce sens qu'on peut et doit
aimer, même particulièrement, tous ceux que l'on
connaît bons et estimables. Oui, croyez-moi, le cœur est
assez large pour loger beaucoup d'affections, et plus
vous en donnerez de sincères et de dévouées, plus vous
le sentirez grandir en force et en chaleur. Sa nature est
divine, et plus vous le sentez parfois affaissé et comme

mort sous le poids des déceptions, plus l'accablement de sa souffrance atteste sa vie immortelle. N'ayez donc pas peur de ressentir pleinement les élans de la bienveillance et de la sympathie, et de subir les émotions douces ou pénibles des nombreuses sollicitudes qui réclament les esprits généreux ; mais n'en vouez pas moins un culte à l'amitié particulière, et ne vous croyez pas dispensé d'avoir *un ami,* un ami parfait, c'est-à-dire une personne que vous aimiez assez pour vouloir être parfait vous-même envers elle, une personne qui vous soit sacrée et pour qui vous soyez également sacré. Le grand but que nous devons tous poursuivre, c'est de tuer en nous le grand mal qui nous ronge, la personnalité. Vous verrez bientôt que quand on a réussi à devenir excellent pour quelqu'un on ne tarde pas à être meilleur pour tout le monde, et si vous cherchez l'amour idéal, vous sentirez que l'amitié idéale prépare admirablement le cœur à en recevoir le bienfait [133].

XIV

Dernière visite au couvent. – Vie excentrique. – Debureau. – Jane et Aimée. – La baronne Dudevant me défend de compromettre son nom dans les arts. – Mon pseudonyme. – Jules Sand et George Sand. – Karl Sand. – Le choléra. – Le cloître Saint-Merry. – Je change de mansarde.

Il n'y a peut-être pas pour moi autant de contraste qu'on croirait à descendre de ces hauteurs du sentiment pour revenir à la vie d'écolier littéraire que j'étais en train de raconter. J'appelais cela crûment alors ma vie de gamin, et il y avait bien un reste d'aristocratie d'habitudes dans la manière railleuse dont je l'envisageais ; car, au fond, mon caractère se formait, et la vie réelle se révélait à moi sous cet habit d'emprunt qui me permettait d'être assez homme pour voir un milieu à jamais fermé sans cela à la campagnarde engourdie que j'avais été jusqu'alors. Je regardai à cette époque dans les arts et dans la politique, non plus seulement par induction et par déduction, comme j'aurais fait dans une donnée historique quelconque, mais dans l'histoire et dans le roman de la société et de l'humanité vivante. Je contemplai ce spectacle de tous les points où je pus me placer, dans les coulisses et sur la scène, aux loges et au parterre. Je montai à tous les étages : du club à l'atelier, du café à la mansarde. Il n'y eut que les salons où je n'eus que faire. Je connaissais le monde intermédiaire entre l'artisan et l'artiste. Je l'avais cependant peu fréquenté dans ses réunions, et je m'étais toujours sauvée autant que possible de ses fêtes, qui m'ennuyaient au-delà de mes forces ; mais je connaissais sa vie intérieure, elle n'avait plus rien à me révéler.

Des gens charitables toujours prêts à avilir dans leurs sales pensées la mission de l'artiste, ont dit qu'à cette époque et plus tard j'avais eu les curiosités du vice. Ils en ont menti lâchement ; voilà tout ce que j'ai à leur répondre. Quiconque est poète sait que le poète ne souille pas volontairement son être, sa pensée, pas même son regard, surtout quand ce poète l'est doublement par sa qualité de femme.

Bien que cette existence bizarre n'eût rien que je prétendisse cacher plus tard, je ne l'adoptai pas sans savoir quels effets immédiats elle pouvait avoir sur les convenances et l'arrangement de ma vie. Mon mari la connaissait et n'y apportait ni blâme ni obstacle. Il en était de même de ma mère et de ma tante. J'étais donc en règle vis-à-vis des autorités constituées de ma destinée. Mais, dans tout le reste du milieu où j'avais vécu, je devais rencontrer probablement plus d'un blâme sévère. Je ne voulus pas m'y exposer. Je vis à faire mon choix et à savoir quelles amitiés me seraient fidèles, quelles autres se scandaliseraient. À première vue, je triai un bon nombre de connaissances dont l'opinion m'était à peu près indifférente, et à qui je commençai par ne donner aucun signe de vie. Quant aux personnes que j'aimais réellement et dont je devais attendre quelque réprimande, je me décidai à rompre avec elles sans leur rien dire. « Si elles m'aiment, pensai-je, elles courront après moi, et si elles ne le font pas, j'oublierai qu'elles existent, mais je pourrai toujours les chérir dans le passé ; il n'y aura pas eu d'explication blessante entre nous ; rien n'aura gâté le pur souvenir de notre affection. »

Au fait, pourquoi leur en aurais-je voulu ? Que pouvaient-elles savoir de mon but, de mon avenir, de ma volonté ? Savaient-elles, savais-je moi-même, en brûlant mes vaisseaux, si j'avais quelque talent, quelque persévérance ? Je n'avais jamais dit à personne le mot de l'énigme de ma pensée, je ne l'avais pas trouvé encore d'une manière certaine ; et quand je parlais d'écrire, c'était en riant et en me moquant de la chose et de moi-même.

Une sorte de destinée me poussait cependant. Je la sentais invincible, et je m'y jetais résolument : non une grande destinée, j'étais trop indépendante dans ma fantaisie pour embrasser aucun genre d'ambition, mais une destinée de liberté morale et d'isolement poétique, dans une société à laquelle je ne demandais que de m'oublier en me laissant gagner sans esclavage le pain quotidien.

Je voulus pourtant revoir une dernière fois mes plus chères amies de Paris. J'allai passer quelques heures à mon couvent. Tout le monde y était si préoccupé des effets de la révolution de Juillet, de l'absence d'élèves, de la perturbation générale dont on subissait les conséquences matérielles, que je n'eus aucun effort à faire pour ne point parler de moi. Je ne vis qu'un instant ma bonne mère Alicia. Elle était affairée et pressée. Sœur Hélène était en retraite. Poulette me promenait dans les cloîtres, dans les classes vides, dans les dortoirs sans lits, dans le jardin silencieux, en disant à chaque pas : « Ça va mal ! ça va bien mal ! »

Il ne restait plus personne de mon temps que les religieuses et la bonne Marie-Josèphe, la brusque et rieuse
servante qui me sembla la plus cordiale et la seule
vivante au milieu de ces âmes préoccupées. Je compris
que les nonnes ne peuvent pas et ne doivent pas aimer
avec le cœur. Elles vivent d'une idée et n'attachent une
véritable importance qu'aux conditions extérieures qui
sont le cadre nécessaire à cette idée. Tout ce qui trouble
l'arrangement d'une méditation qui a besoin d'ordre
immuable et de sécurité absolue est un événement terrible, ou tout au moins une crise difficile. Les amitiés
du dehors ne peuvent rien pour elles. Les choses
humaines n'ont de valeur à leurs yeux qu'en raison du
plus ou moins d'aide qu'elles apportent à leurs conditions d'existence exceptionnelle. Je ne regrettai plus le
couvent en voyant que là l'idéal était soumis à de telles
éventualités. La vie d'une communauté c'est tout un
monde à immobiliser, et le canon de juillet ne s'était
pas inquiété de la paix des sanctuaires *.

Moi, j'avais l'idéal logé dans un coin de ma cervelle,
et il ne me fallait que quelques jours d'entière liberté
pour le faire éclore. Je le portais dans la rue, les pieds
sur le verglas, les épaules couvertes de neige, les mains
dans mes poches, l'estomac un peu creux quelquefois,
mais la tête d'autant plus remplie de songes, de mélo-
dies, de couleurs, de formes, de rayons et de fantômes.
Je n'étais plus une *dame*, je n'étais pas non plus un
monsieur. On me poussait sur le trottoir comme une
chose qui pouvait gêner les passants affairés. Cela
m'était bien égal, à moi qui n'avais aucune affaire. On
ne me connaissait pas, on ne me regardait pas, on ne
me reprenait pas ; j'étais un atome perdu dans cette

* Les sanctuaires, d'ailleurs, recèlent des volcans dans leur sein.
J'apprends, en relisant ces lignes, que sœur Hélène a depuis longtemps quitté le couvent, et qu'elle est allée vivre en Angleterre,
emmenant *Poulette* dans sa tente ; et *Poulette*, après *cinquante ans* de
claustration aux Anglaises, *Poulette*, si aimante et si aimée, *Poulette*,
qui semblait la pierre de fondation et la clef de voûte du monastère,
est allée mourir au loin, brouillée avec toutes les sœurs, brouillée avec
Hélène aussi, dont elle avait épousé la querelle ! (NdA).

immense foule. Personne ne disait comme à La Châtre : « Voilà madame Aurore qui passe ; elle a toujours le même chapeau et la même robe » ; ni comme à Nohant : « Voilà not' dame qui *poste* sur son grand chevau ; faut qu'elle soit dérangée d'esprit pour *poster* comme ça [134]. » À Paris, on ne pensait rien de moi, on ne me voyait pas. Je n'avais aucun besoin de me presser pour éviter des paroles banales ; je pouvais faire tout un roman d'une barrière à l'autre, sans rencontrer personne qui me dit : « À quoi diable pensez-vous ? » Cela valait mieux qu'une cellule, et j'aurais pu dire avec René, mais avec autant de satisfaction qu'il l'avait dit avec tristesse, que je me promenais dans le *désert des hommes* [135].

Après que j'eus bien regardé et comme qui dirait remâché et savouré une dernière fois tous les coins et recoins de mon couvent et de mes souvenirs chéris, je sortis en me disant que je ne repasserais plus cette grille derrière laquelle je laissais mes plus saintes tendresses à l'état de divinités sans courroux et d'astres sans nuages ; une seconde visite eût amené des questions sur mon intérieur, sur mes projets, sur mes dispositions religieuses. Je ne voulais pas discuter. Il est des êtres qu'on respecte trop pour les contredire et de qui l'on ne veut emporter qu'une tranquille bénédiction.

Je remis mes chères bottes en rentrant, et j'allai voir Deburau dans la pantomime [136] : un idéal de distinction exquise servi deux fois par jour aux *titis* de la ville et de la banlieue, et cet idéal les passionnait. Gustave Papet, qui était le riche, le *milord* de notre association berrichonne, paya du sucre d'orge à tout le parterre, et puis, comme nous sortions affamés, il emmena souper trois ou quatre d'entre nous aux *Vendanges de Bourgogne*. Tout à coup il lui prit envie d'inviter Deburau, qu'il ne connaissait pas le moins du monde. Il rentre dans le théâtre, le trouve en train d'ôter son costume de Pierrot dans une cave qui lui servait de loge, le prend sous le bras et l'amène. Deburau fut charmant de manières. Il ne se laissa pas tenter par la moindre

pointe de champagne, craignant, disait-il, pour ses
nerfs, et ayant besoin du calme le plus complet pour
son jeu. Je n'ai jamais vu d'artiste plus sérieux, plus
consciencieux, plus religieux dans son art. Il l'aimait
de passion et en parlait comme d'une chose grave, tout
en parlant de lui-même avec une extrême modestie. Il
étudiait sans cesse et ne se blasait pas, malgré un exercice continuel et même excessif. Il ne s'inquiétait pas si
les finesses admirables de sa physionomie et son originalité de *composition* étaient appréciées par des artistes
ou saisies par des esprits naïfs. Il travaillait pour se
satisfaire, pour essayer et pour réaliser sa fantaisie, et
cette fantaisie, qui paraissait si spontanée, était étudiée
à l'avance avec un soin extraordinaire. Je l'écoutai avec
grande attention : il ne posait pas du tout, et je voyais
en lui, malgré la bouffonnerie du genre, un de ces
grands artistes qui méritent le titre de *maître*. Jules
Janin venait de faire alors un petit volume sur cet
artiste, un opuscule spirituel[137], mais qui ne m'avait
rien fait pressentir du talent de Debureau. Je lui
demandai s'il était satisfait de cette appréciation. « J'en
suis reconnaissant, me dit-il. L'intention en est bonne
pour moi et l'effet profite à ma réputation ; mais tout
cela ce n'est pas l'art, ce n'est pas l'idée que j'en ai ; ce
n'est pas sérieux, et le Debureau de M. Janin n'est pas
moi. Il ne m'a pas compris. »

J'ai revu Debureau plusieurs fois depuis et me suis
toujours sentie pour le paillasse des boulevards[138] une
grande déférence et comme un respect dû à l'homme
de conviction et d'étude.

J'assistais, douze ou quinze ans plus tard, à une
représentation à son bénéfice, à la fin de laquelle il
tomba à faux dans une trappe. J'envoyai savoir de ses
nouvelles le lendemain, et il m'écrivait, pour me dire
lui-même que ce n'était rien, une lettre charmante qui
finissait ainsi : « Pardonnez-moi de ne pas savoir mieux
vous remercier. Ma plume est comme la voix du personnage muet que je représente ; mais mon cœur est
comme mon visage, qui exprime la vérité. »

Peu de jours après, cet excellent homme, cet artiste de premier ordre, était mort des suites de sa chute.

Après le couvent, j'avais encore quelque chose à briser, non dans mon cœur, mais dans ma vie. J'allai voir mes amies Jane et Aimée. Aimée n'eût pas été l'amie de mon choix. Elle avait quelque chose de froid et de sec à l'occasion qui ne m'avait jamais été sympathique. Mais, outre qu'elle était la sœur adorée de Jane, il y avait en elle tant de qualités sérieuses, une si noble intelligence, une si grande droiture, et, à défaut de bonté spontanée, une si généreuse équité de jugement, que je lui étais réellement attachée. Quant à Jane, cette douce, cette forte, cette humble, cette angélique nature, aujourd'hui comme au couvent, je lui garde, au fond de l'âme, une tendresse que je ne puis comparer qu'au sentiment maternel.

Toutes deux étaient mariées. Jane était mère d'un gros enfant qu'elle couvait de ses grands yeux noirs avec une muette ivresse. Je fus heureuse de la voir heureuse ; j'embrassai bien tendrement l'enfant et la mère, et je m'en allai promettant de revenir bientôt, mais résolue à ne revenir jamais.

Je me suis tenu parole, et je m'en applaudis. Ces deux jeunes héritières, devenues comtesses, et plus que jamais orthodoxes en toutes choses, appartenaient désormais à un monde qui n'aurait eu pour ma bizarre manière d'exister que de la raillerie, et pour l'indépendance de mon esprit que des anathèmes. Un jour fût venu où il eût fallu me justifier d'imputations fausses, ou lutter contre des principes de foi et des idées de convenances que je ne voulais pas combattre ni froisser dans les autres. Je savais que l'héroïsme de l'amitié fût resté pur dans le cœur de Jane ; mais on le lui eût reproché, et je l'aimais trop pour vouloir apporter un chagrin, un trouble quelconque dans son existence. Je ne connais pas cet égoïsme jaloux qui s'impose, et j'ai une logique invincible pour apprécier les situations qui se dessinent clairement devant moi. Celle que je me faisais était bien nette. Je choquais ouvertement la règle du monde. Je me détachais de lui bien sciemment ; je devais donc trouver bon qu'il se détachât de moi dès qu'il saurait mes excentricités. Il ne les savait pas encore. J'étais trop obscure pour avoir besoin de mystère. Paris est une mer où les petites barques passent inaperçues par milliers entre les gros vaisseaux. Mais le moment pouvait venir où quelque hasard me placerait entre des mensonges que je ne voulais pas faire et des remontrances que je ne voulais pas accepter. Les remontrances perdues sont toujours suivies de refroidissement, et du refroidissement on va en deux pas aux ruptures. Voilà ce dont je ne supportais pas l'idée. Les personnes vraiment fières ne s'y exposent pas ; et quand elles sont aimantes, elles ne les provoquent pas, mais elles les préviennent, et par là savent les rendre impossibles.

Je retournai sans tristesse à ma mansarde et à mon utopie, certaine de laisser des regrets et de bons souvenirs, satisfaite de n'avoir plus rien de sensible à rompre.

Quant à la baronne Dudevant, ce fut bien lestement *emballé*, comme nous disions au quartier Latin. Elle me demanda pourquoi je restais si longtemps à Paris sans mon mari. Je lui dis que mon mari le trouvait bon. « Mais est-il vrai que vous ayez l'intention d'*imprimer* des livres ? – Oui, madame. – *Té !* s'écria-t-elle (c'était une locution gasconne qui signifie *Tiens !* et dont elle avait pris l'habitude), voilà une drôle d'idée ! – Oui, madame. – C'est bel et bon, mais j'espère que vous ne mettrez pas le nom que je porte sur des *couvertures de livre imprimées* ? – Oh ! certainement non, madame, il n'y a pas de danger. » Il n'y eut pas d'autre explication. Elle partit peu de temps après pour le Midi, et je ne l'ai jamais revue.

Le nom que je devais mettre sur des *couvertures imprimées* ne me préoccupa guère. En tout état de choses, j'avais résolu de garder l'anonyme. Un premier ouvrage fut ébauché par moi, refait en entier ensuite par Jules Sandeau [139], à qui Delatouche fit le nom de Jules Sand. Cet ouvrage amena un autre éditeur qui demanda un autre roman sous le même pseudonyme.

J'avais écrit *Indiana* à Nohant, je voulus le donner sous le pseudonyme demandé ; mais Jules Sandeau, par modestie, ne voulut pas accepter la paternité d'un livre auquel il était complètement étranger. Cela ne faisait pas le compte de l'éditeur. Le nom est tout pour la vente, et le petit pseudonyme s'étant bien *écoulé*, on tenait essentiellement à le conserver. Delatouche, consulté, trancha la question par un compromis : *Sand* resterait intact et je prendrais un autre prénom qui ne servirait qu'à moi. Je pris vite et sans chercher celui de George qui me paraissait synonyme de Berrichon. Jules et George, inconnus au public, passeraient pour frères ou cousins.

Le nom me fut donc bien acquis, et Jules Sandeau, resté légitime propriétaire de *Rose et Blanche,* voulut reprendre son nom en toutes lettres, afin, disait-il, de ne pas se parer de mes plumes. À cette époque, il était fort jeune et avait bonne grâce à se montrer si modeste. Depuis il a fait preuve de beaucoup de talent pour son compte, et il s'est fait un nom de son véritable nom. J'ai gardé, moi, celui de l'assassin de Kotzebue [140] qui avait passé par la tête de Delatouche et qui commença ma réputation en Allemagne, au point que je reçus des lettres de ce pays où l'on me priait d'établir ma parenté avec Karl Sand, comme une chance de succès de plus. Malgré la vénération de la jeunesse allemande pour le jeune fanatique dont la mort fut si belle, j'avoue que je n'eusse pas songé à choisir pour pseudonyme ce symbole du poignard de l'illuminisme. Les sociétés secrètes vont à mon imagination dans le passé, mais elles n'y vont que jusqu'au poignard exclusivement, et les personnes qui ont cru voir dans ma persistance à signer Sand et dans l'habitude qu'on a prise autour de moi de m'appeler ainsi une sorte de protestation en faveur de l'assassinat politique se sont absolument trompées. Cela n'entre ni dans mes principes religieux ni dans mes instincts révolutionnaires. Le mode de société secrète ne m'a même jamais paru d'une bonne application à notre temps et à notre pays ; je n'ai jamais cru qu'il en pût sortir autre chose désormais chez nous

qu'une dictature, et je n'ai jamais accepté le principe
dictatorial en moi-même.

Il est donc probable que j'eusse changé ce pseudonyme, si je l'eusse cru destiné à acquérir quelque
célébrité ; mais jusqu'au moment où la critique se
déchaîna contre moi à propos du roman de *Lélia*, je me
flattai de passer inaperçue dans la foule des lettrés de la
plus humble classe. En voyant que, bien malgré moi, il
n'en était plus ainsi, et qu'on attaquait violemment tout
dans mon œuvre, jusqu'au nom dont elle était signée,
je maintins le nom et poursuivis l'œuvre. Le contraire
eût été une lâcheté.

Et à présent j'y tiens, à ce nom, bien que ce soit, a-
t-on dit, la moitié du nom d'un autre écrivain. Soit.
Cet écrivain a, je le répète, assez de talent pour que
quatre lettres de son nom ne gâtent aucune *couverture
imprimée*, et ne sonnent point mal à mon oreille dans
la bouche de mes amis. C'est le hasard de la fantaisie
de Delatouche qui me l'a donné. Soit encore : je
m'honore d'avoir eu ce poète, cet ami pour parrain.
Une famille dont j'avais trouvé le nom assez bon pour
moi a trouvé ce nom de Dudevant (que la baronne sus-
nommée essayait d'écrire avec une apostrophe) ★ trop
illustre et trop agréable pour le compromettre dans la
république des arts. On m'a baptisée, obscure et insouciante, entre le manuscrit d'*Indiana*, qui était alors tout
mon avenir, et un billet de mille francs qui était en ce
moment-là toute ma fortune. Ce fut un contrat, un
nouveau mariage entre le pauvre apprenti poète que
j'étais et l'humble muse qui m'avait consolée dans mes
peines. Dieu me garde de rien déranger à ce que j'ai
laissé faire à la destinée. Qu'est-ce qu'un nom dans
notre monde révolutionné et révolutionnaire ? Un
numéro pour ceux qui ne font rien, une enseigne ou
une devise pour ceux qui travaillent ou combattent.
Celui qu'on m'a donné, je l'ai fait moi-même et moi
seule après coup, par mon labeur. Je n'ai jamais
exploité le travail d'un autre, je n'ai jamais pris, ni

★ Elle prétendait que le nom primitif était *O' Wen* (NdA).

acheté, ni emprunté une page, une ligne à qui que ce soit. Des sept ou huit cent mille francs que j'ai gagnés depuis vingt ans, il ne m'est rien resté, et aujourd'hui, comme il y a vingt ans, je vis, au jour le jour, de ce nom qui protège mon travail et de ce travail dont je ne me suis pas réservé une obole. Je ne sens pas que personne ait un reproche à me faire, et, sans être fière de quoi que ce soit (je n'ai fait que mon devoir), ma conscience tranquille ne voit rien à changer dans le nom qui la désigne et la personnifie.

Mais avant de raconter ces choses littéraires, j'ai encore à résumer diverses circonstances qui les ont précédées.

Mon mari venait me voir à Paris. Nous ne logions point ensemble, mais il venait dîner chez moi et il me menait au spectacle. Il me paraissait satisfait de l'arrangement qui nous rendait, sans querelles et sans questions aucunes, indépendants l'un de l'autre.

Il ne me sembla pas que mon retour chez moi lui fût aussi agréable. Pourtant je sus faire supporter ma présence en ne critiquant et ne troublant rien des arrangements pris en mon absence. Il ne s'agissait plus pour moi d'être chez moi, en effet. Je ne regardais plus Nohant comme une chose qui m'appartînt. La chambre de mes enfants et ma cellule à côté étaient un terrain neutre où je pouvais camper, et si beaucoup de choses me déplaisaient ailleurs, je n'avais rien à dire et ne disais rien. Je ne pouvais m'en prendre à personne de la démission que j'avais librement donnée. Quelques amis pensèrent que j'aurais dû ne pas le faire, mais lutter contre les causes premières de cette résolution. Elles avaient raison en théorie[141], mais la pratique ne se met pas toujours si volontiers qu'on croit aux ordres de la théorie. Je ne sais pas combattre pour un intérêt purement personnel. Toutes mes facultés et toutes mes forces peuvent se mettre au service d'un sentiment ou d'une idée ; mais quand il ne s'agit que de moi, j'abandonne la partie avec une faiblesse apparente qui n'est, en somme, que le résultat d'un raisonnement bien simple : Puis-je remplacer pour un autre les satisfac-

tions bonnes ou mauvaises que je lui ferais sacrifier ? Si
c'est oui, je suis dans mon droit ; si c'est non, mon
droit lui paraîtra toujours inique et ne me paraîtra
jamais bien légitime à moi-même.

Il faut avoir pour contrarier et persécuter quelqu'un
dans l'exercice de ses goûts des motifs plus graves que
l'exercice des siens propres. Il ne se passait alors dans
ma maison rien d'apparent dont mes enfants dussent
souffrir. Solange allait me suivre, Maurice vivait, en
mon absence, avec Jules Boucoiran, son bon petit précepteur. Rien ne dut me faire croire que cet état de
choses ne dût pas durer, et il n'a pas tenu à moi qu'il ne
durât pas.

Quand vint l'établissement au quai Saint-Michel
avec Solange, outre que j'éprouvais le besoin de
retrouver mes habitudes naturelles, qui sont sédentaires, la vie générale devint bientôt si tragique et si
sombre, que j'en dus ressentir le contrecoup. Le choléra enveloppa des premiers les quartiers qui nous
entouraient [142]. Il approcha rapidement, il monta,
d'étage en étage, la maison que nous habitions. Il y
emporta six personnes et s'arrêta à la porte de notre
mansarde, comme s'il eût dédaigné une si chétive
proie.

Parmi le groupe de compatriotes amis qui s'était
formé autour de moi, aucun ne se laissa frapper de
cette terreur funeste qui semblait appeler le mal et qui
généralement le rendait sans ressources. Nous étions
inquiets les uns pour les autres, et point pour nous-
mêmes. Aussi, afin d'éviter d'inutiles angoisses, nous
étions convenus de nous rencontrer tous les jours au
jardin du Luxembourg, ne fût-ce que pour un instant,
et quand l'un de nous manquait à l'appel, on courait
chez lui. Pas un ne fut atteint, même légèrement.
Aucun pourtant ne changea rien à son régime et ne se
mit en garde contre la contagion.

C'était un horrible spectacle que ce convoi sans
relâche passant sous ma fenêtre et traversant le pont
Saint-Michel. En de certains jours, les grandes voitures de déménagements, dites tapissières, devenues

les corbillards des pauvres, se succédèrent sans interruption, et ce qu'il y avait de plus effrayant, ce n'était
pas ces morts entassés pêle-mêle comme des ballots,
c'était l'absence des parents et des amis derrière les
chars funèbres ; c'était les conducteurs doublant le
pas, jurant et fouettant les chevaux ; c'était les passants
s'éloignant avec effroi du hideux cortège ; c'était la
rage des ouvriers qui croyaient à une fantastique
mesure d'empoisonnement et qui levaient leurs poings
fermés contre le ciel ; c'était, quand ces groupes menaçants avaient passé, l'abattement ou l'insouciance qui
rendaient toutes les physionomies irritantes ou stupides.

J'avais pensé à me sauver, à cause de ma fille ; mais
tout le monde disait que le déplacement et le voyage
étaient plus dangereux que salutaires, et je me disais
aussi que si l'influence pestilentielle s'était déjà, à mon
insu, attachée à nous au moment du départ, il valait
mieux ne pas la porter à Nohant, où elle n'avait pas
pénétré et où elle ne pénétra pas.

Et puis, du reste, dans les dangers communs dont
rien ne peut préserver, on prend vite son parti. Mes
amis et moi, nous nous disions que, le choléra s'adressant plus volontiers aux pauvres qu'aux riches, nous
étions parmi les plus menacés, et devions, par conséquent, accepter la chance sans nous affecter du
désastre général où chacun de nous était pour son
compte, aussi bien que ces ouvriers furieux ou désespérés qui se croyaient l'objet d'une malédiction particulière.

Au milieu de cette crise sinistre, survint le drame
poignant du cloître Saint-Merry [143]. J'étais au jardin du
Luxembourg avec Solange, vers la fin de la journée.
Elle jouait sur le sable, je la regardais, assise derrière le
large socle d'une statue. Je savais bien qu'une grande
agitation devait gronder dans Paris ; mais je ne croyais
pas qu'elle dût sitôt gagner mon quartier : absorbée, je
ne vis pas que tous les promeneurs s'étaient rapidement écoulés. J'entendis battre la charge, et, emportant
ma fille, je me vis seule de mon sexe avec elle dans cet

immense jardin, tandis qu'un cordon de troupes au pas de course traversait d'une grille à l'autre. Je repris le chemin de ma mansarde, au milieu d'une grande confusion et cherchant les petites rues, pour n'être pas renversée par les flots de curieux qui, après s'être groupés et pressés sur un point, se précipitaient et s'écrasaient, emportés par une soudaine panique. À chaque pas, on rencontrait des gens effarés qui vous criaient : « N'avancez pas, retournez, retournez ! La troupe arrive, on tire sur tout le monde. » Ce qu'il y avait jusque-là de plus dangereux, c'était la précipitation avec laquelle on fermait les boutiques au risque de briser la tête à tous les passants. Solange se démoralisait et commençait à jeter des cris désespérés. Quand nous arrivâmes au quai, chacun fuyait en sens différent. J'avançai toujours, voyant que le pire c'était de rester dehors, et j'entrai vite chez moi, sans prendre le temps de voir ce qui se passait, sans même avoir peur, n'ayant encore jamais vu la guerre des rues, et n'imaginant rien de ce que j'ai vu ensuite, c'est-à-dire l'ivresse qui s'empare tout d'abord du soldat et qui fait de lui, sous le coup de la surprise et de la peur, l'ennemi le plus dangereux que puissent rencontrer des gens inoffensifs dans une bagarre.

Et il ne faut pas qu'on s'en étonne. Dans presque tous ces événements déplorables ou magnifiques dont une grande ville est le théâtre, la masse des spectateurs, et souvent celle des acteurs, ignore ce qui se passe à deux pas de là, et court risque de s'entr'égorger, chacun cédant à la crainte de l'être. L'idée qui a soulevé l'ouragan est souvent plus insaisissable encore que le fait, et quelle qu'elle soit, elle ne se présente aux esprits incultes qu'à travers mille fictions délirantes. Le soldat est peuple, lui aussi ; la discipline n'a pas contribué à éclairer sa raison, qu'elle lui commanderait d'ailleurs d'abjurer, s'il avait la prétention de s'en servir. Ses chefs le poussent au massacre par la terreur, comme souvent les meneurs poussent le peuple à la provocation par le même moyen. De part et d'autre, avant qu'on ait brûlé une amorce, des récits horribles, des calomnies atroces ont circulé, et le fantôme du carnage a déjà fait son fatal office dans les imaginations troublées.

Je ne raconterai pas l'événement au milieu duquel je me trouvais. Je n'écris que mon histoire particulière. Je commençai par ne songer qu'à tranquilliser ma pauvre enfant, que la peur rendait malade. J'imaginai de lui dire qu'il ne s'agissait, sur le quai, que d'une chasse aux chauves-souris comme elle l'avait vu faire sur la terrasse de Nohant à son père et à son oncle Hippolyte, et je parvins à la calmer et à l'endormir au bruit de la fusillade. Je mis un matelas de mon lit dans la fenêtre de sa petite chambre, pour parer à quelque balle perdue qui eût pu l'atteindre, et je passai une partie de la nuit sur le balcon, à tâcher de saisir et de comprendre l'action à travers les ténèbres.

On sait ce qui se passa en ce lieu. Dix-sept insurgés s'étaient emparés du poste du petit pont de l'Hôtel-Dieu. Une colonne de garde nationale les surprit dans la nuit. « Quinze de ces malheureux, dit Louis Blanc (*Histoire de dix ans*), furent mis en pièces et jetés dans la Seine ; deux furent atteints dans les rues voisines et égorgés [144]. »

Je ne vis pas cette scène atroce, enveloppée dans les ombres de la nuit, mais j'en entendis les clameurs furieuses et les râles formidables ; puis un silence de mort s'étendit sur la cité endormie de fatigue après les émotions de la crainte.

Des bruits plus éloignés et plus vagues attestaient pourtant une résistance sur un point inconnu. Le matin on put circuler et aller chercher des aliments pour la journée, qui menaçait les habitants d'un blocus à domicile. À voir l'appareil des forces développées par le gouvernement, on ne se doutait guère qu'il s'agissait de réduire une poignée d'hommes décidés à mourir.

Il est vrai qu'une nouvelle révolution pouvait sortir de cet acte d'héroïsme désespéré : l'Empire pour le duc de Reichstadt et la Monarchie pour le duc de Bordeaux [145], aussi bien que la République pour le peuple. Tous les partis avaient, comme de coutume,

préparé l'événement, et ils en convoitaient le profit ;
mais quand il fut démontré que ce profit, c'était la
mort sur les barricades, les partis s'éclipsèrent, et le
martyre de l'héroïsme s'accomplit à la face de Paris
consterné d'une telle victoire.

La journée du 6 juin fut d'une solennité effrayante
vue du lieu élevé où j'étais. La circulation était interdite, la troupe gardait tous les ponts et l'entrée de
toutes les rues adjacentes. À partir de dix heures du
matin jusqu'à la fin de l'*exécution*, la longue perspective
des quais déserts prit au grand soleil l'aspect d'une
ville morte, comme si le choléra eût emporté le dernier
habitant. Les soldats qui gardaient les issues semblaient des fantômes frappés de stupeur. Immobiles et
comme pétrifiés le long des parapets, ils ne rompaient,
ni par un mot ni par un mouvement, la morne physionomie de la solitude. Il n'y eut d'êtres vivants, en de
certains moments du jour, que les hirondelles qui
rasaient l'eau avec une rapidité inquiète, comme si ce
calme inusité les eût effrayées. Il y eut des heures d'un
silence farouche, que troublaient seuls les cris aigres
des martinets autour des combles de Notre-Dame.
Puis tout à coup les oiseaux éperdus rentrèrent au sein
des vieilles tours, les soldats reprirent leurs fusils qui
brillaient en faisceaux sur les ponts. Ils reçurent des
ordres à voix basse. Ils s'ouvrirent pour laisser passer
des bandes de cavaliers qui se croisèrent, les uns pâles
de colère, les autres brisés et ensanglantés. La population captive reparut aux fenêtres et sur les toits, avide
de plonger du regard dans les scènes d'horreur qui
allaient se dérouler au-delà de la Cité. Le bruit sinistre
avait commencé. Des feux de pelotons sonnaient le
glas des funérailles à intervalles devenus réguliers.
Assise à l'entrée du balcon, et occupant Solange dans
la chambre pour l'empêcher de regarder dehors, je
pouvais compter chaque assaut et chaque réplique.
Puis le canon tonna. À voir le pont encombré de bran-
cards qui revenaient par la Cité en laissant une traînée
sanglante, je pensai que l'insurrection, pour être si
meurtrière, était encore importante ; mais ses coups

s'affaiblirent ; on aurait presque pu compter le nombre de ceux que chaque décharge des assaillants avait emportés. Puis le silence se fit encore une fois, la population descendit des toits dans la rue ; les portiers des maisons, caricatures expressives des alarmes de la propriété, se crièrent les uns aux autres d'un air de triomphe : *C'est fini !* et les vainqueurs qui n'avaient fait que regarder repassèrent en tumulte. Le roi se promena sur les quais. La bourgeoisie et la banlieue fraternisèrent à tous les coins de rue. La troupe fut digne et sérieuse. Elle avait cru un instant à une seconde révolution de Juillet.

Pendant quelques jours, les abords de la place et du quai Saint-Michel conservèrent de larges taches de sang, et la Morgue, encombrée de cadavres dont les têtes superposées faisaient devant les fenêtres comme un massif de hideuse maçonnerie, suinta un ruisseau rouge qui s'en allait lentement sous les arches sans se mêler aux eaux du fleuve. L'odeur était si fétide, et j'avais été si navrée, autant, je l'avoue, devant les pauvres soldats expirants que devant les fiers prisonniers, que je ne pus rien manger pendant quinze jours. Longtemps après, je ne pouvais seulement voir de la viande ; il me semblait toujours sentir cette odeur de boucherie qui avait monté âcre et chaude à mon réveil les 6 et 7 juin, au milieu des bouffées tardives du printemps.

Je passai l'automne à Nohant. C'est là que j'écrivis *Valentine*, le nez dans la petite armoire qui me servait de bureau et où j'avais déjà écrit *Indiana*.

L'hiver fut si froid dans ma mansarde que je reconnus l'impossibilité d'y écrire sans brûler plus de bois que mes finances ne me le permettaient. Delatouche quittait la sienne, qui était également sur les quais, mais au troisième seulement, et la face tournée au midi, sur des jardins. Elle était aussi plus spacieuse, confortablement arrangée, et depuis longtemps je nourrissais le doux rêve d'une cheminée à la prussienne. Il me céda son bail, et je m'installai au quai

Malaquais, où je vis bientôt arriver Maurice, que son
père venait mettre au collège.

Me voici déjà à l'époque de mes premiers pas dans
le monde des lettres, et, pressée d'établir le cadre de
ma vie extérieure, je n'ai encore rien dit des petites tentatives que j'avais faites pour arriver à ce but. C'est
donc le moment de parler des relations que j'avais
nouées et des espérances qui m'avaient soutenue.

XV

*Quatre Berrichons dans les lettres. – MM. Delatouche et Duris-
Dufresne. – Ma visite à M. de Kératry. – Rêve de quinze cents
francs de rente. – Le Figaro. – Une promenade dans le quar-
tier Latin. – Balzac. – Emmanuel Arago. – Premier luxe de
Balzac. – Ses contrastes. – Aversion que lui portait Dela-
touche. – Dîner et soirée fantastique chez Balzac. – Jules
Janin. – Delatouche m'encourage et me paralyse. – Indiana. –
C'est à tort qu'on a dit que c'était ma personne et mon histoire.
– La théorie du beau. – La théorie du vrai. – Ce qu'en pensait
Balzac. – Ce qu'en pensent la critique et le public. –
Corambé. – Les fantômes s'envolent. – Le travail m'attriste. –
Prétendues manies des artistes.*

Nous étions alors trois Berrichons à Paris, Félix
Pyat, Jules Sandeau et moi, apprentis littéraires, sous la
direction d'un quatrième Berrichon, M. Delatouche.
Ce maître eût dû, et il eût voulu sans doute, être un lien
entre nous, et nous comptions ne faire qu'une famille
en Apollon, dont il eût été le père. Mais son caractère
aigri, susceptible et malheureux, trahit les intentions et
les besoins de son cœur, qui était bon, généreux et
tendre. Il se brouilla tour à tour avec nous trois, après
nous avoir un peu brouillés ensemble.

J'ai dit, dans un article nécrologique assez détaillé sur M. Delatouche, tout le bien et tout le mal qui étaient en lui, et j'ai pu dire le mal sans manquer en rien à la reconnaissance que je lui devais et à la vive amitié que je lui avais rendue plusieurs années avant sa mort. Pour montrer combien ce mal, c'est-à-dire cette douleur inquiète, cette susceptibilité maladive, cette misanthropie, en un mot, était fatale et involontaire, je n'ai eu qu'à citer des fragments de ses lettres, où lui-même, en quelques mots pleins de grâce et de force, se peignait dans sa grandeur et dans sa souffrance. J'avais déjà écrit sur lui, pendant sa vie, avec le même sentiment de respect et d'affection. Je n'ai jamais eu rien à me reprocher envers lui, pas même l'ombre d'un tort, et je n'aurais jamais su comment et pourquoi j'avais pu lui déplaire, si je n'avais vu par moi-même, au déclin rapide de sa vie, combien il était profondément atteint d'une hypocondrie sans ressources.

Il m'a rendu justice en voyant que j'étais juste envers lui, c'est-à-dire prompte à courir à lui dès qu'il m'ouvrit des bras paternels, sans me souvenir de ses colères et de ses injustices mille fois réparées, selon moi, par un élan, par un repentir, par une larme de son cœur.

Je ne pourrais résumer ici l'ensemble de son caractère et de ses rapports avec moi personnellement, comme je l'ai fait dans un opuscule spécial, sans sortir de l'ordre de mon récit, faute que j'ai déjà trop commise et qui m'a paru souvent inévitable, les personnes et les choses ayant besoin de se compléter dans le souvenir de celui qui en parle pour être bien appréciées, et jugées, en dernier ressort, équitablement *.

Mais pour ne point m'arrêter à chaque pas dans ma narration, je dirai simplement ici quels rapports s'étaient établis entre nous lorsque je publiai *Indiana* et *Valentine*.

---

* Encore une raison pour ne parler des vivants qu'avec réserve (NdA).

Mon bon vieux ami Duris-Dufresne, à qui, des premiers, j'avais confié mon projet d'écrire, avait voulu
me mettre en relation avec Lafayette [146], assurant qu'il
me prendrait en amitié, que je lui serais très sympathique et qu'il me lancerait avec sollicitude dans le
monde des arts, où il avait de nombreuses relations. Je
me refusai à cette entrevue, bien que j'eusse aussi
beaucoup de sympathie pour Lafayette, que j'allais
quelquefois écouter à la tribune, conduite par mon
papa (c'est ainsi que les huissiers de la chambre appelaient mon vieux député quand nous nous cherchions
dans les couloirs après la séance) ; mais je me trouvais
si peu de chose, que je ne pus prendre sur moi d'aller
occuper de ma mince personnalité le patriarche du
libéralisme.

Et puis, si j'avais besoin d'un patron littéraire, c'était
bien plus comme conseil que comme appui. Je désirais
savoir, avant tout, si j'avais quelque talent, et je craignais de prendre un goût pour une faculté. M. Duris-
Dufresne, à qui j'avais lu, bien en secret, quelques
pages, à Nohant, sur l'émigration des nobles en 89, me
tenait naïvement pour un grand esprit ; mais je me
défiais beaucoup de sa partialité et de sa galanterie.
D'ailleurs il ne s'intéressait qu'aux choses politiques, et
c'est à quoi je me sentais le moins portée.

Je lui observai que les amis étaient trop volontiers
éblouis, et qu'il me faudrait un juge sans préventions.
« Mais n'allons pas le chercher si haut, lui disais-je ; les
gens trop célèbres n'ont pas le temps de s'arrêter aux
choses trop secondaires. »

Il me proposa un de ses collègues à la chambre,
M. de Kératry, qui faisait des romans, et qu'il me
donna pour un juge fin et sévère. J'avais lu *Le Dernier
des Beaumanoir,* ouvrage fort mal fait, bâti sur une
donnée révoltante, mais à laquelle le goût épicé du
romantisme faisait grâce en faveur de l'audace [147]. Il y
avait cependant dans cet ouvrage des pages assez belles
et assez touchantes, un mélange bizarre de dévotion
bretonne et d'aberrations romanesques, de la jeunesse
dans l'idée, de la vieillesse dans les détails. «Votre

illustre collègue est un fou, dis-je à mon papa, et quant à son livre, j'en pourrais quelquefois faire d'aussi mauvais. Cependant on peut être bon juge et méchant praticien. L'ouvrage n'est toujours pas d'un imbécile, il s'en faut. Voyons M. de Kératry. Mais je loge sous les toits, vous me dites qu'il est vieux et marié. Demandez-lui son heure. J'irai chez lui. »

Dès le lendemain, j'eus rendez-vous chez M. de Kératry à huit heures du matin. C'était bien matin. J'avais les yeux gros comme le poing, j'étais complètement stupide.

M. de Kératry me parut plus âgé qu'il ne l'était. Sa figure, encadrée de cheveux blancs, était fort respectable. Il me fit entrer dans une jolie chambre où je vis, couchée sous un couvre-pied de soie rose très galant, une charmante petite femme qui jeta un regard de pitié languissante sur ma robe de stoff et sur mes souliers crottés, et qui ne crut pas devoir m'inviter à m'asseoir.

Je me passai de la permission et demandai à mon nouveau patron, en me fourrant dans la cheminée, si mademoiselle sa fille était malade. Je débutais par une insigne bêtise. Le vieillard me répondit d'un air tout gonflé d'orgueil armoricain que c'était là madame de Kératry, sa femme. «Très bien, lui dis-je, je vous en fais mon compliment ; mais elle est malade, et je la dérange. Donc je me chauffe et je m'en vas. – Un instant, reprit le protecteur ; M. Duris-Dufresne m'a dit que vous vouliez écrire, et j'ai promis de causer avec vous de ce projet ; mais tenez, en deux mots, je serai franc, une femme ne doit pas écrire. – Si c'est votre opinion, nous n'avons point à causer, repris-je. Ce n'était pas la peine de nous éveiller si matin, madame de Kératry et moi, pour entendre ce précepte. »

Je me levai et sortis sans humeur, car j'avais plus envie de rire que de me fâcher. M. de Kératry me suivit dans l'antichambre et m'y retint quelques instants pour me développer sa théorie sur l'infériorité des femmes, sur l'impossibilité où était la plus intelligente d'entre elles d'écrire un bon ouvrage (*Le Dernier des Beaumanoir* apparemment) ; et, comme je m'en

allais toujours sans discuter et sans lui rien dire de
piquant, il termina sa harangue par un trait napoléonien qui devait m'écraser. « Croyez-moi, me dit-il gravement comme j'ouvrais la dernière porte de son sanctuaire, ne faites pas de livres, faites des enfants. – Ma
foi, monsieur, lui répondis-je en pouffant de rire et en
lui fermant sa porte sur le nez, gardez le précepte pour
vous-même, si bon vous semble. »

Delatouche a arrangé ma réponse depuis en racontant cette belle entrevue. Il m'a fait dire *faites-en vous-
même si vous pouvez*. Je ne fus ni si méchante ni si spirituelle, d'autant plus que sa petite femme avait l'air
d'un ange de candeur. Je retournai chez moi fort
diverti de l'originalité de ce Chrysale romantique [148] et
bien certaine que je ne m'élèverais jamais à la hauteur
de ses inventions littéraires. On sait que le sujet du *Dernier des Beaumanoir* est le viol d'une femme que l'on
croit morte par le prêtre chargé de l'ensevelir. Ajoutons
cependant, pour rester équitable, que le livre a de très
belles pages.

Je fis rire Duris-Dufresne aux larmes en lui racontant l'aventure. En même temps, il était furieux et voulait pourfendre son Breton bretonnant. Je le calmai en
lui disant que je ne donnerais pas ma matinée pour…
un éditeur !

Il ne combattit plus dès lors mon projet d'aller voir
Delatouche, contre lequel il m'avait exprimé jusque-là
de fortes préventions. Je n'avais qu'un mot à écrire,
mon nom eût suffi pour m'assurer un bon accueil de
mon compatriote. J'étais intimement liée avec sa
famille. Il était cousin des Duvernet, et son père avait
été lié avec le mien.

Il m'appela et me reçut paternellement. Comme
il savait déjà par Félix Pyat mon colloque avec
M. de Kératry, il mit toute la coquetterie de son esprit,
qui était d'une trempe exquise et d'un brillant remarquable, à soutenir la thèse contraire. « Mais ne vous
faites pas d'illusions, cependant, me dit-il. La littérature est une ressource illusoire, et moi qui vous parle,

malgré toute la supériorité de ma barbe, je n'en tire pas quinze cents francs par an, l'un dans l'autre.

– Quinze cents francs ! m'écriai-je ; mais si j'avais quinze cents francs à joindre à ma petite pension, je m'estimerais très riche, et je ne demanderais plus rien au ciel ni aux hommes, pas même une barbe !

– Oh ! reprit-il en riant, si vous n'avez pas plus d'ambition que cela, vous simplifiez la question. Ce ne sera pas encore la chose la plus facile du monde que de gagner quinze cents francs, mais c'est possible, si vous ne vous rebutez pas des commencements. »

Il lut un roman dont je ne me rappelle même plus le titre ni le sujet, car je l'ai brûlé peu de temps après. Il le trouva, avec raison, détestable. Cependant il me dit que je devais en savoir faire un meilleur, et que peut-être un jour j'en pourrais faire un bon. « Mais il faut vivre pour connaître la vie, ajouta-t-il. Le roman, c'est la vie racontée avec art. Vous êtes une nature d'artiste, mais vous ignorez la réalité, vous êtes trop dans le rêve. Patientez avec le temps et l'expérience, et soyez tranquille : ces deux tristes *conseilleurs* viendront assez vite. Laissez-vous enseigner par la destinée, et tâchez de rester poète. Vous n'avez pas autre chose à faire. »

Cependant, comme il me voyait assez embarrassée de suffire à la vie matérielle, il m'offrit de me faire gagner quarante ou cinquante francs par mois, si je pouvais m'employer à la rédaction de son petit journal. Pyat et Sandeau étaient déjà occupés à cette besogne. J'y fus associée un peu par-dessus le marché.

Delatouche avait acheté *Le Figaro*, et il le faisait à peu près lui-même, au coin de son feu, en causant tantôt avec ses rédacteurs, tantôt avec les nombreuses visites qu'il recevait ★ [149]. Ces visites, quelquefois charmantes, quelquefois risibles, posaient un peu, sans s'en douter, pour le secrétariat respectable qui, retranché dans les petits coins de l'appartement, ne se faisait pas faute d'écouter et de critiquer.

★ *Le Figaro* était alors un tout petit journal et ne comptait pas un grand nombre d'abonnés. (*Note de 1874*) [NdA].

J'avais ma petite table et mon petit tapis auprès de la cheminée ; mais je n'étais pas très assidue à ce travail, auquel je n'entendais rien. Delatouche me prenait un peu au collet pour me faire asseoir ; il me jetait un sujet et me donnait un petit bout de papier sur lequel il fallait le faire tenir. Je barbouillais dix pages que je jetais au feu et où je n'avais pas dit un mot de ce qu'il fallait traiter. Les autres avaient de l'esprit, de la verve, de la facilité. On causait et on riait. Delatouche était étincelant de causticité. J'écoutais, je m'amusais beaucoup, mais je ne faisais rien qui vaille, et, au bout du mois, il me revenait douze francs cinquante centimes ou quinze francs tout au plus pour ma part de collaboration, encore était-ce trop bien payé.

Delatouche était adorable de grâce paternelle, et il se rajeunissait avec nous jusqu'à l'enfantillage. Je me rappelle un dîner que nous lui donnâmes chez Pinson et une fantastique promenade au clair de la lune que nous lui fîmes faire à travers le quartier Latin. Nous étions suivis d'un sapin [150] qu'il avait pris à l'heure pour aller je ne sais où et qu'il garda jusqu'à minuit sans pouvoir se dépêtrer de notre folle compagnie. Il y remonta bien vingt fois et en descendit toujours, persuadé par nos raisons. Nous allions sans but et nous voulions lui prouver que c'était la plus agréable manière de se promener. Il la goûtait assez, car il nous cédait sans trop de combat. Le cocher de fiacre, victime de nos taquineries, avait pris son mal en patience, et je me souviens qu'arrivés, je ne sais pourquoi ni comment, à la montagne Sainte-Geneviève, comme il allait fort lentement dans la rue déserte, nous nous occupions à traverser la voiture, à la file les uns des autres, laissant les portières ouvertes et les marchepieds baissés, et chantant je ne sais plus quelle facétie sur un ton lugubre : je ne sais pas non plus pourquoi cela nous paraissait drôle et pourquoi Delatouche riait de si bon cœur. Je crois que c'était la joie de se sentir bête une fois en sa vie. Pyat prétendait avoir un but, qui était de donner une sérénade à tous les épiciers du quartier, et il allait de boutique en boutique chantant à pleine voix : *Un épicier c'est une rose.*

C'est la seule fois que j'aie vu Delatouche véritablement gai, car son esprit, habituellement satirique, avait un fonds de spleen qui rendait souvent son enjouement mortellement triste. « Sont-ils heureux ! me disait-il, en me donnant le bras à l'arrière-garde, tandis que les autres couraient devant en faisant leur tapage ; ils n'ont bu que de l'eau rougie, et ils sont ivres ! Quel bon vin que la jeunesse ! et quel bon rire que celui qui n'a pas besoin de motif ! Ah ! si l'on pouvait s'amuser comme cela deux jours de suite ! mais aussitôt que l'on sait de quoi et de qui l'on s'amuse, on ne s'amuse plus, on a envie de pleurer. »

Le grand chagrin de Delatouche était de vieillir. Il n'en pouvait prendre son parti, et c'est lui qui disait : « On n'a jamais cinquante ans, on a deux fois vingt-cinq ans. » Malgré cette révolte de son esprit, il était plus vieux que son âge. Déjà malade, et aggravant son mal par l'impatience avec laquelle il le supportait, il était souvent, le matin, d'une humeur irascible devant laquelle je m'esquivais sans rien dire. Puis il me rappelait ou venait me chercher, ne se donnant jamais tort, mais effaçant par mille gracieusetés et mille gâteries de papa le chagrin qu'il avait causé.

Quand j'ai cherché plus tard la cause de sa soudaine aversion, on m'a dit qu'il avait été amoureux de moi, jaloux sans en convenir, et blessé de n'avoir jamais été deviné. Cela n'est pas. Je me méfiais de lui au commencement, M. Duris-Dufresne m'ayant mise en garde par ses propres préventions. J'aurais donc eu à son égard la pénétration qui m'a souvent manqué à temps en d'autres circonstances, faute de coquetterie suffisante. Mais là, j'avais à bien voir si ma confiance tomberait sur un cœur désintéressé, et je constatai bientôt que la jalousie de notre patron, comme nous l'appelions, était tout intellectuelle et s'exerçait sur tout ce qui l'approchait, sans acception d'âge ni de sexe.

C'était un ami, et surtout un maître jaloux par nature, comme le vieux Porpora que j'ai dépeint dans

un de mes romans [151]. Quand il avait couvé une intelligence, développé un talent, il ne voulait plus souffrir
qu'une autre inspiration ou qu'une autre assistance
que la sienne osât en approcher.

Un de mes amis qui connaissait un peu Balzac
m'avait présentée à lui, non comme une muse de
département, mais comme une bonne personne de
province très émerveillée de son talent. C'était la
vérité. Bien que Balzac n'eût pas encore produit ses
chefs-d'œuvre à cette époque, j'étais vivement frappée
de sa manière neuve et originale et je le considérais
déjà comme un maître à étudier [152]. Balzac avait été,
non pas charmant pour moi à la manière de Delatouche, mais excellent aussi, avec plus de rondeur et
d'égalité de caractère. Tout le monde sait comme le
contentement de lui-même, contentement si bien
fondé qu'on le lui pardonnait, débordait en lui ;
comme il aimait à parler de ses ouvrages, à les raconter
d'avance, à les faire en causant, à les lire en brouillons
ou en épreuves. Naïf et *bon enfant* au possible, il
demandait conseil aux enfants, n'écoutait pas la
réponse, ou s'en servait pour la combattre avec l'obstination de sa supériorité. Il n'enseignait jamais, il parlait
de lui, de lui seul. Une seule fois il s'oublia pour nous
parler de Rabelais, que je ne connaissais pas encore. Il
fut si merveilleux, si éblouissant, si lucide, que nous
nous disions en le quittant : « Oui, oui, décidément, il
aura tout l'avenir qu'il rêve ; il comprend trop bien ce
qui n'est pas lui, pour ne pas faire de lui-même une
grande individualité. »

Il demeurait alors rue de Cassini, dans un petit
entresol très gai, à côté de l'Observatoire. C'est par lui
ou chez lui, je crois, que je fis connaissance avec
Emmanuel Arago, un homme qui devait devenir un
frère pour moi, et qui était alors un enfant. Je me liai
vite avec lui, pouvant me donner avec lui des airs de
grand-mère, car il était encore si jeune que ses bras
avaient grandi dans l'année plus que ne le compor-
taient ses manches. Il avait pourtant commis déjà un
volume de vers et une pièce de théâtre fort spirituelle.

Un beau matin Balzac, ayant bien vendu *la Peau de Chagrin*, méprisa son entresol et voulut le quitter ; mais, réflexion faite, il se contenta de transformer ses petites chambres de poète en un assemblage de boudoirs de marquise, et, un beau jour, il nous invita à venir prendre des glaces dans ses murs tendus de soie et bordés de dentelle. Cela me fit beaucoup rire ; je ne pensais pas qu'il prît au sérieux ce besoin d'un *vain luxe*, et que ce fût pour lui autre chose qu'une fantaisie passagère. Je me trompais ; ces besoins d'imagination coquette devinrent les tyrans de sa vie, et pour les satisfaire il sacrifia souvent le bien-être le plus élémentaire. Dès lors il vivait un peu ainsi, manquant de tout au milieu de son superflu, et se privant de soupe et de café plutôt que d'argenterie et de porcelaine de Chine.

Réduit bientôt à des expédients fabuleux pour ne pas se séparer de colifichets qui réjouissaient sa vue, artiste fantaisiste, c'est-à-dire enfant aux rêves d'or, il vivait par le cerveau dans le palais des fées ; homme opiniâtre cependant, il acceptait, par la volonté, toutes les inquiétudes et toutes les souffrances, plutôt que de ne pas forcer la réalité à garder quelque chose de son rêve.

Puéril et puissant, toujours envieux d'un *bibelot*, et jamais jaloux d'une gloire, sincère jusqu'à la modestie, vantard jusqu'à la hâblerie, confiant en lui-même et aux autres, très expansif, très bon et très fou, avec un sanctuaire de raison intérieure, où il rentrait pour tout dominer dans son œuvre, cynique dans la chasteté, ivre en buvant de l'eau, intempérant de travail et sobre d'autres passions, positif et romanesque avec un égal excès, crédule et sceptique, plein de contrastes et de mystères, tel était Balzac encore jeune, déjà inexplicable pour quiconque se fatiguait de la trop constante étude de lui-même à laquelle il condamnait ses amis, et qui ne paraissait pas encore à tous aussi intéressante qu'elle l'était réellement.

En effet, à cette époque, beaucoup de juges, compétents d'ailleurs, niaient le génie de Balzac, ou tout au moins ne le croyaient pas destiné à une si puissante

carrière de développement. Delatouche était des plus
récalcitrants. Il parlait de lui avec une aversion
effrayante. Balzac avait été son disciple, et leur rupture, dont ce dernier n'a jamais su le motif, était toute
fraîche et toute saignante. Delatouche ne donnait
aucune bonne raison à son ressentiment, et Balzac me
disait souvent : « Gare à vous ! vous verrez qu'un beau
matin, sans vous en douter, sans savoir pourquoi, vous
trouverez en lui un ennemi mortel. »

Delatouche eut évidemment tort à mes yeux en
dénigrant Balzac, qui ne parlait de lui qu'avec regret et
douceur ; mais Balzac eut tort de croire à une inimitié
irréconciliable. Il eût pu le ramener avec le temps.

C'était trop tôt alors. J'essayai en vain plusieurs fois
de dire à Delatouche ce qui pouvait les rapprocher. La
première fois il sauta au plafond. « Vous l'avez donc
vu ? s'écria-t-il ; vous le voyez donc ? Il ne manquait
plus que ça ! » Je crus qu'il allait me jeter par les
fenêtres. Il se calma, bouda, revint, et finit par *me
passer mon Balzac*, en voyant que cette sympathie
n'enlevait rien à celle qu'il réclamait. Mais à chaque
nouvelle relation littéraire que je devais établir ou
accepter, Delatouche devait entrer dans les mêmes
colères, et même les indifférents lui paraissaient des
ennemis s'ils ne m'avaient pas été présentés par lui.

Je parlai fort peu de mes projets littéraires à Balzac.
Il n'y crut guère, ou ne songea pas à examiner si j'étais
capable de quelque chose. Je ne lui demandai pas de
conseils, il m'eût dit qu'il les gardait pour lui-même ; et
cela, autant par ingénuité de modestie que par ingénuité d'égoïsme ; car il avait sa manière d'être modeste
sous l'apparence de la présomption, je l'ai reconnu
depuis, avec une agréable surprise ; et quant à son
égoïsme, il avait aussi ses réactions de dévouement et
de générosité.

Son commerce était fort agréable, un peu fatigant de
paroles pour moi qui ne sais pas assez répondre pour
varier les sujets de conversation ; mais son âme était
d'une grande sérénité, et en aucun moment je ne l'ai
vu maussade. Il grimpait avec son gros ventre tous les

étages de la maison du quai Saint-Michel et arrivait soufflant, riant et racontant sans reprendre haleine. Il prenait des paperasses sur ma table, y jetait les yeux et avait l'intention de s'informer un peu de ce que ce pouvait être ; mais aussitôt, pensant à l'ouvrage qu'il était en train de faire, il se mettait à le raconter, et, en somme, je trouvais cela plus instructif que tous les empêchements que Delatouche, questionneur désespérant, apportait à ma fantaisie.

Un soir que nous avions dîné chez Balzac d'une manière étrange, je crois que cela se composait de bœuf bouilli, d'un melon et de champagne frappé, il alla endosser une belle robe de chambre toute neuve, pour nous la montrer avec une joie de petite fille, et voulut sortir ainsi costumé, un bougeoir à la main, pour nous reconduire jusqu'à la grille du Luxembourg. Il était tard, l'endroit désert, et je lui observais qu'il se ferait assassiner en rentrant chez lui. « Du tout, me dit-il ; si je rencontre des voleurs, ils me prendront pour un fou, et ils auront peur de moi, ou pour un prince, et ils me respecteront. » Il faisait une belle nuit calme. Il nous accompagna ainsi, portant sa bougie allumée dans un joli flambeau de vermeil ciselé, parlant des quatre chevaux arabes qu'il n'avait pas encore, qu'il aurait bientôt, qu'il n'a jamais eus, et qu'il a cru fermement avoir pendant quelque temps. Il nous eût reconduits jusqu'à l'autre bout de Paris, si nous l'avions laissé faire.

Je ne connaissais pas d'autres célébrités et ne désirais pas en connaître. Je rencontrais une telle opposition d'idées, de sentiments et de systèmes entre Balzac et Delatouche, que je craignais de voir ma pauvre tête se perdre dans un chaos de contradictions, si je prêtais l'oreille à un troisième maître. Je vis, à cette époque, une seule fois, Jules Janin pour lui demander un service. C'est la seule démarche que j'aie jamais faite auprès de la critique, et comme ce n'était pas pour moi, je n'y eus aucun scrupule. Je trouvai en lui un bon garçon sans affectation et sans étalage d'aucune vanité, ayant le bon goût de ne pas montrer son esprit sans nécessité, et parlant de ses chiens avec plus d'amour que de ses écrits. Comme j'aime aussi les chiens, je me trouvai fort à l'aise ; une conversation littéraire avec un inconnu m'eût affreusement intimidée.

J'ai dit que Delatouche était désespérant. Il était ainsi pour lui-même et travaillait à se dégoûter de tout ce qu'il entreprenait. Il se laissait aller de temps en temps à raconter ses romans d'avance, avec plus de discrétion et d'intimité que Balzac, mais avec plus de complaisance encore s'il se voyait bien écouté. Par exemple, il ne fallait pas s'aviser de remuer un meuble, de tisonner ou d'éternuer dans ces moments-là : il s'interrompait aussitôt pour vous demander, avec une sollicitude polie, si vous étiez enrhumé ou si vous aviez des inquiétudes dans les jambes ; et, feignant d'avoir oublié son roman, il se faisait beaucoup prier pour faire semblant de chercher à le retrouver. Il avait mille fois moins de talent pour écrire que Balzac ; mais comme il en avait mille fois plus pour déduire ses idées par la parole, ce qu'il racontait admirablement paraissait admirable, tandis que ce que Balzac racontait d'une manière souvent impossible ne représentait souvent qu'une œuvre impossible. Mais quand l'ouvrage de Delatouche était imprimé, on y cherchait en vain le charme et la beauté de ce qu'on avait entendu, et on avait la surprise contraire en lisant Balzac. Balzac savait qu'il exposait mal, non pas sans feu et sans esprit, mais sans ordre et sans clarté. Aussi préférait-il lire quand il avait son manuscrit sous la main, et Delatouche, qui faisait cent romans sans les écrire, n'avait presque jamais rien à lire ; ou c'étaient quelques pages qui ne rendaient pas son projet et qui l'attristaient visiblement. Il n'avait pas de facilité ; aussi avait-il la fécondité en horreur et trouvait-il contre celle de Balzac (sans songer à celle de Walter Scott qu'il adorait) les invectives les plus bouffonnes et les comparaisons les plus médicinales.

J'ai toujours pensé que Delatouche dépensait trop de véritable talent en paroles. Balzac ne dépensait que de la folie. Il jetait là son trop-plein et gardait sa sagesse profonde pour son œuvre. Delatouche s'épuisait en démonstrations excellentes, et, quoique riche, ne l'était pas assez pour se montrer si généreux.

Et puis, sa fatale santé paralysait son essor au moment où il déployait ses ailes. Il a fait de beaux vers, faciles et pleins, mêlés à des vers tiraillés et un peu vides ; des romans très remarquables, très originaux, et des romans très faibles et très lâchés ; des articles très mordants, très ingénieux, et d'autres si personnels qu'ils étaient incompréhensibles et, partant, sans intérêt pour le public. Ce haut et ce bas d'une intelligence d'élite s'expliquent par le cruel va-et-vient de la maladie.

Delatouche avait aussi le malheur de s'occuper trop de ce que faisaient les autres. À cette époque, il lisait tout. Il recevait, comme journaliste, tout ce qui paraissait, feignait de n'y pas jeter les yeux et remettait l'exemplaire au premier venu de ses rédacteurs en lui disant : « Avalez la médecine ; vous êtes jeune, elle ne vous tuera pas. Dites de l'ouvrage ce que vous voudrez, je ne veux pas savoir ce que c'est. » – Mais quand on lui apportait le compte rendu, il critiquait la critique avec une netteté qui prouvait qu'il avait, le premier, avalé la médecine et même savouré l'âcre saveur qui le tentait.

J'eusse été bien sotte de ne pas écouter tout ce que me disait Delatouche ; mais cette perpétuelle analyse de toutes choses, cette dissection des autres et de lui-même, toute cette critique brillante et souvent juste, qui aboutissait à la négation de lui-même et des autres, attristait singulièrement mon esprit, et tant de lisières commençaient à me donner des crampes. J'apprenais tout ce qu'il ne faut pas faire, rien de ce qu'il faut faire, et je perdais toute confiance en moi.

Je reconnaissais, je reconnais encore que Delatouche me rendait grand service en m'amenant à hésiter. À cette époque, on faisait les choses les plus étranges en littérature. Les excentricités du génie de Victor Hugo, jeune, avaient enivré la jeunesse, ennuyée des vieilles rengaines de la Restauration. On ne trouvait plus Chateaubriand assez romantique ; c'était tout au plus si le maître nouveau l'était assez pour les appétits féroces qu'il avait excités. Les marmots de sa propre école, ceux qu'il n'eût jamais acceptés pour disciples, et qui le sentaient bien, voulaient l'*enfoncer* en le dépassant. On cherchait des titres impossibles, des sujets dégoûtants, et, dans cette course au clocher d'affiches ébourif-fantes, des gens de talent eux-mêmes subissaient la mode, et, couverts d'oripeaux bizarres, se précipitaient dans la mêlée.

J'étais bien tentée de faire comme les autres écoliers, puisque les maîtres donnaient le mauvais exemple, et je cherchais des bizarreries que je n'eusse jamais pu exé-cuter. Parmi les critiques du moment qui résistaient à ce cataclysme, Delatouche avait du discernement et du goût, en ce qu'il faisait la part du beau et du bon dans les deux écoles. Il me retenait sur cette pente glissante par des moqueries comiques et des avis sérieux. Mais il me jetait tout aussitôt dans des difficultés inextricables. « Fuyez le pastiche, disait-il. Servez-vous de votre propre fonds ; lisez dans votre vie, dans votre cœur ; rendez vos impressions. » Et quand nous avions causé n'importe de quoi, il me disait : « Vous êtes trop absolue dans votre sentiment, votre caractère est trop à part ; vous ne connaissez ni le monde ni les individus. Vous n'avez pas vécu et pensé comme tout le monde. Vous êtes un cerveau creux. » Je me disais qu'il avait raison, et je retournais à Nohant, décidée à faire des boîtes à thé et des tabatières de Spa.

Enfin je commençai *Indiana*, sans projet et sans espoir, sans aucun plan, mettant résolument à la porte de mon souvenir tout ce qui m'avait été posé en pré-cepte ou en exemple, et ne fouillant ni dans la manière des autres ni dans ma propre individualité pour le sujet et les types. On n'a pas manqué de dire qu'*Indiana* était ma personne et mon histoire. Il n'en est rien. J'ai présenté beaucoup de types de femmes, et je crois que quand on aura lu cet exposé des impressions et des réflexions de ma vie, on verra bien que je ne me suis jamais mise en scène sous des traits féminins. Je suis trop romanesque pour avoir vu une héroïne de roman dans mon miroir. Je ne me suis jamais trouvée ni assez belle, ni assez aimable, ni assez logique dans l'ensemble de mon caractère et de mes actions pour prêter à la poésie ou à l'intérêt, et j'aurais eu beau chercher à embellir ma personne et à dramatiser ma vie, je n'en serais pas venue à bout. Mon *moi*, me revenant face à face, m'eût toujours refroidie.

Je suis loin de dire qu'un artiste n'ait pas le droit de se peindre et de se raconter, et plus il se couronnera des fleurs de la poésie pour se montrer au public, mieux il fera, s'il a assez d'habileté pour qu'on ne le reconnaisse pas trop sous cette parure, ou s'il est assez beau pour qu'elle ne le rende pas ridicule. Mais, en ce qui me concerne, j'étais d'une étoffe trop bigarrée pour me prêter à une idéalisation quelconque. Si j'avais voulu montrer le fond sérieux, j'aurais raconté une vie qui jusqu'alors avait plus ressemblé à celle du moine *Alexis* (dans le roman peu récréatif de *Spiridion*) qu'à celle d'Indiana la créole passionnée. Ou bien, si j'avais pris l'autre face de ma vie, mes besoins d'enfantillage, de gaieté, de bêtise absolue, j'aurais fait un type si invraisemblable, que je n'aurais rien trouvé à lui faire dire et à lui faire faire qui eût le sens commun.

Je n'avais pas la moindre théorie quand je commençai à écrire, et je ne crois pas en avoir jamais eu quand une envie de roman m'a mis la plume à la main. Cela n'empêche pas que mes instincts ne m'aient fait, à mon insu, la théorie que je vais établir, que j'ai généralement suivie sans m'en rendre compte, et qui, à l'heure où j'écris, est encore en discussion.

Selon cette théorie, le roman serait une œuvre de poésie autant que d'analyse. Il y faudrait des situations vraies et des caractères vrais, réels même, se groupant autour d'un type destiné à résumer le sentiment ou l'idée principale du livre. Ce type représente généralement la passion de l'amour, puisque presque tous les romans sont des histoires d'amour. Selon la théorie annoncée (et c'est là qu'elle commence), il faut idéaliser cet amour, ce type, par conséquent, et ne pas craindre de lui donner toutes les puissances dont on a l'aspiration en soi-même, ou toutes les douleurs dont on a vu ou senti la blessure. Mais, en aucun cas, il ne faut l'avilir dans le hasard des événements ; il faut qu'il meure ou triomphe, et on ne doit pas craindre de lui donner une importance exceptionnelle dans la vie, des forces au-dessus du vulgaire, des charmes ou des souffrances qui dépassent tout à fait l'habitude des choses humaines, et même un peu le vraisemblable admis par la plupart des intelligences.

En résumé, idéalisation du sentiment qui fait le sujet, en laissant à l'art du conteur le soin de placer ce sujet dans des conditions et dans un cadre de réalité assez sensible pour le faire ressortir, si, toutefois, c'est bien un roman qu'il veut faire.

Cette théorie est-elle vraie ? Je crois que oui ; mais elle n'est pas, elle ne doit pas être absolue. Balzac, avec le temps, m'a fait comprendre, par la variété et la force de ses conceptions, que l'on pouvait sacrifier l'idéalisation du sujet à la vérité de la peinture, à la critique de la société et de l'humanité même.

Balzac résumait complètement ceci quand il me disait dans la suite : « Vous cherchez l'homme tel qu'il devrait être ; moi, je le prends tel qu'il est. Croyez-moi, nous avons raison tous deux. Ces deux chemins conduisent au même but. J'aime aussi les êtres exceptionnels ; j'en suis *un*. Il m'en faut d'ailleurs pour faire ressortir mes êtres vulgaires, et je ne les sacrifie jamais sans nécessité. Mais ces êtres vulgaires m'intéressent plus qu'ils ne vous intéressent. Je les grandis, je les idéalise, en sens inverse, dans leur laideur ou leur bêtise. Je donne à leurs difformités des proportions effrayantes ou grotesques. Vous, vous ne sauriez pas ; vous faites bien de ne pas vouloir regarder des êtres et des choses qui vous donneraient le cauchemar. Idéalisez dans le joli et dans le beau, c'est un ouvrage de femme [153]. »

Balzac me parlait ainsi sans dédain caché et sans causticité déguisée. Il était sincère dans le sentiment fraternel, et il a trop idéalisé la femme pour qu'on puisse le soupçonner d'avoir eu jamais la théorie de M. de Kératry.

Balzac, esprit vaste, non pas infini et sans défauts, mais le plus étendu et le plus pourvu de qualités diverses qui dans le roman se soit produit de notre temps, Balzac, maître sans égal en l'art de peindre la société moderne et l'humanité actuelle, avait mille fois raison de ne pas admettre un système absolu. Il ne m'a rien révélé de cela alors que je cherchais, et je ne lui en veux pas, il ne le savait pas lui-même ; il cherchait et tâtonnait aussi pour son compte. Il a essayé de tout. Il a vu et prouvé que toute manière était bonne et tout sujet fécond pour un esprit souple comme le sien. Il a développé davantage ce en quoi il s'est senti le plus puissant, et il s'est moqué de cette erreur de la critique qui veut imposer un cadre, des sujets et des procédés aux artistes, erreur dans laquelle le public donne encore, sans s'apercevoir que cette théorie arbitraire, étant toujours l'expression d'une individualité, se dérobe la première à son propre principe et fait acte d'indépendance en contredisant le point de vue d'une théorie voisine ou opposée. On est frappé de ces contradictions quand on lit une demi-douzaine d'articles de critique sur un même ouvrage d'art ; on voit alors que chaque critique a son critérium, sa passion, son goût particulier, et que si deux ou trois d'entre eux se trouvent d'accord pour préconiser une loi quelconque dans les arts, l'application qu'ils font de cette loi prouve des appréciations très diverses et des préventions que ne gouverne aucune règle fixe.

Il est heureux, du reste, qu'il en soit ainsi. S'il n'y avait qu'une école et qu'une doctrine dans l'art, l'art périrait vite, faute de hardiesse et de tentatives nouvelles. L'homme va toujours cherchant avec douleur le vrai absolu, dont il a le sentiment, et qu'il ne trouvera jamais en lui-même à l'état d'individu. La vérité est le but d'une recherche pour laquelle toutes les forces collectives de notre espèce ne sont pas de trop ; et cependant, erreur étrange et fatale, dès qu'un homme de quelque capacité aborde cette recherche, il voudrait l'interdire aux autres et donner pour unique découverte celle qu'il croit tenir. La recherche de la loi de liberté elle-même sert d'aliment au despotisme et à l'intolérance de l'orgueil humain. Triste folie ! Si les sociétés n'ont pu encore s'y soustraire, que les arts au moins s'en affranchissent et trouvent la vie dans l'indépendance absolue de l'inspiration.

L'inspiration, voilà quelque chose de bien malaisé à définir et de bien important à constater comme un fait surhumain, comme une intervention presque divine. L'inspiration est pour les artistes ce que la grâce est pour les chrétiens, et on n'a pas encore imaginé de défendre aux croyants de recevoir la grâce quand elle descend dans leurs âmes. Il y a pourtant une prétendue critique qui défendrait volontiers aux artistes de recevoir l'inspiration et de lui obéir.

Et je ne parle pas ici des critiques de profession, je ne resserre pas mon plaidoyer dans les limites d'une ou plusieurs coteries. Je combats un préjugé public, universel. On veut que l'art suive un chemin battu, et quand une manière a plu, un siècle tout entier s'écrie : « Donnez-nous du même, il n'y a que cela de bon ! » Malheur alors aux novateurs ! Il leur faut succomber ou soutenir une lutte effroyable, jusqu'à ce que leur protestation, cri de révolte au début, devienne à son tour une tyrannie qui écrasera ou combattra d'autres innovations également légitimes et désirables.

J'ai toujours trouvé le mot *inspiration* très ambitieux et ne pouvant s'appliquer qu'aux génies de premier ordre. Je n'oserais jamais m'en servir pour mon propre compte, sans protester un peu contre l'emphase d'un terme qui ne trouve sa sanction que dans un incontestable succès. Pourtant il faudrait un mot qui ne fît pas rougir les gens modestes et bien élevés, et qui exprimât cette sorte de *grâce* qui descend plus ou moins vive, plus ou moins féconde sur toutes les têtes éprises de leur art. Il n'est si humble travailleur qui n'ait son heure d'inspiration, et peut-être la liqueur céleste est-elle aussi précieuse dans le vase d'argile que dans le vase d'or : seulement, l'un la conserve pure, l'autre l'altère ou se brise. La grâce des chrétiens n'agit pas seule et fatalement. Il faut que l'âme la recueille, comme la bonne terre le grain sacré. L'inspiration n'est pas d'une autre nature. Prenons donc le mot tel qu'il est, et qu'il n'implique rien de présomptueux sous ma plume.

Je sentis en commençant à écrire *Indiana* une émotion très vive et très particulière, ne ressemblant à rien de ce que j'avais éprouvé dans mes précédents essais. Mais cette émotion fut plus pénible qu'agréable. J'écrivis tout d'un jet, sans plan, je l'ai dit, et littéralement sans savoir où j'allais, sans m'être même rendu compte du problème social que j'abordais. Je n'étais pas saint-simonienne, je ne l'ai jamais été, bien que j'aie eu de vraies sympathies pour quelques idées et quelques personnes de cette secte [154], mais je ne les connaissais pas à cette époque, et je ne fus point influencée par elles.

J'avais en moi seulement, comme un sentiment bien net et bien ardent, l'horreur de l'esclavage brutal et bête. Je ne l'avais pas subi, je ne le subissais pas, on le voit par la liberté dont je jouissais et qui ne m'était pas disputée. Donc *Indiana* n'était pas mon histoire dévoilée, comme on l'a dit. Ce n'était pas une plainte formulée contre un maître particulier. C'était une protestation contre la tyrannie en général, et si je personnifiais cette tyrannie dans un homme, si j'enfermais la lutte dans le cadre d'une existence domestique, c'est que je n'avais pas l'ambition de faire autre chose qu'un roman de mœurs. Voilà pourquoi, dans une préface écrite après le livre, je me défendis de vouloir porter atteinte aux institutions. J'étais fort sincère et ne prétendais pas en savoir plus long que je n'en disais. La critique m'en apprit davantage et me fit mieux examiner la question.

J'écrivis donc ce livre sous l'empire d'une émotion et non d'un système. Cette émotion, lentement amassée dans le cours d'une vie de réflexions, déborda très impétueuse dès que le cadre d'une situation quelconque s'ouvrit pour la contenir ; mais elle s'y trouva fort à l'étroit, et cette sorte de combat entre l'émotion et l'exécution me soutint pendant six semaines dans un état de volonté tout nouveau pour moi.

Mais mon pauvre *Corambé* s'envola pour toujours, dès que j'eus commencé à me sentir dans cette veine de persévérance sur un sujet donné. Il était d'une essence trop subtile pour se plier aux exigences de la forme. À peine eus-je fini mon livre, que je voulus retrouver le vague ordinaire de mes rêveries. Impossible ! Les personnages de mon manuscrit, enfermés dans un tiroir, voulurent bien y rester tranquilles ; mais j'espérai en vain voir reparaître *Corambé*, et avec lui ces milliers d'êtres qui me berçaient tous les jours de leurs agréables divagations, ces figures à moitié nettes, ces voix à moitié distinctes qui flottaient autour de moi comme un tableau animé derrière un voile transparent. Ces chères visions n'étaient que les précurseurs de l'inspiration. Elles se cachèrent cruellement au fond de l'encrier, pour n'en plus sortir que quand je m'enhardirais à les y chercher.

J'aurais beaucoup à raconter sur ce phénomène de demi-hallucination qui s'était produit en moi pendant toute ma vie et qui se dissipa entièrement et tout d'un coup. Mais je craindrais de reprendre un chapitre peut-être déjà trop long et trop détaillé dans cet ouvrage ; je me bornerai à rappeler que j'avais commencé, dans un âge si enfantin que je ne pourrais le préciser, un roman composé de milliers de romans qui s'enchaînaient les uns aux autres par l'intervention d'un principal personnage fantastique appelé *Corambé* (nom sans signification aucune, dont les syllabes s'étaient rassemblées dans le hasard de quelque rêve), et que ce personnage avait été, pendant quelques années de mon enfance, une sorte de dieu de mon invention, auquel j'avais été par moments tout près de croire et de rendre un culte.

Le catholicisme ardent qui s'était emparé de moi au couvent me l'avait fait oublier, mais non repousser avec effroi comme une croyance idolâtrique ; car cette création de ma rêverie n'avait fait que me préparer, par

une poésie angélique, à m'enthousiasmer pour le divin
type de Jésus. J'ai gardé mon enthousiasme pour ce
dernier type, et quant à *Corambé*, je n'hésite pas à
croire qu'il a été pour moi, dans l'enfance, une interprétation plus humaine et plus admissible que celle que
l'Église de nos jours prétend nous donner du divin
Maître. Corambé, s'il se fût mêlé de politique, n'eût
pas laissé dévorer la Pologne pantelante par la Russie
sanguinaire[155], il n'eût pas, s'il se fût mêlé de socialisme, abandonné la cause du faible à celle du fort, la
vie morale et physique du pauvre au caprice du riche.
Il eût été plus chrétien que la papauté.

Quand je fus dans l'âge où l'on rit de sa propre naïveté, je remis Corambé à sa véritable place : c'est-à-
dire que je le réintégrai, dans mon imagination, parmi
les songes ; mais il en occupa toujours le centre, et
toutes les fictions qui continuèrent à se former autour
de lui émanèrent toujours de cette fiction principale.

Le plan brisé que je suivais en composant pour moi-
même, sous le coup de ces hallucinations, une foule de
romans qui rentraient dans le néant sans être achevés,
avait donc sa logique particulière, en ce qu'un personnage mystérieux non pas omnipotent, mais doué de
facultés surnaturelles, intervenait dans tous et les interrompait ou les reprenait à sa guise. C'était bien commode, comme l'on voit. C'était une idée que je trouvais
sublime pour mon usage particulier, mais que je savais
bien inadmissible pour tout autre que moi, pour le
public par conséquent. Il fallait désormais, en racontant n'importe quoi des choses humaines, en laisser la
conduite et la solution au hasard ou à la fatalité des
notions humaines. J'en passai par là, mais si tristement,
que pendant plusieurs années j'eus une profonde
amertume contre la publicité, amertume que j'osai dire
naïvement à quelques personnes au milieu de mon
succès, mais que je dus renfermer bientôt, en voyant
qu'on prenait cette ingénuité douloureuse pour une
affectation.

Et aujourd'hui que je raconte ceci le plus sèchement
que je peux, qui me croira et qui me comprendra, si je

dis que les vrais poèmes sont dans le sanctuaire de l'âme et qu'ils n'en sortent jamais ? Quelques âmes de la même nature que la mienne certainement ; mais voilà tout, et pour ne causer aux autres nul ennui, je ne parle ici de Corambé et de la consistance de mes rêveries en images sensibles pour moi que comme d'un phénomène psychique, dont je ne me défendais pas, parce qu'il avait un charme indicible, une pureté céleste, et qu'il ne m'avait jamais fait craindre pour ma raison.

En effet, il ne m'était jamais arrivé, si ce n'est dans l'enfance, de vouloir me persuader que ces apparitions eussent une existence en dehors de mon cerveau. Je comprenais parfaitement que j'étais sous l'empire d'une sorte de vision, évoquée par moi-même non pas au gré de ma volonté immédiate, mais comme un reflet capricieux de mes préoccupations intérieures. Je ne me crus donc pas guérie d'une maladie intellectuelle, mais, au contraire, privée d'une faculté. J'ignore si cette prétendue faculté ne fût pas devenue pernicieuse. Il ne fallait peut-être qu'un petit dérangement d'équilibre physique pour que ces riantes visions de paysages et de jardins paradisiaques, habités par des êtres imaginaires, devinssent sombres et terrifiantes, et, dans ce cas, il se peut que j'eusse fini par les croire réelles. Il ne me semble pas, mais qui sait ? La fatigue d'une telle angoisse peut, à la longue, user la résistance du raisonnement.

Voilà ce que je me disais pour me consoler, lorsque l'effort que je dus faire pour évoquer volontairement des êtres persistants dans la logique d'un livre eut paralysé en moi la faculté de voir arriver d'eux-mêmes des êtres inattendus. Il ne me fut plus permis de quitter ceux que j'avais appelés, pour passer à un autre groupe, ni le lieu où je les avais attirés, pour un autre site de mon infini fantastique. Pourtant je ne pus me défendre de faire un peu voyager *Indiana* et *Ralph* d'un bout du monde à l'autre, et de commettre peut-être quelques erreurs de géographie sur leur oasis finale [156].

Je n'y tenais guère : j'étais si mal à l'aise dans la réalité que j'abordais !

Pourtant cette nécessité de paraître un peu raisonnable, nécessité que je constatais sans la bien comprendre, me donna plus tard, quand je l'eus tout à fait acceptée, des plaisirs d'un autre genre. Mes personnages prirent une autre manière de se manifester. Je ne les vis plus flotter dans un coin de ma chambre ni passer dans mon jardin à travers les arbres : mais, en fermant les yeux, je les vis plus nettement dessinés, et leurs paroles, n'arrivant plus à mon oreille par de mystérieux murmures, se gravèrent plus distinctes dans mon esprit. Quand ils vinrent dans mon sommeil, ils ne firent plus que m'ennuyer ; mais quand j'étais dans mon armoire (le petit bureau de mon cabinet), ils me parlaient et agissaient sur mon papier blanc, bien ou mal, mais d'une façon brusque et impérieuse qui avait aussi son charme : charme moins doux, moins durable, puisque tout s'effaçait dès que je quittais la plume, mais plus énergique et plus appréciable à mon jugement.

Un autre phénomène se produisit encore et que je ne peux en rien expliquer : c'est que j'eus à peine terminé mon premier manuscrit, qu'il s'effaça de ma mémoire, non pas peut-être d'une manière aussi absolue que les nombreux romans que je n'avais jamais écrits, mais au point de ne plus m'apparaître que vaguement. J'aurais cru que l'habitude de préciser les êtres, les passions et les situations fixerait peu à peu mes souvenirs. Il n'en fut rien, et cet oubli où mon cerveau enterre immédiatement les produits de son travail n'a fait que croître et embellir. Si je n'avais pas mes ouvrages sur un rayon, j'oublierais jusqu'à leur titre. On peut me lire un demi-volume de certains romans que je n'ai pas eu à revoir en épreuves depuis quelques semaines, sans que, sauf deux ou trois noms principaux, je devine qu'ils sont de moi. Je me rappelle davantage les circonstances, même insignifiantes, au milieu desquelles j'ai écrit, que les choses mêmes que j'ai écrites, et d'après le souvenir des situations où je me suis trouvée alors, je peux dire

que le livre est plus ou moins réussi, plus ou moins
manqué. Mais si l'on me posait à l'imprévu en critique
devant mes propres ouvrages et qu'on m'en demandât
mon opinion, je pourrais répondre de bien bonne foi
que je ne les connais pas, et qu'il me faut les relire avec
attention pour en penser quelque chose.

On ne s'attendra donc pas, j'espère, à ce que je parle
beaucoup de mes livres par eux-mêmes. Il me faudrait
trop de lecture et d'attention pour asseoir mon jugement. J'ai mis depuis environ quinze ans, depuis
l'époque où j'ai vu qu'on les lisait et qu'on les discutait,
la plus grande conscience à les livrer aussi finis qu'il
m'était possible. Mais, excepté un ou deux, je n'ai
jamais pu rien y refaire. L'*entrain* épuisé, il ne me reste
plus la moindre certitude sur la valeur de la forme qu'il
a prise, et je changerais tout, s'il me fallait changer
quelque chose. Quand je reprends un sujet pour le
mettre au théâtre, je ne peux pas conserver un mot du
dialogue, et je transforme ou je modifie les types,
autant par impossibilité de les ressaisir qu'en vue des
exigences de la scène.

Je ne sais trop si tout cela vaut la peine d'être dit. Je
n'ai pas le goût de parler de moi, en ce qui peut être
tout à fait individuel et sans relation de solidarité
morale avec un certain nombre d'autres individualités [157]. Le nombre des artistes est assez considérable
pour qu'il soit bon pour eux de voir une nature
d'artiste tâcher de se rendre compte d'elle-même ;
mais je crains quelquefois d'avoir à dire des choses
exceptionnelles, même comme individu d'une certaine
race. J'étais moins embarrassée de raconter les rêves de
mon enfance, parce que tous les enfants sont artistes et
que les gens les plus positifs se souviennent d'avoir été
poètes plus ou moins longtemps avant la pratique de la
vie positive. J'ai été enfant si longtemps, je me suis
développée si tard comme raisonnement personnel, ou
plutôt j'ai cherché si longtemps ma raison propre,
enfin j'ai conservé, en dépit du temps et de l'expérience, un tel besoin d'apprécier secrètement toutes
choses à travers un idéal trop naïf probablement, que

je me sens embarrassée et comme intimidée d'analyser les fibres de l'intelligence quelconque dont j'ai eu à faire usage.

Les gens du monde, j'entends par là ceux qui ne sont pas artistes par état, sont assez curieux, en général, de savoir sous quelles influences extérieures et dans quelles conditions locales les artistes produisent leurs ouvrages. Cette curiosité est un peu puérile, et, pour ma part, je ne l'ai jamais pu satisfaire complètement chez les autres, quelque bonne volonté que j'aie mise à me délivrer de leurs questions, sans impolitesse et sans tricherie. J'avoue que les questions étaient quelquefois si compliquées ou si singulièrement posées, que j'en étais abasourdie et que mon premier mouvement était de répondre de bonne foi : « Je ne sais pas. » Par exemple, une Anglaise qui se donnait pour très amateur de mes romans me dit une fois, en me regardant avec de grands yeux de chouette : « À quoi vous pensez quand vous faites un roman ? – Dame ! lui répondis-je, je tâche de penser à mon roman. – Oh ! vous ne pouvez donc pas toujours penser en écrivant ? Il doit être bien pénible ! »

C'est, du reste, une chose si variée dans son mécanisme que ce qu'on appelle l'inspiration dans les arts, que plus on s'enquiert des particularités extérieures, moins on est à même de trouver une synthèse pour les opérations du cerveau. Beaucoup d'artistes célèbres ont eu des manies bizarres aux heures du travail. Balzac s'en attribuait plus qu'il n'en avait réellement, et on lui en a prêté plus encore. Je l'ai surpris plus d'une fois, en plein jour, travaillant comme tout le monde, sans excitants, sans costume, sans aucun signe d'enfantement douloureux, riant dès l'abord, l'œil limpide et le teint fleuri.

Il est, dit-on, des artistes qui ont immodérément besoin de café, de liqueurs ou d'opium. Je ne crois pas beaucoup à cela, et s'ils se sont amusés parfois à produire sous le coup d'une autre ivresse que celle de leur propre pensée, je doute qu'ils aient conservé et montré de telles élucubrations. Le travail de l'imagination est bien assez excitant par lui-même, et je confesse que je n'ai jamais pu l'arroser que de lait ou de limonade, ce qui ne passe pas pour byronien. Il est vrai que je ne crois pas à Byron ivre faisant de beaux vers. L'inspiration peut traverser l'âme aussi bien au milieu d'une orgie que dans le silence des bois ; mais quand il s'agit de donner une forme à la pensée, que l'on soit dans la solitude du cabinet ou sur les planches d'un théâtre, il faut avoir l'entière possession de soi-même.

Cinquième partie

Vie littéraire et intime
1832-1850

I

*Delatouche passe brusquement de la raillerie à l'enthousiasme. –
Valentine paraît. – Impossibilité de la collaboration projetée. – La
Revue des Deux Mondes. – Buloz. – Gustave Planche. –
Delatouche me boude et rompt avec moi. – Résumé de nos rapports par la suite. – Maurice entre au collège. – Son chagrin et
le mien. – Tristesse et dureté du régime des lycées. – Une exécution à Henri IV. – La tendresse ne raisonne pas. – Maurice fait
sa première communion.*

Je demeurais encore quai Saint-Michel avec ma fille
quand *Indiana* parut ★. Dans l'intervalle de la commande
à la publication, j'avais écrit *Valentine* et commencé *Lélia*.
Valentine parut donc deux ou trois mois après *Indiana*[1],
et ce livre fut écrit également à Nohant, où j'allais toujours régulièrement passer trois mois sur six.

Delatouche grimpa à ma mansarde et trouva le premier exemplaire d'*Indiana*, que l'éditeur Ernest Dupuy
venait de m'envoyer, et sur la couverture duquel j'étais
en train précisément d'écrire le nom de Delatouche. Il
le prit, le flaira, le retourna, curieux, inquiet, railleur
surtout ce jour-là. J'étais sur le balcon ; je voulus l'y
attirer, parler d'autre chose, il n'y eut pas moyen ; il
voulait lire, il lisait, et à chaque page il s'écriait :
« Allons ! c'est un pastiche ; école de Balzac ! Pastiche,
que me veux-tu ? Balzac, que me veux-tu ? »

Il vint sur le balcon, le volume à la main, et me critiquant mot par mot, me démontrant par *a* plus *b* que
j'avais copié la manière de Balzac, et qu'à cela je
n'avais gagné que de n'être ni Balzac ni moi-même.

Je n'avais ni cherché ni évité cette imitation de
manière, et il ne me semblait pas que le reproche fût
fondé. J'attendis, pour me condamner moi-même, que
mon juge, qui emportait son exemplaire, l'eût feuilleté

★ Je crois que ce fut en mai 1832 (NdA).

en entier. Le lendemain matin, à mon réveil, je reçus ce billet : « George, je viens faire amende honorable ; je suis à vos genoux. Oubliez mes duretés d'hier au soir, oubliez toutes les duretés que je vous ai dites depuis six mois. J'ai passé la nuit à vous lire. Ô mon enfant, que je suis content de vous ! »

Je croyais que tout mon succès se bornerait à ce billet paternel, et ne m'attendais nullement au prompt retour de l'éditeur, qui me demandait *Valentine*. Les journaux parlèrent tous de M. *G. Sand* avec éloge, insinuant que la main d'une femme avait dû se glisser çà et là pour révéler à l'auteur certaines délicatesses du cœur et de l'esprit, mais déclarant que le style et les appréciations avaient trop de virilité pour n'être pas d'un homme. Ils étaient tous un peu Kératry.

Cela ne me causa nul ennui, mais fit souffrir Jules Sandeau dans sa modestie. J'ai dit d'avance que ce succès le détermina à reprendre son nom intégralement et à renoncer à des projets de collaboration que nous avions déjà jugés nous-mêmes inexécutables. La collaboration est tout un art qui ne demande pas seulement, comme on le croit, une confiance mutuelle et de bonnes relations, mais une habileté particulière et une habitude de procédés *ad hoc*. Or, nous étions trop inexpérimentés l'un et l'autre pour nous partager le travail. Quand nous avions essayé, il était arrivé que chacun de nous refaisait en entier le travail de l'autre, et que ce remaniement successif faisait de notre ouvrage la broderie de Pénélope.

Les quatre volumes d'*Indiana* et *Valentine* vendus, je me voyais à la tête de trois mille francs qui me permettaient d'acquitter mon petit arriéré, d'avoir une servante et de me permettre un peu plus d'aisance. *La Revue des Deux Mondes* venait d'être achetée par M. Buloz, qui me demanda des *nouvelles*. Je fis pour ce recueil *Métella*, je ne sais quoi encore.

La Revue des Deux Mondes était rédigée par l'élite des écrivains d'alors. Excepté deux ou trois peut-être, tout ce qui a conservé un nom comme publiciste, poète, romancier, historien, philosophe, critique, voyageur, etc., a passé par les mains de Buloz, homme intelligent qui ne sait pas s'exprimer, mais qui a une grande finesse sous sa rude écorce. Il est très facile, trop facile même de se moquer de ce Genevois têtu et brutal. Lui-même se laisse taquiner avec bonhomie quand il n'est pas de trop mauvaise humeur ; mais ce qui n'est pas facile, c'est de ne pas se laisser persuader et gouverner par lui. Il a tenu dix ans les cordons de ma bourse, et, dans notre vie d'artiste, ces cordons, qui ne se desser-rent pour nous donner quelques heures de liberté qu'en échange d'autant d'heures d'esclavage, sont les fils de notre existence même. Dans cette longue asso-ciation d'intérêts, j'ai bien envoyé dix mille fois mon Buloz au diable, mais je l'ai tant fait enrager que nous sommes quittes. D'ailleurs, en dépit de ses exigences, de ses duretés et de ses sournoiseries, le despote Buloz a des moments de sincérité et de véritable sensibilité, comme tous les bourrus. Il avait de certaines menues ressemblances avec mon pauvre Deschartres, voilà pourquoi j'ai supporté si longtemps ses maussaderies entremêlées de mouvements d'amitié candide. Nous nous sommes brouillés, nous avons plaidé [2]. J'ai recon-quis ma liberté sans dommage réciproque, résultat auquel nous serions arrivés sans procès, s'il eût pu dépouiller son entêtement. Je l'ai revu peu de temps après, pleurant son fils aîné, qui venait de mourir dans ses bras. Sa femme, qui est une personne distinguée, mademoiselle Blaze, m'avait appelée auprès d'elle dans ce moment de douleur suprême. Je leur ai tendu les mains sans me souvenir de la guerre récente, et je ne m'en suis jamais souvenue depuis. Dans toute amitié, quelque troublée et incomplète qu'elle ait pu être, il y a des liens plus forts et plus durables que nos luttes d'intérêt matériel et nos colères d'un jour. Nous croyons détester des gens que nous aimons toujours quand même. Des montagnes de disputes nous sépa-rent d'eux ; un mot suffit parfois pour nous faire fran-chir ces montagnes. Ce mot de Buloz : « Ah ! George, que je suis malheureux ! » me fit oublier toutes les questions de chiffres et de procédure. Et lui aussi, en

d'autres temps, il m'avait vue pleurer, et il ne m'avait
pas raillée. Sollicitée depuis, maintes fois, d'entrer dans
des croisades contre Buloz, j'ai refusé carrément, sans
m'en vanter à lui, quoique la critique de *La Revue des
Deux Mondes* continuât à prononcer que j'avais eu
beaucoup de talent tant que j'avais travaillé à *La Revue
des Deux Mondes*, mais que depuis ma rupture,
hélas !… Naïf Buloz ! ça m'est égal !

Ce qui ne me fut pas indifférent, ce fut la subite
colère de Delatouche contre moi. La crise annoncée
par Balzac éclata un beau matin sans aucun motif
apparent. Il haïssait particulièrement Gustave Planche,
qui m'avait rendu visite en m'apportant un grand
article à ma louange, fraîchement inséré dans *La Revue
des Deux Mondes*. Comme je ne travaillais pas encore à
cette revue, l'hommage était désintéressé, et je ne pouvais que l'accueillir avec gratitude. Est-ce là ce qui
blessa Delatouche ? Il n'en fit rien paraître. Il demeurait alors tout à fait à Aulnay et ne venait pas souvent à
Paris. Je ne m'aperçus donc pas tout de suite de sa
bouderie et je m'apprêtais à aller le trouver, quand
M. de La Rochefoucauld, qu'il m'avait présenté et qui
était son voisin de campagne, m'apprit qu'il ne parlait
plus de moi qu'avec exécration, qu'il m'accusait d'être
enivrée par la *gloire*, de sacrifier mes vrais amis, de les
dédaigner, de ne vivre qu'avec des gens de lettres,
d'avoir méprisé ses conseils, etc. Comme il n'y avait
rien de vrai dans ces reproches, je crus que c'était une
de ses boutades accoutumées, et pour le ramener plus
délicatement que par une lettre, je lui dédiai *Lélia*, qui
allait paraître. Il le *prit pour mal*, comme nous disons
en Berry, et déclara que c'était une vengeance contre
lui. Une vengeance de quoi ? Je pensai qu'il ne me
pardonnait pas de voir Gustave Planche, et je priai
celui-ci de faire une démarche auprès de lui pour
s'excuser d'un article fort cruel dont il était l'auteur, et
où Delatouche avait été fort mal arrangé[3]. Je crois que
c'était une réponse à de violentes attaques contre le
cénacle des romantiques, dont Planche avait été le
champion par moments. Quoi qu'il en soit, Gustave

Planche, touché du bien que je lui disais de Delatouche, lui écrivit une lettre fort bonne et même res-
pectueuse, comme il convenait à un jeune homme vis-
à-vis d'un homme âgé, à laquelle Delatouche, de plus
en plus irrité, ne daigna pas répondre. Il continua à
déclamer et à exciter contre moi les personnes avec
qui j'étais liée. Il vint à bout de m'enlever deux amis
sur les cinq ou six dont s'était composée notre intimité. L'un d'eux vint plus tard m'en demander pardon. L'autre, j'ai eu à le défendre par la suite contre
Delatouche lui-même, qui le foulait aux pieds. Mais
alors je connaissais mon pauvre Delatouche ; je savais
ce qu'il fallait admettre et rejeter dans ses indignations, trop violentes et trop amères pour n'être pas à
moitié injustes.

Moins de deux ans après cette fureur contre moi,
Delatouche vint en Berry chez sa cousine, madame
Duvernet la mère, et, ramené à la vérité par elle et son
fils, mon ami Charles, il eut grande envie de venir me
voir. Il ne put s'y décider. Il m'adressa des gracieusetés dans un de ses romans. Il ne se souvenait pas
d'avoir dit contre moi des choses trop fortes pour que
je pusse me rendre à des avances littéraires. Ce
n'étaient pas des compliments qui devaient fermer la
blessure de l'amitié. Des compliments, je n'y tenais
pas ; je n'en ai jamais eu besoin. Je n'ai jamais demandé
à l'amitié de me considérer comme un grand esprit,
mais de me traiter comme un cœur loyal. Je ne me rendis qu'à des avances directes, à une demande de service en 1844. Une telle démarche est l'amende la plus
honorable qui se puisse exiger, et là je n'hésitai pas
une seconde. Je jetai mes deux bras au cou de mon
vieux ami, enfant terrible et tendre, qui, dès ce
moment, mit un véritable luxe de cœur à me faire
oublier le passé.

Un autre chagrin plus profond pour moi fut l'entrée
de mon fils au collège. J'avais attendu avec impatience
le moment de l'avoir près de moi, et ni lui ni moi ne
savions ce que c'est que le collège. Je ne veux pas
médire de l'éducation en commun, mais il est des

enfants dont le caractère est antipathique à cette règle militaire des lycées, à cette brutalité de la discipline, à cette absence de soins maternels, de poésie extérieure, de recueillement pour l'esprit, de liberté pour la pensée. Mon pauvre Maurice était né artiste, il en avait tous les goûts, il en avait pris avec moi toutes les habitudes, et, sans le savoir encore, il en avait toute l'indépendance. Il se faisait presque une fête d'entrer au collège, et, comme tous les enfants, il voyait un plaisir dans un changement de lieu et d'existence. Je le conduisis donc à Henri IV, gai comme un petit pinson, et contente moi-même de le voir si bien disposé. Sainte-Beuve, ami du proviseur, me promettait qu'il serait l'objet d'une sollicitude particulière. Le censeur était un père de famille, un homme excellent, qui le reçut comme un de ses enfants.

Nous fîmes avec lui le tour de l'établissement. Ces grandes cours sans arbres, ces cloîtres uniformes d'une froide architecture moderne, ces tristes clameurs de la récréation, voix discordantes et comme furieuses des enfants prisonniers, ces mornes figures des maîtres d'études, jeunes gens déclassés qui sont là, pour la plupart, esclaves de la misère, et forcément victimes ou tyrans ; tout, jusqu'à ce tambour, instrument guerrier, magnifique pour ébranler les nerfs des hommes qui vont se battre, mais stupidement brutal pour appeler des enfants au recueillement du travail, me serra le cœur et me causa une sorte d'épouvante. Je regardais, à la dérobée, dans les yeux de Maurice, et je le voyais partagé entre l'étonnement et quelque chose d'analogue à ce qui se passait en moi. Pourtant il tenait bon, il craignait que son père ne se moquât de lui ; mais quand vint le moment de se séparer, il m'embrassa, le cœur gros, les yeux pleins de larmes. Le censeur le prit dans ses bras très paternellement, voyant bien que l'orage allait éclater. Il éclata, en effet, au moment où je m'en allais vite pour cacher mon malaise. L'enfant s'échappa des bras qui le caressaient, vint s'attacher à moi, en criant avec des sanglots désespérés qu'il ne voulait pas rester là.

Je crus que j'allais mourir. C'était la première fois que je voyais Maurice malheureux, et je voulais le remmener. Mon mari fut plus ferme et eut certes toutes les bonnes raisons de son côté. Mais, obligée de m'enfuir devant les caresses et les supplications de mon pauvre enfant, poursuivie par ses cris jusqu'au bas de l'escalier, je revins chez moi sanglotant et criant presque autant que lui dans le fiacre qui me ramenait.

J'allai le voir deux jours après. Je le trouvai affublé de l'affreux habit carré d'uniforme, lourd et malpropre. Je ne sais si cette coutume subsiste encore de faire porter aux élèves qui entrent les vieux habits de ceux qui sortent. C'était une véritable vilenie de spéculation, puisque les parents payaient un trousseau d'entrée. Je réclamai en vain, remontrant que cela était malsain et pouvait communiquer aux enfants des maladies de peau. Une autre coutume barbare consistait dans l'absence de vases de nuit dans les dortoirs, avec défense de sortir pour se soulager. D'un autre côté, la spéculation autorisait la vente de méchantes friandises qui les rendaient malades.

Encore le proviseur était-il des plus honnêtes et des plus humains, et le mieux disposé à combattre des abus qui n'étaient pas de son fait. Il eut un successeur qui se montra fort doux et affable. Mais M. *** vint ensuite, qui se posa devant moi en homme *moral* à la manière d'un sergent de ville, et qui sut rendre les enfants aussi malheureux que la règle le comportait. Partisan farouche de l'autorité absolue, c'est lui qui autorisa un père *intelligent* à faire battre son fils par son nègre, devant toute la classe, convoquée *militairement* au spectacle de cette exécution dans le goût créole ou moscovite, et menacée de punition sévère en cas du moindre signe d'improbation. J'ai oublié le nom du proviseur et celui du père de l'enfant, je ne veux pas que mon fils me les rappelle, mais tout ce qui était élève à Henri IV à cette époque pourra certifier le fait.

Ma seconde visite à Maurice se termina comme la première ; mes amis m'accusèrent de faiblesse. J'avoue que je ne me sentais ni Romaine ni Spartiate devant le désespoir d'un pauvre enfant que l'on condamnait à subir une loi brutale et mercenaire, sans qu'il eût en rien mérité ce cruel châtiment. On me traîna, ce jour-là, au Conservatoire de musique, comptant que Beethoven me ferait du bien. J'avais tant pleuré en revenant du collège, que j'avais littéralement les yeux en sang. Cela ne paraissait guère raisonnable et ne l'était pas du tout. Mais la raison ne pleure jamais, ce n'est pas son affaire, et les entrailles ne raisonnent pas, elles ne nous ont pas été données pour cela.

La *Symphonie pastorale* ne me calma pas du tout. Je me souviendrai toujours de mes efforts pour pleurer tout bas, comme d'une des plus abominables angoisses de ma vie.

Maurice ne se rendit qu'à la crainte d'augmenter un chagrin que je ne pouvais pas lui cacher ; mais son parti n'était pris qu'à moitié. Ses jours de sortie amenaient de nouvelles crises. Il arrivait le matin, gai, bruyant, enivré de sa liberté. Je passais une grande heure à le laver et à le peigner, car la malpropreté qu'il apportait du collège était fabuleuse. Il ne tenait pas à se promener ; toute sa joie était de rester avec sa sœur et moi dans mes petites chambres, de barbouiller des bonshommes sur du papier, de regarder ou de découper des images. Jamais enfant, et plus tard jamais homme, n'a si bien su s'occuper et s'amuser d'un travail sédentaire. Mais à chaque instant il regardait la pendule, disant : Je n'ai plus que *tant* d'heures à passer avec toi. Sa figure s'allongeait à mesure que le temps s'écoulait. Quand venait le dîner, au lieu de manger il commençait à pleurer, et quand l'heure de rentrer avait sonné, le déluge était tel, que souvent j'étais forcée d'écrire qu'il était malade, et c'était la vérité. L'enfance ne sait pas lutter contre le chagrin, et celui de Maurice était une véritable nostalgie.

Quand on le prépara à sa première communion, qui était affaire de règlement au collège, je vis qu'il acceptait très naïvement l'enseignement religieux. Je n'aurais voulu pour rien au monde qu'il commençât sa vie par un acte d'hypocrisie ou d'athéisme, et si je l'eusse trouvé disposé à se moquer, comme beaucoup d'autres, je lui aurais dit les motifs sérieux qui m'apparurent dans mon enfance pour me décider à ne pas protester contre une institution dont j'acceptais l'esprit plutôt que la lettre ; mais, en reconnaissant qu'il ne discutait rien, je me gardai bien de faire naître en lui le moindre doute. La discussion n'était pas de son âge, et son esprit ne devançait pas son âge. Il fit donc sa première communion avec beaucoup d'innocence et de ferveur.

Je venais de passer une des plus tristes années de ma vie, celle de 1833, et il me reste à la résumer[4].

II

Ce que je gagnai à devenir artiste. – La mendicité organisée. – Les filous de Paris. – La mendicité des emplois, celle de la gloire. – Les lettres anonymes et celles qui devraient l'être. – Les visites. – Les Anglais, les curieux, les flâneurs, les donneurs de conseils. – Le boulet. – Réflexions sur l'aumône, sur l'emploi des biens. – Le devoir religieux et le devoir social en opposition flagrante. – Les problèmes de l'avenir et la loi du temps. – L'héritage matériel et intellectuel. – Les devoirs de la famille, de la justice, de la probité s'opposant à l'immolation évangélique dans la société actuelle. – Contradiction inévitable avec soi-même. – Ce que j'ai cru devoir conclure pour ma gouverne particulière. – Doute et douleur. – Réflexions sur la destinée humaine et sur l'action de la Providence. – Lélia. – La critique. – Les chagrins qui passent, celui qui reste. – Le mal général. – Balzac. – Départ pour l'Italie.

Cette année 1833 ouvrit pour moi la série des chagrins réels et profonds que je croyais avoir épuisée et qui ne faisait que de commencer. J'avais voulu être artiste, je l'étais enfin. Je m'imaginai être arrivée au but poursuivi depuis longtemps, à l'indépendance extérieure et à la possession de ma propre existence : je venais de river à mon pied une chaîne que je n'avais pas prévue.

Être artiste ! oui, je l'avais voulu, non seulement pour sortir de la geôle matérielle où la propriété, grande ou petite, nous enferme dans un cercle d'odieuses petites préoccupations ; pour m'isoler du contrôle de l'opinion en ce qu'elle a d'étroit, de bête, d'égoïste, de lâche, de provincial ; pour vivre en dehors des préjugés du monde, en ce qu'ils ont de faux, de suranné, d'orgueilleux, de cruel, d'impie et de stupide ; mais encore, et avant tout, pour me réconcilier avec moi-même, que je ne pouvais souffrir oisive et inutile, pesant, à l'état de *maître*, sur les épaules des travailleurs. Si j'avais pu piocher la terre, je m'y serais mise avec eux plutôt que d'entendre ces mots que, dans mon enfance, on avait grondés autour de moi quand Deschartres avait le dos tourné : « Il veut que l'on s'*échauffe*, lui qui a le ventre plein et les mains derrière son dos ! » Je voyais bien que les gens à mon service étaient souvent plus paresseux que fatigués, mais leur apathie ne me justifiait pas de mon inaction. Il ne me semblait pas avoir le droit d'exiger d'eux le moindre labeur, moi qui ne faisais rien du tout, car c'est ne rien faire que de s'occuper pour son plaisir.

Par goût, je n'aurais pas choisi la profession littéraire, et encore moins la célébrité. J'aurais voulu vivre du travail de mes mains, assez fructueusement pour pouvoir faire consacrer mon droit au travail par un petit résultat sensible, mon revenu patrimonial étant trop mince pour me permettre de vivre ailleurs que sous le toit conjugal, où régnaient des conditions inacceptables. Comme la seule objection à la liberté qu'on me laissait d'en sortir était le manque d'un peu d'argent à me donner, il me fallait ce peu d'argent. Je l'avais enfin. Il n'y avait plus de reproches ni de mécontentement de ce côté-là.

J'aurais souhaité vivre obscure, et comme, depuis la publication d'*Indiana* jusqu'à celle de *Valentine*, j'avais réussi à garder assez bien l'incognito pour que les jour-

naux m'accordassent toujours le titre de *monsieur*, je
me flattais que ce petit succès ne changerait rien à mes
habitudes sédentaires et à une intimité composée de
gens aussi inconnus que moi-même. Depuis que je
m'étais installée au quai Saint-Michel avec ma petite,
j'avais vécu si retirée et si tranquille que je ne désirais
d'autre amélioration à mon sort qu'un peu moins de
marches d'escalier à monter et un peu plus de bûches à
mettre au feu.

En m'établissant au quai Malaquais je me crus dans
un palais, tant la mansarde de Delatouche était confortable au prix de celle que je quittais. Elle était un peu
sombre quoique en plein midi ; on n'avait pas encore
bâti à portée de la vue, et les grands arbres des jardins
environnants faisaient un épais rideau de verdure où
chantaient les merles et où babillaient les moineaux
avec autant de laisser-aller qu'en pleine campagne. Je
me croyais donc en possession d'une retraite et d'une
vie conformes à mes goûts et à mes besoins. Hélas !
bientôt je devais soupirer, là comme partout, après le
repos, et bientôt courir en vain, comme Jean-Jacques
Rousseau, à la recherche d'une solitude.

Je ne sus pas garder ma liberté, défendre ma porte
aux curieux, aux désœuvrés, aux mendiants de toute
espèce, et bientôt je vis que ni mon temps ni mon
argent de l'année ne suffiraient à un jour de cette
obsession. Je m'enfermai alors, mais ce fut une lutte
incessante, abominable, entre la sonnette, les pourparlers de la servante et le travail dix fois interrompu.

Il y a, à Paris, autour des artistes, une mendicité
organisée dont on est longtemps dupe, et dont on
continue à être victime ensuite par scrupule de conscience. Ce sont de prétendus vieux artistes dans la
misère qui vont de porte en porte avec des souscrip-
tions couvertes de signatures fabriquées ; ou bien des
artisans sans ouvrage, des mères qui viennent de
mettre leur dernière nippe au Mont-de-piété pour
donner le pain de la journée à leurs enfants ; ce sont
des comédiens infirmes, des poètes sans éditeurs, de
fausses dames de charité. Il y a même de prétendus

missionnaires, de soi-disant curés. Tout cela est un ramassis d'infâmes vagabonds échappés du bagne ou dignes d'y entrer. Les meilleurs sont de vieilles bêtes que la vanité, l'absence du talent et finalement l'ivrognerie ont réduites à une misère véritable.

Quand on a eu la simplicité de se laisser prendre à la première histoire, à la première figure, la bande vous signale comme une proie à exploiter, vous entoure, vous surveille, connaît vos heures de sortie et jusqu'à vos jours de recette. Elle approche d'abord avec discrétion, puis ce sont de nouvelles figures et de nouvelles histoires, des visites plus fréquentes, des lettres où l'on vous avertit que, dans deux heures, si le secours demandé n'arrive pas, on ne trouvera plus au logis désigné qu'un cadavre. Le sort d'Élisa Mercœur et d'Hégésippe Moreau[5] sert désormais de thème et de menace à tous les poètes qui ne rougissent pas de mendier, et qui se disent trop grands hommes pour faire un autre état que de rêver aux étoiles.

Je ne suis pas tellement simple que je sois la dupe de toutes ces misères intéressantes ; mais il en est tant de réelles et d'imméritées que, parmi celles qui demandent, c'est un travail à perdre la tête que de reconnaître les vraies d'avec les fausses. En thèse générale, et l'on peut dire quatre-vingt-dix fois sur cent, ceux qui mendient sont de faux pauvres ou des pauvres infâmes. Ceux qui souffrent réellement, en dépit du courage et de la moralité, aiment mieux mourir que de mendier. Il faut chercher ceux-ci, les découvrir, les tromper souvent pour leur faire accepter l'assistance. Les autres vous assiègent, vous obsèdent, vous menacent.

Mais il est aussi des malheureux sans grandes vertus et sans grands vices, privés de l'héroïsme du silence (héroïsme qu'il est vraiment cruel d'exiger de la pauvre espèce humaine), il est des courages épuisés, des volontés usées par l'insuccès ou rebutées par l'impuissance. Il est aussi des femmes qui, par un autre genre d'héroïsme que celui de la résignation, boivent le calice de l'humilité et tendent la main pour sauver leur mari, leur amant, leurs enfants surtout. Il suffit qu'on risque d'abandonner à la faim, au désespoir, au suicide, une de ces victimes innocentes sur quatre-vingt-dix-neuf filous effrontés, pour qu'on ne dorme pas tranquille ; et voilà le boulet qui s'attacha à ma vie dès que mon petit avoir de chaque journée eut dépassé le strict nécessaire.

N'ayant pas le temps de courir aux informations pour saisir la vérité, puisque j'étais rivée au travail, je cédai longtemps à cette considération toute simple en apparence qu'il valait mieux donner cent sous à un gredin que de risquer de les refuser à un honnête homme. Mais le système d'exploitation grossit avec une telle rapidité et dans de telles proportions autour de moi, que je dus regretter d'avoir donné aux uns pour arriver à être forcée de refuser aux autres. Puis je remarquai, dans les discours pathétiques que l'on me tenait, des contradictions, des mensonges. Il fut un temps où, ne se gênant plus du tout, tous ces visages patibulaires arrivaient le même jour de la semaine. J'essayai de refuser le premier, le second vint et insista. Je tins bon, le troisième ne vint pas. Je vis dès lors que c'était une bande. J'aurais dû avertir la police. J'y répugnai, ne me croyant pas assez sûre de mon fait.

Mais d'autres mendiants arrivèrent, soit une autre bande, soit l'arrière-garde de la première. Je pris sur moi ce dont je ne m'étais pas encore senti le courage, dans la crainte d'humilier la misère : j'exigeai des preuves. Quelques maladroits s'éclipsèrent subitement devant cette méfiance, me laissant voir assez naïvement qu'elle était fondée. D'autres feignirent d'en être blessés, d'autres enfin me fournirent des moyens apparents de constater leur dénuement. Ils donnèrent leurs noms, leurs adresses ; c'étaient de faux noms, de fausses adresses. Je montai dans des mansardes hideuses. Je vis des enfants desséchés de faim, rongés de plaies, et quand j'eus porté là des secours, je découvris, un beau matin, que ces mansardes et ces enfants étaient loués pour une exhibition de guenilles et de maladies, qu'ils n'appartenaient pas à la femme qui

pleurait sur eux devant moi, et qui les mettait à la porte
à grands coups de balai quand j'étais partie.

J'envoyai une fois chez un poète malheureux, qui
devait être trouvé asphyxié, comme Escousse[6], si, à
telle heure, il ne recevait pas ma réponse. On frappa en
vain, il faisait le mort. On enfonça la porte : on le
trouva mangeant des saucisses.

Pourtant, comme au milieu de cette vermine qui
s'attache aux gens consciencieux il m'arrivait de mettre
la main sur de véritables infortunés, je ne pus jamais
me décider à repousser d'une manière absolue la mendicité. Pendant quelques années, je fis une petite rente
à des personnes chargées d'aller aux informations pendant quelques heures de la matinée. Elles furent trompées un peu moins que moi, voilà tout, et depuis que je
n'habite plus Paris, la correspondance ruineuse de
centaines de mendiants continue à m'arriver de tous
les points de la France.

Il y a une série de poètes et d'auteurs qui veulent des
protections, comme si la protection pouvait suppléer,
je ne dis pas seulement au talent, mais à la plus simple
notion de la langue que l'on prétend écrire. Il y a une
série de femmes incomprises qui veulent entrer au
théâtre. Elles n'ont jamais essayé, il est vrai, de jouer la
comédie, mais elles se sentent la vocation de jouer les
premiers rôles : une série de jeunes gens sans emploi
qui demandent le premier emploi venu dans les arts,
dans l'agriculture, dans la comptabilité ; ils sont
propres à tout apparemment, et bien qu'on ne les
connaisse pas, on doit les recommander et répondre
d'eux comme de soi-même. De plus modestes avouent
qu'ils sont sans éducation aucune, qu'ils ne sont
propres à rien, mais que, sous peine de manquer
d'humanité, il faut leur trouver quelque chose à faire. Il
y a aussi une série d'ouvriers démocrates qui ont résolu
le problème social et qui feront disparaître la misère de
notre société, si on leur donne de quoi publier leur système. Ceux-là sont infaillibles. Quiconque en doute est
vendu à l'orgueil, à l'avarice et à l'égoïsme. Il y a
encore une série de petits commerçants ruinés qui ont

besoin de cinq ou six mille francs pour racheter un fonds de boutique. « Cela est une misère pour vous ! disent-ils ; vous êtes bonne, vous ne me refuserez pas. » Il y a enfin des peintres, des musiciens, qui n'ont pas de succès parce qu'ils ont trop de génie et que la jalousie des maîtres les repousse ; il y a des soldats engagés qui voudraient se racheter, des juifs qui demandent des autographes pour les vendre, des demoiselles qui veulent entrer chez moi comme femmes de chambre pour être mes élèves en littérature. J'ai chez moi des armoires pleines de lettres saugrenues, de manuscrits fabuleux, de romances ou d'opéras de l'autre monde, et des théories sociales à sauver tous les habitants du système planétaire. Tout cela avec un *post-scriptum* portant demande d'un petit secours en attendant, et en double ou triple récidive, avec injures à la seconde sommation et menaces à la troisième.

Et pourtant j'ai la patience de lire toutes les lettres quand elles ne sont pas impossibles à déchiffrer, quand elles ne sont pas de seize pages en caractères microscopiques. J'ai la conscience de commencer toutes les élucubrations philosophiques, musicales et littéraires, et de les continuer quand je ne suis pas révoltée à la première page par des fautes trop grossières ou des aberrations trop révoltantes.

Quand je vois une ombre de talent, je mets à part et je réponds. Quand j'en vois beaucoup, je m'en occupe tout à fait. Ces derniers ne me donnent pas grande besogne ; mais la médiocrité honnête est encore assez abondante pour me prendre bien du temps et me causer bien de la fatigue. Le vrai talent ne demande jamais rien ; il offre et donne un pur témoignage de sympathie. La médiocrité honnête ne demande pas d'argent, mais des compliments sous forme d'encouragement. La médiocrité plate, à un degré au-dessous, commence à demander des éditeurs ou des articles de journaux. La stupidité demande, que dis-je, elle exige impérieusement l'*argent et la gloire* !

Ajoutez à cette persécution les lettres anonymes remplies d'injures grossières ; les entreprises, souvent tout aussi cyniques, des saints et des saintes qui veulent me faire rentrer dans le giron de l'Église ; les curés qui m'offrent de racheter mon âme en leur envoyant de quoi réparer une chapelle ou habiller une statue de la Vierge ; les visites étranges, les trappistes, les instituteurs destitués en 1848, les mouchards volontaires, espèces d'agents provocateurs imbéciles qui viennent crier contre tous les gouvernements, et qui se trompent, faisant du légitimisme chez les républicains et *vice versa* ; les artistes bohémiens, les colonels et capitaines espagnols réfugiés de tous les partis, successivement battus dans ce pays des vicissitudes, officiers supérieurs à la quinzaine, chamarrés de décorations, qui demandent vingt francs et se rabattent sur vingt sous : enfin la misère fausse ou vraie, humble ou arrogante, la vanité confiante ou haineuse, l'ignoble rage de parti, l'indiscrétion, la folie, la bassesse ou la stupidité sous toutes les formes : voilà la lèpre qui s'attache à toute célébrité, qui dérange, qui trouble, qui lasse, qui ruine, qui tue à la longue, à moins qu'on n'adopte ce farouche principe, *toute misère est méritée*, qu'on n'écrive sur sa porte, *je ne donne rien*, et qu'on dorme tranquille en se disant : « J'ai été exploité par des fripons, que ce soit tant pis désormais pour les honnêtes gens qui ont faim ! »

Et encore n'ai-je pas parlé des simples curieux, race très mélangée où l'on risque de tourner le dos à quelques honorables sympathies pour se délivrer d'une foule d'oisifs importuns. Dans cette dernière catégorie, il y a des Anglais en voyage qui veulent simplement mettre sur leur livre de notes qu'ils vous ont vue ; et comme j'ai trop oublié l'anglais pour faire l'effort de le parler avec eux, ceux qui ne savent pas trois mots de français me parlent dans leur langue, je leur réponds dans la mienne. Ils ne comprennent pas, ils font *oh !* et s'en vont satisfaits. Comme je sais que quelques-uns ont un carnet et un crayon tout taillé pour écrire les réponses, même avant de remonter en voiture, de crainte de les oublier, je me suis amusée quelquefois à leur répondre aussi par *oh !* ou à leur dire des choses si inintelligibles, quand leur figure m'ennuyait, que je les défie bien d'en avoir retenu quelque chose. Il est vrai qu'il y a le curieux trop intelligent qui vous fait parler et vous prête *des mots.*

Il y a aussi le curieux malveillant, qui vient avec l'intention de vous confesser, et qui s'en va tout à fait ennemi quand il n'a pu vous arracher que des réflexions sur la pluie et le beau temps.

Il y a encore les poseurs, qui entrent chez vous pour vous faire savoir qu'ils vous valent bien, et que vous n'avez pas de temps à perdre si vous voulez corroborer un peu votre futile talent à l'aide de leur expérience et de leur puissante raison. Ils vous donnent des sujets de roman, des types, des situations de théâtre. Enfin, ce sont des riches prodigues qui ont de la bienveillance pour vous et qui viennent vous faire l'aumône d'une idée.

On ne peut pas se figurer les excentricités, les inconvenances, les ridicules, les vanités, les folies et les bêtises de toutes sortes qui viennent se faire passer en revue par les malheureux artistes affligés de quelque renommée. Cette importunité délirante n'a qu'un bon résultat, qui est de vous inspirer un vif intérêt et une joyeuse sollicitude pour le talent modeste et vrai qui veut bien se révéler à vous. On est pressé alors de reporter sur lui le bon vouloir que tant d'aberrations et de prétentions vous ont forcé de refouler.

Ainsi, à peine arrivée au résultat que j'avais poursuivi, une double déception m'apparut. Indépendance sous ces deux formes, l'emploi du temps et l'emploi des ressources, voilà ce que je croyais tenir, voilà ce qui se transforma en un esclavage irritant et continuel. En voyant combien mon travail était loin de suffire aux exigences de la misère environnante, je doublai, je triplai, je quadruplai la dose du travail. Il y eut des moments où elle fut excessive, et où je me reprochai les heures de repos et de distraction nécessaires comme une mollesse de l'âme, comme une satisfaction de l'égoïsme. Naturellement absolue dans mes convictions, je fus longtemps gouvernée par la loi de ce travail forcé et de cette aumône sans bornes, comme je l'avais été par l'idée catholique, au temps où je m'interdisais les yeux et la gaieté de l'adolescence pour m'absorber dans la prière et dans la contemplation.

Ce ne fut qu'en ouvrant ma pensée au rêve d'une grande réforme sociale que je me consolai, par la suite, de l'étroitesse et de l'impuissance de mon dévouement. Je m'étais dit, avec tant d'autres, que certaines bases sociales étaient indestructibles, et que le seul remède contre les excès de l'inégalité était dans le sacrifice individuel, volontaire. Mais c'est la porte ouverte aux égoïstes aussi bien qu'aux dévoués, cette théorie de l'aumône particulière. On y entre tout entier ou on fait semblant d'y entrer. Personne n'est là pour constater que vous êtes dedans ou dehors. Il y a bien une loi religieuse qui vous prescrit de donner, non pas votre superflu, mais jusqu'au nécessaire ; il y a bien une opinion qui vous conseille la charité : mais il n'est pas de pouvoir constitué qui vous contraigne et qui contrôle l'étendue et la réalité de vos dons *. Dès lors, vous êtes libre de tricher l'opinion, d'être athée devant Dieu et hypocrite devant les hommes. La misère est à la merci de la conscience de chaque individu ; et tandis que des courages naïfs s'immolent avec excès, des esprits froids et positifs s'abstiennent de les seconder, et leur laissent porter un fardeau impossible.

Oui, impossible ! Car s'il en était autrement, si une poignée de bons serviteurs pouvait sauver le monde et suffire, par un travail forcé et une abnégation sans limites, à détruire la misère et tous les vices qu'elle engendre, ceux-là devraient s'estimer heureux et fiers de leur mission, et l'espoir du succès en attirerait un plus grand nombre à la gloire et à la joie du sacrifice. Mais cet abîme de la misère n'est pas de ceux que les dieux consentent à fermer quand il a englouti quelque

---

* En signalant ce fait, je n'entends pas dire que l'aumône forcée soit une solution sociale. On le verra tout à l'heure (NdA).

holocauste. Il est sans fond, et il faut qu'une société entière y précipite ses offrandes pour le combler un instant. Dans l'état des choses, il semble même que les dévouements partiels le creusent et l'agrandissent, puisque l'aumône avilit, en condamnant celui qui compte sur elle à l'abandon de soi-même.

On a retiré au clergé, aux communautés religieuses les immenses biens qu'ils possédaient ; on a tenté, dans une grande révolution sociale, de créer une caste de petits propriétaires actifs et laborieux à la place d'une caste de mendiants inertes et nuisibles. Donc l'aumône ne sauvait pas la société, même exercée en grand par un corps constitué et considérable ; donc les richesses consacrées à l'aumône étaient loin de suffire, puisque ces richesses, mobilisées et distribuées sous une autre forme, ont laissé l'abîme béant et la misère pullulante. Et l'on voit qu'en me servant de cet exemple, je suppose que tout a été pour le mieux, que le clergé et les couvents n'ont jamais employé leurs biens qu'à faire l'aumône et que la vente des biens nationaux n'a enrichi que des pauvres, ce qui n'est pas absolument vrai, on le sait de reste.

Oui, oui, hélas ! la charité est impuissante, l'aumône inutile. Il est arrivé, il arrivera encore, que des crises violentes forceront les dictatures, qu'elles soient populaires ou monarchiques, à tailler dans le vif et à exiger de la part des classes riches des sacrifices considérables. Ce sera le droit du moment, mais jamais un droit absolu, selon les hommes, si un principe nouveau ne vient le consacrer d'une manière éternelle dans la libre croyance de tous les hommes.

Les gouvernements, quels qu'ils soient, n'y peuvent guère encore. Ne les accusez pas trop. À supposer qu'ils voulussent inaugurer à tout prix ce principe de salut universel sous une forme quelconque, ils le voudraient en vain. La résistance des masses brisera toujours la volonté des individus, quelque ardente, quelque miraculeuse qu'elle puisse être. Toute dictature est un rêve, si ce n'est celle du temps.

Et cependant, que faire, nous autres individus de bonne intention ? Nous abstenir ou nous immoler ?

Je me suis mille fois posé ce problème, et je ne l'ai pas résolu. La loi du Christ : *Vendez tout, donnez l'argent aux pauvres et suivez-moi*, est interdite aujourd'hui par les lois humaines. Je n'ai pas le droit de vendre mes biens et de les donner aux pauvres. Quand même des constitutions particulières de propriété ne s'y opposeraient pas, la loi morale de l'hérédité des biens, qui entraîne celle de l'hérédité d'éducation, de dignité et d'indépendance, nous l'interdit absolument, sous peine d'infraction aux devoirs de la famille. Nous ne sommes pas libres d'imposer le baptême de la misère aux enfants nés de nous. Ils ne sont pas plus notre propriété morale que les serfs n'étaient la propriété légitime d'un seigneur. La misère est dégradante, il n'y a pas à dire, puisque là où elle est complète il faut s'humilier, et puisqu'on n'y échappe, dans ce cas, que par la mort. Personne ne pourrait donc légitimement jeter ses enfants dans l'abîme pour en retirer ceux des autres. Si tous appartiennent à Dieu au même titre, nous nous devons plus spécialement à ceux qu'il nous a donnés. Or, tout ce qui enchaîne la liberté future d'un enfant est un acte de tyrannie, quand même c'est un acte d'enthousiasme et de vertu.

Si quelque jour, dans l'avenir, la société nous demande le sacrifice de l'héritage, sans doute elle pourvoira à l'existence de nos enfants ; elle les fera honnêtes et libres au sein d'un monde où le travail constituera le droit de vivre. La société ne peut prendre légitimement à chacun que pour rendre à tous. En attendant le règne de cette idée, qui est encore à l'état d'utopie, forcés de nous débattre dans les liens de la famille qui seront toujours sacrés, et les effroyables difficultés de l'existence par le travail ; contraints de nous conformer aux lois constituées, c'est-à-dire de respecter la propriété d'autrui et de faire respecter la nôtre, sous peine de finir par le bagne ou l'hôpital, quel est donc le *devoir*, pour ceux qui voient, de bonne foi, l'abîme de la souffrance et de la misère ?

Voilà un problème insoluble si l'on ne se résout à vivre au sein d'une contradiction flagrante entre les principes de l'avenir et les nécessités du présent. Ceux qui nous crient que nous devrions prêcher d'exemple, ne rien posséder et vivre à la manière des chrétiens primitifs, semblent avoir raison contre nous ; seulement en nous prescrivant avec ironie de donner tout et de vivre d'aumônes, ils ne sont guère logiques non plus, puisqu'ils nous engagent à consacrer, par notre exemple, le principe de la mendicité que nous repoussons à l'état de théorie sociale.

Quelques socialistes abordent plus franchement la question, et j'en sais qui m'ont dit : « Ne faites pas l'aumône. En donnant à ceux qui demandent, vous consacrez le principe de leur servitude. »

Eh bien, ceux-là mêmes qui me parlaient ainsi dans des moments de conviction passionnée faisaient l'aumône le moment d'après, incapables de résister à la pitié qui commande aux entrailles et qui échappe au raisonnement ; et comme, en faisant l'aumône, on est encore plus humain et plus utile qu'en se réduisant soi-même à la nécessité de la recevoir, je crois qu'ils avaient raison d'enfreindre leur propre logique, et de se résigner, comme moi, à n'être pas d'accord avec eux-mêmes.

La vérité n'en reste pas moins une chose absolue, en ce sens qu'on ne peut ni ne doit admettre la justice des lois qui régissent aujourd'hui la propriété. Je ne crois pas qu'elles puissent être anéanties d'une manière durable et utile, par un bouleversement subit et violent. Il est assez démontré que le partage des biens constituerait un état de lutte effroyable et sans issue, si ce n'est l'établissement d'une nouvelle caste de gros propriétaires dévorant les petits, ou une stagnation d'égoïsmes complètement barbares.

Ma raison ne peut admettre autre chose qu'une série de modifications successives amenant les hommes, sans contrainte et par la démonstration de leurs propres intérêts, à une solidarité générale dont la forme absolue est encore impossible à définir. Durant le cours de ces transformations progressives, il y aura encore bien des contradictions entre le but à poursuivre et les nécessités du moment. Toutes les écoles socialistes de ces derniers temps ont entrevu la vérité et l'ont même saisie par quelque point essentiel ; mais aucune n'a pu tracer bien sagement le code des lois qui doivent sortir de l'inspiration générale à un moment donné de l'histoire. C'est tout simple : l'homme ne peut que proposer ; c'est l'avenir qui dispose. Tel croit être le philosophe le plus avancé de son siècle, qui sera tout à coup dépassé par des événements et des situations tout à fait mystérieux dans les desseins de la Providence, de même que certains obstacles qui paraissent légers aux plus prudents résisteront longtemps à l'action des efforts humains.

Pour ma part, je n'ai pas eu tout à fait la liberté du choix dans ma conduite privée, eu égard à l'emploi des biens qui me sont échus. Placée, par contrat, sous la loi du régime dotal, qui est une sorte de substitution de la propriété, j'ai dû regarder Nohant comme un petit majorat dont je n'étais que le dépositaire, et je n'aurais pu éluder cette loi qu'en faisant l'office de dépositaire infidèle envers mes enfants. Je me suis fait un cas de conscience de leur transmettre intact le mince héritage que j'avais reçu pour eux, et j'ai cru concilier, autant que possible, la religion de la famille et la religion de l'humanité en ne disposant pour les pauvres que des revenus de mon travail. Je ne sais pas si je suis dans le faux. J'ai cru être dans le vrai. J'ai la certitude de m'être abstenue, depuis bien des années, de toute satisfaction purement personnelle, de n'avoir rien donné à la vanité, au luxe, à la mollesse, à l'avarice, aux passions que je n'avais pas et que le moyen de les satisfaire n'a pas fait naître en moi. Mince mérite à coup sûr ! Le seul sacrifice qui m'ait un peu coûté, c'est de renoncer aux voyages, que j'aurais aimés de passion, et qui m'eussent développée comme artiste ; mais dont j'ai dû m'abstenir, à moins de nécessité pour les autres. Renoncer au séjour de Paris m'a été personnellement nuisible aussi à beaucoup d'égards ; mais j'ai cru ne devoir pas hésiter, et ce sacrifice a porté avec soi sa récompense, puisque l'amour de la campagne et de la vie intime m'a dédommagée de mon isolement social.

Je n'ai donc rien fait de grand et je n'ai vu réellement rien de grand à faire, qui n'entamât pas, par quelque point, la sécurité de ma conscience. Lancer mes enfants, malgré eux, dans le fanatisme de convictions ardentes, m'eût semblé un attentat contre leur liberté morale. J'ai cru devoir leur dire ma foi et les laisser maîtres de la partager ou de la rejeter. J'ai cru devoir, dans la prévision des crises de l'avenir, travailler à amoindrir en eux la confiance aveugle et dangereuse que l'héritage inspire à la jeunesse, et leur prêcher la nécessité du travail. J'ai cru devoir faire de mon fils un artiste, ne pas l'élever pour n'être qu'un propriétaire, et cependant ne pas le forcer à n'être qu'artiste en le dépouillant de sa propriété. J'ai cru devoir remplir avec une fidélité scrupuleuse toutes les obligations que, sous peine de déshonneur et de manque de parole, les contrats relatifs à l'argent imposent à tout le monde. Quant à l'argent, je n'ai pas su en gagner à tout prix ; je n'ai même pas su en gagner beaucoup, tout en travaillant avec une persévérance soutenue. J'ai su en perdre, par conséquent en refuser à ceux qui m'en demandaient, plutôt que d'en arracher rigoureusement à ceux qui m'en devaient, et que j'aurais réduits à la gêne. Les relations pécuniaires sont établies de telle sorte que l'assistance envers les uns pourrait bien, si l'on n'y prenait garde, être le dépouillement cruel des autres. Que faire de mieux ? Je ne sais pas. Si je le savais, je l'aurais fait, car mon intention est très droite. Mais je ne vois pas, et je n'ai pas trouvé le moyen de rendre mon dévouement utile à mes semblables dans de grandes proportions, et je ne peux pas attribuer cette impossibilité à l'insuffisance de mes ressources. Qu'elles s'étendissent à des sommes beaucoup plus considérables, le nombre des infortunés à ma charge n'eût fait que s'accroître, et des millions de louis dans mes mains eussent amené des millions de pauvres autour de moi. Où serait la limite ? MM. de

Rothschild[7] donnant leur fortune aux indigents détrui-
raient-ils la misère ? On sait bien que non. Donc la
charité individuelle n'est pas le remède, ce n'est même
pas un palliatif. Ce n'est pas autre chose qu'un besoin
moral qu'on subit, une émotion qui se manifeste et qui
n'est jamais satisfaite.

J'ai donc des raisons d'expérience, des raisons pui-
sées dans mes propres entrailles, pour ne pas accepter
le fait social comme une vérité bonne et durable, et
pour protester contre ce fait jusqu'à ma dernière
heure. On a dit que j'avais pris cet esprit de révolte
dans mon orgueil. Qu'est-ce que mon orgueil avait à
faire dans tout cela ? J'ai commencé par accepter sans
réflexion et sans combat les choses établies. J'ai pra-
tiqué la charité, et je l'ai pratiquée longtemps avec
beaucoup de mystère, croyant naïvement que c'était là
un mérite dont il fallait se cacher. J'étais dans la lettre
de l'Évangile : « Que votre main gauche ne sache pas
ce que donne la main droite. » Hélas ! en voyant
l'étendue et l'horreur de la misère, j'ai reconnu que la
pitié était une obligation si pressante, qu'il n'y avait
aucune espèce de mérite à en subir les tiraillements, et
que d'ailleurs, dans une société si opposée à la loi du
Christ, garder le silence sur de telles plaies ne pouvait
être que lâcheté ou hypocrisie.

Voilà à quelles certitudes m'amenait le commencement de ma vie d'artiste, et ce n'était que le
commencement ! Mais à peine eus-je abordé ce problème du malheur général que l'effroi me saisit
jusqu'au vertige. J'avais fait bien des réflexions, j'avais
subi bien des tristesses dans la solitude de Nohant,
mais j'avais été absorbée et comme engourdie par des
préoccupations personnelles. J'avais probablement
cédé au goût du siècle, qui était alors de s'enfermer
dans une douleur égoïste, de se croire René ou Ober-
mann, et de s'attribuer une sensibilité exceptionnelle,
par conséquent des souffrances inconnues au vulgaire.
Le milieu dans lequel je m'étais isolée alors était fait
pour me persuader que tout le monde ne pensait pas et
ne souffrait pas à ma manière, puisque je ne voyais

autour de moi que préoccupations des intérêts matériels, aussitôt noyées dans la satisfaction de ces mêmes
intérêts.

Quand mon horizon se fut élargi, quand m'apparurent toutes les tristesses, tous les besoins, tous les
désespoirs, tous les vices du grand milieu social, quand
mes réflexions n'eurent plus pour objet ma propre destinée, mais celle du monde où je n'étais qu'un atome,
ma désespérance personnelle s'étendit à tous les êtres,
et la loi de la fatalité se dressa devant moi si terrible que
ma raison en fut ébranlée.

Qu'on se figure une personne arrivée jusqu'à l'âge
de trente ans sans avoir ouvert les yeux sur la réalité, et
douée pourtant de très bons yeux pour tout voir ; une
personne austère et sérieuse au fond de l'âme, qui s'est
laissé bercer et endormir si longtemps par des rêves
poétiques, par une foi enthousiaste aux choses divines,
par l'illusion d'un renoncement absolu à tous les intérêts de la vie générale, et qui, tout à coup frappée du
spectacle étrange de cette vie générale, l'embrasse et le
pénètre avec toute la lucidité que donne la force d'une
jeunesse pure et d'une conscience saine !

Et ce moment où j'ouvrais les yeux était solennel
dans l'histoire. La République rêvée en juillet aboutissait aux massacres de Varsovie et à l'holocauste du
cloître Saint-Merry. Le choléra venait de décimer le
monde. Le saint-simonisme, qui avait donné aux imaginations un moment d'élan, était frappé de persécution et avortait, sans avoir tranché la grande question
de l'amour, et même, selon moi, après l'avoir un peu
souillée[8]. L'art aussi avait souillé, par des aberrations
déplorables, le berceau de sa réforme romantique. Le
temps était à l'épouvante et à l'ironie, à la consterna-
tion et à l'impudence, les uns pleurant sur la ruine de
leurs généreuses illusions, les autres riant sur les premiers échelons d'un triomphe impur ; personne ne
croyant plus à rien, les uns par découragement, les
autres par athéisme.

Rien dans mes anciennes croyances ne s'était assez
nettement formulé en moi, au point de vue social, pour

m'aider à lutter contre ce cataclysme où s'inaugurait le règne de la matière, et je ne trouvais pas dans les idées républicaines et socialistes du moment une lumière suffisante pour combattre les ténèbres que Mammon soufflait ouvertement sur le monde. Je restais donc seule avec mon rêve de la Divinité toute-puissante, mais non plus tout amour, puisqu'elle abandonnait la race humaine à sa propre perversité ou à sa propre démence.

C'est sous le coup de cet abattement profond que j'écrivis *Lélia*, à bâtons rompus et sans projet d'en faire un ouvrage ni de le publier. Cependant quand j'eus lié ensemble, au hasard d'une donnée de roman, un assez grand nombre de fragments épars, je les lus à Sainte-Beuve, qui m'encouragea à continuer et qui conseilla à Buloz de m'en demander un chapitre pour *La Revue des Deux Mondes*. Malgré ce précédent, je n'étais pas encore décidée à faire de cette fantaisie un livre pour le public. Il portait trop le caractère du rêve, il était trop de l'école de *Corambé* pour être goûté par de nombreux lecteurs. Je ne me pressais donc pas, et j'éloignais de moi, à dessein, la préoccupation du public, éprouvant une sorte de soulagement triste à céder à l'imprévu de ma rêverie, et m'isolant même de la réalité du monde actuel, pour tracer la synthèse du doute et de la souffrance, à mesure qu'elle se présentait à moi sous une forme quelconque.

Ce manuscrit traîna un an sous ma plume, quitté souvent avec dédain et souvent repris avec ardeur. C'est, je crois, un livre qui n'a pas le sens commun au point de vue de l'art, mais qui n'en a été que plus remarqué par les artistes, comme une chose d'inspiration spontanée dans le détail. J'ai écrit deux préfaces à ce livre, et j'ai dit là tout ce que j'avais à en dire. Je n'y reviendrai donc pas inutilement. Le succès de la forme fut très grand. Le fond fut critiqué avec une amertume extrême. On voulut voir des portraits dans tous les personnages, des révélations personnelles dans toutes les situations ; on alla jusqu'à interpréter dans un sens vicieux et obscène des passages écrits avec la plus grande candeur, et je me souviens que, pour comprendre ce que l'on m'accusait d'avoir voulu dire, je fus forcée de me faire expliquer des choses que je ne savais pas.

Je ne fus pas très sensible à ce déchaînement de la critique et aux ignobles calomnies qu'il souleva. Ce que l'on sait complètement faux n'inquiète guère. On sent que cela tombera de soi-même dans les bons esprits, si tant est que les bons esprits puissent se tromper sur l'intention et sur les tendances d'un livre.

Je m'étonnai seulement, et maintenant encore je m'étonne des inimitiés personnelles que soulève l'émission des idées. Je n'ai jamais compris qu'on fût l'ennemi d'un artiste qui pense et crée dans un sens opposé à celui que l'on a ou que l'on aurait choisi. Que l'on discute et combatte le but de son œuvre, je le conçois ; mais que l'on altère, de propos délibéré, cette pensée pour la rendre condamnable ; que l'on dénature le texte même par de fausses citations ou des comptes rendus infidèles ; que l'on calomnie la vie de l'auteur pour injurier sa personne ; qu'on le haïsse à travers son livre : voilà encore une des énigmes de la vie que je n'ai pas résolues et que je ne résoudrai probablement jamais. Je vois bien le fait, je le vois dans tous les temps et à propos de toutes les idées ; mais je m'étonne que l'horreur de l'inquisition, généralement sentie aujourd'hui, n'ait pas suffi à guérir les hommes de cette rage de persécution réciproque, où il semble que la critique regrette parfois de n'avoir pas le bourreau à sa droite et le bûcher à sa gauche, en procédant à ses réquisitoires.

Je vis ces fureurs avec tristesse, mais avec une certaine tranquillité. Je n'avais pas pour rien amassé dans la solitude un grand dédain pour tout ce qui n'était pas le vrai. Si j'eusse aimé et cherché le monde, je me serais tourmentée probablement de la calomnie qui pouvait momentanément m'en fermer l'accès ; mais, ne cherchant que l'amitié sérieuse et sachant que rien ne pouvait ébranler celles qui m'entouraient, je ne m'aperçus réellement jamais des effets de la méchanceté, et ma tâche fut si facile sous ce rapport que je ne saurais mettre la persécution au nombre des malheurs de ma vie.

D'ailleurs, en toutes choses, les chagrins qui n'ont eu leur effet que sur ma propre existence, je les compte aujourd'hui pour rien. Ce n'est pas que je les aie tous portés avec courage. Non ! J'étais, je suis peut-être encore d'une sensibilité excessive et que la raison ne gouverne pas du tout dans le moment de la crise. Mais j'apprécie les souffrances morales comme je crois que la raison doit les apprécier sitôt qu'elle reprend son empire. Je vois dans mon passé, comme dans celui de tous les êtres aimants que j'ai connus, des déchirements terribles, des déceptions accablantes, des heures d'agonie véritable ; mais je fais la part de la personnalité, qui est violente dans la jeunesse. C'est le propre de la jeunesse de vouloir saisir et fixer le rêve du bonheur. Si elle y renonçait facilement, si elle ne le poursuivait avec âpreté, si, au lendemain d'une catastrophe, elle ne se relevait du désespoir avec une assurance nouvelle, si elle ne vivait de chimères, de croyances ardentes, de dévouements enthousiastes, d'amers dédains, de chaudes indignations, en un mot de tous les abattements et de tous les renouvellements de la volonté, elle ne serait pas la jeunesse, et cette fatalité qui la pousse à découvrir le monde de son imagination et l'idéal de son cœur à travers l'imminence des naufrages, c'est presque un droit qu'elle exerce, puisque c'est une loi qu'elle subit.

Mais tout cela, vu à distance, rentre dans le monde des songes évanouis. Nul de nous ne regrette d'être délivré de ses maux, et nul de nous cependant ne regrette de les avoir éprouvés. Tous, nous savons qu'il faut vivre quand on est dans la force des émotions, parce qu'il faut avoir vécu quand on est dans la force de la réflexion. Il ne faut regretter des épreuves de la vie que celles qui nous ont fait un mal réel et durable.

Quel est ce mal ? Je vais vous le dire[9]. Toute douleur lente ou rapide qui nous ôte des forces et nous laisse amoindris est une infortune véritable et dont il n'est guère facile de se consoler jamais. Un vice, un crime moral, une lâcheté, voilà de ces malheurs qui vieillissent tout à coup et qui méritent la pitié qu'on peut avoir envers soi-même et demander aux autres. Il est, dans l'ordre moral, des maladies analogues à celles de la vie physique, en ce qu'elles nous laissent infirmes et à jamais brisés.

Votre corps est-il sans infirmités contractées avant l'âge ? Quelque souffreteux que vous puissiez être, ne vous plaignez pas ; vous vous portez aussi bien qu'une créature humaine peut l'espérer. Ainsi de votre âme. Vous sentez-vous en possession de l'exercice de vos facultés pour le vrai et pour le juste ? quelles que soient vos crises passagères de découragement ou d'excitation, ne reprochez pas à la destinée de vous avoir éprouvés trop rudement : vous êtes aussi heureux que l'homme peut aspirer à l'être.

Cette philosophie me paraît bien facile à présent. Se laisser souffrir, puisque la souffrance est inévitable, et ne pas la maudire quand elle s'apaise, puisqu'elle ne nous a pas rendus pires : toute âme honnête peut pratiquer cette humble sagesse pour son compte.

Mais il est une douleur plus difficile à supporter que toutes celles qui nous frappent à l'état d'individu. Elle a pris tant de place dans mes réflexions, elle a eu tant d'empire sur ma vie, jusqu'à venir empoisonner mes phases de pur bonheur personnel, que je dois bien la dire aussi !

Cette douleur, c'est le mal général : c'est la souffrance de la race entière, c'est la vue, la connaissance, la méditation du destin de l'homme ici-bas. On se fatigue vite de se contempler soi-même. Nous sommes de petits êtres sitôt épuisés, et le roman de chacun de nous est si vite repassé dans sa propre mémoire ! À moins de se croire sublime, peut-on n'examiner et ne contempler que son *moi* ? D'ailleurs, qui est-ce qui se trouve sublime de bien bonne foi ? Le pauvre fou qui se prend pour le soleil et qui, de sa triste loge, crie aux passants : Prenez garde à l'éclat de mes rayons !

Nous n'arrivons à nous comprendre et à nous sentir vraiment nous-mêmes qu'en nous oubliant, pour ainsi dire, et en nous perdant dans la grande conscience de l'humanité. C'est alors qu'à côté de certaines joies et de certaines gloires dont le reflet nous grandit et nous transfigure, nous sommes saisis tout à coup d'un invincible effroi et de poignants remords en regardant les maux, les crimes, les folies, les injustices, les stupidités, les hontes de cette nation qui couvre le globe et qui s'appelle l'homme. Il n'y a pas d'orgueil, il n'y a pas d'égoïsme qui nous console quand nous nous absorbons dans cette idée !

Tu te diras en vain : « Je suis un être raisonnable parmi ces millions d'êtres qui ne le sont pas ; je ne souffre pas de ces maux que leur sottise leur attire. » Hélas ! tu n'en seras pas plus fier, puisque tu ne peux pas faire que tes semblables soient semblables à toi[10]. Ton isolement t'épouvantera d'autant plus que tu te croiras meilleur et te sentiras plus heureux que les autres.

Ton innocence même, la conscience de ta douceur et de ta probité, la sérénité de ton propre cœur, ne te seront pas un refuge contre la tristesse profonde qui t'enveloppe, si tu te sens vivre dans un milieu impur, sur une terre souillée, parmi des êtres sans foi ni loi, qui se dévorent les uns les autres, et chez qui le vice est bien autrement contagieux que la vertu.

Tu as une heureuse famille, je suppose, d'excellents amis, un entourage de bonnes âmes comme la tienne. Tu as réussi à fuir le contact de l'humanité malade. Hélas ! pauvre homme de bien, tu n'en es que plus seul !

Tu es doux, généreux, sensible ; tu ne peux lire l'histoire sans frémir à chaque page, et le sort des victimes innombrables que le temps dévore t'arrache de saintes larmes : hélas ! pauvre bon cœur, à quoi servent les pleurs de ta pitié ? Elles mouillent la page que tu lis et ne font pas revivre un seul homme immolé par la haine !

Tu es dévoué, actif, ardent ; tu parles, tu écris, tu agis de toutes tes forces sur les esprits qui veulent bien t'écouter. On te jette des pierres et de la boue :

n'importe, tu es courageux, tu persévères ! Hélas ! pauvre martyr, tu mourras à la peine, et ta dernière prière sera encore pour des hommes que d'autres hommes font souffrir !

Eh bien, il n'est pas nécessaire d'être un saint pour vivre ainsi de la vie des autres et pour sentir que le mal général empoisonne et flétrit le bonheur personnel. Tous, oui, tous, nous subissons cette douleur commune à tous, et ceux qui semblent s'en préoccuper le moins s'en préoccupent encore assez pour en redouter le contrecoup sur l'édifice fragile de leur sécurité. Cette préoccupation augmente de jour en jour, d'heure en heure, à mesure que le monde s'éclaire, se communique sa vie et se sent vibrer d'un bout à l'autre comme une chaîne magnétique. Deux personnes ne se rencontrent pas, trois hommes ne se trouvent pas réunis, sans que, du chapitre des intérêts particuliers, on ne passe vite à celui des intérêts généraux pour s'interroger, se répondre et se passionner. Le paysan lui-même, ce type d'insouciance et de dédain pour tout ce qui est au-delà de son champ, veut savoir aujourd'hui si, de l'autre côté de sa colline, les êtres humains sont plus tranquilles et plus satisfaits que lui.

C'est la loi de la vie ; mais, de toutes les lois de la vie, c'est la plus cruelle ; et quand ce devient une loi de la conscience, c'est le tourment du devoir de tous aux prises avec l'impuissance de chacun.

Ceci n'est pas une récrimination politique. La politique d'actualité, si intéressante qu'elle puisse être, n'est jamais qu'un horizon. La loi de douleur qui plane sur notre monde et le cri de plainte qui s'en exhale partent des intimes convulsions de son essence même, et nulle révolution actuellement possible ne saurait ni l'étouffer ni en détruire les causes profondes. Quand on s'abîme dans cette recherche, on arrive à constater l'action du bien et du mal dans l'humanité, à saisir le mécanisme des effets et des résistances, à savoir enfin *comment* s'opère cet éternel combat. Rien de plus ! Le *pourquoi*, c'est Dieu seul qui pourrait nous le dire, lui qui a fait l'homme si lentement progressif, et qui eût pu le faire plus intelligent et plus puissant pour le bien que pour le mal.

Devant cette question que l'âme peut adresser à la suprême sagesse, j'avoue que le terrible mutisme de la Divinité consterne l'entendement. Là, nous sentons notre volonté se briser contre la porte d'airain des impénétrables mystères ; car nous ne pouvons pas admettre le souverain bien, type de toute lumière et de toute perfection, répondant à la terre suppliante et gémissante par la loi brutale de son bon plaisir.

Devenir athée et supposer une loi inintelligente présidant à la règle des destinées de l'univers, c'est admettre quelque chose de bien plus extraordinaire et de bien plus incroyable que de s'avouer, soi, raison bornée, dépassé par les motifs de la raison infinie. La foi triomphe donc de ses propres doutes ; mais l'âme navrée sent les bornes de sa puissance se resserrer étroitement sur elle et enchaîner son dévouement dans un si petit espace, que l'orgueil s'en va pour jamais et que la tristesse demeure [11].

Voilà sous l'empire de quelles préoccupations secrètes j'avais écrit *Lélia*. Je n'en parlais à personne, sachant bien que personne autour de moi ne pouvait me répondre, et chérissant peut-être aussi, d'une certaine façon, le secret de ma rêverie. J'avais toujours été, et j'ai été toujours ainsi, aimant à me nourrir seule d'une idée lentement savourée, quelque rongeuse et dévorante qu'elle puisse être. Le seul égoïsme permis, c'est celui du découragement qui ne veut se communiquer à personne et qui, en s'épuisant dans la contemplation de ses propres causes, finit par céder au besoin de vivre, à la grâce intérieure peut-être !

Il est vrai qu'en me taisant ainsi devant mes amis, j'exhalais, en publiant mon livre, une plainte qui devait avoir un plus grand retentissement. Je n'y songeai pas d'abord. Faisant bon marché de moi-même et de ma propre douleur, je me dis que mon livre serait peu lu et ferait plutôt rire à mes dépens, comme un ramassis de songes creux, qu'il ne ferait rêver aux durs problèmes du doute et de la croyance. Quand je vis qu'il faisait soupirer aussi quelques âmes inquiètes, je me persuadai et je me persuade encore que l'effet de ces sortes de livres est plutôt bon que mauvais, et que, dans un siècle matérialiste, ces ouvrages-là valent mieux que les *Contes drolatiques*, bien qu'ils amusent beaucoup moins la masse des lecteurs.

À propos des *Contes drolatiques*, qui parurent vers la même époque [12], j'eus une assez vive discussion avec Balzac, et comme il voulait m'en lire, malgré moi, des fragments, je lui jetai presque son livre au nez. Je me souviens que, comme je le traitais de gros indécent, il me traita de prude et sortit en me criant sur l'escalier : « Vous n'êtes qu'une bête ! » Mais nous n'en fûmes que meilleurs amis, tant Balzac était véritablement naïf et bon.

Après quelques jours passés dans la forêt de Fontainebleau, je désirai voir l'Italie, dont j'avais soif comme tous les artistes et qui me satisfit dans un sens opposé à celui que j'attendais. Je fus vite fatiguée de voir des tableaux et des monuments. Le froid m'y donna la fièvre, puis la chaleur m'écrasa et le beau ciel finit par me lasser. Mais la solitude se fit pour moi dans un coin de Venise, et m'eût enchaînée là longtemps si j'avais eu mes enfants avec moi. Je ne referai ici, qu'on se rassure, aucune des descriptions que j'ai publiées soit dans les *Lettres d'un voyageur*, soit dans divers romans dont j'ai placé la scène en Italie, et à Venise particulièrement [13]. Je donnerai seulement sur moi-même quelques détails qui ont naturellement leur place dans ce récit.

III

M. Beyle (Stendhal). – La cathédrale d'Avignon. – Passage à Gênes, Pise et Florence. – Arrivée à Venise par l'Apennin,

Bologne et Ferrare. – Alfred de Musset, Géraldy, Léopold Robert
à Venise. – Travail et solitude à Venise. – Détresse financière. –
Beau trait d'un officier autrichien. – Catulle père. – Vexation. –
Polichinelle. – Rencontre singulière. – Départ pour la France. –
Le Carlone. *– Les brigands. – Antonino. – Rencontre de trois*
Anglais. – Les théâtres à Venise. – La Pasta, Mercadante,
Zacometto. – Les mœurs de l'égalité à Venise. – Arrivée à Paris.
– Retour à Nohant. – Julie. – Mes amis du Berry. – Ceux de la
mansarde. – Prosper Bressant. – Le Prince.

Sur le bateau à vapeur qui me conduisait de Lyon à
Avignon, je rencontrai un des écrivains les plus remarquables de ce temps-ci, Beyle, dont le pseudonyme était
Stendhal[14]. Il était consul à Civita-Vecchia et retournait à
son poste, après un court séjour à Paris. Il était brillant
d'esprit et sa conversation rappelait celle de Delatouche,
avec moins de délicatesse et de grâce, mais avec plus de
profondeur. Au premier coup d'œil, c'était un peu aussi le
même homme, gras et d'une physionomie très fine sous
un masque empâté. Mais Delatouche était embelli, à
l'occasion, par sa mélancolie soudaine, et Beyle restait
satirique et railleur à quelque moment qu'on le regardât.
Je causai avec lui une partie de la journée et le trouvai
fort aimable. Il se moqua de mes illusions sur l'Italie,
assurant que j'en aurais vite assez, et que les artistes à la
recherche du beau en ce pays étaient de véritables
badauds. Je ne le crus guère, voyant qu'il était las de son
exil et y retournait à contrecœur. Il railla, d'une manière
très amusante, le type italien, qu'il ne pouvait souffrir et
envers lequel il était fort injuste. Il me prédit surtout
une souffrance que je ne devais nullement éprouver,
la privation de causerie agréable et de tout ce qui,
selon lui, faisait la vie intellectuelle, les livres, les journaux, les nouvelles, l'actualité, en un mot. Je compris
bien ce qui devait manquer à un esprit si charmant, si
original et si poseur, loin des relations qui pouvaient
l'apprécier et l'exciter. Il posait surtout le dédain de
toute vanité et cherchait à découvrir dans chaque inter-
locuteur quelque prétention à rabattre sous le feu rou-

lant de sa moquerie. Mais je ne crois pas qu'il fût méchant : il se donnait trop de peine pour le paraître.

Tout ce qu'il me prédit d'ennui et de vide intellectuel en Italie m'alléchait au lieu de m'effrayer, puisque j'allais là, comme partout, pour fuir le bel esprit dont il me croyait friande.

Nous soupâmes avec quelques autres voyageurs de choix, dans une mauvaise auberge de village, le pilote du bateau à vapeur n'osant franchir le pont Saint-Esprit avant le jour. Il fut là d'une gaieté folle, se grisa raisonnablement, et, dansant autour de la table avec ses grosses bottes fourrées, devint quelque peu grotesque et pas du tout joli.

À Avignon, il nous mena voir la grande église, très bien située, où, dans un coin, un vieux christ en bois peint, de grandeur naturelle et vraiment hideux, fut pour lui matière aux plus incroyables apostrophes. Il avait en horreur ces repoussants simulacres dont les Méridionaux chérissaient, selon lui, la laideur barbare et la nudité cynique. Il avait envie de s'attaquer à coups de poing à cette image.

Pour moi, je ne vis pas avec regret Beyle prendre le chemin de terre pour gagner Gênes. Il craignait la mer, et mon but était d'arriver vite à Rome. Nous nous séparâmes donc après quelques jours de liaison enjouée ; mais, comme le fond de son esprit trahissait le goût, l'habitude ou le rêve de l'obscénité, je confesse que j'avais assez de lui, et que s'il eût pris la mer, j'aurais peut-être pris la montagne. C'était, du reste, un homme éminent, d'une sagacité plus ingénieuse que juste en toutes choses appréciées par lui, d'un talent original et véritable, écrivant mal, et disant pourtant de manière à frapper et à intéresser vivement ses lecteurs.

La fièvre me prit à Gênes, circonstance que j'attribuai au froid rigoureux du trajet sur le Rhône, mais qui en était indépendante, puisque, dans la suite, je retrouvai cette fièvre à Gênes par le beau temps et sans autre cause que l'air de l'Italie, dont l'acclimatation m'est difficile.

Je poursuivis mon voyage quand même, ne souffrant pas, mais peu à peu si abrutie par les frissons, les

défaillances et la somnolence, que je vis Pise et le
Campo-Santo avec une grande apathie. Il me devint
même indifférent de suivre une direction ou une
autre ; Rome et Venise furent jouées à pile ou face.
Venise face retomba dix fois sur le plancher. J'y voulus
voir une destinée, et je partis pour Venise par Florence.

Nouvel accès de fièvre à Florence. Je vis toutes les
belles choses qu'il fallait voir, et je les vis à travers une
sorte de rêve qui me les faisait paraître un peu fantastiques. Il faisait un temps superbe, mais j'étais glacée,
et, en regardant le *Persée* de Cellini et la Chapelle
carrée de Michel-Ange, il me semblait, par moments,
que j'étais statue moi-même. La nuit, je rêvais que je
devenais mosaïque, et je comptais attentivement mes
petits carrés de lapis et de jaspe.

Je traversai l'Apennin par une nuit de janvier froide et
claire, dans la calèche assez confortable qui, accompagnée de deux gendarmes en habit jaune serin, faisait le
service de courrier. Je n'ai jamais vu de route plus déserte
et de gendarmes moins utiles, car ils étaient toujours à
une lieue en avant ou en arrière de nous, et paraissaient
ne pas se soucier du tout de servir de point de mire aux
brigands. Mais, en dépit des alarmes du courrier, nous ne
fîmes d'autre rencontre que celle d'un petit volcan que je
pris pour une lanterne allumée auprès de la route, et que
cet homme appelait avec emphase *il monte fuoco*.

Je ne pus rien voir à Ferrare et à Bologne : j'étais
complètement abattue. Je m'éveillai un peu au passage
du Pô, dont l'étendue, à travers de vastes plaines
sablonneuses, a un grand caractère de tristesse et de
désolation. Puis je me rendormis jusqu'à Venise, très
peu étonnée de me sentir glisser en gondole, et regardant, comme dans un mirage, les lumières de la place
Saint-Marc se refléter dans l'eau, et les grandes décou-
pures de l'architecture byzantine se détacher sur la
lune, immense à son lever, fantastique elle-même à ce
moment-là plus que tout le reste.

Venise était bien la ville de mes rêves, et tout ce que
je m'en étais figuré se trouva encore au-dessous de ce
qu'elle m'apparut, et le matin et le soir, et par le calme
des beaux jours et par le sombre reflet des orages.

J'aimais cette ville pour elle-même, et c'est la seule au monde que je puisse aimer ainsi, car une ville m'a toujours fait l'effet d'une prison que je supporte à cause de mes compagnons de captivité. À Venise on vivrait longtemps seul, et l'on comprend qu'au temps de sa splendeur et de sa liberté, ses enfants l'aient presque personnifiée dans leur amour et l'aient chérie non pas comme une chose, mais comme un être.

À ma fièvre succéda un grand malaise et d'atroces douleurs de tête que je ne connaissais pas, et qui se sont installées depuis lors dans mon cerveau en migraines fréquentes et souvent insupportables. Je ne comptais rester dans cette ville que peu de jours et en Italie que peu de semaines, mais des événements imprévus m'y retinrent davantage.

Alfred de Musset subit bien plus gravement que moi l'effet de l'air de Venise[15], qui foudroie beaucoup d'étrangers, on ne le sait pas assez *. Il fit une maladie grave ; une fièvre typhoïde le mit à deux doigts de la mort. Ce ne fut pas seulement le respect dû à un beau génie qui m'inspira pour lui une grande sollicitude et qui me donna, à moi très malade aussi, des forces inattendues ; c'était aussi les côtés charmants de son caractère et les souffrances morales que de certaines

---

* Géraldy, le chanteur, était à Venise à la même époque, et fit, en même temps qu'Alfred de Musset, une maladie non moins grave. Quant à Léopold Robert, qui s'y était fixé et qui s'y brûla la cervelle peu de temps après mon départ, je ne doute pas que l'atmosphère de Venise, trop excitante pour certaines organisations, n'ait beaucoup contribué à développer le spleen tragique qui s'était emparé de lui. Pendant quelque temps, je demeurai vis-à-vis de la maison qu'il occupait, et je le voyais passer tous les jours sur une barque qu'il ramait lui-même. Vêtu d'une blouse de velours noir et coiffé d'une toque pareille, il rappelait les peintres de la Renaissance. Sa figure était pâle et triste, sa voix rêche et stridente. Je désirais beaucoup voir son tableau des *Pêcheurs chioggiotes* dont on parlait comme d'une merveille mystérieuse, car il le cachait avec une sorte de jalousie colère et bizarre. J'aurais pu profiter de sa promenade, dont je connaissais les heures, pour me glisser dans son atelier ; mais on me dit que, s'il apprenait l'infidélité de son hôtesse, il en deviendrait fou. Je me gardai bien de vouloir lui causer seulement un accès d'humeur ; mais cela me conduisit à apprendre des personnes qui le voyaient à toute heure qu'il était déjà considéré comme un maniaque des plus chagrins (NdA).

luttes entre son cœur et son imagination créaient sans cesse à cette organisation de poète. Je passai dix-sept jours à son chevet sans prendre plus d'une heure de repos sur vingt-quatre. Sa convalescence dura à peu près autant, et quand il fut parti, je me souviens que la fatigue produisit sur moi un phénomène singulier. Je l'avais accompagné de grand matin, en gondole, jusqu'à Mestre, et je revenais chez moi par les petits canaux de l'intérieur de la ville. Tous ces canaux étroits, qui servent de rues, sont traversés de petits ponts d'une seule arche pour le passage des piétons. Ma vue était si usée par les veilles, que je voyais tous les objets renversés, et particulièrement ces enfilades de ponts qui se présentaient devant moi comme des arcs retournés sur leur base.

Mais le printemps arrivait, le printemps du nord de l'Italie, le plus beau de l'univers peut-être. De grandes promenades dans les Alpes tyroliennes et ensuite dans l'archipel vénitien, semé d'îlots charmants, me remirent bientôt en état d'écrire. Il le fallait, mes petites finances étaient épuisées, et je n'avais pas du tout de quoi retourner à Paris. Je pris un petit logement plus que modeste dans l'intérieur de la ville. Là, seule tout l'après-midi, ne sortant que le soir pour prendre l'air, travaillant encore la nuit au chant des rossignols apprivoisés qui peuplent tous les balcons de Venise, j'écrivis *André*, *Jacques*, *Mattea* et les premières *Lettres d'un voyageur*.

Je fis à Buloz divers envois qui devaient promptement me mettre à même de payer ma dépense courante (car je vivais en partie à crédit) et de retourner vers mes enfants, dont l'absence me tiraillait plus vivement le cœur de jour en jour. Mais un guignon particulier me poursuivait dans cette chère Venise ; l'argent n'arrivait pas. Les semaines se succédaient, et chaque jour mon existence devenait plus problématique. On vit à très bon marché, il est vrai, dans ce pays, si l'on veut se restreindre à manger des sardines et des coquillages, nourriture saine d'ailleurs, et que l'extrême chaleur rend suffisante au peu d'appétit qu'elle vous permet d'avoir. Mais le café est indispensable à Venise. Les étrangers y tombent malades principalement parce qu'ils s'effrayent du régime nécessaire, qui consiste à prendre du café noir au moins six fois par jour. Cet excitant inoffensif pour les nerfs, indispensable comme tonique tant que l'on vit dans l'atmosphère débilitante des lagunes, reprend son danger dès qu'on remet le pied en terre ferme.

Le café était donc un objet coûteux dont il fallut commencer à restreindre la consommation. L'huile de la lampe pour les longues veillées s'usait terriblement vite. Je gardais encore la gondole de louage, de sept à dix heures du soir, moyennant quinze francs par mois ; mais c'était à la condition d'avoir un gondolier si vieux et si éclopé, que je n'aurais pas osé le renvoyer, dans la crainte qu'il ne mourût de faim. Pourtant je faisais cette réflexion, que je dînais pour six sous afin d'avoir de quoi le payer, et qu'il trouvait, lui, le moyen d'être ivre tous les soirs.

Ce pauvre père Catulle, dont j'ai parlé dans les *Lettres d'un voyageur*, me rappelle une anecdote caractéristique du régime autrichien à Venise [16].

Un soir que j'étais dans la gondole amarrée à un coin d'abordage, attendant que mon vieux barcarolle me rapportât je ne sais quel objet que je l'avais chargé de m'aller chercher, j'entendis que la *feltra*, c'est-à-dire la couverture de la gondole, était arrosée par un passant que je supposais ivre ou distrait. Les jalousies étant fermées, je n'avais rien à craindre de cette indécente aspersion, lorsque j'entendis la voix enrouée de Catulle qui criait : « *Porco di Tedesco !* tu te permets de souiller ma gondole ! La prends-tu pour une borne ? – Apprends, répondait l'autre en mauvais italien, que je suis officier au service de Sa Majesté Autrichienne, et que j'ai le droit de faire pis sur ta gondole, si bon me semble.

– Mais il y a une dame dans ma gondole ! » cria le gondolier.

Alors l'officier autrichien, qui n'était pas ivre du tout, vint ouvrir la porte de la *feltra*, et me regardant :

« La signora, dit-il, a eu la *gentilezza e la prudenza* de se
taire ; elle a bien fait. Pour toi, tu iras demain en
prison, et tu es bien heureux que je ne te passe pas
mon épée à travers le corps. »

Et le pauvre Catulle aurait été en prison en effet si je
n'eusse intercédé pour lui en disant qu'il était gris, et
en ayant l'air d'accepter comme un honneur ce que
l'Autrichien avait daigné laisser tomber sur ma gondole.

Ces ignobles vexations étaient de tous les jours et de
tous les instants. À la moindre odeur de tabac suspect,
les employés de la douane montaient dans les appartements et fouillaient dans les armoires, dans les
commodes ; heureux était-on quand ils ne profitaient
pas de l'occasion pour glisser un foulard ou une paire
de bas dans leur poche, comme je l'avais vu pratiquer
sur mon propre bagage et sans trop de façons à la
douane de Gênes et ailleurs.

Polichinelle était alors le seul vengeur de cette population opprimée. À la faveur de l'idiome vénitien, que
les Allemands nouveaux venus n'entendaient pas, il
dégoisait contre eux les plus plaisantes invectives ; et
quand une figure étrangère suspecte venait grossir
l'auditoire, les gamins du carrefour avertissaient Polichinelle par un certain cri, afin qu'il retînt sa langue.
J'ai vu deux gros sbires hongrois, bernés pendant un
quart d'heure sans s'en douter, recevoir tout à coup
des compliments adroitement ironiques à l'arrivée
d'un troisième dont le sourire indiquait qu'il entendait
le vénitien.

Au reste, dans toutes les saynètes des marionnettes,
un personnage stupide était invariablement chargé du
rôle de *Tedesco*. Son office était de venir prendre une
leçon d'italien de Polichinelle déguisé en maître de
langues, et se donnant pour académicien *della Crusca*.
L'Allemand s'évertuait à prononcer quelques mots en
les écorchant, et chaque fois il recevait de Polichinelle
une volée de coups de bâton, aux rires et aux trépigne-
ments de joie frénétiques de l'auditoire.

Cette complicité de haines contre l'étranger avait au moins le bon effet de rendre la population très unie et très fraternelle, et nulle part je n'ai vu les mœurs populaires aussi douces qu'à Venise. On pouvait être bien certain d'apaiser subitement deux portefaix prêts à se battre en leur disant qu'ils se conduisaient comme des Allemands.

J'aurais donc aimé tout dans Venise, hommes et choses, sans l'occupation autrichienne, qui était odieuse et révoltante. Les Vénitiens sont bons, aimables, spirituels, et, sans leurs rapports avec les Esclavons et les Juifs, qui ont envahi leur commerce, ils seraient aussi honnêtes que les Turcs, qui sont là aimés et estimés comme ils le méritent.

Mais, malgré ma sympathie pour ce beau pays et pour les habitants, malgré les douceurs d'une vie favorable au travail par la mollesse même des habitudes environnantes, malgré les ravissantes découvertes que chaque pas au hasard vous fait faire dans le plus pittoresque assemblage de décors féeriques, de solitudes splendides et de recoins charmants, je m'impatientais et je m'effrayais de la misère bien réelle où j'allais tomber et de l'impossibilité de partir, dont je ne voyais pas arriver le terme. J'écrivais en vain à Paris, j'allais en vain chaque jour à la poste ; rien n'arrivait. J'avais envoyé des volumes ; je ne savais pas seulement si on les avait reçus. Personne à Venise ne connaissait peut-être l'existence de *La Revue des Deux Mondes*.

Un jour que je n'avais plus rien, littéralement rien, et qu'ayant dîné pour moins que rien, je me prélassais encore dans ma gondole, jouissant de mon reste, puisque la quinzaine était payée d'avance, tout en réfléchissant à ma situation et en me demandant, avec une mortelle répugnance, si j'oserais la confier à une seule des personnes, en bien petit nombre, que je connaissais à Venise, une tranquillité singulière me vint tout à coup à l'idée saugrenue, mais nette et fixe, que j'allais rencontrer, le jour même, à l'instant même, une personne de mon pays qui, connaissant mon caractère et ma position, me tirerait d'embarras sans m'en faire

éprouver aucun à lui emprunter le nécessaire. Dans
cette conviction non raisonnée, à coup sûr, mais complète, j'ouvris la jalousie et me mis à regarder attentivement toutes les figures des gondoles qui croisaient la
mienne sur le canal Saint-Marc. Je n'en vis aucune de
ma connaissance, mais l'idée persistant, j'entrai au
jardin public, cherchant les groupes de promeneurs, et
faisant attention, contre ma coutume, à tous les
visages, à toutes les voix.

Tout à coup, mes regards rencontrent ceux d'un
homme très bon et très honnête avec qui j'avais fait
connaissance autrefois aux eaux du mont Dore, et qui,
s'étant lié avec mon mari, était venu nous voir plusieurs fois à Nohant. Il savait qui j'étais moi-même. Il
accourut à moi, très surpris de me voir là. Je lui
racontai mon aventure, et sur-le-champ il m'ouvrit sa
bourse avec joie, assurant qu'au moment où il m'avait
aperçue, il était justement en train de penser à moi et
de se rappeler Nohant et le Berry, sans pouvoir s'expliquer pourquoi ce souvenir se présentait si nettement à
lui, au milieu de préoccupations où rien ne se ratta-
chait à moi ni aux miens.

Fut-ce un effet du hasard ou de son imagination
après coup, en m'entendant lui raconter en riant mon
pressentiment, je n'en sais rien. Je raconte le fait tel
qu'il est.

Je refusai de lui prendre plus de deux cents francs. Il
s'en allait en Russie, et comme il devait s'arrêter
quelques jours à Vienne, je pensais, avec raison, recevoir à temps de Paris de quoi le rembourser avant qu'il
allât plus loin, et de quoi m'en aller moi-même en
France.

Mon espérance fut réalisée. À peine avait-il quitté
Venise, qu'un employé de la poste, prié et sommé de
faire des recherches, découvrit, dans un casier négligé,
les lettres et les billets de banque de Buloz, oubliés là
depuis près de deux mois, soit par hasard, soit à dessein, en dépit de toutes les questions et de toutes les
instances.

Je mis ordre aussitôt à mes affaires : je fis mes paquets, et je partis à la fin d'août par une chaleur écrasante.

J'ai toujours eu horreur des diligences. Je préférai prendre un voiturin, qui, voyageant à petites journées, me permettait de parcourir à pied tout le beau pays, et de me servir de sa protection dans mes haltes. Mon conducteur était un fort brave homme qui n'avait pas peur des brigands, et que pour cela je pris sur sa mine ; car, à cette époque, c'était encore un des ennuis de l'Italie d'avoir à discuter avec les terreurs vraies ou fausses des voituriers et des aubergistes. Il fut convenu entre le *Carlone* et moi que nos étapes seraient invariablement fixées, quand même nous rencontrerions, comme cela m'était déjà arrivé, des bandes de paysans effarés nous criant de retourner sur nos pas. La police autrichienne était très bien faite, et ces paniques ressemblaient beaucoup à des mystifications. Je ne voulais pas qu'elles servissent de prétexte à des journées de surplus dans le voyage. Le Carlone me promit en riant d'aller toujours devant lui, et de bien rosser les brigands s'il en rencontrait.

Ce sobriquet de Carlone était caractéristique. On appelle ainsi la statue colossale de *san Carlo Borromeo*, placée au bord du lac Majeur. On sait que la terminaison en *one* exprime la grandeur et la grosseur. Mon guide, étant milanais et d'une stature proportionnée à son embonpoint, avait reçu cet honorable surnom.

J'avais toujours gardé au fond de ma malle un pantalon de toile, une casquette et une blouse bleue, en cas de besoin, dans la prévision de courses dans les montagnes. Je pus donc dédommager mes jambes du long engourdissement des jours et des nuits de griffonnage et des promenades en gondole, et je fis une grande partie du voyage à pied. Je vis tous les grands lacs, dont le plus beau est, à mon sens, le lac de Garde ; je traversai le Simplon, passant en une journée de la chaleur torride du versant italien au froid glacial de la crête des Alpes, et retrouvant, le soir, dans la vallée du Rhône, une fraîcheur printanière. Je n'écris pas un voyage ; je

dirai donc seulement que celui-là fut pour moi un perpétuel ravissement. J'eus un temps admirable jusqu'au
passage de la *Tête Noire* entre Martigny et Chamonix.
Là, un orage superbe me donna le plus beau spectacle
du monde. Mais le mulet dont on m'avait persuadée de
m'embarrasser ne voulant plus ni avancer ni reculer, je
lui jetai la bride sur le cou, et, courant à l'aise sur les
pentes gazonneuses, j'arrivai à Chamonix avant la
pluie, dont les gros nuages venaient lourdement derrière moi, faisant retentir les montagnes de roulements
formidables et sublimes.

Je ne fis que deux rencontres dans tout ce voyage. La
première fut celle d'Antonino, un petit perruquier que
j'avais eu pour domestique à Venise, et que, voyant un
excellent sujet, dévoué et intelligent, j'avais donné à
Alfred de Musset pour l'accompagner à Paris. Il était
convenu que, s'il ne lui plaisait pas de le garder, je le
reprendrais à mon retour. Mais Antonino s'était senti
pris de nostalgie, et il revenait à pied, à travers les Alpes,
quand, me rencontrant face à face, habillée moins élé-
gamment, mais plus proprement que lui, reconnaissant
ma figure et non pas ma personne travestie, il s'arrêta
court, en s'écriant à la manière de son pays : *Ah ! par le
sang de Diane !...*

Puis il vint me baiser la main, comme c'est la coutume de tout serviteur et même des garçons d'auberge
en Italie, et je me mis à penser que, pour un passant,
c'eût été un spectacle assez bizarre que celui de ce monsieur étriqué et râpé, ayant encore un reste de gants et
un bout de chaîne d'or, baisant galamment la main d'un
gamin en blouse, tous deux blancs de poussière de la
tête aux pieds.

Le pauvre Antonino était dans une détresse complète.
Ayant voulu quitter Paris sans être congédié, il n'avait
pas dû prétendre au payement de son voyage, et il revenait sans sou ni maille, traînant la semelle, mais toujours
perruquier dans ses habitudes, car il sentait la pommade
d'une lieue ; et toujours Vénitien, car il aimait mieux
demander l'aumône que de ne pas revoir sa chère cité.

Je m'amusai du récit de ses infortunes, car il parlait le vrai italien assez purement et d'une façon prétentieuse et divertissante, ne manquant jamais de dire *Venezia la bella* dans ses aspirations patriotiques, et se plaignant de la nation parisienne, *razza* essentiellement *sofistica*, selon lui.

Je lui donnai de quoi adoucir la rigueur de son voyage, et j'eus beaucoup de peine à le lui faire accepter ; car il ne comprenait pas que mon costume et mon état de piéton fussent un caprice de ma part, et il me disait : « Je vois bien que la mauvaise fortune a visité aussi la signora. »

Il accepta enfin avec des larmes et les témoignages d'une sensibilité à la fois prétentieuse et naïve.

Ma seconde rencontre se divisa en deux parties. Au passage du Simplon, trois Anglais gravissaient devant moi la route escarpée. Le premier me regarda le dépasser sans trop souffler, et, s'arrêtant, me dit d'un air émerveillé : *Il est bien pénible !*

Sur le mont Blanc, les trois mêmes Anglais descendaient le sentier à pic comme je le gravissais. Je reconnus très bien le premier, qui passa en me saluant d'un air de connaissance ; mais celui qui marchait derrière lui se contenta de me dire en soupirant et d'un ton lugubre : *Il est bien pénible !*

Il est évident que, si j'avais rencontré ce trio une troisième fois, celui qui ne m'avait pas encore parlé m'aurait dit la même chose.

Avant de tourner tout à fait le dos à l'Italie, je veux dire un mot des théâtres de Venise, bien que ma position précaire m'ait permis de voir fort peu de représentations. Madame Pasta chantait alors, à la *Fenice*, avec Donzelli, un talent inférieur à Rubini, mais sympathique et charmant, qui avait été justement apprécié à Paris. Il y eut une première représentation d'un opéra de Mercadante, *la Fausta*[17], où madame Pasta, remplissant un rôle dans le genre de Phèdre, fut encore extrêmement belle. Trahie par sa voix, elle chantait souvent faux d'un bout à l'autre de son rôle ; mais le public italien, plus généreux que le nôtre, lui tenant compte des moments

où elle était véritablement sublime comme tragédienne
et comme cantatrice, l'applaudissait et la rappelait avec
transport. Quant à l'ovation du compositeur, elle fut
inouïe, et nos habitudes parisiennes n'en donnent
aucune idée. Rappelé entre chaque acte, le *maestro* était
condamné à traverser la scène en passant entre le rideau
et la rampe quinze et vingt fois de suite. Modeste,
gauche et naïf, le bon Mercadante subissait cette exécution moitié riant, moitié tremblant, et traînant après lui,
comme pour se donner une contenance, la Pasta qui
riait de tout son cœur.

La Pasta était encore belle et jeune sur la scène. Petite,
grasse et trop courte de jambes, comme le sont beaucoup d'Italiennes, dont le buste magnifique semble avoir
été fait aux dépens du reste, elle trouvait le moyen de
paraître grande et d'une allure dégagée, tant il y avait de
noblesse dans ses attitudes et de science dans sa pantomime. Je fus bien désappointée de la rencontrer le lendemain, debout sur sa gondole et habillée avec la trop
stricte économie qui était devenue sa préoccupation
dominante. Cette belle tête de camée que j'avais vue de
près aux funérailles de Louis XVIII, si fine et si veloutée,
n'était plus que l'ombre d'elle-même. Sous son vieux
chapeau et son vieux manteau, on eût pris la Pasta pour
une ouvreuse de loges. Pourtant elle fit un mouvement
pour indiquer à son gondolier l'endroit où elle voulait
aborder, et, dans ce geste, la grande reine, sinon la divinité, reparut.

Je vis aussi à la Fenice un ballet fantastique de splendeur comme décors et costumes, mais d'une telle imbé-
cillité comme art, que même dans celles de nos villes de
province où l'on attire le public en annonçant sur
l'affiche *une décoration tout en or*, on n'eût pu le supporter. L'or ruisselait en effet sur les palais et les habits ;
mais tout cela faisait quelque chose de bête et de laid au
dernier point, et il me parut évident que le Vénitien, toujours si passionné et même si éclairé comme artiste dans
son appréciation du passé, était tombé dans la barbarie
quant à celle des choses présentes.

Pourtant l'art dramatique me parut avoir encore son expression nationale, dans le genre burlesque, sur un théâtre où l'on jouait des parodies, des farces classiques et des comédies de Gozzi en vénitien. L'acteur chargé du *Zacometto* (le Gilles vénitien) me parut, par sa justesse et sa sobriété, marcher de pair avec Debureau, et comme il était souvent acteur parlant et disait à merveille, il était peut-être plus complet. J'ai oublié son nom. Les pièces de Gozzi, portant sur les mœurs populaires locales, étaient charmantes de gaieté et de naturel. Mais ce théâtre, bien que propre et vaste, n'était suivi que par le peuple, et aucun artiste n'était là pour signaler le talent des artistes qui tenaient la scène.

Je vis aussi, au jardin public, un théâtre de jour en plein air, construit comme toutes les salles de spectacle, sauf le plafond, qui n'existait pas, et dont l'absence permettait au soleil d'inonder le public et la scène. Ces décors peints et ces acteurs fardés en plein jour étaient la chose la plus horrible qu'on puisse imaginer. On jouait là des drames de Kotzebue traduits en italien, et il y avait là, comme partout, de pauvres diables qui sentaient et disaient bien. Je crois que dans le comique il y en a plus relativement dans ces troupes ambulantes et misérables que dans celles de nos provinces. Les Italiens ont, ou avaient du moins à cette époque, le sens comique plus sobre, par conséquent plus fin, et souvent plus chaste que nous. Cela est sensible dans la nature du peuple, et le serait tout à fait dans son art, si l'art pouvait se relever chez un peuple tombé sous la domination étrangère.

Ce qui faisait, pour mon goût, le charme principal de Venise, et ce que je n'ai retrouvé nulle part ailleurs, ce sont les mœurs de l'égalité. Ce pays de l'aristocratie avait eu la science républicaine oligarchique de paraître nivelé par des lois somptuaires, et les malheurs de la défaite ont fait ensuite une réalité de cette apparence. La localité se prête d'ailleurs admirablement à cette fusion des classes dans leurs occupations et dans leurs plaisirs, comme dans leurs sentiments et dans leurs intérêts. L'absence d'équipages et la rareté du sol font une population homogène, qui se coudoie sur le pavé ou se presse sur l'eau avec des égards indispensables à la sûreté de chacun. Tous ces piétons et toutes ces barques font des têtes dont l'une ne dépasse pas l'autre, où tous les yeux se rencontrent, où toutes les bouches se parlent, et cet échange de paresse et d'enjouement qui fait là le fonds de la vie devient une sympathie frémissante et communicative devant l'insolence cruelle de l'étranger. Enfin la beauté du lieu, le bon marché et les commodités de la vie, l'absence d'étiquette, la proximité des montagnes et de la mer, le climat admirable, sauf un mois d'hiver et deux mois d'été, la cordialité de relations que ma manière de vivre me permettait de restreindre à deux ou trois amis, tout m'eût attachée à Venise si mes enfants eussent été avec moi, et j'y rêvais souvent d'acheter, un jour, un de ces vieux palais déserts que l'on vendait alors dix ou douze mille francs, pour revenir avec eux me fixer dans un coin habitable et vivre de travail et de poésie dans des ruines splendides. J'y ai bien repensé quand le brave et le bon Pépé [18] a tenté de relever cette grande nationalité et de la disputer héroïquement à l'Autriche. Mais, malgré de sublimes efforts, elle est retombée sous le joug, et les républiques ne sont plus.

De Genève j'accourus d'un trait à Paris, affamée de revoir mes enfants. Je trouvai Maurice grandi et presque habitué au collège. Il avait des notes superbes : mais mon retour, qui était pour nous deux une si grande joie, devait bientôt ramener son aversion pour tout ce qui n'était pas la vie à nous deux. Je revenais trop tôt pour son éducation classique.

Ses vacances s'ouvraient. Nous partîmes ensemble pour rejoindre, à Nohant, Solange, qui y avait passé le temps de mon absence sous la garde d'une bonne dont j'étais sûre comme soins et surveillance, et dont je me croyais sûre comme caractère. Cette femme me paraissait dévouée et remplissait consciencieusement son office. Je trouvai mon gros enfant propre, frais, vigoureux, mais d'une soumission à sa bonne qui m'inquiéta, eu égard à son caractère d'enfant terrible. Cela me fit penser à mon enfance et à cette *Rose* qui, en m'adorant, me brisait. J'observai sans rien dire, et je vis que les verges jouaient un rôle dans cette éducation modèle. Je brûlai les verges et je pris l'enfant dans ma chambre. Cette exécution mortifia cruellement l'orgueil de Julie (elle s'appelait Julie comme l'ancienne femme de chambre de ma grand-mère). Elle devint aigre et insolente, et je vis que, sous ses qualités essentielles comme ménagère, elle cachait, comme femme, une noirceur atroce. Elle se tourna vers mon mari, qu'elle flagorna, et qui eut la faiblesse d'écouter les calomnies odieuses et stupides qu'il lui plut de débiter sur mon compte. Je la renvoyai sans vouloir d'explication avec elle et en lui payant largement les services qu'elle m'avait rendus. Mais elle partit avec la haine et la vengeance au cœur, et M. Dudevant entretint avec elle une correspondance qui lui permit de la retrouver plus tard [19].

Je ne m'en inquiétai pas, et me fussé-je méfiée de cette lâche aversion, il n'en eût été ni plus ni moins. Je ne sais pas ménager ce que je méprise, et je ne prévoyais pas d'ailleurs que mes tranquilles relations avec mon mari dussent aboutir à des orages. Il y en avait eu rarement entre nous. Il n'y en avait plus depuis que nous nous étions faits indépendants l'un de l'autre. Tout le temps que j'avais passé à Venise, M. Dudevant m'avait écrit sur un ton de bonne amitié et de satisfaction parfaite, me donnant des nouvelles des enfants, et m'engageant même à voyager pour mon instruction et pour ma santé. Ces lettres furent produites et lues, dans la suite, par l'avocat général, l'avocat de mon mari se plaignant des douleurs que son client avait dévorées dans la solitude.

Ne prévoyant rien de sombre dans l'avenir, j'eus un moment de véritable bonheur à me retrouver à Nohant avec mes enfants et mes amis. Fleury était marié avec Laure Decerfz, ma charmante amie d'enfance, plus jeune que moi, mais déjà raisonnable quand j'étais encore un vrai diable. Duvernet avait épousé Eugénie, que je connaissais peu, mais qui vint à moi, comme un enfant tout cœur, me demander de la tutoyer d'emblée, puisque je tutoyais son mari. Madame Duteil, qui, plus jeune que moi aussi, était déjà mon ancienne amie ; Jules

Néraud, mon Malgache bien-aimé ; Gustave Papet, un camarade d'enfance, un ami ensuite ; l'excellent Planet, avec qui mon amitié datait seulement de 1830, mais dont l'âme naïve et le tendre dévouement savaient se révéler de prime abord ; enfin, Duteil, l'un des hommes les plus charmants qui aient existé, lorsqu'il n'était qu'à moitié gris, et mon cher Rollinat, voilà les cœurs qui s'étaient donnés à moi tout entiers. La mort en a pris deux *, les autres me sont restés fidèles[20].

Fleury, Planet (Duvernet, dans ses fréquents voyages à Paris), avaient été les hôtes de fondation de la mansarde du quai Saint-Michel et ensuite de celle du quai Malaquais. Parmi les huit ou dix personnes dont s'était composée cette vie intime et fraternelle, presque toutes rêvaient un avenir de liberté pour la France, sans se douter qu'elles joueraient un rôle plus ou moins actif dans les événements soit politiques, soit littéraires de la France. Il y avait même là un enfant, un bel enfant de douze à treize ans, mêlé à nous par le hasard, et comme adopté par nous tous. Intelligent, gracieux, sympathique et divertissant au possible, ce gamin, qui devait être un jour un des acteurs les plus aimés du public et que je devais retrouver pour lui confier des rôles, s'appelait Prosper Bressant.

Celui-là, je le perdis de vue en partant pour l'Italie, d'autres plus tard et peu à peu ; mais le noyau berrichon que, les circonstances aidant, je devais retrouver toujours, je le retrouvais à Nohant en 1834, avec une joie nouvelle, après une absence de près d'une année.

Je fis, avec plusieurs d'entre eux, une promenade à Valençay, et, au retour, j'écrivis, sous l'émotion d'une vive causerie avec Rollinat, un petit article intitulé *Le Prince*, qui fâcha beaucoup, m'a-t-on dit, M. de Talleyrand[21]. Je ne le sus pas plutôt fâché, que j'eus regret d'avoir publié cette boutade. Ne le connaissant pas, je n'avais senti aucune aigreur personnelle contre lui. Il

---

* Hélas ! au moment où je relis cette page, un troisième est parti aussi. Mon cher Malgache ne recevra pas les fleurs que je viens de cueillir pour lui sur l'Apennin (NdA).

m'avait servi de type et de prétexte pour un accès d'aversion contre les idées et les moyens de cette école de fausse politique et de honteuse diplomatie dont il était le représentant. Mais, bien que cette vieillesse-là ne fût guère sacrée, bien que cet homme à moitié dans la tombe appartînt déjà à l'histoire j'eus comme un repentir, fondé ou non, de ne pas avoir mieux déguisé sa personnalité dans la critique. Mes amis me dirent en vain que j'avais usé d'un droit d'historien pour ainsi dire ; je me dis, moi, intérieurement, que je n'étais pas un historien, surtout pour les choses présentes ; que ma vocation ne me commandait pas de m'attaquer aux vivants, d'abord parce que je n'avais pas assez de talent en ce genre pour faire une œuvre de démolition vraiment utile, ensuite parce que j'étais femme, et qu'un sexe ne combattant pas contre l'autre à armes égales, l'homme qui insulte une femme commet une lâcheté gratuite, tandis que la femme qui blesse un homme la première, ne pouvant lui en rendre raison, abuse de l'impunité.

Je ne détruisis pas mon petit ouvrage, parce que ce qui est fait est fait, et que nous ne devons jamais reprendre une pensée émise, qu'elle nous plaise ou non. Mais je me promis de ne jamais m'occuper des personnes quand je n'aurais pas plus de bien que de mal à en dire, ou quand je n'y serais pas contrainte par une attaque personnelle calomnieuse.

J'aurais bien eu, par moments, une certaine verve pour la polémique. Je le sentais, à l'ardeur de mon indignation contre le mensonge, et je fus cent fois sollicitée de me mêler au combat journalier de la politique. Je m'y refusai obstinément, même dans les jours où certains de mes amis m'y poussaient comme à l'accomplissement d'un devoir. Si on avait voulu faire avec moi un journal qui généralisât le combat de parti à parti, d'idée à idée, je m'y fusse mise avec courage, et j'aurais probablement osé plus que bien d'autres. Mais restreindre cette guerre aux proportions d'un duel de chaque jour, faire le procès des individus, les traduire, pour des faits de détail, à la barre de l'opinion, cela était antipathique à ma nature et probablement impossible à mon organisation. Je ne me fusse pas soutenue vingt-quatre heures dans les conditions de colère et de ressentiment sans lesquelles même les justes sévérités ne peuvent s'accomplir. Il m'en a coûté parfois de faire partie de la rédaction d'un journal ou seulement d'une revue, où mon nom semblait être l'acceptation d'une solidarité avec ces exécutions politiques ou littéraires. Quelques-uns m'ont dit que je manquais de caractère et que mes sentiments étaient tièdes. Le premier point peut être vrai, mais le second étant faux, je ne pense pas que l'un soit la conséquence rigoureuse de l'autre. Je me rappelle que bon nombre de ceux qui, en 1847, me reprochaient vivement mon apathie politique et me prêchaient l'*action* en fort beaux termes, furent, en 1848, bien plus calmes et bien plus doux que je ne l'avais jamais été.

Avant d'aborder l'année 1835, où, pour la première fois de ma vie, je me sentis gagnée par un vif intérêt aux événements d'actualité, je parlerai de quelques personnes avec lesquelles je commençais ou devais commencer bientôt à être liée. Comme ces personnes sont toujours restées étrangères au monde politique, il me serait difficile d'y revenir quand j'entrerai un peu dans ce monde-là, et, pour ne pas interrompre alors mon sujet principal, je compléterai ici, en quelque sorte, l'histoire de mes relations avec elles, comme je l'ai déjà fait pour M. Delatouche.

IV

Madame Dorval

[...]

V

*Eugène Delacroix. – David Richard et Gaubert. – La phrénologie
et le magnétisme. – Les saints et les anges.*

[...]

VI

*Sainte-Beuve. – Luigi Calamatta. – Gustave Planche. – Charles
Didier. – Pourquoi je ne parle pas de certains autres.*

[...]

VII

*Je reprends mon récit. – J'arrive à dire des choses fort délicates, et
je les dis exprès sans délicatesse, les trouvant ainsi plus chaste-
ment dites. – Opinion de mon ami Dutheil[22] sur le mariage. –
Mon opinion sur l'amour. – Marion Delorme. – Deux femmes
de Balzac. – L'orgueil de la femme. – L'orgueil humain en
général. – Les Lettres d'un voyageur : mon plan au début. –
Comme quoi le voyageur était moi, et comme quoi il n'était pas
moi. – Maladies physiques et morales agissant les unes sur les
autres. – Personnalité de la jeunesse. – Détachement de l'âge
mûr. – L'orgueil religieux. – Mon ignorance me désole encore. –
Si je pouvais me reposer et m'instruire ! – J'aime, donc je crois.*

– L'orgueil catholique, l'humilité chrétienne. – Encore Leibniz.
– Pourquoi mes livres ont des endroits ennuyeux. – Horizon
nouveau. – Allées et venues. – Solange et Maurice. – Planet. –
Projets de départ et dispositions testamentaires. –
M. de Persigny. – Michel (de Bourges).

J'ai dit précédemment qu'après mon retour d'Italie,
1834, j'avais éprouvé un grand bonheur à retrouver mes
enfants, mes amis, ma maison ; mais ce bonheur fut
court. Mes enfants ni ma maison ne m'appartenaient,
moralement parlant. Nous n'étions pas d'accord, mon
mari et moi, sur la gouverne de ces humbles trésors.
Maurice ne recevait pas, au collège, l'éducation
conforme à ses instincts, à ses facultés, à sa santé. Le
foyer domestique subissait des influences tout à fait
anormales et dangereuses. C'était ma faute, je l'ai dit,
mais ma faute fatalement, et sans que je pusse trouver
dans ma volonté, ennemie des luttes journalières et des
querelles de ménage, la force de dominer la situation.

Un de mes amis, Dutheil, qui eût voulu rendre possible la durée de cette situation, me disait que je pouvais m'en rendre maîtresse en devenant la maîtresse de
mon mari. Cela ne pouvait me convenir en aucune
façon. Les rapprochements sans amour sont quelque
chose d'ignoble à envisager. Une femme qui recherche
son mari dans le but de s'emparer de sa volonté fait
quelque chose d'analogue à ce que font les prostituées
pour avoir du pain et les courtisanes pour avoir du
luxe. Ce sont de telles réconciliations qui font d'un
époux un jouet méprisable et une dupe ridicule.

Dutheil, en discutant contre moi, élevait la question
autant que possible, et, bien qu'il fût souvent cynique
en paroles, il avait trop d'intelligence pour ne pas comprendre qu'avec moi il fallait idéaliser le but. Il invoquait donc mon amour pour mes enfants et l'intérêt de
leur avenir.

À cette considération sacrée, je ne pouvais opposer
qu'un instinct de répugnance, mais un instinct si profond, si absolu, que je dus réfléchir, pour me rendre

compte de la valeur que je devais lui accorder dans ma conscience.

Une répugnance physique serait communément acceptée comme une excuse suffisante ; je ne la trouverais pas suffisante, moi. Le devoir fait surmonter ces répugnances-là. On touche à des plaies infectes pour soulager un malade, même un malade que l'on n'aime pas et que l'on ne connaît pas.

D'ailleurs mon mari ne m'inspirait aucun dégoût instinctif, il ne m'inspirait pas non plus d'aversion morale. Je ne demandais qu'à l'aimer fraternellement comme je m'y étais sentie disposée en recevant la première offre de notre association.

Mais quand une fille chaste se décide au mariage, elle ne sait pas du tout en quoi consiste le mariage, et peut prendre pour l'amour tout ce qui n'est pas l'amour. À trente ans, une femme ne peut plus se faire de vagues illusions, et, pour peu qu'elle ait de cœur et d'intelligence, elle sait le prix, je ne dis pas de sa personne, la personne pourrait se résigner à être humble si elle pouvait se donner seule, comme une chose, mais de son être complet et indivisible.

Voilà ce que je n'aurais pu faire comprendre à mon mari, dont les idées étaient autres, mais ce que je fis comprendre à Dutheil, dont le cerveau arrivait aisément à la compréhension de ce qu'il traitait, dans la pratique, de raffinement et de subtilités romanesques [23].

« L'amour n'est pas un calcul de pure volonté, lui disais-je. Les mariages de raison sont une erreur où l'on tombe, ou un mensonge qu'on se fait à soi-même. Nous ne sommes pas seulement corps, ou seulement esprit ; nous sommes corps et esprit tout ensemble. Là où l'un de ces agents de la vie ne participe pas, il n'y a pas d'amour vrai.

« Si le corps a des fonctions dont l'âme n'a point à se mêler, comme de manger et de digérer *, l'union de

---

* Et encore les vrais gourmands jouissent par l'imagination plus que par le sens, disent-ils (NdA).

deux êtres dans l'amour peut-il s'assimiler à ces fonctions-là ? La seule pensée en est révoltante. Dieu, qui a
mis le plaisir et la volupté dans les embrassements de
toutes les créatures, même dans ceux des plantes, n'a-
t-il pas donné le discernement à ces créatures en pro-
portion de leur degré de perfectionnement dans
l'échelle des êtres ? L'homme étant le plus élevé, le plus
complet de tous, n'a-t-il pas le sentiment ou le rêve de
cette union nécessaire du sens physique et du sens
intellectuel et moral, dans la possession ou dans l'aspiration de ses jouissances ? »

Je disais là, j'espère, un lieu commun des mieux
conditionnés [24]. Et pourtant cette vérité incontestable
est si peu observée dans la pratique, que les créatures
humaines s'approchent et que les enfants des hommes
naissent par milliers sans que l'amour, le véritable
amour, ait présidé une fois sur mille à ces actes sacrés
de la reproduction.

Le genre humain se perpétue quand même, et s'il
n'y était jamais convié que par l'amour vrai, il faudrait
peut-être, pour arrêter la dépopulation, revenir aux
étranges idées du maréchal de Saxe sur le mariage [25].
Mais il n'en est pas moins vrai que le vœu de la Providence, je dirai même la loi divine, est transgressé
chaque fois qu'un homme et une femme unissent leurs
lèvres sans unir leurs cœurs et leurs intelligences. Si
l'espèce humaine est encore si loin du but où la beauté
de ses facultés peut aspirer, en voilà une des causes les
plus générales et les plus funestes.

On dit en riant qu'il n'est pas si difficile de procréer :
Il ne faut que se mettre deux. – Eh bien, non, il faut
être trois : un homme, une femme, et Dieu en eux. Si
la pensée de Dieu est étrangère à leur extase, ils feront
bien un enfant, mais ils ne feront pas un homme.
L'homme complet ne sortira jamais que de l'amour
complet. Deux corps peuvent s'associer pour produire
un corps, mais la pensée peut seule donner la vie à la
pensée. Aussi que sommes-nous ? Des hommes qui
aspirent à être hommes, et rien de plus jusqu'à
présent ; des êtres passifs, incapables et indignes de la

liberté et de l'égalité, parce que, pour la plupart, nous sommes nés d'un acte passif et aveugle de la volonté.

Et encore fais-je ici trop d'honneur à cet acte en l'appelant acte de volonté. Là où le cœur et l'esprit ne se manifestent pas, il n'y a pas de volonté véritable. L'amour est là un acte de servage que subissent deux êtres esclaves de la matière. « *Heureusement*, me répondait Dutheil, le genre humain n'a pas besoin de ces sublimes aspirations pour trouver ses fonctions génératrices agréables et faciles » ; – moi, je disais *malheureusement*.

Et quoi qu'il en soit, ajoutais-je, quand une créature humaine, qu'elle soit homme ou femme, s'est élevée à la compréhension de l'amour complet, il ne lui est plus possible, et disons mieux, il ne lui est plus permis de revenir sur ses pas et de faire acte de pure animalité. Quelle que soit l'intention, quel que soit le but, sa conscience doit dire non, quand même son appétit dirait oui. Et si l'un et l'autre se trouvent parfaitement d'accord en toute occasion pour dire ensemble oui ou non, comment douter de la force religieuse de cette protestation intérieure ?

Si vous faites intervenir les considérations de pure utilité, ces intérêts de la famille où l'égoïsme se pare quelquefois du nom de morale, vous tournerez autour du vrai sans l'entamer. Vous aurez beau dire que vous sacrifiez, non à une tentation de la chair, mais à un principe de vertu, vous ne ferez pas fléchir la loi de Dieu à ce principe purement humain. L'homme commet à toute heure, sur la terre, un sacrilège qu'il ne comprend pas, et dont la divine sagesse peut l'absoudre en vue de [26] son ignorance : mais elle n'absoudra pas de même celui qui a compris l'idéal et qui le foule aux pieds. Il n'y a pas, au pouvoir de l'homme, de raison personnelle ou sociale assez forte pour l'autoriser à transgresser une loi divine, quand cette loi a été clairement révélée à sa raison, à son sentiment, à ses sens même.

Quand Marion Delorme, dans le drame de Victor Hugo [27], se livre à Laffemas, qu'elle abhorre, pour

sauver la vie de son amant, la sublimité de son dévouement n'est qu'une sublimité relative. Le poète a fort
bien compris qu'une courtisane seule, c'est-à-dire une
femme habituée, dans le passé, à faire bon marché
d'elle-même, pouvait accepter par amour la dernière
des souillures. Mais quand Balzac, dans *La Cousine
Bette*, nous montre une femme pure et respectable
s'offrir, en tremblant, à un ignoble séducteur pour
sauver sa famille de la ruine, il trace avec un art infini
une situation possible ; mais ce n'en est pas moins une
situation odieuse, où l'héroïne perd toutes nos sympathies. Pourquoi Marion Delorme les garde-t-elle, en
dépit de son abaissement ? c'est parce qu'elle n'a pas,
comme l'épouse légitime et la mère de famille, la conscience du crime qu'elle commet.

Balzac, qui cherchait et osait tout, a été plus loin : il
nous a montré, dans un autre roman, une femme pro-
voquant et séduisant son mari qu'elle n'aime pas, pour
le préserver des pièges d'une autre femme. Il s'est
efforcé de relever la honte de cette action, en donnant
à cette héroïne une fille dont elle veut conserver la fortune. Ainsi, c'est l'amour maternel surtout qui la
pousse à tromper son mari par quelque chose de pire
peut-être qu'une infidélité, par un mensonge de la
bouche, du cœur et des sens [28].

Je n'ai pas caché à Balzac que cette histoire, dont il
disait le fond réel, me révoltait au point de me rendre
insensible au talent qu'il avait déployé en la racontant.
Je la trouvais immorale sans me gêner, moi à qui l'on
reprochait d'avoir fait des livres immoraux.

Et, à mesure que j'ai interrogé mon cœur, ma conscience et ma religion, je suis devenue encore plus
rigide dans ma manière de voir. Non seulement je
regarde comme un péché mortel (il me plaît de me
servir de ce mot, qui exprime bien ma pensée, parce
qu'il dit que certaines fautes tuent notre âme) ; je
regarde comme un péché mortel non seulement le
mensonge des sens dans l'amour, mais encore l'illusion
que les sens chercheraient à se faire dans les amours
incomplets. Je dis, je crois, qu'il faut aimer avec tout

son être, ou vivre, quoi qu'il arrive, dans une complète chasteté. Les hommes n'en feront rien, je le sais ; mais les femmes, qui sont aidées par la pudeur et par l'opinion, peuvent fort bien, quelle que soit leur situation dans la vie, accepter cette doctrine quand elles sentent qu'elles valent la peine de l'observer.

Pour celles qui n'ont pas le moindre orgueil, je ne saurais rien trouver à leur dire.

Ce mot d'orgueil, dont je me suis servie beaucoup à cette époque en écrivant, me revient maintenant avec sa véritable signification. J'oublie si parfaitement ce que j'écris, et j'ai tant de répugnance à me relire, qu'il m'a fallu recevoir ces jours-ci une lettre où quelqu'un se donnait la peine de me transcrire une foule d'aphorismes de ma façon, tirés des *Lettres d'un voyageur*, en m'adressant, à ce sujet, une foule de questions, pour me décider à prendre connaissance de mon livre, que j'avais fort oublié, selon ma coutume.

Je viens donc de relire les *Lettres d'un voyageur*, de septembre 1834 et de janvier 1835 [29], et j'y retrouve le plan d'un ouvrage que je m'étais promis de continuer toute ma vie. Je regrette beaucoup de ne l'avoir pas fait. Voici quel était ce plan, suivi au début de la série, mais dont je me suis écartée en continuant, et que je semble avoir tout à fait perdu de vue à la fin. Cet abandon apparent vient surtout de ce que j'ai réuni sous le même titre de *Lettres d'un voyageur*, diverses lettres ou séries de lettres qui ne rentraient pas dans l'intention et dans la manière des premières.

Cette intention et cette manière consistaient, dans ma pensée primitive, à rendre compte des dispositions successives de mon esprit d'une façon naïve et arrangée en même temps. Je m'explique, pour ceux qui ne se souviennent pas de ces lettres, ou qui ne les connaissent pas, car pour qui les connaît l'explication est inutile.

Je sentais beaucoup de choses à dire, et je voulais les dire à moi et aux autres. Mon individualité était en train de se faire ; je la croyais finie, bien qu'elle eût à peine commencé à se dessiner à mes propres yeux, et,

malgré cette lassitude qu'elle m'inspirait déjà, j'en étais
si vivement préoccupée, que j'avais besoin de l'examiner et de la tourmenter, pour ainsi dire, comme un
métal en fusion jeté par moi dans un moule.

Mais comme je sentais dès lors qu'une individualité
isolée n'a pas le droit de se déclarer sans avoir à son
service quelque bonne conclusion utile pour les autres,
et que je n'avais pas du tout cette conclusion, je voulais
généraliser mon propre personnage en le modifiant.
Moi qui n'avais encore que trente ans et qui n'avais
guère vécu que d'une vie intérieure ; moi qui n'avais
fait que jeter un regard effrayé sur les abîmes des passions et les problèmes de la vie ; moi enfin qui n'en
étais encore qu'au vertige des premières découvertes,
je ne me sentais réellement pas le droit de parler de moi
tout à fait réellement. Cela eût donné trop peu de
portée à mes réflexions sur les idées générales, trop
d'affirmation à mes plaintes particulières. Il m'était
bien permis de philosopher à ma manière sur les
peines de la vie et d'en parler comme si j'en avais
épuisé la coupe, mais non pas de me poser, moi
femme, jeune encore, et même encore très enfant à
beaucoup d'égards, comme un penseur éprouvé ou
comme une victime particulière de la destinée. Décrire
mon *moi* réel eût été d'ailleurs une occupation trop
froide pour mon esprit exalté. Je créai donc, au hasard
de la plume, et me laissant aller à toute fantaisie, un
moi fantastique très vieux, très expérimenté et partant
très désespéré.

Ce troisième état de mon *moi* supposé, le désespoir,
était le seul vrai, et je pouvais, en me laissant aller à
mes idées noires, me placer dans la situation du vieil
oncle, du vieux voyageur que je faisais parler. Quant
au cadre où je le faisais mouvoir, je n'en pouvais
trouver de meilleur que le milieu où j'existais, puisque
c'était l'impression de ce milieu sur moi-même que je
voulais raconter et décrire.

En un mot, je voulais faire le propre roman de ma
vie et n'en être pas le personnage réel, mais le personnage pensant et analysant. Et encore, tout en étant ce

personnage, je voulais étendre son point de vue à une expérience de malheur que je n'avais pas, que je ne pouvais pas avoir.

Je prévis bien que la fiction n'empêcherait pas le public de vouloir chercher et définir mon *moi* réel à travers le masque du vieillard. Il en fut ainsi pour quelques lecteurs ; et un avocat *trop intelligent* voulut, dans mon procès en séparation, me rendre responsable, en tant que *partie adverse*, de tout ce que j'avais fait dire au voyageur. Du moment que je parlais à la première personne, cela lui suffisait pour m'accuser de tout ce dont le pauvre voyageur s'accuse, à un point de vue poétique et métaphorique. J'avais des vices, j'avais commis des crimes, n'était-ce pas évident ? Le voyageur, le vieil oncle, ne présentait-il point sa vie passée comme un abîme d'enivrements, et sa vie présente comme un abîme de remords ? En vérité, si j'avais pu, en moins de quatre ans, car il n'y avait pas quatre ans que j'avais quitté le bercail où la rigidité de ma vie avait été facile à constater ; si j'avais pu en si peu d'années acquérir toute l'expérience du bien et du mal que s'attribuait mon voyageur, je serais un être fort extraordinaire, et, en tout cas, je n'aurais pas vécu au fond d'une mansarde comme je l'avais fait, entourée de cinq ou six personnes d'humeur grave ou poétique comme la mienne.

Mais peu importe ce qui me fut imputé comme personnel et réel dans les *Lettres d'un oncle*, car c'est sous ce titre que parut d'abord le sixième numéro des *Lettres d'un voyageur*[30], et c'est sous ce titre que je m'étais promis de continuer dans la même donnée. C'eût été, je crois, un bon livre, je ne dis pas beau, mais intéressant et vivant, plus utile par conséquent que les romans où notre personnalité, à force de se disséminer dans des types divers et de s'égarer dans des situations fictives, arrive à disparaître pour nous-mêmes.

Je reviendrai sur les autres lettres de ce recueil ; je ne m'occupe ici que du numéro que je viens de citer, et je dois dire que sous cette fiction-là il y avait une réalité bien profonde pour moi, le dégoût de la vie. On a vu que c'était un vieux mal chronique, éprouvé et combattu dès ma première jeunesse, oublié et repris comme un fâcheux compagnon de voyage qu'on croit avoir laissé loin derrière soi, et qui tout à coup revient se traîner sur vos talons. Je cherchais le secret de cette tristesse, qui ne m'avait pas quittée à Venise et qui me reprenait plus amère au retour, dans des faits extérieurs, dans des causes immédiates, et elle n'y était réellement pas. Je dramatisais de bonne foi ces causes, et j'en exagérais, non le sentiment, il était poignant dans mon cœur, mais l'importance absolue. Pour avoir été déçue dans quelques illusions, je faisais le procès à toutes mes croyances ; pour avoir perdu le calme et la confiance de mes pensées d'autrefois, je me persuadais ne pouvoir plus vivre.

La vraie cause, je la vois très clairement aujourd'hui. Elle était physique et morale, comme toutes les causes de la souffrance humaine, où l'âme n'est pas longtemps malade sans que le corps s'en ressente et réciproquement. Le corps souffrait d'un commencement d'hépatite qui s'est manifestée clairement plus tard et qui a pu être combattue à temps. Je la combats encore, car l'ennemi est en moi et se fait sentir au moment où je le crois endormi. Je crois que ce mal est proprement le *spleen* des Anglais, causé par un engorgement du foie. J'en avais le germe ou la prédisposition sans le savoir ; ma mère l'avait et en est morte. Je dois en mourir comme elle, et nous devons tous mourir de quelque mal que l'on porte en soi-même, à l'état latent, dès l'heure de sa naissance. Toute organisation, si heureuse qu'elle soit, est pourvue de sa cause de destruction, soit physique et devant agir sur le système moral et intellectuel, soit morale et devant agir sur les fonctions de l'organisme.

Que ce soit la bile qui m'ait rendue mélancolique, ou la mélancolie qui m'ait rendue bilieuse (ceci résoudrait un grand problème métaphysique et physiologique : je ne m'en charge pas), il est certain que les vives douleurs au foie ont pour symptômes, chez tous ceux qui y sont sujets, une tristesse profonde et l'envie de mourir.

Depuis cette première invasion de mon mal, j'ai eu des années heureuses, et lorsqu'il revenait me saisir, bien que je fusse dans des conditions favorables à l'amour de la vie, je me sentais tout à coup prise du désir de l'éternel repos.

Mais si le mal physique est fallacieux dans ses effets sur l'âme, l'âme réagit, je ne dirai pas par sa volonté immédiate, qui est souvent paralysée par ce mal même, mais par sa disposition générale et par ses croyances acquises. Depuis que je n'ai plus ces doutes amers où la pensée dangereuse du néant arrive à être une volupté irrésistible, depuis que cet éternel repos dont je parlais tout à l'heure m'est démontré illusoire, depuis enfin que je crois à une éternelle activité au-delà de cette vie, la pensée du suicide n'est plus que passagère et facilement vaincue par la réflexion. Et quant aux noires illusions du malheur en ce monde, produites par l'hépatite, je ne saurais plus les prendre au sérieux comme au temps où j'ignorais que la cause était en moi-même. Je les subis encore, mais non pas d'une manière aussi complète que par le passé. Je me débats pour écarter ces voiles qui tombent comme de lourds orages sur l'imagination. On est alors dans la disposition singulière où nous jettent quelquefois les songes, quand on se dit, au milieu d'apparitions désagréables, qu'on sait fort bien être endormi, et que l'on s'agite dans son lit pour se réveiller.

Quant à la cause morale indépendante de la cause physique, je l'ai dite, je la dirai encore, car j'écris pour ceux qui souffrent comme j'ai souffert, et je ne saurais trop m'expliquer sur ce point.

Je vivais trop en moi-même, par moi-même et pour moi-même. Je ne me savais pas égoïste, je ne croyais pas l'être, et si je ne l'étais pas dans le sens étroit, avare et poltron du mot, je l'étais dans mes idées, dans ma philosophie. Cela est bien visible dans les *Lettres d'un voyageur*. On y sent la personnalité ardente de la jeunesse, inquiète, tenace, ombrageuse, *orgueilleuse* en un mot.

Oui, orgueilleuse, je l'étais, et je le fus encore long-temps après. J'eus raison de l'être en bien des occasions, car cette estime de moi-même n'était pas de la vanité. J'ai quelque bon sens, et la vanité est une folie qui me fait toujours peur à voir. Ce n'était pas moi-même, à l'état de personne, que je voulais aimer et respecter. C'était moi-même à l'état de créature humaine, c'est-à-dire d'œuvre divine, pareille aux autres, mais ne voulant pas me laisser moralement détériorer par ceux qui niaient et raillaient leur propre divinité.

Cet orgueil-là, je l'ai encore. Je ne veux pas qu'on me conseille et qu'on me persuade ce que je crois être mauvais et indigne de la dignité humaine. Je résiste avec une obstination qui n'est que dans ma croyance, car mon caractère n'a aucune énergie. Donc la croyance est bonne à quelque chose. Elle remédie parfois à ce qui manque à l'organisation.

Mais il y a un fol orgueil que l'on nourrit au-dedans de soi-même et qui s'exhale de l'homme à Dieu. À mesure que nous nous sentons devenir plus intelligents, nous nous croyons plus près de lui, ce qui est vrai, mais vrai d'une manière si relative à notre misère, que notre ambition ne s'en contente pas. Nous voulons comprendre Dieu, et nous lui demandons ses secrets avec assurance. Dès que les croyances aveugles des religions enseignées ne nous suffisent plus et que nous voulons arriver à la foi par les propres forces de notre entendement, ce qui est, je le soutiens, de droit et de devoir, nous allons trop vite. Nous autres Français surtout, ardents et pressés à l'attaque du ciel comme à celle d'une redoute, nous ne savons pas planer lentement et monter peu à peu sur les ailes d'une philosophie patiente et d'une lente étude. Nous demandons la grâce sans humilité, c'est-à-dire la lumière, la sérénité, une certitude que rien ne trouble ; et quand notre faiblesse rencontre dans le moindre raisonnement des obstacles imprévus, nous voilà irrités et comme désespérés.

Ceci est l'histoire de ma vie, ma véritable histoire. Tout le reste n'en a été que l'accident et l'apparence.

Une femme très supérieure dont je parlerai plus tard ★ m'écrivait dernièrement en me parlant de Sainte-Beuve : *Il a toujours été tourmenté des choses divines.* Le mot est beau et bon, et m'a résumé mon propre tourment. Hélas ! oui, c'est un calvaire que cette recherche de la vérité abstraite ; mais ç'a été un moindre tourment pour Sainte-Beuve que pour moi, j'en réponds ; car il était savant, et je n'ai jamais pu l'être, n'ayant ni temps, ni mémoire, ni facilité à comprendre la manière des autres. Or cette science des œuvres humaines n'est pas la lumière divine, elle n'en reçoit que de fugitifs reflets ; mais elle est un fil conducteur qui m'a manqué et qui me manquera tant que, forcée à vivre de mon travail de chaque jour, je ne pourrai consacrer au moins quelques années à la réflexion et à la lecture.

Cela ne m'arrivera pas : je mourrai dans le nuage épais qui m'enveloppe et m'oppresse. Je ne l'ai déchiré que par moments, dans des heures d'inspiration plus que d'étude, j'ai aperçu l'idéal divin comme les astronomes aperçoivent le corps du soleil à travers les fluides embrasés qui le voilent de leur action impétueuse et qui ne s'écartent que pour se resserrer de nouveau. Mais c'est assez peut-être, non pour la vérité générale, mais pour la vérité à mon usage, pour le contentement de mon pauvre cœur ; c'est assez pour que j'aime ce Dieu que je sens là, derrière les éblouissements de l'inconnu, et pour que je jette au hasard dans son infini mystérieux l'aspiration à l'infini qu'il a mise en moi et qui est une émanation de lui-même. Quelle que soit la route de ma pensée, clairvoyance, raison, poésie ou sentiment, elle arrivera bien à lui, et ma pensée parlant à ma pensée est encore avec quelque chose de lui.

Que vous dirai-je, cœurs amis qui m'interrogez ? J'aime, donc je crois. Je sens que j'aime Dieu de cet *amour désintéressé* que Leibniz nous dit être le seul vrai et qui ne se peut assouvir sur la terre, puisque nous

★ Madame Hortense Allart (NdA).

aimons les êtres de notre choix par besoin d'être heureux, et nos semblables comme nous aimons nos enfants, par besoin de les rendre heureux, ce qui est au fond la même chose, leur bonheur étant nécessaire au nôtre. Je sens que mes douleurs et mes fatigues ne peuvent altérer l'ordre immuable, la sérénité de l'Auteur de toutes choses ; je sens qu'il n'agit pas pour m'en retirer en modifiant les événements extérieurs autour de moi ; mais je sens que quand j'anéantis en moi la personnalité qui aspire aux joies terrestres, la joie céleste me pénètre, et que la confiance absolue, délicieuse, inonde mon cœur d'un bien-être impossible à décrire. Comment ferais-je donc pour ne pas croire, puisque je sens ?

Mais je n'ai véritablement senti ces joies secrètes qu'à deux époques de ma vie, dans l'adolescence, à travers le prisme de la foi catholique, et dans l'âge mûr, sous l'influence d'un détachement sincère de ma personnalité devant Dieu. – Ce qui ne m'empêche pas, je le déclare, de chercher sans cesse à le comprendre, mais ce qui me préserve de le nier aux heures où je ne le comprends pas.

Quoique mon être ait subi des modifications et passé par des phases d'action et de réaction, comme tous les êtres pensants, il est au fond toujours le même : besoin de croire, soif de connaître, plaisir d'aimer.

Les catholiques, et j'en ai connu de très sincères, m'ont crié que dans ces trois termes il y en avait un qui tuerait les deux autres. La soif de connaître est, suivant eux, l'ennemi et le destructeur impitoyable du besoin de croire et du plaisir d'aimer.

Ils ont quelquefois raison, ces bons catholiques. Dès qu'on ouvre la porte aux curiosités de l'esprit, les joies du cœur sont amèrement troublées et risquent d'être emportées pour longtemps dans la tourmente. Mais je dirai encore là que la soif de connaître est inhérente à l'intelligence humaine, que c'est une faculté divine qui nous est donnée, et que refuser à cette faculté son exercice, s'efforcer de la détruire en nous, c'est transgresser une loi divine. Il en est de ces croyants naïfs qui ne sentent pas les tressaillements de leur intelligence et qui aiment Dieu avec leur cœur seulement, comme de ces amants qui n'aiment qu'avec leurs sens[31]. Ils ne connaissent qu'un amour incomplet. Ils ne sont pas encore à l'état d'hommes parfaits. Ignorant leur infirmité, ils ne sont pas coupables ; mais ils le deviennent dès qu'ils la sentent ou la devinent, s'ils s'opiniâtrent dans leur impuissance.

Les catholiques appelleront encore ce que je dis là les suggestions du démon de l'orgueil. Je leur répondrai : « Oui, il y a un démon de l'orgueil ; je consens à parler votre langue poétique. Il est en vous et en moi. En vous, pour vous persuader que votre sentiment est si grand et si beau que Dieu l'accepte sans se soucier du culte de votre raison. Vous êtes des paresseux qui ne voulez pas souffrir en risquant de rencontrer le doute dans une recherche approfondie, et vous avez la vanité de croire que Dieu vous dispense de souffrir, pourvu que vous l'adoriez comme un fétiche. C'est trop d'estime de vous-mêmes. Dieu voudrait davantage, et cependant vous êtes contents de vous.

« Le démon de l'orgueil ! Il est en moi aussi chaque fois que je m'irrite contre les souffrances que j'ai acceptées en sortant du facile aveuglement des *mystères*. Il a été en moi surtout au commencement de cette recherche, et il m'a rendue sceptique pendant quelques années de ma vie. Il était né chez vous, mon démon d'orgueil ; il me venait de l'enseignement catholique ; il méprisait ma raison au moment où je voulais en faire usage ; il me disait : Ton cœur seul vaut quelque chose, pourquoi l'as-tu laissé languir ? Et ainsi émoussant l'arme dont j'avais besoin, chaque fois que j'y portais la main, il me rejetait dans le vague et voulait me persuader de ne croire qu'à mon sentiment.

« Ainsi, ceux que vous appelez des esprits forts, ô catholiques, ne sont pas toujours assez fiers de leur raison, tandis que vous autres, vous êtes à toute heure excessivement orgueilleux de votre sentiment. »

Mais le sentiment sans raison fait le mal aussi aisément que le bien. Le sentiment sans raison est exigeant, impérieux, égoïste. C'est par le sentiment sans raison qu'à quinze ans, je reprochais à Dieu, avec une sorte de colère impie, les heures de fatigue et de langueur où il semblait me retirer sa grâce. C'est encore par le sentiment sans raison qu'à trente ans je voulais mourir, disant : Dieu ne m'aime pas et ne se soucie pas de moi, puisqu'il me laisse faible, ignorante et malheureuse sur la terre.

Je suis encore ignorante et faible ; mais je ne suis plus malheureuse, parce que je suis moins orgueilleuse qu'alors. J'ai reconnu que j'étais peu de chose : raison, sentiment, instinct réunis, cela fait encore un être si fini et une action si bornée, qu'il faut en revenir à l'humilité chrétienne jusqu'à ce point de dire : « Je sens vivement, je comprends fort peu et j'aime beaucoup. » Mais il faut quitter l'orthodoxie catholique quand elle dit : Je prétends sentir et aimer sans rien comprendre. Cela est possible, je n'en doute pas, mais cela ne suffit pas à accomplir la volonté de Dieu, qui veut que l'homme comprenne autant qu'il lui est donné de comprendre.

En résumé, s'efforcer d'aimer Dieu en le comprenant, et s'efforcer de le comprendre en l'aimant ; s'efforcer de croire ce que l'on ne comprend pas, mais s'efforcer de comprendre pour mieux croire, voilà tout Leibniz, et Leibniz est le plus grand théologien des siècles de lumière. Je ne l'ai jamais ouvert, depuis dix ans, sans trouver, dans celles de ses pages où il se met à la portée de tous, la règle saine de l'esprit humain, celle que je me sens de plus en plus capable de suivre.

Je demande bien pardon de ce chapitre à ceux qui ne se sont jamais *tourmentés des choses divines*. C'est, je crois, le grand nombre ; mon insistance sur les idées religieuses ennuiera donc beaucoup de personnes ; mais je crois les avoir déjà assez ennuyées, depuis le commencement de cet ouvrage, pour qu'elles en aient, depuis longtemps, abandonné la lecture.

Ce qui, du reste, m'a mise à l'aise toute ma vie en écrivant des livres, c'est la conscience du peu de popularité qu'ils devaient avoir. Par popularité, je n'entends pas qu'ils dussent, par leur nature, rester dans la région aristocratique des intelligences. Ils ont été mieux lus et mieux compris par ceux des hommes du peuple qui portent le sentiment de l'idéal dans leur aspiration, que par beaucoup d'artistes qui ne se soucient que du monde positif. Mais, soit dans le peuple, soit dans l'aristocratie, je n'ai dû contenter, à coup sûr, que le très petit nombre. Mes éditeurs s'en sont plaints. « Pour Dieu, m'écrivait souvent Buloz, pas tant de mysticisme ! » Ce bon Buloz me faisait l'honneur de voir du mysticisme dans mes préoccupations ! Au reste tout son monde de lecteurs pensait comme lui que je devenais de plus en plus ennuyeuse et que je sortais du domaine de l'art, en communiquant à mes personnages la contention dominante de mon propre cerveau. C'est bien possible, mais je ne vois pas trop comment j'eusse pu faire pour ne pas écrire avec le propre sang de mon cœur et la propre flamme de ma pensée.

On s'est souvent moqué de moi autour de moi. Je ne demandais pas mieux. Qu'importe ? J'aime à rire aussi à mes heures, et il n'est rien qui repose l'âme tendue vers le spectacle des choses abstraites comme de se moquer de soi-même dans l'entracte. J'ai vécu plus souvent avec les personnes gaies qu'avec les personnes graves, depuis mon âge mûr surtout, et j'aime les caractères artistes, les intelligences d'instinct. Leur commerce habituel est beaucoup plus doux que celui des penseurs obstinés. Quand on est, comme moi, moitié *mystique* (j'accepte le mot de Buloz), moitié artiste, on n'est pas de force à vivre avec les apôtres du raisonnement pur, sans risquer d'y devenir fou ; mais aussi, après des jours passés dans le délicieux oubli des choses dogmatiques, on a besoin d'une heure pour les écouter ou pour les lire.

Voilà pourquoi j'ai fait fatalement des romans dont une partie plaît aux uns et déplaît aux autres ; voilà surtout ce qui, en dehors de toute influence des chagrins positifs, explique la tristesse et la gaieté des *Lettres d'un voyageur*.

J'approche du moment où ma vue s'ouvrit sur une perspective nouvelle, la politique. J'y fus conduite

comme je pouvais l'être, par une influence du sentiment. C'est donc une histoire de sentiment, c'est trois
ans de ma vie que j'ai à raconter[32].

Revenue à Nohant en septembre, retournée à Paris à
la fin des vacances avec mes enfants, je revins encore,
en janvier 1835, passer quelques jours sous mon toit.
C'est là que j'écrivis le sixième numéro[33] des *Lettres
d'un voyageur* dans une disposition un peu moins
sombre, mais encore très triste. Enfin, je passai février
et mars à Paris, et en avril j'étais de nouveau à Nohant.

Ces allées et ces venues me fatiguaient le corps et
l'âme. Je n'étais bien nulle part. Il y avait pourtant du
bon dans mon âme, ces lettres désolées me le prouvent
bien aujourd'hui ; mais, tout en me débattant pour
retourner aux douceurs de ma vie de Nohant, j'y trouvais de tels ennuis, et, d'autre part, mon cœur était si
troublé, si déchiré par des chagrins secrets[34], que
j'éprouvai tout à coup le besoin de m'en aller. Où ? je
n'en savais rien, je ne voulais pas le savoir. Il me fallait
aller loin, le plus loin possible, me faire oublier en
oubliant moi-même. Je me sentais malade, mortellement malade. Je n'avais plus du tout de sommeil, et,
par moments, il me semblait que ma raison était prête
à me quitter. Je m'étais fait un riant espoir d'avoir ma
fille avec moi ; mais je dus renoncer, pour le moment,
au plaisir de l'élever moi-même. C'était une nature
toute différente de celle de son frère, s'ennuyant de ma
vie sédentaire autant que Maurice s'y complaisait, et
sentant déjà le besoin d'une suite de distractions
appropriées à son âge et nécessaire à l'énergie alors
très prononcée de son organisation. Je la menais à
Nohant pour la secouer et la développer sans crise ;
mais quand il fallait revenir à la mansarde et ne plus
avoir une demi-douzaine d'enfants villageois pour
compagnons de ses jeux échevelés, sa vigueur physique comprimée se tournait en révolte ouverte. C'était
une enfant terrible si drôle, que mes amis la gâtaient
affreusement, et moi-même, incapable d'une sévérité
soutenue, vaincue par une tendresse aveugle pour le

premier âge, je ne savais pas, je ne pouvais pas la dominer.

J'espérai qu'elle serait plus calme et plus heureuse avec d'autres enfants, et dans des conditions où la discipline subie en commun paraît moins dure aux natures indépendantes. J'essayai de la mettre en pension dans une de ces charmantes petites maisons d'éducation du quartier Beaujon, au milieu de ces tranquilles et riants jardins qui semblent destinés à n'être peuplés que de belles petites filles. Mesdemoiselles Martin étaient deux bonnes sœurs anglaises vraiment maternelles pour leurs jeunes élèves. Ces élèves n'étaient que huit, condition excellente pour qu'elles fussent choyées et surveillées avec soin.

Ma grosse fille se trouva fort bien de ce nouveau régime. Elle commença à s'effiler et à se civiliser avec ses compagnes. Mais elle resta longtemps sauvage avec les personnes du dehors, avec mes amis surtout, qui se plaisaient trop à se faire ses esclaves. Elle avait une manière d'être si originale et si comique avec eux, que la fine mouche, voyant bien qu'en les faisant rire elle les désarmait, s'en donnait à cœur joie. Emmanuel Arago surtout, ce bon frère aîné, qu'elle traitait encore plus lestement que Maurice, et qui était encore assez enfant lui-même pour s'en divertir, fut sa victime de prédilection. Un jour qu'elle s'était montrée fort aimable avec lui, jusqu'à le reconduire à la porte du jardin de la pension : « Solange, lui dit-il, qu'est-ce que tu veux que je t'apporte quand je reviendrai ? – Rien, lui dit-elle, mais tu peux me faire un grand plaisir si tu m'aimes bien. – Lequel, dis ? – Eh bien, mon garçon, c'est de ne jamais revenir me voir. »

Une autre fois qu'elle était chez moi, un peu malade, et que le médecin avait recommandé de la faire promener, elle partit de bonne grâce, en fiacre, avec Emmanuel, pour le jardin du Luxembourg ; mais, chemin faisant, il lui prit fantaisie de déclarer qu'elle ne voulait pas se promener à pied. Emmanuel, à qui j'avais recommandé d'être inflexible, tint bon, lui déclara, de son côté, que ce n'était pas la coutume de se promener en fiacre dans le jardin du Luxembourg, et qu'elle y marcherait sur ses pieds bon gré, mal gré. Elle parut se soumettre ; mais arrivée à la grille, quand il la prit dans ses bras pour la faire descendre, il s'aperçut qu'elle était sans souliers. Elle les avait adroitement détachés et jetés dans la rue avant d'arriver. « À présent, lui dit-elle, vois si tu veux me faire marcher pieds nus. »

Souvent, quand j'étais dehors avec elle, il lui passait par l'esprit de s'arrêter court et de ne vouloir ni marcher ni monter en voiture, ce qui ameutait les passants autour de nous. Elle avait sept ou huit ans, qu'elle me faisait encore de ces tours-là, et qu'il me fallait la porter malgré elle du bas de l'escalier à la mansarde, ce qui n'était pas une petite affaire. Et le pire, c'est que ces humeurs bizarres n'avaient aucune cause que je pusse prévoir d'avance et deviner ensuite. Elle-même ne s'en rend pas compte aujourd'hui ; c'était comme une impossibilité naturelle de se plier à l'impulsion d'autrui, et je ne pouvais pas m'habituer à briser par la rigueur cette incompréhensible résistance.

Je me décidai donc à me séparer d'elle pour quelque temps ; mais quoiqu'il me fût bientôt prouvé qu'elle acceptait plus volontiers la règle générale que la règle particulière, et qu'elle était heureuse en pension, ce fut pour moi un profond chagrin de voir que son bonheur d'enfant ne lui venait pas de moi. J'en fus d'autant plus disposée, malgré mes belles résolutions, à la gâter par la suite.

De son côté, Maurice faisait tout le contraire. Il ne voulait et ne savait vivre qu'avec moi. Ma mansarde était le paradis de ses rêves. Aussi, quand il fallait se séparer le soir, c'étaient des larmes à recommencer, et je ne me sentais pas plus de courage que lui.

Mes amis blâmaient ma faiblesse pour mes pauvres enfants, et je sentais bien qu'elle était extrême. Je ne l'entretenais pas à plaisir, car elle me déchirait l'âme. Mais que faire pour la vaincre ? J'étais oppprimée et torturée par mes entrailles comme je l'étais d'ailleurs par mon cœur et mon cerveau.

Planet me conseilla de prendre une grande résolution, et de quitter la France au moins pour un an. « Votre séjour à Venise a été bon pour vos enfants, me disait-il : Maurice n'a travaillé et ne travaillera au collège qu'en vous sentant loin de lui. Il est encore faible. Solange, trop forte, subit une crise de développement physique dont vous vous tourmentez trop. En vous faisant sa victime, elle s'habitue à vous voir souffrir, et cela ne vaut rien pour elle. Vous n'avez pas de bonheur, cela est certain ; votre intérieur à Nohant n'est possible qu'à la condition d'y être comme en visite. Votre mari est aigri maintenant par votre présence, et le temps approche où il en sera irrité. Vous vous affectez de vos chagrins extérieurs jusqu'à vous en créer d'imaginaires. Vos écrits prouvent que vous vous tournez contre vous-même, et que vous vous en prenez à votre propre organisation, à votre propre destinée, d'une rencontre de circonstances, fâcheuses il est vrai, mais non pas tellement exceptionnelles que votre volonté ne puisse les surmonter ou les faire fléchir. Un moment viendra où vous le pourrez ; mais auparavant il vous faut recouvrer la santé morale et physique que vous être en train de perdre. Il faut vous éloigner du spectacle et des causes de vos souffrances. Il faut sortir de ce cercle d'ennuis et de déboires. Allez-vous-en faire de la poésie dans quelque beau pays où vous ne connaîtrez personne. Vous aimez la solitude, vous en serez toujours privée ici : ne vous flattez pas de vivre en ermite dans votre mansarde. On vous y assiégera toujours. La solitude est mauvaise à la longue ; mais, par moments, elle est nécessaire. Vous êtes dans un de ces moments-là. Obéissez à l'instinct qui vous y pousse ; fuyez ! Je vous connais, vous n'aurez pas plutôt rêvé seule quelques jours que vous reviendrez croyante, et quand vous en serez là, je réponds de vous. »

Planet a toujours été pour ses amis un excellent médecin moral, persuasif par l'attention avec laquelle il pesait ses conseils et celle qu'il portait à comprendre votre véritable situation. Beaucoup d'amis ont le tort de vous juger d'après eux-mêmes, de vous apporter

une opinion toute faite, que ne modifie aucune objection de votre part, et qui vous fait sentir que vous
n'êtes pas compris. Planet, ingénieux dans l'art de
consoler, interrogeait minutieusement, n'avait pas de
parti pris, tant qu'il n'avait pas réussi à se figurer qu'il
était vous-même, et alors il se prononçait avec une
grande décision et une grande netteté. Pour les gens
qui ne le connaissaient que superficiellement, Planet
était un type de simplicité et même de niaiserie ; mais il
avait, pour nous autres, le génie du cœur et de la
volonté. Il n'est aucun de nous, je parle de ce groupe
berrichon qui ne s'est jamais divisé et dont je faisais
partie, qui n'ait subi plusieurs fois dans sa vie
l'influence extraordinaire de Planet, celui d'entre nous
qui, au premier abord, eût semblé devoir être mené par
tous les autres.

Je fus donc persuadée, et un beau matin, après avoir
arrangé tant bien que mal mes affaires de façon à
m'assurer quelques ressources, je quittai Paris sans
faire d'adieux à personne et sans dire mon projet à
Maurice. Je vins à Nohant pour prendre congé de mes
amis et les entretenir de mes enfants, dans le cas où
quelque accident me ferait trouver la mort en voyage,
car je voulais aller loin devant moi en prenant la route
de l'Orient[35].

Je savais bien que mes amis n'auraient aucune autorité sur mes enfants tant qu'ils seraient enfants. Mais ils
pouvaient, au sortir de ce premier âge, exercer sur eux
de douces influences. J'espérais même que madame
Decerfz pourrait être une véritable mère pour ma fille,
et je voulais vendre ma propriété littéraire pour lui
créer une petite rente qui la mît à même de faire son
éducation, dans le cas où mon mari viendrait à y
consentir. À l'époque du mariage de ma fille, cette
rente lui eût été restituée : c'était alors peu de chose,
mais cela représentait ce que coûte, dans la meilleure
pension possible, l'éducation d'une jeune fille. Je partis
donc pour Nohant avec le projet de tenter cet arrangement, qui ne devait avoir lieu que dans l'éventualité de
ma mort, et pour entretenir, dans tous les cas, mes

amis du devoir que je leur léguais d'entourer Maurice et Solange d'un réseau de sollicitudes paternelles et de relations assidues.

[…]

[*Dans les deux dernières pages de ce chapitre, Sand rapporte une anecdote (rencontre avec un jeune homme qui depuis est devenu, au moment où paraît* Histoire de ma vie, *un personnage politique majeur : le duc de Persigny, dignitaire du second Empire) ; et surtout, elle introduit le personnage du « célèbre avocat Michel », dit Michel de Bourges, qu'elle va consulter à Bourges à propos de sa situation matrimoniale difficile. La figure d'« Éverard » (le surnom sandien de Michel de Bourges : « Je lui conserverai dans ce récit le pseudonyme que je lui ai donné dans les* Lettres d'un voyageur. *J'ai toujours aimé à baptiser mes amis d'un nom à ma guise, mais dont je ne me rappelle pas toujours l'origine ») domine les deux chapitres suivants que nous ne donnons pas.*]

VIII

Éverard. – Sa tête, sa figure, ses manières, ses habitudes. – Patriotes ennemis de la propreté. – Conversation nocturne et ambulatoire. – Sublimités et contradictions. – Fleury et moi faisons le même rêve, à la même heure. – De Bourges à Nohant. – Les lettres d'Éverard. – Procès d'avril. – Lyon et Paris. – Les avocats. – Pléiade philosophique et politique. – Planet pose la question sociale. – Le pont des Saints-Pères. – Fête au château. – Fantasmagorie babouviste. – Ma situation morale. – Sainte-Beuve se moque. – Un dîner excentrique. – Une page de Louis Blanc. – Éverard malade et halluciné. – Je veux partir ; conversation décisive ; Éverard sage et vrai. – Encore une page de Louis Blanc. – Deux points de vue différents dans la défense : je donne raison à M. Jules Favre.

[...]

[*Le chapitre est consacré à Éverard et surtout à la révélation politique dont il est, pour Sand, l'occasion. Cet
homme éloquent dont la parole est « comme une musique
pleine d'idées » est l'agent de la « conversion » de Sand à la
République, à la démocratie, au socialisme : toutes notions
qui, dit-elle, étaient beaucoup moins claires et affermies à
l'époque dont elle parle (le milieu des années 1830) qu'elles
ne le sont devenues au moment où elle écrit (presque vingt
ans plus tard). L'occasion propice à cette prise de conscience
est le contexte du « procès monstre » d'avril 1835 : le gouvernement de Louis-Philippe commet la maladresse de
convoquer un unique grand procès pour traduire en justice
les chefs des insurgés qui se sont soulevés à Lyon et à Paris
un an plus tôt, en avril 1834 ; cela fournit une tribune
importante à l'opposition républicaine. Celle-ci, désunie,
ne va cependant pas savoir en profiter. Michel (Éverard),
avocat d'une partie des insurgés, est en première ligne dans
ce combat. Auprès de lui, Sand vit intensément ces événements.*]

IX

*Lettre incriminée au procès monstre. – Ma rédaction rejetée. –
Défection du barreau républicain. – Trélat. – Discours d'Éverard. – Sa condamnation. – Retour à Nohant. – Projets
d'établissement. – La maison déserte à Paris. – Charles
d'Aragon. – Affaire Fieschi. – Les opinions politiques de Maurice. – M. Lammenais. – M. Pierre Leroux. – Le mal du pays
me prend. – La maison déserte à Bourges. – Contradictions
d'Éverard. – Je reviens à Paris.*

[...]

[*Grâce à Éverard (auquel son engagement dans le « procès monstre » vaut d'être sanctionné d'une peine d'un mois de prison) et à travers les péripéties du procès, la politique devient une préoccupation majeure pour Sand :* « *J'allais alors cherchant la vérité religieuse et la vérité sociale dans une seule et même vérité* ». *Le passage suivant correspond au moment de retrait qu'indiquent, dans le sommaire du chapitre, les mentions :* « *Retour à Nohant. – Projets d'établissement. – La maison déserte à Paris.* »]

Cette fois, mon séjour chez moi fut désagréable et même difficile. Il fallut m'armer de beaucoup de volonté pour ne pas aigrir la situation. Ma présence était positivement gênante. Mes amis souffrirent d'avoir à le constater, et ceux mêmes qui contribuaient à me gâter mon intérieur, mon frère et un autre [36], sentirent que la position n'était pas tenable pour moi. Ils songèrent donc à conseiller quelque arrangement.

Je recevais trois mille francs de pension pour ma fille et pour moi. C'était fort court, mon travail étant encore peu lucratif et soumis d'ailleurs aux éventualités humaines, ne fût-ce qu'à l'état de ma santé. Pourtant c'était possible à la condition que, passant chez moi six mois sur douze, je mettrais de côté quinze cents francs par an pour payer l'éducation de l'enfant. Si l'on me fermait ma porte, ma vie devenait précaire, et la conscience de mon mari ne pouvait, ne devait pas être bien satisfaite.

Il le reconnaissait. Mon frère le pressait de me donner six mille francs par an. Il lui en serait resté à peu près dix en comptant son propre avoir. C'était de quoi vivre à Nohant, et y vivre seul, puisque tel était son désir. M. Dudevant s'était rendu à ce conseil ; il avait donc promis de doubler ma pension ; mais quand il avait été question de le faire, il m'avait déclaré être dans l'impossibilité de vivre à Nohant avec ce qui lui restait. Il fallut entrer dans quelques explications et me demander ma signature pour sortir d'embarras financiers qu'il s'était créés. Il avait mal employé une partie de son petit héritage, il ne l'avait plus. Il avait acheté des terres qu'il ne pouvait payer ; il était inquiet, chagrin. Quand j'eus signé, les choses n'allèrent pas mieux, selon lui. Il n'avait pas résolu le problème qu'il m'avait donné à résoudre quelques années auparavant ; ses dépenses excédaient nos revenus. La cave seule en emportait une grosse part, et, pour le reste, il était volé par des domestiques trop autorisés à le faire. Je constatai plusieurs friponneries flagrantes, croyant lui rendre service autant qu'à moi-même. Il m'en sut mauvais gré. Comme Frédéric le Grand, il voulait être servi par des pillards. Il me défendit de me mêler de ses affaires, de critiquer sa gestion et de commander à ses gens. Il me semblait que tout cela était un peu à moi, puisqu'il disait n'avoir plus rien à lui. Je me résignai à garder le silence et à attendre qu'il ouvrît les yeux.

Cela ne tarda pas. Dans un jour de dégoût de son entourage, il me dit que Nohant le ruinait, qu'il y éprouvait des chagrins personnels, qu'il s'y ennuyait au milieu de ses loisirs, et qu'il était prêt à m'en laisser la jouissance et l'entretien. Il voulait aller vivre à Paris ou dans le Midi avec le reste de nos revenus, qu'il évaluait alors à sept mille francs. J'acceptai. Il rédigea nos conventions, que je signai sans discussion aucune ; mais, dès le lendemain, il m'en témoigna tant de regret et de déplaisir que je partis pour Paris en lui laissant le traité déchiré et en remettant mon sort à la providence des artistes, au travail.

Ceci s'était passé au mois d'avril. Mon voyage à Nohant en juin n'améliora pas la position. M. Dudevant persistait à quitter Nohant. Cette idée prenait plus de consistance quand j'y retournais ; mais comme elle était accompagnée de dépit, je m'en allai encore sans rien exiger.

Éverard était retourné à Bourges. Je vécus à Paris tout à fait cachée pendant quelque temps. J'avais un roman à faire, et comme je mourais de chaud dans ma mansarde du quai Malaquais, je trouvai moyen de m'installer dans un atelier de travail assez singulier. L'appartement du rez-de-chaussée était en réparation, et les réparations se trouvaient suspendues, je ne sais plus pour quel motif. Les vastes pièces de ce beau local étaient encombrées de pierres et de bois de travail ; les portes donnant sur le jardin avaient été enlevées, et le jardin lui-même fermé, désert et abandonné, attendait une métamorphose. J'eus donc là une solitude complète, de l'ombrage, de l'air et de la fraîcheur. Je fis de l'établi d'un menuisier un bureau bien suffisant pour mon petit attirail, et j'y passai les journées les plus tranquilles que j'aie peut-être jamais pu saisir, car personne au monde ne me savait là, que le portier, qui m'avait confié la clef, et ma femme de chambre, qui m'y apportait mes lettres et mon déjeuner. Je ne sortais de ma tanière que pour aller voir mes enfants à leurs pensions respectives. J'avais remis Solange chez les demoiselles Martin.

Je pense que tout le monde est, comme moi, friand de ces rares et courts instants où les choses extérieures daignent s'arranger de manière à nous laisser un calme absolu relativement à elles. Le moindre coin nous devient alors une prison volontaire, et, quel qu'il soit, il se pare à nos yeux de ce je ne sais quoi de délicieux qui est comme le sentiment de la conquête et de la possession du temps, du silence et de nous-mêmes. Tout m'appartenait dans ces murs vides et dévastés, qui bientôt allaient se couvrir de dorures et de soie, mais dont jamais personne ne devait jouir à ma manière. Du moins je me disais que les futurs occupants n'y retrouveraient peut-être jamais une heure du loisir assuré et de la rêverie complète que j'y goûtais chaque jour, du matin à la nuit. Tout était mien en ce lieu, les tas de planches qui me servaient de sièges et de lits de repos, les araignées diligentes qui établissaient leurs grandes toiles avec tant de science et de prévision d'une corniche à l'autre ; les souris mystérieusement occupées à je ne sais quelles recherches actives et minutieuses dans les copeaux ; les merles du jardin qui, venus insolemment sur le seuil, me regardaient, immobiles et méfiants tout à coup, et terminaient leur chant insoucieux et moqueur sur une modulation bizarre, écourtée par la crainte. J'y descendais quelquefois le soir, non plus pour écrire, mais pour respirer et songer sur les marches du perron. Le chardon et le bouillon blanc[37] avaient poussé dans les pierres disjointes ; les moineaux, réveillés par ma présence, frôlaient le feuillage des buissons dans un silence agité, et les bruits des voitures, les cris du dehors arrivant jusqu'à moi, me faisaient sentir davantage le prix de ma liberté et la douceur de mon repos.

[...]

[*Désireuse d'approfondir sa réflexion politique et sociale, Sand entre en relation avec deux personnages dont la rencontre comptera beaucoup pour elle : Lamennais et surtout Pierre Leroux. Mais d'autres préoccupations l'accaparent. Ainsi, après avoir rencontré Leroux :*]

À cette première rencontre avec lui, j'étais trop dérangée par la vie extérieure. Il me fallait produire sans repos, tirer de moi-même, sans le secours d'aucune philosophie, des histoires de cœur, et cela pour suffire à l'éducation de ma fille, à mes devoirs envers les autres et envers moi-même. Je sentis l'effroi de cette vie de travail dont j'avais accepté toutes les reponsabilités. Il ne m'était plus permis de m'arrêter un instant, de revoir mon œuvre, d'attendre l'inspiration, et j'avais des accès de remords en songeant à tout ce temps consacré à un travail frivole, quand mon cerveau éprouvait le besoin de se livrer à de salutaires méditations. Les gens qui n'ont rien à faire et qui voient les artistes produire avec facilité sont volontiers surpris du peu d'heures, du peu d'instants qu'ils peuvent se réserver à eux-mêmes. Ils ne savent pas que cette gymnastique de l'imagination, quand elle n'altère pas la santé, laisse du moins une excitation des nerfs, une obsession d'images et une langueur de l'âme qui ne permettent pas de mener de front un autre genre de travail.

Je prenais ma profession en grippe dix fois par jour en entendant parler d'ouvrages sérieux que j'aurais voulu lire, ou de choses que j'aurais voulu voir par moi-même. Et puis, quand j'étais avec mes enfants, j'aurais voulu ne vivre que pour eux et avec eux. Et quand venaient mes amis, je me reprochais de ne pas les recevoir assez bien et d'être parfois préoccupée au milieu d'eux. Il me semblait que tout ce qui est le vrai de la vie passait devant moi comme un rêve, et que ce monde imaginaire du roman s'appesantissait sur moi comme une poignante réalité.

C'est alors que je me pris à regretter Nohant, dont je me bannissais par faiblesse et qui se fermait devant moi par ma faute. Pourquoi avais-je déchiré le contrat qui m'assurait la moitié de mon revenu ? J'aurais pu au moins louer une petite maison non loin de la mienne et m'y retirer avec ma fille une moitié de l'année, au temps des vacances de Maurice ; je me serais reposée là, en face des mêmes horizons qu'avaient contemplés mes premiers regards, au milieu des amis de mon enfance ; j'aurais vu fumer les cheminées de Nohant au-dessus des arbres plantés par ma grand-mère, assez loin pour ne pas gêner ce qui se passait maintenant sous leurs ombrages, assez près pour me figurer que je pouvais encore y aller lire ou rêver en liberté.

Éverard, à qui je disais ma nostalgie et le dégoût que j'avais de Paris, me conseillait de m'établir à Bourges ou aux environs. J'y fis un petit voyage. Un de ses amis, qui s'absentait, me prêta sa maison, où je passai seule quelques jours, en compagnie de Lavater, que je trouvai dans la bibliothèque, et sur lequel je fis avec amour un petit travail[38]. Cette solitude au milieu d'une ville morte, dans une maison déserte pleine de poésie, me parut délicieuse. Éverard, Planet et la maîtresse de la maison, femme excellente et pleine de soins, venaient me voir une heure ou deux le soir ; puis je passais la moitié des nuits seule dans un petit préau rempli de fleurs, sous la lune brillante, savourant ces belles senteurs de l'été et cette sérénité salutaire qu'il me fallait conquérir à la pointe de l'épée. D'un restaurant voisin, un homme qui ne savait pas mon nom venait m'apporter mes repas dans un panier que je recevais par le guichet de la cour. J'étais encore une fois oubliée du monde entier et plongée dans l'oubli de ma propre vie réelle.

Mais cette douce retraite ne pouvait pas durer. Je ne pouvais m'emparer de cette charmante maison, la seule peut-être qui me convînt dans toute la ville, par son isolement dans un quartier silencieux et par son caractère d'abandon uni à un modeste confortable. D'ailleurs, il m'y fallait mes enfants, et cette claustration ne leur eût pas été bonne. Dès que j'aurais mis le pied dans une rue de Bourges, j'aurais été signalée dans toute la ville, et je n'acceptais pas l'idée d'une vie de relations dans une ville de province. Je ne me doutais pas que je touchais à une situation de ce genre et que je m'en accommoderais fort bien.

[…]

[Portrait moral d'Éverard ; Sand explique pourquoi elle s'est progressivement détachée de lui. Leur relation – dit-elle, sans en convaincre ses biographes… – resta chaste, comme soumise à « un pacte tout fraternel » : mais, « pour être chastes, ses sentiments n'étaient point calmes. Il voulait posséder l'âme exclusivement, et il était aussi jaloux de cette possession que le sont les amants et les époux de posséder la personne. Cela constituait une sorte de tyrannie dont on avait beau rire, il fallait la subir ou s'en défendre. Je passai trois ans à faire alternativement l'un et l'autre. » Se séparant enfin de lui, Sand retourne à Nohant.]

X

Châtre. – Bourges. – La famille Tourangin. – Plaidoiries. – Transaction. – Retour définitif et prise de possession de Nohant.

Je ne savais trop que devenir. Retourner à Paris m'était odieux, rester loin de mes enfants m'était devenu impossible. Depuis que j'avais renoncé au projet de les quitter pour un grand voyage, chose étrange, je n'aurais plus voulu les quitter d'un jour. Mes entrailles, engourdies par le chagrin, s'étaient réveillées en même temps que mon esprit s'était ouvert aux idées sociales. Je sentais revenir ma santé morale, et j'avais la perception des vrais besoins de mon cœur.

Mais à Paris je ne pouvais plus travailler, j'étais malade. Les ouvriers avaient repris possession du rez-de-chaussée, les importuns et les curieux venaient disputer mes heures à mes amis et à mes devoirs. La politique, tendue de nouveau par l'attentat Fieschi[39], devenait une source amère pour la réflexion. On exploitait l'assassinat, on arrêtait Armand Carrel[40], un des hommes les plus purs de notre temps ; on marchait à grands pas vers les lois de septembre. Le peuple laissait faire.

Je n'avais pas conçu de grandes espérances pendant le procès d'avril ; mais, si raisonnable ou si pessimiste que l'on fût, à ce moment-là, il y avait dans l'air je ne sais quel souffle de vie qui retombait soudainement glacé sous un souffle de mort. La République fuyait à l'horizon pour une nouvelle période d'années.

M. Lamennais m'avait invitée à aller passer quelques jours à La Chênaie ; je partis et m'arrêtai en route, en me demandant ce que j'allais faire là, moi si gauche, si muette, si ennuyeuse ! Oser lui demander une heure de son temps précieux, c'était déjà beaucoup, et à Paris il m'en avait accordé quelques-unes ; mais aller lui prendre des jours entiers, c'est ce que je n'osai pas accepter. J'eus tort, je ne le connaissais pas dans toute sa bonté, dans toute sa bonhomie, comme je l'ai connu plus tard. Je craignais la tension soutenue d'un grand

esprit que je n'aurais pas pu suivre, et le moindre de
ses disciples eût été plus fort que moi pour soutenir un
dialogue sérieux. Je ne savais pas qu'il aimait à se
reposer dans l'intimité des travaux ardus de l'intelligence. Personne ne causait avec autant d'abandon et
d'entrain de tout ce qui est à la portée de tous. Il n'était
pas difficile d'ailleurs, l'excellent homme, sur l'esprit
de ses interlocuteurs. On l'amusait avec un rien. Une
niaiserie, un enfantillage le faisaient rire. Et comme il
riait ! Il riait comme Éverard, jusqu'à en être malade,
mais plus souvent et plus facilement que lui. Il a écrit
quelque part que les pleurs sont le lot des anges et le
rire celui de Satan. L'idée est belle là où elle est, mais
dans la vie humaine le rire d'un homme de bien est
comme le chant de sa conscience. Les personnes vraiment gaies sont toujours bonnes, et il en était justement la preuve.

Je n'allai donc pas à La Chênaie. Je revins sur mes
pas, je rentrai à Paris, et j'y reçus une lettre de mon
frère qui me disait d'aller à Nohant. Il prenait alors
mon parti et se faisait fort de décider mon mari à
m'abandonner sans regret l'habitation et le revenu de
ma terre. « Casimir, disait-il, est dégoûté des ennuis de
la propriété et des dépenses que celle-là exige. Il n'y
sait pas suffire. Toi, avec ton travail, tu pourrais t'en
tirer. Il veut aller vivre à Paris ou chez sa belle-mère
dans le Midi ; il se trouvera plus riche avec la moitié de
vos revenus et la vie de garçon, qu'il ne l'est dans ton
château... », etc. Mon frère, qui prit plus tard le parti
de mon mari contre moi, s'exprimait là avec beaucoup
de liberté et de sévérité sur la situation de Nohant en
mon absence. «Tu ne dois pas abandonner ainsi tes
intérêts, ajoutait-il, c'est un tort envers tes enfants »,
etc.

À cette époque mon frère n'habitait plus Nohant,
mais il faisait de fréquents voyages au pays.

Je crus devoir suivre son conseil, et je trouvai en effet
M. Dudevant disposé à quitter le Berry et à me laisser
les charges et les profits de la résidence. En même
temps qu'il prenait cette résolution, il me témoignait

tant de dépit, que je n'insistai pas et m'en allai encore une fois, n'ayant pas le courage d'entamer une lutte pour de l'argent. Cette lutte devint nécessaire, inévitable quelques semaines plus tard. Elle eut des motifs plus sérieux, elle devint un devoir envers mes enfants d'abord, ensuite envers mes amis et mon entourage, et peut-être aussi envers la mémoire de ma grand-mère, dont l'éternelle préoccupation et les dernières volontés se trouvaient trop ouvertement violées aux lieux mêmes qu'elle m'avait transmis pour abriter et protéger ma vie.

Le 19 octobre 1835, j'avais été passer à Nohant la fin des vacances de Maurice. À la suite d'un orage que rien n'avait provoqué, rien absolument, pas même une parole ou un sourire de ma part, j'allai m'enfermer dans ma petite chambre. Maurice m'y suivit en pleurant. Je le calmai en lui disant que cela ne recommencerait pas. Il se paya des consolations que l'on donne aux enfants en paroles vagues ; mais, dans ma pensée, les miennes avaient un sens arrêté et définitif. Je ne voulais pas que mes enfants vissent jamais se renouveler la preuve de dissentiments qu'ils avaient ignorés jusque-là. Je ne voulais pas que ces dissentiments eussent pour conséquence de leur faire oublier ce qu'ils devaient de respect à leur père ou à moi.

Quelques jours auparavant, mon mari avait signé un acte sous seing privé exécutable à la date du 11 novembre suivant, par lequel je lui abandonnais plus de la moitié de mes revenus. Cet acte, qui me laissait l'habitation de Nohant et la gouverne de ma fille, ne me garantissait en rien contre le revirement de sa volonté. Sa manière d'être et ses paroles sans détour me prouvaient qu'il considérait comme nulles les promesses deux fois faites et deux fois signées. C'était son droit, le mariage le veut ainsi ; dans notre législation, l'époux étant le maître, le maître n'est jamais engagé envers celui qui n'est maître de rien.

Quand Maurice fut couché et endormi, Duteil vint près de moi s'enquérir de la disposition de mon esprit. Il blâmait ouvertement celle qui s'était trahie chez mon mari. Il voulait amener une réconciliation à laquelle tous deux se refusèrent. Je le remerciai de son intervention, mais je ne lui fis point part de la résolution que je venais de prendre. Il me fallait l'avis de Rollinat.

Je passai la nuit à réfléchir. En ce moment où je sentais la plénitude de mes droits, mes devoirs m'apparaissaient dans toute leur rigueur. J'avais tardé bien longtemps, j'avais été bien faible et bien insoucieuse de mon propre sort. Tant que ce n'avait été qu'une question personnelle dont mes enfants ne pouvaient souffrir dans leur éducation morale, j'avais cru pouvoir me sacrifier et me permettre la satisfaction intérieure de laisser tranquille un homme que je n'étais pas née pour rendre heureux selon ses goûts. Pendant treize ans il avait joui du bien-être qui m'appartenait et dont je m'étais abstenue pour lui complaire. J'aurais voulu le lui laisser toute sa vie ; il aurait pu le conserver. La veille encore, le voyant soucieux, je lui avais dit : « Vous regrettez Nohant, je le vois bien, malgré le dégoût que vous avez pris de votre gestion. Eh bien, tout n'est-il pas pour le mieux, puisque je vous en débarrasse ? Croyez-vous que la porte du logis vous sera jamais fermée ? » Il m'avait répondu : « Je ne remettrai jamais les pieds dans une maison dont je ne serai pas le seul maître. » Et dès le lendemain, il avait voulu être pour jamais le seul maître.

Il ne pouvait plus, il ne devait plus m'inspirer de sécurité. J'étais sans ressentiment contre lui, je le voyais emporté par une fatalité d'organisation, je devais séparer ma destinée de la sienne, ou sacrifier plus que je n'avais encore fait, c'est-à-dire ma dignité vis-à-vis de mes enfants, ou ma vie, à laquelle je ne tenais pas beaucoup, mais que je leur devais également.

Dès le matin, M. Dudevant alla à La Châtre. Il n'était plus sédentaire comme il avait été longtemps. Il s'absentait des journées, des semaines entières. Il n'aurait pas dû trouver mauvais qu'au moins, pendant les vacances de Maurice, je fusse là pour garder la maison et les enfants. Je sus par les domestiques que rien n'était changé dans ses projets ; il devait partir le jour suivant, le 21, pour Paris et reconduire Maurice au collège, Solange à sa pension. Cela avait été convenu ; je devais les rejoindre au bout de quelques jours ; mais les nouvelles circonstances me firent changer de résolution. Je décidai que je ne reverrais mon mari ni à Paris ni à Nohant, et que je ne l'y reverrais pas même avant son départ. Je serais sortie de la maison tout à fait si je n'eusse pas voulu passer avec Maurice le dernier jour de ses vacances. Je pris un petit cheval et un mauvais cabriolet, il n'y avait pas de domestique à mes ordres ; je mis mes deux enfants dans ce modeste véhicule, et je les menai dans le bois de Vavray, un endroit charmant alors, d'où, assis sur la mousse, à l'ombre des vieux chênes, on embrassait de l'œil les horizons mélancoliques et profonds de la Vallée Noire.

Il faisait un temps superbe. Maurice m'avait aidée à dételer le petit cheval qui paissait à côté de nous. Un doux soleil d'automne faisait resplendir les bruyères. Armés de couteaux et de paniers, nous faisions une récolte de mousses et de jungermannes [41] que le Malgache m'avait demandé de prendre là, au hasard, pour sa collection, n'ayant pas, lui, m'écrivait-il, le temps d'aller si loin pour explorer la localité.

Nous prenions donc de tout sans choisir, et mes enfants, l'un qui n'avait pas vu passer la tempête domestique de la veille, l'autre qui, grâce à l'insouciance de son âge, l'avait déjà oubliée, couraient, criaient et riaient à travers le taillis. C'était une gaieté, une joie, une ardeur de recherches qui me rappelaient le temps heureux où j'avais couru ainsi à côté de ma mère pour l'embellissement de nos petites grottes. Hélas ! vingt ans plus tard, j'ai eu à mes côtés un autre enfant rayonnant de force, de bonheur et de beauté, bondissant sur la mousse des bois et la ramassant dans les plis de sa robe comme avait fait sa mère, comme j'avais fait moi-même, dans les mêmes lieux, dans les mêmes jeux, dans les mêmes rêves d'or et de fées ! Et cet enfant-là repose à présent entre ma grand-mère et mon père [42] ! Aussi j'ai peine à écrire en cet instant, et le souvenir de ce triple passé sans lendemain m'oppresse et m'étouffe *!

Nous avions emporté un petit panier pour goûter sous l'ombrage. Nous ne rentrâmes qu'à la nuit. Le lendemain, les enfants partirent avec M. Dudevant, qui avait passé la nuit à La Châtre et qui ne demanda pas à me voir.

J'étais décidée à n'avoir plus aucune explication avec lui ; mais je ne savais pas encore par quel moyen j'éviterais cette inévitable nécessité domestique. Mon ami d'enfance Gustave Papet vint me voir ; je lui racontai l'aventure, et nous partîmes ensemble pour Châteauroux.

« Je ne vois de remède absolu à cette situation, me dit Rollinat, qu'une séparation par jugement. L'issue ne m'en paraît pas douteuse ; reste à savoir si tu en auras le courage. Les formes judiciaires sont brutales, et, faible comme je te connais, tu reculeras devant la nécessité de blesser et d'offenser ton adversaire. » Je lui demandai s'il n'y avait pas moyen d'éviter le scandale des débats ; je me fis expliquer la marche à suivre, et quand il l'eut fait, nous reconnûmes que, mon mari laissant prendre un jugement par défaut, sans plaidoiries et sans publicité, la position qu'il avait réglée lui-même, par contrat volontaire, resterait la même pour lui, puisque telle était mon intention, avec cet avantage essentiel pour moi de rendre la convention légale, c'est-à-dire réelle.

Mais sur tout cela Rollinat voulait consulter Éverard. Nous retournâmes avec lui à Nohant le jour même, et, prenant seulement là le temps de dîner, nous repartîmes dans le même cabriolet, en poste, pour Bourges.

Éverard payait sa dette à la pairie. Il était en prison [43]. La prison de ville est l'antique château des ducs de Bourgogne. Dans les ombres de la nuit, elle avait un grand caractère de force et de désolation. Nous gagnâmes un des geôliers, qui nous fit passer par une brèche et nous conduisit dans les ténèbres, à travers

* Juin 1855 (NdA).

des galeries et des escaliers fantastiques. Il y eut un moment où, entendant le pas d'un surveillant, il me poussa dans une porte ouverte qu'il referma sur moi, tandis qu'il fourrait Rollinat je ne sais où, et se présentait seul au passage de son supérieur.

Je tirai de ma poche une des allumettes qui me servaient pour mes cigarettes, et je regardai où j'étais. Je me trouvais dans un cachot fort lugubre, situé au pied d'une tourelle. À deux pas de moi, un escalier souterrain à fleur de terre descendait dans les profondeurs des geôles. J'éteignis vite mon allumette, qui pouvait me trahir, et restai immobile, sachant le danger d'une promenade à tâtons dans cette retraite de mauvaise mine.

On m'y laissa bien un quart d'heure, qui me parut fort long. Enfin mon homme revint me délivrer, et nous pûmes gagner l'appartement où Éverard, averti par Gustave, nous attendait pour me donner consultation vers deux heures du matin.

Il nous approuva d'avoir fait cette démarche rapidement et avec mystère. Ceux de mes amis qui étaient dans de bons termes avec M. Dudevant devaient l'ignorer, si elle ne devait pas aboutir. Il écouta le récit de toute ma vie conjugale, et, apprenant toutes les évolutions de volonté que j'avais dû subir, il se prononça, comme Rollinat, pour la séparation judiciaire. Mon plan de conduite me fut tracé après mûre délibération. Je devais surprendre mon adversaire par une requête au président du tribunal, afin que, ce fait accompli, il pût en accepter les conséquences dans un moment où il devait mieux en sentir la nécessité. On ne mettait pas en doute qu'il ne les acceptât sans discussion pour éviter d'ébruiter les causes de ma détermination. Nous comptions sans les mauvais conseillers que M. Dudevant crut devoir écouter dans la suite du procès.

Je devais, pour conserver mes droits de plaignante, ne pas rentrer au domicile conjugal, et jusqu'à ce que le président du tribunal eût statué sur mon domicile temporaire, aller chez un de mes amis de La Châtre.

Le plus âgé était Duteil ; mais Duteil, ami de mon mari, voudrait-il me recevoir dans la circonstance ? Quant à sa femme et à sa sœur, cela n'était pas douteux pour moi ; quant à lui, c'était une chose à tenter.

Le geôlier vint nous avertir que le jour allait poindre et qu'il fallait sortir comme nous étions entrés, sans être vus, le règlement de la prison s'opposant à ces consultations nocturnes. La sortie se passa sans encombre. Nous reprîmes la poste et nous allâmes surprendre Duteil à La Châtre. En trente heures nous avions fait cinquante-quatre lieues dans un débris de cabriolet tombant en ruine, et nous n'avions pas pris un moment de repos moral.

« Me voilà, dis-je à Duteil ; je viens demeurer chez toi, à moins que tu ne me chasses. Je ne te demande ni conseil ni consultation contre M. Dudevant, qui est ton ami. Je ne t'appellerai pas en témoignage contre lui. Je t'autoriserai, dès que j'aurai obtenu un jugement, à devenir le conciliateur entre nous, c'est-à-dire à lui assurer de ma part les meilleures conditions d'existence possibles, celles qu'il avait réglées. Ton rôle, que tu peux dès à présent lui faire connaître, est donc honorable et facile.

– Vous resterez chez moi, dit Duteil avec cette spontanéité de cœur qui le caractérisait dans les grandes occasions. Je suis si reconnaissant de la préférence que vous m'accordez sur vos autres amis, que vous pouvez compter à jamais sur moi, quoi qu'il arrive. Quant au procès que vous voulez entamer, laissez-moi en causer avec vous.

– Donne-moi d'abord à dîner, car je meurs de faim, lui répondis-je, et ensuite j'irai chercher à Nohant mes pantoufles et mes paperasses.

– Je vous y accompagnerai, dit-il, et nous causerons chemin faisant. »

Le dîner m'ayant un peu remise, je repris avec lui le vénérable cabriolet, et deux heures après nous revenions chez lui. Il m'avait écoutée en silence, se bornant à des questions d'un ordre plus élevé que celle des hasards de la procédure, et ne me disant pas trop son avis. Enfin, dans l'allée de peupliers qui touche à l'arrivée de la petite ville, il se résuma ainsi : « J'ai été le compagnon et l'hôte joyeux de votre mari et de votre frère, mais je n'ai jamais oublié, quand vous étiez là, que j'étais chez vous et que je devais à votre caractère de mère de famille un respect sans bornes. Je vous ai cependant quelquefois assommée de mon bavardage après dîner et de mon tapage aux heures de votre travail. Vous savez bien que c'était comme malgré moi et qu'une parole de reproche de vous me dégrisait quelquefois comme par miracle. Votre tort est de m'avoir gâté par trop de douceur. Aussi qu'est-il arrivé ? C'est que, tout en me sentant le camarade de votre mari pendant douze heures de gaieté, j'avais chaque soir une treizième heure de tristesse où je me sentais votre ami. Après ma femme et mes enfants, vous êtes ce que j'aime le mieux sur la terre, et si j'hésite depuis deux heures à vous donner raison, c'est que je redoute pour vous les fatigues et les chagrins de la lutte que vous entamez. Pourtant je crois qu'elle peut être douce et se renfermer dans le petit horizon de notre petite ville, si Casimir écoute mes conseils. Je vois ceux qu'il faut lui donner dans son intérêt, et je pense maintenant pouvoir me faire fort de le persuader. Voilà. » – Et comme nous escaladions le petit pont en dos d'âne qui entre en ville, il allongea un coup de fouet au cheval en disant avec sa gaieté ranimée : « Allons ! *enlevons Hermione* ! [44] »

Je m'installai donc chez lui pour quelques semaines, sentant qu'il fallait vivre là comme dans une maison de verre, au cœur du commérage de La Châtre, et faire tomber toutes les histoires que l'on y bâtissait depuis que j'existe sur l'excentricité de mon caractère. Ces histoires merveilleuses avaient pris un bien plus bel essor depuis que j'avais été tenter à Paris la destinée de l'artiste. Comme je n'avais absolument rien à cacher, et que je n'ai jamais rien posé, il m'était bien facile de me faire connaître. Quelques rancunes à propos de la fameuse chanson [45] persistèrent bien un peu, quelques fanatiques de l'autorité maritale se raidirent bien encore contre ma cause ; mais, en général, je vis tomber toutes les préventions, et si j'avais eu mes pauvres enfants avec moi, ce temps que je passai à La Châtre eût été un des plus agréables de ma vie. Je luttais pour eux, je pris donc patience. La famille de Duteil devint vite la mienne. Sa femme, la belle et charmante Agasta, sa belle-sœur, l'excellente Félicie, toutes deux pleines d'intelligence et de cœur, furent comme mes sœurs, à moi aussi. M. et madame Desages (cette dernière était la propre sœur de Duteil) demeuraient dans la même maison, au rez-de-chaussée. Nous étions réunis tous les soirs quatorze, dont sept enfants *. Charles et Eugénie Duvernet, Alphonse et Laure Fleury, Planet, désormais fixé à La Châtre, Gustave Papet quand il quittait Paris, et quelques autres personnes de la famille Duteil, venaient se joindre à nous fort souvent, et nous organisions pour les enfants des charades en action, des travestissements, des danses et des jeux bien véritablement innocents, qui leur mettaient l'âme en joie. C'est si bon, le rire inextinguible de ces heureuses créatures ! Ils mettent tant d'ardeur et de bonne foi dans les émotions du jeu ! Je redevenais encore une fois enfant moi-même, *traînant tous leurs cœurs après moi.* Ah ! oui, c'était là mon empire et ma vocation, j'aurais dû être bonne d'enfants ou maîtresse d'école.

À dix heures la marmaille allait se coucher, à onze heures le reste de la famille se séparait. Félicie, bonne pour moi comme un ange, me préparait ma table de travail et mon petit souper ; elle couchait sa sœur Agasta, qui était atteinte d'une maladie de nerfs fort grave et qui, après s'être ranimée à la gaieté des enfants, retombait souvent accablée et comme mourante. Nous causions un peu avec elle pour l'endormir, ou, quand elle dormait d'elle-même, avec Duteil et Planet, qui aimaient à babiller et qu'il nous fallait renvoyer pour les empêcher de me prendre ma veillée. À

---

* Un de ces enfants, Luc Desages, est devenu le disciple et le gendre de Pierre Leroux (NdA).

minuit, je me mettais enfin à écrire jusqu'au jour, bercée quelquefois par d'étranges rugissements.

Vis-à-vis de mes fenêtres, dans la rue étroite, montueuse et malpropre, flottait de temps immémorial l'enseigne classique : *À la boutaille*. Duteil, qui prétendait avoir appris à lire sur cette enseigne, disait que le jour où cette faute d'orthographe serait corrigée, il n'aurait plus qu'à mourir, parce que toute la physionomie du Berry serait changée.

L'auberge de la *Boutaille* était tenue par une vieille sibylle qui logeait à la nuit, et ce taudis était principalement affecté aux bateleurs ambulants, aux petits colporteurs suspects et aux montreurs d'animaux savants. Les marmottes, les chiens chorégraphes, les singes pelés et surtout les ours muselés tenaient cour plénière dans des caves dont les soupiraux donnaient sur la rue. Ces pauvres bêtes, harassées de la fatigue du voyage et rouées des coups inséparables de toute éducation classique, vivaient là en bonne intelligence une partie de la nuit ; mais, aux approches du jour, la faim ou l'ennui se faisant sentir, on commençait à s'agiter, à s'injurier et à grimper aux barreaux du soupirail pour gémir, grimacer ou maugréer de la façon la plus lugubre.

C'était le prélude de scènes très curieuses et que je me suis souvent divertie à surveiller à travers la fente de mes jalousies. L'hôtesse de la *Boutaille*, madame Gaudron, sachant très bien à quelles gens elle avait affaire, se levait la première et très mystérieusement pour surveiller le départ de ses hôtes. De leur côté, ceux-ci, préméditant de partir sans payer, faisaient leurs préparatifs à tâtons et l'un d'eux, descendant auprès des bêtes, les excitait pour les faire gronder, afin de couvrir le bruit furtif de la fuite des camarades.

L'adresse et la ruse de ces bohémiens étaient merveilleuses ; je ne sais par quels trous de la serrure ils s'évadaient, mais en dépit de l'œil attentif et de l'oreille fine de la vieille, elle se trouvait très souvent en présence d'un gamin pleurard qui se disait abandonné avec les animaux par ses compagnons dénaturés et dans l'impossibilité de payer la dépense. Que faire ?

Mettre ce bétail en fourrière et le nourrir jusqu'à ce que la police eût rattrapé les délinquants ? C'était là une mauvaise créance, et il fallait bien laisser partir la feinte victime avec les quadrupèdes affamés et menaçants, qui paraissaient peu disposés à se laisser appréhender au corps.

Quand la bande payait honnêtement son écot, la vieille avait un autre souci. Elle redoutait surtout ceux qui se conduisaient en gentilshommes et dédaignaient de marchander. Elle furetait alors autour de leurs paquets avec angoisse, comptait et recomptait ses couverts d'étain et ses guenilles. Le bât de l'âne, quand il y avait un âne, était surtout l'objet de son anxiété. Elle trouvait mille prétextes pour retenir cet âne, et au dernier moment elle passait adroitement ses mains sous le bât pour lui palper l'échine. Mais, en dépit de toutes ces précautions et de toutes ces alarmes, il se passait peu de jours sans qu'on l'entendît geindre sur ses pertes et maudire sa clientèle.

Quels beaux *Decamps*, quels fantastiques *Callot* j'ai vus là[46], aux rayons blafards de la lune ou aux pâles lueurs de l'aube d'hiver, quand la bise faisait claqueter l'enseigne séculaire, et que les bohémiens, blêmes comme des spectres, se mettaient en marche sur le pavé couvert de neige ! Tantôt c'était une femme bronzée, pittoresque sous ses guenilles sombres, portant dans ses bras un pauvre bel enfant rose, volé ou acheté sur les chemins ; tantôt c'était le petit Savoyard beaucoup plus laid que son singe, et tantôt l'hercule de carrefour traînant dans une espèce de brouette sa femme et sa nombreuse progéniture. Il y avait de ces êtres effrayants ou hideux, et pourtant, par hasard, il s'y détachait quelquefois des figures plus intéressantes, des paillasses tristes et résignés comme celui qu'a idéalisé Frédérick Lemaître[47], de vieux artistes mendiants raclant du violon avec une sorte de maestria désordonnée, des petites filles gymnastes exténuées et livides, riant et chantant le printemps et l'amour au bras de leurs amoureux de quinze ans. Que de misère, que d'insouciance, que de larmes ou de chansons sur ces chemins poudreux ou glacés qui ne mènent pas même à l'hôpital !

Le 16 février 1836, le tribunal rendit un jugement de séparation en ma faveur. M. Dudevant y fit défaut, ce qui nous fit croire à tous qu'il acceptait cette solution. Je pus aller prendre possession de mon domicile légal à Nohant. Le jugement me confiait la garde et l'éducation de mon fils et de ma fille.

Je me croyais dispensée de pousser plus loin les choses. Mon mari écrivait à Duteil de manière à me le faire espérer. Je passai quelques semaines à Nohant dans l'attente de son arrivée au pays pour notre liquidation et nos arrangements. Duteil se chargeait de faire pour moi toutes les concessions possibles, et je devais, pour éviter toute rencontre irritante, me rendre à Paris dès que M. Dudevant viendrait à La Châtre.

J'eus donc à Nohant quelques beaux jours d'hiver, où je savourai pour la première fois depuis la mort de ma grand-mère les douceurs d'un recueillement que ne troublait plus aucune note discordante. J'avais, autant par économie que par justice, fait maison nette de tous les domestiques habitués à commander à ma place. Je ne gardai que le vieux jardinier de ma grand-mère, établi avec sa femme dans un pavillon au fond de la cour. J'étais donc absolument seule dans cette grande maison silencieuse. Je ne recevais même pas mes amis de La Châtre, afin de ne donner lieu à aucune amertume. Il ne m'eût pas semblé de bon goût de pendre sitôt la crémaillère, comme on dit chez nous, et de paraître fêter bruyamment ma victoire.

Ce fut donc une solitude absolue, et, une fois dans ma vie, j'ai habité Nohant à l'état de *maison déserte*. La maison déserte a longtemps été un de mes rêves. Jusqu'au jour où j'ai pu goûter sans alarmes les douceurs de la vie de famille, je me suis bercée de l'espoir de posséder dans quelque endroit ignoré une maison, fût-ce une ruine ou une chaumière, où je pourrais de temps en temps disparaître et travailler sans être distraite par le son de la voix humaine.

Nohant fut donc en ce temps-là, c'est-à-dire en ce moment-là, car il fut court comme tous les pauvres petits repos de ma vie, un idéal pour ma fantaisie. Je m'amusai à le ranger, c'est-à-dire à le déranger moi-même. Je faisais disparaître tout ce qui me rappelait des souvenirs pénibles, et je disposais les vieux meubles comme je les avais vus placés dans mon enfance. La femme du jardinier n'entrait dans la maison que pour faire ma chambre et m'apporter mon dîner. Quand il était enlevé, je fermais toutes les portes donnant dehors et j'ouvrais toutes celles de l'intérieur. J'allumais beaucoup de bougies et je me promenais dans l'enfilade de grandes pièces du rez-de-chaussée, depuis le petit boudoir où je couchais toujours, jusqu'au grand salon illuminé en outre par un grand feu. Puis j'éteignais tout, et marchant à la seule lueur du feu mourant de l'âtre, je savourais l'émotion de cette obscurité mystérieuse et pleine de pensées mélan-coliques, après avoir ressaisi les riants et doux souve-nirs de mes jeunes années. Je m'amusais à me faire un peu peur en passant comme un fantôme devant les glaces ternies par le temps, et le bruit de mes pas dans ces pièces vides et sonores me faisait quelquefois tres-saillir, comme si l'ombre de Deschartres se fût glissée derrière moi.

J'allai à Paris au mois de mars, à ce que je crois me rappeler. M. Dudevant vint à La Châtre et accepta une transaction qui lui faisait des conditions infiniment meilleures que le jugement prononcé contre lui. Mais à peine eut-il signé, qu'il crut devoir n'en tenir compte et former opposition. Il s'y prit fort mal, il était aigri par les conseils de mon pauvre frère, qui, mobile comme l'onde, ou plutôt comme le vin, s'était tourné contre ma victoire après m'avoir fourni toutes les armes pos-sibles pour le combat. La belle-mère de mon mari, madame Dudevant, faisait pour ainsi dire à celui-ci une nécessité de poursuivre la lutte. Il se trouvait qu'elle me détestait affreusement sans que j'aie jamais su pourquoi. Peut-être éprouvait-elle, à la veille de sa mort, ce besoin de détester quelqu'un qui, le jour de sa mort, devint un besoin de détester tout le monde, mon mari tout le premier. Quoi qu'il en soit, elle mettait alors, m'a-t-on dit, pour condition à son héritage, la résistance de son beau-fils à toute conciliation avec moi.

Mon mari, je le répète, s'y prit mal. Voulant repousser la séparation, il imagina de présenter au tribunal une requête dictée, on eût pu dire rédigée par deux servantes que j'avais chassées, et qu'un célèbre avocat ne le détourna pas de prendre pour auxiliaires. Les conseils de cet avocat sont quelquefois funestes. Un fait récent, qui a pour jamais déchiré mon âme sans profit pour sa gloire, à lui, me l'a cruellement prouvé [48].

Quant à son intervention dans mes affaires conjugales, elle ne servit qu'à rendre amère une solution qui eût pu être calme. Elle éclaira plus qu'il n'était besoin la conscience des juges. Ils ne comprirent pas qu'en me supposant de si étranges torts envers lui et envers moi-même, mon mari voulût renouer notre union. Ils trouvèrent l'injure suffisante, et, annulant les motifs de leur premier jugement pour vice de forme dans la procédure, ils le renouvelèrent le 11 mai 1836, absolument dans les mêmes termes.

J'étais revenue à La Châtre, chez Duteil ; j'avais fait toute la nuit des projets et des préparatifs de départ. Je m'étais assuré par emprunt une somme de dix mille francs avec laquelle j'étais résolue à enlever mes enfants et à fuir en Amérique si la déplorable requête était prise en considération. J'avoue maintenant, sans scrupule, cette intention formelle que j'avais de résister à l'effet de la loi, et j'ose dire très ouvertement que celle qui règle les séparations judiciaires est une loi contre laquelle la conscience du présent proteste, et une des premières sur lesquelles la sagesse de l'avenir reviendra.

Le principal vice de cette loi, c'est la publicité qu'elle donne aux débats. Elle force l'un des époux, le plus mécontent, le plus blessé des deux, à subir une existence impossible ou à mettre au jour les plaies de son âme. Ne suffirait-il pas de révéler ces plaies à des magistrats intègres, qui en garderaient le secret, sans

être forcé de publier l'égarement de celui qui les a
faites ? On exige des témoins, on fait une enquête. On
rédige et on affiche les fautes signalées. Pour soustraire
les enfants à des influences qui ne sont peut-être que
passagèrement funestes, il faut qu'un des époux laisse
dans les annales d'un greffe un monument de blâme
contre l'autre. Et ce n'est encore là que la partie douce
et voilée de semblables luttes. Si l'adversaire fait résistance, il faut arriver à l'éclat des plaidoiries et au scandale des journaux. Ainsi une femme timide ou généreuse devra renoncer à respecter son mari ou à
préserver ses enfants. Un de ses devoirs sera en opposition avec l'autre. Dira-t-on que, si l'amour maternel
ne l'emporte pas, elle aura sacrifié l'avenir des enfants
à la morale publique, à la sainteté de la famille ? Ce
serait un sophisme difficile à admettre, et si l'on veut
que le devoir de la mère ne soit pas plus impérieux que
celui de l'épouse, on accordera au moins qu'il l'est tout
autant.

Et si c'est l'époux qui demande la séparation, son
devoir n'est-il pas plus effroyable encore ? Une femme
peut articuler des causes d'incompatibilité suffisantes
pour rompre le lien sans être déshonorantes pour
l'homme dont elle porte le nom. Ainsi, qu'elle allègue
la vie bruyante, les emportements et les amours de son
mari dans le domicile conjugal, c'est trop exiger d'elle
sans doute pour la délivrer des malheurs qu'entraînent
ces infractions à la règle ; mais enfin ce ne sont pas là
des souillures dont un homme ne puisse se laver dans
l'opinion. Il y a plus ; dans notre société, dans nos préjugés et dans nos mœurs, plus un homme est signalé
pour avoir eu des bonnes fortunes, plus le sourire des
assistants le complimente. En province surtout, quiconque a beaucoup fêté la table et l'amour passe pour
un *joyeux compère*, et tout est dit. On le blâme un peu
de n'avoir pas ménagé la fierté de sa femme légitime,
on convient qu'il a eu tort de s'emporter contre elle,
mais enfin, faire acte d'autorité absolue dans la maison
est le droit du mari, et pour peu qu'il y eût mis des
formes, tout son sexe lui eût donné raison plus ou

moins ; et, en fait, il peut avoir subi les entraînements de certaines intempérances, et n'en être pas moins un galant homme à tous autres égards.

Telle n'est pas la position de la femme accusée d'adultère. On n'attribue à la femme qu'un seul genre d'honneur. Infidèle à son mari, elle est flétrie et avilie, elle est déshonorée aux yeux de ses enfants, elle est passible d'une peine infamante, la prison. Voilà ce qu'un mari outragé, qui veut soustraire ses enfants à de mauvais exemples, est forcé de faire quand il demande la séparation judiciaire. Il ne peut se plaindre ni d'injures ni de mauvais traitements. Il est le plus fort, il en a les droits, on lui rirait au nez s'il se plaignait d'avoir été battu. Il faut donc qu'il invoque l'adultère et qu'il tue moralement la femme qui porte son nom. C'est peut-être pour lui éviter la nécessité de ce meurtre moral que la loi lui concède le droit de meurtre réel sur sa personne [49].

Quelles solutions aux malheurs domestiques ! Cela est sauvage, cela peut tuer l'âme de l'enfant condamné à contempler la durée du désaccord de ses parents ou à en connaître l'issue.

Mais ceci n'est rien encore, et l'homme est investi de bien d'autres droits. Il peut déshonorer sa femme, la *faire mettre en prison* et la condamner ensuite à rentrer sous sa dépendance, à subir son pardon et ses caresses ! S'il lui épargne ce dernier outrage, le pire de tous, il peut lui faire une vie de fiel et d'amertume, lui reprocher sa faute à toutes les heures de sa vie, la tenir éternellement sous l'humiliation de la servitude, sous la terreur des menaces.

Imaginez le rôle d'une mère de famille sous le coup de l'outrage d'une pareille miséricorde ! Voyez l'attitude de ses enfants condamnés à rougir d'elle, ou à l'absoudre en détestant l'auteur de son châtiment ! Voyez celle de ses parents, de ses amis, de ses serviteurs ! Supposez un époux implacable, une femme vindicative, vous aurez un intérieur tragique. Supposez un mari inconséquent et débonnaire à ses heures, une femme sans mémoire et sans dignité, vous aurez un intérieur ridicule. Mais ne supposez jamais un époux vraiment généreux et moral, capable de punir au nom de l'honneur et de pardonner au nom de la religion. Un tel homme peut exercer sa rigueur et sa clémence dans le secret du ménage, il ne peut jamais invoquer le bénéfice de la loi pour infliger publiquement une honte qu'il n'est pas en son pouvoir d'effacer.

Cette doctrine judiciaire fut pourtant admise par les conseils de mon mari, et plaidée plus tard par un brave homme, avocat de province, qui n'était peut-être pas sans talent, mais qui fut forcé d'être absurde sous le poids d'un système immoral et révoltant. Je me souviens que, plaidant au nom de la religion, de l'autorité, de l'orthodoxie de principes, et voulant invoquer le type de la charité évangélique dans l'image du Christ, il le traita de philosophe et de prophète, son mouvement oratoire ne pouvant s'élever jusqu'à en faire un Dieu. Je le crois bien : appeler la sanction d'un Dieu sur la *vengeance précédant le pardon*, c'eût été un sacrilège.

Ajoutons que cette vengeance prétendue légitime peut reposer sur d'atroces calomnies, accueillies dans un moment d'irritation maladive ; le ressentiment de certaine valetaille sait orner de faits monstrueux la faute présumée. Un époux autorisé à admettre des infamies jusqu'à essayer d'en fournir la preuve y risquerait son honneur ou sa raison.

Non, le lien conjugal brisé dans les cœurs ne peut être renoué par la main des hommes. L'amour et la foi, l'estime et le pardon sont choses trop intimes et trop saintes pour qu'il n'y faille pas Dieu seul pour témoin et le mystère pour caution. Le lien conjugal est rompu dès qu'il est devenu odieux à l'un des époux. Il faudrait qu'un conseil de famille et de magistrature fût appelé à connaître, je ne dis pas des motifs de plainte, mais de la réalité, de la force et de la persistance du mécontentement. Que des épreuves de temps fussent imposées, qu'une sage lenteur se tînt en garde contre les caprices coupables ou les dépits passagers, certes, on ne saurait mettre trop de prudence à prononcer sur les destinées d'une famille ; mais il faudrait que la sentence ne fût motivée que sur des incompatibilités certaines dans l'esprit des juges, vagues dans la formule judiciaire, inconnues au public. On ne plaiderait plus pour la haine et pour la vengeance, et on plaiderait beaucoup moins.

Plus on aplanira les voies de la délivrance, plus les naufragés du mariage feront d'efforts pour sauver le navire avant de l'abandonner. Si c'est une arche sainte, comme l'esprit de la loi le proclame, faites qu'elle ne sombre pas dans les tempêtes, faites que ses porteurs fatigués ne la laissent pas tomber dans la boue ; faites que deux époux forcés par un devoir de dignité bien entendue à se séparer puissent respecter le lien qu'ils brisent et enseigner à leurs enfants à les respecter l'un et l'autre.

Voilà les réflexions qui se pressaient dans mon esprit la veille du jour qui devait décider de mon sort. Mon mari, irrité des motifs énoncés au jugement, et s'en prenant à moi et à mes conseils judiciaires de ce que les formes légales ont de dur et d'indélicat, ne songeait plus qu'à en tirer vengeance. Aveuglé, il ne savait pas que la société était là son seul ennemi. Il ne se disait pas que je n'avais articulé que les faits absolument nécessaires, et fourni que les preuves strictement exigées par la loi. Il connaissait pourtant le Code mieux que moi, il avait été reçu avocat ; mais jamais sa pensée, éprise d'immobilité dans l'autorité, n'avait voulu s'élever à la critique morale des lois, et par conséquent prévoir leurs funestes conséquences.

Il répondait donc à une enquête où l'on n'avait trahi que des faits dont il aimait à se vanter par des imputations dont j'aurais frémi de mériter la cent millième partie. Son avoué se refusa à lire un libelle. Les juges se seraient refusés à l'entendre.

Il allait donc au-delà de l'esprit de la loi, qui permet à l'époux offensé par des reproches de motiver les procédés acerbes dont on l'accuse par de violents sujets de plainte. Mais la loi qui admet ce moyen de défense dans un procès où l'époux demande la séparation à son profit ne saurait l'admettre comme acte de vengeance

dans une lutte où il repousse la séparation. Elle la pro-
nonce d'autant plus en faveur de la femme qui s'est
déclarée offensée, que ce moyen est la pire des
offenses : c'est ce qui arriva.

Je n'étais pourtant pas tranquille sur l'issue de ce
débat. J'aurais voulu, moi, dans un premier moment
d'indignation, que mon mari fût autorisé à faire la
preuve des griefs qu'il articulait. Éverard, qui devait
plaider pour moi, repoussait l'idée d'un pareil débat. Il
avait raison, mais ma fierté souffrait, je l'avoue, de la
possibilité d'un soupçon dans l'esprit des juges. « Ce
soupçon, disais-je, prendra peut-être assez de consistance dans leur pensée pour qu'en prononçant la séparation ils me retirent le soin d'élever mon fils. »

Pourtant, quand j'eus réfléchi, je reconnus l'absence
de danger de ma situation, de quelque façon qu'elle
vînt à aboutir. Le soupçon ne pouvait même pas
effleurer l'esprit de mes juges : les accusations portaient trop le cachet de la démence.

Je m'endormis alors profondément. J'étais fatiguée
de mes propres pensées, qui pour la première fois
avaient embrassé la question du mariage d'une
manière générale assez lucide. Jamais, je le jure, je
n'avais senti aussi vivement la sainteté du pacte conjugal et les causes de sa fragilité dans nos mœurs que
dans cette crise où je me voyais en cause moi-même.
J'éprouvais enfin un calme souverain, j'étais sûre de la
droiture de ma conscience et de la pureté de mon idéal.
Je remerciai Dieu de ce qu'au milieu de mes souffrances personnelles il m'avait permis de conserver
sans altération la notion et l'amour de la vérité.

À une heure de l'après-midi, Félicie entra dans ma
chambre. « Comment ! vous pouvez dormir ! me dit-
elle. Sachez donc que l'on sort de l'audience, vous avez
gagné votre procès, vous avez Maurice et Solange.
Levez-vous vite pour remercier Éverard qui arrive et
qui a fait pleurer toute la ville. »

Il y eut encore tentative de transaction avec
M. Dudevant pendant que je retournais à Paris ; mais
ses conseils ne lui laissaient pas le loisir d'entendre

raison. Il forma appel devant la cour de Bourges. Je revins habiter La Châtre.

Quoique je fusse choyée et heureuse autant que possible dans la famille de Duteil, j'y souffrais un peu du bruit des enfants, qui se levaient à l'heure où je commençais à m'endormir, et de la chaleur, que l'étroitesse de la rue et la petitesse de la maison rendaient accablante. Passer l'été dans une ville, c'est pour moi chose cruelle. Je n'avais pas seulement une pauvre petite branche de verdure à regarder. Rozane Bourgoing[50] m'offrit une chambre chez elle, et il fut convenu que les deux familles se réuniraient tous les soirs.

M. et madame Bourgoing, avec une jeune sœur de Rozane qu'ils traitaient comme leur enfant, et qui était presque aussi belle que Rozane, occupaient une jolie maison avec un jardinet perché en terrasse sur un précipice. C'était l'ancien rempart de la ville, et par là on voyait la campagne, on y était. L'Indre coulait, sombre et paisible, sous des rideaux d'arbres magnifiques et s'en allait, le long d'une vallée charmante, se perdre dans la verdure. Devant moi, sur l'autre rive, s'élevait la Rochaille, une colline semée de blocs diluviens et ombragée de noyers séculaires. La maisonnette blanche et les ajoupas de roseaux du Malgache s'apercevaient un peu plus loin, et à côté de nous la grande tour carrée de l'ancien château des Lombault dominait le paysage.

Notre jardinet, tout rempli de fleurs, nous régalait de senteurs délicieuses ; le bruit de la ville n'était pas trop près. Nous dînions dehors, le long d'un grand pignon couvert de chèvrefeuille, les pieds sur les dalles d'un petit péristyle où les violettes trouvaient moyen de se fourrer. Nos amis venaient prendre le café sur la balustrade de la terrasse, au chant des rossignols et au bruit des moulins de la rivière. Mes nuits étaient délicieuses. J'avais une grande chambre au rez-de-chaussée, meublée d'un petit lit de fer, d'une chaise et d'une table. Quand les amis étaient partis et les portes fermées, je pouvais, sans troubler le sommeil de personne, me promener dans le jardin escarpé comme une citadelle,

travailler une heure, sortir et rentrer, compter les
étoiles qui se couchent, saluer le soleil qui se lève,
embrasser à la fois un large horizon et une vaste campagne, n'entendre que le chant des oiseaux ou le cri
des chouettes, me croire enfin dans la maison déserte
de mes rêves. C'est là que je refis la dernière partie de
Lélia et que je l'augmentai d'un volume. C'est peut-
être l'endroit où je me suis crue, à tort ou à raison, le
plus poète.

J'allais de temps en temps à Bourges, ou bien Éverard venait de temps en temps à La Châtre. C'était
toujours en vue de nous consulter sur le procès, mais le
procès était la chose dont nous pouvions le moins
parler. J'avais la tête pleine d'art, Éverard avait la tête
pleine de politique, Planet l'avait toujours de socialisme. Duteil et le Malgache faisaient de tout cela un
pot-pourri d'imagination, d'esprit, de divagation et de
gaieté. Fleury discutait avec ce mélange de bon sens et
d'enthousiasme qui se disputent sa cervelle à la fois
positive et romanesque. Nous nous chérissions trop les
uns les autres pour ne pas nous quereller avec violence.
Quelles bonnes violences ! entrecoupées de tendres
élans de cœur et de rires homériques ! Nous ne pouvions nous séparer, on oubliait de dormir, et ces prétendus jours de repos nous laissaient harassés de
fatigue, mais débarrassés du trop-plein d'imagination
et de ferveur républicaine qui s'entassait en nous dans
les heures de la solitude.

Enfin mon insupportable procès fut appelé à
Bourges. Je m'y rendis, au commencement de juillet,
après avoir été chercher Solange à Paris. Je voulais être
encore une fois en mesure de l'emporter en cas
d'échec. Quant à Maurice, mes précautions étaient
prises pour l'enlever un peu plus tard. J'étais toujours
secrètement en révolte contre la loi que j'invoquais
ouvertement. C'était fort illogique, mais la loi l'était
plus que moi, elle qui, pour m'ôter ou me rendre mes
droits de mère, me forçait à vaincre tout souvenir
d'amitié conjugale, ou à voir ces souvenirs outragés et
méconnus dans le cœur de mon mari. Ces droits

maternels, la société peut les annuler, et, en thèse générale, elle les fait primer par ceux du mari. La nature
n'accepte pas de tels arrêts, et jamais on ne persuadera
à une mère que ses enfants ne sont pas à elle plus qu'à
leur père. Les enfants ne s'y trompent pas non plus.

Je savais les juges de Bourges prévenus contre moi et
circonvenus par un système de propos fantastiques sur
mon compte. Ainsi, le jour où je me montrai habillée
comme tout le monde dans la ville, ceux des bourgeois
qui ne m'y rencontrèrent pas demandèrent aux autres
s'il était vrai que j'avais des pantalons rouges et des pistolets à ma ceinture.

M. Dudevant voyait bien qu'avec sa requête il avait
fait fausse route. On lui conseilla de se poser en mari
égaré par l'amour et la jalousie. C'était un peu tard, et
je pense qu'il joua fort mal un rôle que démentait sa
loyauté naturelle. On le poussa à venir le soir sous mes
fenêtres et jusqu'à ma porte, comme pour solliciter
une entrevue mystérieuse ; mais sa conscience se
révolta contre pareille comédie, et après s'être promené de long en large quelques instants dans la rue, je
le vis qui s'en allait en riant et en haussant les épaules.
Il avait bien raison.

J'avais reçu l'hospitalité dans la famille Tourangin,
une des plus honorables de la ville. Félix Tourangin,
riche industriel et proche parent de la famille Duteil,
avait deux filles, l'une mariée, l'autre déjà majeure, et
quatre fils, dont les derniers étaient des enfants. Agasta
et son mari m'avaient accompagnée. Rollinat, Planet et
Papet nous avaient suivis. Les autres nous rejoignirent
bientôt ; j'avais donc tout mon cher Berry autour de
moi, car dès ce moment je m'attachai à la famille Tourangin comme si j'y avais passé ma vie. Le père Félix
m'appelait sa fille ; Élisa, un ange de bonté et une
femme du plus grand mérite et de la plus adorable
vertu, m'appelait sa sœur. Je me faisais avec elle la
mère des petits frères. Leurs autres parents venaient
nous voir souvent et me témoignaient le plus affectueux intérêt, même M. Mater, le premier président,
quand mon procès fut terminé. Je vis arriver aussi, le

jour des débats, Émile Regnault, un Sancerrois que j'avais aimé comme un frère et qui avait épousé contre moi je ne sais plus quelle mauvaise querelle. Il vint me faire amende honorable de torts que j'avais oubliés.

L'avocat de mon mari, donnant dans le système adopté, plaida, comme je l'ai déjà dit d'avance, l'amour de mon mari, et, tout en offrant de faire hautement la preuve de mes crimes, il m'offrit généreusement le pardon après l'outrage. Éverard fit ressortir avec une merveilleuse éloquence l'inconséquence odieuse d'une pareille philosophie conjugale. Si j'étais coupable, il fallait commencer par me répudier, et si je ne l'étais pas, il ne fallait pas faire le généreux. Dans tous les cas, la générosité était difficile à accepter après la vengeance. Tout l'édifice de l'amour tomba d'ailleurs devant des preuves. Il lut une lettre de 1831 où M. Dudevant me disait : *J'irai à Paris ; je ne descendrai pas chez vous, parce que je ne veux pas vous gêner, pas plus que je ne veux que vous me gêniez.* L'avocat général en lut d'autres où la satisfaction de mon absence était si clairement exprimée, qu'il n'y avait pas à compter beaucoup sur cette tendresse posthume qui m'était offerte. Et pourquoi M. Dudevant se défendait-il de ne pas m'avoir aimée ? Plus il disait de mal de moi, plus on était porté à l'absoudre. Mais proclamer à la fois cette affection et les prétendues causes qui m'en rendaient indigne, c'était jeter dans les esprits le soupçon d'un calcul intéressé qu'il n'eût sans doute pas voulu mériter.

Il le sentit, car, sans attendre le jugement, il se désista de son appel, et la cour donnant acte de ce désistement, le jugement de La Châtre eut son plein effet sur le reste de ma vie.

Nous reprîmes alors l'ancien traité qu'il m'avait offert à Nohant et que ses malheureuses irrésolutions m'avaient forcée à rendre valide par une année de luttes amères, inutiles s'il eût consenti à ne pas varier.

Cet ancien traité, qui fit base pour le nouveau, lui attribuait le soin de payer et surveiller l'éducation de Maurice au collège. Sur ce point, du moment que nous retombions d'accord, je ne craignais plus d'être séparée de mon fils. Mais l'aversion de Maurice pour le collège pouvait revenir, et ce n'est pas sans peine que je me décidai à ne pas faire de réserves. Éverard, Duteil et Rollinat me remontrèrent que tout pacte devait entraîner réconciliation de cœur et d'esprit ; qu'il y allait de l'honneur de mon mari d'employer une part du revenu que je lui faisais à payer l'éducation de son fils ; que Maurice était bien portant, travaillait passablement et paraissait habitué au régime universitaire ; qu'il avait déjà douze ans, et que dans bien peu d'années la direction de ses idées et le choix de sa carrière appartiendraient fort peu à ses parents et beaucoup à lui-même ; que, dans tous les cas, sa passion pour moi ne devait guère m'inspirer d'inquiétude, et que madame Dudevant, la baronne, n'aurait pas beau jeu à vouloir m'enlever son cœur et sa confiance. C'étaient de très bonnes raisons auxquelles je cédai pourtant à regret. J'avais le pressentiment d'une nouvelle lutte. On me disait en vain que l'éducation en commun était nécessaire, fortifiante pour le corps et pour l'esprit ; il ne me semblait pas qu'elle convînt à Maurice, et je ne me trompais pas. Je cédai, craignant de prendre pour la science de l'instinct maternel une faiblesse de cœur dangereuse à l'objet de ma sollicitude. M. Dudevant ne paraissait vouloir élever aucune contestation sur l'emploi des vacances. Il promettait de m'envoyer Maurice aussitôt qu'elles seraient ouvertes, et il tint parole.

J'embrassai l'excellente Élisa et sa famille, qui m'avaient si bien aimée à première vue ; Agasta, qui, le matin de mon procès, avait été entendre la messe à mon intention, les beaux enfants de la maison et les braves amis qui m'avaient entourée d'une sollicitude fraternelle. Je partis pour Nohant, où je rentrai définitivement avec Solange le jour de Sainte-Anne, patronne du village. On dansait sous les grands ormes, et le son rauque et criard de la cornemuse, si cher aux oreilles qu'il a bercées dès l'enfance, eût pu me paraître d'un heureux augure.

XI

Je n'avais pourtant pas conquis la moindre aisance. J'entrais, au contraire, je ne pouvais pas me le dissimuler, dans de grands embarras, par suite d'un mode de gestion qu'à plusieurs égards il me fallait changer et de dettes qu'on laissait à ma charge sans compensation immédiate. Mais j'avais la maison de mes souvenirs pour abriter les futurs souvenirs de mes enfants. A-t-on bien raison de tenir tant à ces demeures pleines d'images douces et cruelles, histoire de votre propre vie, écrite sur tous les murs en caractères mystérieux et indélébiles, qui, à chaque ébranlement de l'âme, vous entourent d'émotions profondes ou de puériles superstitions ? Je ne sais ; mais nous sommes tous ainsi faits. La vie est si courte que nous avons besoin, pour la prendre au sérieux, d'en tripler la notion en nous-mêmes, c'est-à-dire de rattacher notre existence par la pensée à l'existence des parents qui nous ont précédés et à celle des enfants qui nous survivront.

Au reste, je n'entrais pas à Nohant avec l'illusion d'une oasis finale. Je sentais bien que j'y apportais mon cœur agité et mon intelligence en travail.

Liszt était en Suisse et m'engageait à venir passer quelque temps auprès d'une personne avec laquelle il m'avait fait faire connaissance et qu'il voyait souvent à Genève, où elle s'était établie pour quelque temps.

C'était la comtesse d'Agoult[51], belle, gracieuse, spirituelle, et douée par-dessus tous ces avantages d'une
intelligence supérieure. Elle m'appelait aussi d'une
façon fort aimable, et je regardai ce voyage comme une
diversion utile à mon esprit après les dégoûts de la vie
positive où je venais de me plonger. C'était une très
bonne promenade pour mes enfants et un moyen de
les soustraire à l'étonnement de leur nouvelle position,
en les éloignant des propos et commentaires qui, dans
ce premier moment de révolution intérieure, pouvaient
frapper leurs oreilles. Sitôt que les vacances me rame-
nèrent Maurice, je partis donc pour Genève avec lui,
sa sœur et Ursule.

Après deux mois de courses intéressantes et de charmantes relations avec mes amis de Genève, nous
revînmes tous à Paris. J'y passai quelque temps en
hôtel garni, ma mansarde du quai Malaquais étant à
peu près tombée en ruine et le propriétaire ayant
expulsé ses locataires pour cause de réparations
urgentes. J'avais quitté cette chère mansarde, déjà
toute peuplée de mes songes décevants et de mes profondes tristesses, avec d'autant plus de regret que le
rez-de-chaussée, mon atelier solitaire, sorti de ses
décombres et redevenu un riche appartement, était
occupé par une femme excellente, la belle duchesse de
Caylus, mariée en secondes noces à M. Louis de
Rochemur. Ils avaient deux petites filles adorables, et là
où il y a des enfants il est facile de m'attirer. Je fus doucement retenue chez eux, malgré ma sauvagerie, par
une sympathie réelle inspirée et partagée. Je les voyais
donc très souvent, ce voisinage allant à mes habitudes
sédentaires. Je n'avais que l'escalier à descendre. C'est
chez eux que j'ai vu pour la première fois M. de
Lamartine. J'y rencontrai aussi M. Berryer[52].

À l'hôtel de France, où madame d'Agoult m'avait
décidée à demeurer près d'elle, les conditions d'existence étaient charmantes pour quelques jours. Elle
recevait beaucoup de littérateurs, d'artistes et quelques
hommes du monde intelligents. C'est chez elle ou par
elle que je fis connaissance avec Eugène Sue, le baron

d'Ekstein. Chopin, Mickiewicz, Nourrit, Victor
Schœlcher[53], etc. Mes amis devinrent aussi les siens.
Elle connaissait de son côté M. Lamennais, Pierre
Leroux, Henri Heine[54], etc. Son salon improvisé dans
une auberge était donc une réunion d'élite qu'elle pré-
sidait avec une grâce exquise et où elle se trouvait à la
hauteur de toutes les spécialités éminentes par
l'étendue de son esprit et la variété de ses facultés à la
fois poétiques et sérieuses.

On faisait là d'admirable musique, et, dans l'intervalle, on pouvait s'instruire en écoutant causer. Elle
voyait aussi madame Marliani, notre amie commune,
tête passionnée, cœur maternel, destinée malheureuse
parce qu'elle voulut trop faire plier la vie réelle devant
l'idéal de son imagination et les exigences de sa sensibilité.

Ce n'est pas ici le lieu d'une appréciation détaillée
des diverses sommités intellectuelles qu'à partir de
cette époque j'ai plus ou moins abordées. Il me faudrait embrasser chacune d'elles dans une synthèse qui
me détournerait trop quant à présent de ma propre
histoire. Cela serait beaucoup plus intéressant à coup
sûr, et pour moi-même et pour les autres ; mais
j'approche de la limite qui m'est fixée[55], et je vois qu'il
me reste, si Dieu me prête vie, beaucoup de riches
sujets pour un travail futur et peut-être pour un
meilleur livre.

Je n'avais ni le moyen de vivre à Paris ni le goût
d'une vie aussi animée, mais je fus forcée d'y passer
l'hiver : Maurice tomba malade. Le régime du collège,
auquel pendant une année il avait paru vouloir se faire,
redevint tout à coup mortel pour lui, et, après de
petites indispositions qui paraissaient sans gravité, les
médecins s'aperçurent d'un commencement d'hyper-
trophie au cœur. Je me hâtai de l'emmener chez moi ;
je voulais l'emmener à Nohant ; M. Dudevant, alors à
Paris, s'y opposa. Je ne voulus pas lutter contre l'autorité paternelle, quelques droits que j'eusse pu faire
valoir. Je devais avant tout à mon fils de ne pas lui

enseigner la révolte. J'espérai vaincre son père par la douceur et lui faire toucher l'évidence.

Cela fut très difficile pour lui et horriblement douloureux pour moi. Les personnes qui ont le bonheur de jouir d'une excellente santé ne croient pas facilement aux maux qu'elles ne connaissent point. J'écrivis à M. Dudevant, je le reçus, j'allai chez lui, je lui confiai Maurice de temps en temps pour qu'il s'assurât de sa maladie : il ne voulut rien entendre ; il croyait à une conspiration de la tendresse maternelle excessive caressant la faiblesse et la paresse de l'enfance. Il se trompait cruellement. J'avais fait contre les pleurs de Maurice et contre mes propres terreurs tous les efforts possibles. Je voyais bien qu'en se soumettant l'enfant périssait. D'ailleurs, le proviseur refusait d'assumer sur lui la responsabilité de le reprendre. La méfiance de son père exaspérait la maladie de Maurice. Ce qui lui était le plus sensible, à lui qui n'avait jamais menti, c'était de pouvoir être soupçonné de mensonge. Chaque reproche sur sa pusillanimité, chaque doute sur la réalité de son mal, enfonçaient un aiguillon dans ce pauvre cœur malade. Il empirait visiblement, il n'avait plus de sommeil ; il était quelquefois si faible qu'il me fallait le porter dans mes bras pour le coucher. Une consultation signée Levrault, médecin du collège Henri-IV, Gaubert, Marjolin et Guersant (ces deux derniers m'étaient inconnus et ne pouvaient être soupçonnés de complaisance), ne convainquit pas M. Dudevant. Enfin, après quelques semaines de terreurs et de larmes, nous fûmes réunis l'un à l'autre pour toujours, mon enfant et moi. M. Dudevant voulut le garder toute une nuit chez lui pour se convaincre qu'il avait le délire et la fièvre. Il s'en convainquit si bien qu'il m'écrivit dès le matin de venir vite le chercher. J'y courus. Maurice, en me voyant, fit un cri, sauta pieds nus sur le carreau et vint se cramponner à moi. Il voulait s'en aller tout nu.

Nous partîmes pour Nohant dès que la fièvre fut un peu calmée. J'étais effrayée de l'éloigner des soins de Gaubert, qui venait le voir trois fois par jour ; mais

Gaubert me criait de l'emmener. L'enfant avait le mal du pays. Dans ses songes agités, il criait, lui, *Nohant, Nohant !* d'une voix déchirante. C'était une idée fixe, il croyait que tant qu'il ne serait pas là son père viendrait le reprendre. « Cet enfant ne respire que par votre souffle, me disait Gaubert, vous êtes *son arbre de vie* ; vous êtes le médecin qu'il lui faut. »

Nous fîmes le voyage en poste, à courtes journées, avec Solange. Maurice recouvra vite un peu de sommeil et d'appétit ; mais un rhumatisme aigu dans tous les membres et de violentes douleurs de tête revinrent souvent l'accabler. Il passa le reste de l'hiver dans ma chambre, et pendant six mois nous ne nous quittâmes pas d'une heure. Son éducation classique dut être interrompue ; il n'y avait aucun moyen de le remettre aux études du collège sans lui briser le cerveau.

Madame d'Agoult vint passer chez moi une partie de l'année. Liszt, Charles Didier, Alexandre Rey et Bocage y vinrent aussi. Nous eûmes un été magnifique, et le piano du grand artiste fit nos délices. Mais à ce temps de soleil splendide, consacré à un travail paisible et à de doux loisirs, succédèrent des jours bien douloureux.

Je reçus un jour, au milieu du dîner, une lettre de Pierret qui me disait : « Votre mère vient d'être envahie subitement par une maladie très grave. Elle le sent, et la terreur de la mort empire son mal. Ne venez pas avant quelques jours. Il nous faut ce temps-là pour la préparer à votre arrivée comme à une chose étrangère à sa maladie. Écrivez-lui comme si vous ignoriez tout, et inventez un prétexte pour venir à Paris. » Le lendemain il m'écrivait : « Tardez encore un peu, elle se méfie. Nous ne sommes pas sans espoir de la sauver. »

Madame d'Agoult partait pour l'Italie. Je confiai Maurice à Gustave Papet, qui demeurait à une demi-lieue de Nohant ; je laissai Solange à mademoiselle Rollinat, qui faisait son éducation à Nohant, et je courus chez ma mère.

Depuis mon mariage, je n'avais plus de sujets immédiats de désaccord avec elle, mais son caractère agité n'avait pas cessé de me faire souffrir. Elle était venue à Nohant et s'y était livrée à ses involontaires injustices, à ses inexplicables susceptibilités contre les personnes les plus inoffensives. Et pourtant, dès ce temps-là, à la suite d'explications sérieuses, j'avais pris enfin de l'ascendant sur elle. D'ailleurs, je l'aimais toujours avec une passion instinctive que ne pouvaient détruire mes trop justes sujets de plainte. Ma renommée littéraire produisait sur elle les plus étranges alternatives de joie et de colère. Elle commençait par lire les critiques malveillantes de certains journaux et leurs insinuations perfides sur mes principes et sur mes mœurs. Persuadée aussitôt que tout cela était mérité, elle m'écrivait ou accourait chez moi pour m'accabler de reproches, en m'envoyant ou m'apportant un ramassis d'injures qui sans elle ne fussent jamais arrivées jusqu'à moi. Je lui demandais alors si elle avait lu l'ouvrage incriminé de la sorte. Elle ne l'avait jamais lu avant de le condamner. Elle se mettait à le lire après avoir protesté qu'elle ne l'ouvrirait pas. Alors, tout aussitôt, elle s'engouait de mon œuvre avec l'aveuglement qu'une mère peut y mettre, elle déclarait la chose sublime et les critiques infâmes ; et cela recommençait à chaque nouvel ouvrage.

Il en était ainsi de toutes choses à tous les moments de ma vie. Quelque voyage ou quelque séjour que je fisse, quelque personne, vieille ou jeune, homme ou femme, qu'elle rencontrât chez moi, quelque chapeau que j'eusse sur la tête ou quelque chaussure que j'eusse aux pieds, c'était une critique, une tracasserie incessante qui dégénérait en querelle sérieuse et en reproches véhéments, si je ne me hâtais, pour la satisfaire, de lui promettre que je changerais de projets, de connaissances et d'habillements à sa guise. Je n'y risquais rien, puisqu'elle oubliait dès le lendemain le motif de son dépit. Mais il fallait beaucoup de patience pour affronter, à chaque entrevue, une nouvelle bourrasque impossible à prévoir. J'avais de la patience, mais j'étais mortellement attristée de ne pouvoir retrouver son esprit charmant et ses élans de tendresse qu'à travers des orages perpétuels.

Elle demeurait depuis plusieurs années, boulevard Poissonnière, n° 6, dans une maison qui a disparu pour faire place à la maison du pont de fer. Elle y vivait presque toujours seule, ne pouvant garder huit jours une servante. Son petit appartement était toujours rangé par elle, nettoyé avec un soin minutieux, orné de fleurs et brillant de jour ou de soleil. Elle logeait en plein midi et tenait sa fenêtre ouverte en été, à la chaleur, à la poussière et au bruit du boulevard, n'ayant jamais Paris assez dans sa chambre. « Je suis Parisienne dans l'âme, disait-elle. Tout ce qui rebute les autres de Paris me plaît et m'est nécessaire. Je n'y ai jamais trop chaud ni trop froid. J'aime mieux les arbres poudreux du boulevard et les ruisseaux noirs qui les arrosent que toutes vos forêts où l'on a peur, et toutes vos rivières où l'on risque de se noyer. Les jardins ne m'amusent plus, ils me rappellent trop les cimetières. Le silence de la campagne m'effraye et m'ennuie. Paris me fait l'effet d'être toujours en fête, et ce mouvement que je prends pour de la gaieté m'arrache à moi-même. Vous savez bien que le jour où il me faudra réfléchir, je mourrai. » Pauvre mère, elle réfléchissait beaucoup dans ses derniers jours !

Bien que plusieurs de mes amis, témoins de ses emportements ou de ses malices contre moi, me reprochassent d'être trop faible de cœur envers elle, je ne pouvais me défendre d'une vive émotion chaque fois que j'allais la voir. Quelquefois je passais sous sa fenêtre, et je grillais de monter chez elle ; puis, je m'arrêtais, effrayée de l'algarade qui m'y attendait peut-être ; mais je succombais presque toujours, et lorsque j'avais eu la fermeté de rester une semaine sans la voir, je partais avec une secrète impatience d'arriver. J'observais en moi la force de cet instinct de la nature à l'étrange oppression que j'éprouvais en voyant la porte de sa maison. C'était une petite grille donnant sur un escalier qu'il fallait descendre. Au bas demeurait un marchand de fontaines qui remplissait, je crois, les fonctions de portier, car de la boutique quelque voix me criait toujours : « Elle y est, montez ! » On traversait une petite cour et on montait un étage, puis on suivait un couloir, et on montait encore trois autres étages. Cela donnait le temps de la réflexion, et la réflexion me revenait toujours dans ce couloir sombre, où je me disais : « Voyons, quelle figure m'attend là-haut ? bonne ou mauvaise ? souriante ou bouleversée ? Que pourra-t-elle inventer aujourd'hui pour se fâcher ? »

Mais je me rappelais le bon accueil qu'elle savait me faire quand je la surprenais dans une bonne disposition. Quel doux cri de joie, quel brillant regard, quel tendre baiser maternel ! Pour cette exclamation, pour ce regard et pour ce baiser, je pouvais bien affronter deux heures d'amertume. Alors l'impatience me prenait, je trouvais l'escalier insupportable, je le franchissais rapidement ; j'arrivais plus émue encore qu'essoufflée, et mon cœur battait à se rompre au moment où je tirais la sonnette. J'écoutais à travers la porte, et déjà je savais mon sort, car lorsqu'elle était de bonne humeur, elle reconnaissait ma manière de sonner, et je l'entendais s'écrier en mettant la main sur la serrure : « Ah ! c'est mon Aurore ! » – Mais si elle était dans des idées noires, elle ne reconnaissait pas mon bruit, ou, ne voulant pas dire qu'elle l'avait reconnu, elle criait : *Qui est là ?*

Ce *Qui est là ?* me tombait comme une pierre sur la poitrine, et il fallait quelquefois bien du temps avant qu'elle voulût s'expliquer ou qu'elle pût se calmer. Enfin, quand j'avais arraché un sourire, ou quand Pierret arrivait bien disposé à prendre mon parti, l'explication violente tournait en gaieté, et je l'emmenais dîner au restaurant et passer la soirée au spectacle. Elle appelait cela une partie de plaisir, et elle s'en amusait comme dans sa jeunesse. Elle était alors si charmante qu'il fallait tout oublier.

Mais en de certains jours il était impossible de s'entendre. C'était justement quelquefois ceux où l'accueil avait été le plus riant, où le coup de sonnette avait éveillé l'accent le plus tendre. Il lui passait par la

tête de me retenir pour me taquiner, et comme je
voyais venir l'orage, je m'esquivais, lassée ou froissée,
redescendant tous les escaliers avec autant d'impatience que je les avais montés.

Pour donner une idée de ces étranges querelles de sa
part, il me suffira de raconter celle-ci, qui prouve,
entre toutes les autres, combien son cœur était peu
complice des voyages de son imagination.

J'avais au bras un bracelet de cheveux de Maurice,
blonds, nuancés, soyeux, enfin d'un ton et d'une
finesse à ne pas douter qu'ils eussent appartenu à la
tête d'un petit enfant. On venait d'exécuter Alibaud[56],
et ma mère avait entendu dire qu'il avait de longs cheveux. Je n'ai jamais vu Alibaud, j'ai ouï dire qu'il était
très brun ; mais ne voilà-t-il pas que ma pauvre mère,
qui avait la tête toute remplie de ce drame, s'imagine
que ce bracelet est sa chevelure ! « La preuve, me dit-
elle, c'est que ton ami Charles Ledru a plaidé la cause
de l'assassin. » À cette époque je ne connaissais pas
Charles Ledru, pas même de vue ; mais il n'y eut
aucun moyen de la dissuader. Elle voulait me faire jeter
au feu ce cher bracelet, qui était toute la toison dorée
du premier âge de Maurice, et qu'elle m'avait vu dix
fois au bras sans y faire attention. Je fus obligée de me
sauver pour l'empêcher de me l'arracher. Je me sauvais
souvent en riant ; mais, tout en riant, je sentais de
grosses larmes tomber sur mes joues. Je ne pouvais
m'habituer à la voir irritée et malheureuse dans ces
moments où j'allais lui porter tout mon cœur : mon
cœur souvent navré de quelque amertume secrète
qu'elle n'eût probablement pas su comprendre, mais
qu'une heure de son amour eût pu dissiper.

La première lettre que j'avais écrite en prenant la
résolution de lutter judiciairement contre mon mari
avait été pour elle. Son élan vers moi fut alors spon-
tané, complet, et ne se démentit plus. Dans les voyages
que je fis à Paris durant cette lutte, je la trouvai toujours parfaite. Il y avait donc près de deux ans que ma
pauvre petite mère était redevenue pour moi ce qu'elle
avait été dans mon enfance. Elle tournait un peu ses

taquineries vers Maurice, qu'elle eût voulu gouverner à sa guise et qui résistait un peu plus que je n'aurais voulu. Mais elle l'adorait quand même, et j'avais besoin de la voir se livrer à ces petites frasques pour ne pas m'inquiéter de ce doux changement survenu en elle à mon égard. Il y avait des moments où je disais à Pierret : « Ma mère est adorable maintenant, mais je la trouve moins vive et moins gaie. Êtes-vous sûr qu'elle ne soit pas malade ? – Eh non, me répondait-il ; elle est mieux portante, au contraire. Elle a enfin passé l'âge où on se ressent encore d'une grande crise, et à présent la voilà comme elle était dans sa jeunesse, aussi aimable et presque aussi belle. » C'était la vérité. Quand elle était un peu parée, et elle s'habillait à ravir, on la regardait encore passer sur le boulevard, incertain de son âge et frappé de la perfection de ses traits.

Au moment où, appelée par cette terrible nouvelle de sa fin prochaine, j'arrivais à Paris, à la fin de juillet, les derniers bulletins m'avaient laissé pourtant grande espérance. J'accours, je descends l'escalier du boulevard, et je suis arrêtée par le marchand de fontaines qui me dit : « Mais madame Dupin n'est plus ici ! » Je crus que c'était une manière de m'annoncer sa mort, et la fenêtre ouverte que j'avais prise pour un bon augure me revint à l'esprit comme le signe d'un éternel départ. « Tranquillisez-vous, me dit cet homme, elle ne va pas plus mal. Elle a voulu aller se faire soigner dans une maison de santé, pour avoir moins de bruit et un jardin. M. Pierret a dû vous l'écrire. »

La lettre de Pierret ne m'était pas parvenue. Je courus à l'adresse qu'on m'indiquait, m'imaginant trouver ma mère en convalescence, puisqu'elle se préoccupait de la jouissance d'un jardin.

Je la trouvai dans une affreuse petite chambre sans air, couchée sur un grabat et si changée que j'hésitai à la reconnaître. Elle avait cent ans. Elle jeta ses bras à mon cou en me disant : « Ah ! me voilà sauvée. Tu m'apportes la vie ! » Ma sœur, qui était auprès d'elle, m'expliqua tout bas que le choix de cet affreux domicile était une fantaisie de malade, et non une nécessité.

Notre pauvre mère s'imaginant, dans ses heures de
fièvre, qu'elle était environnée de voleurs, cachait un
sac d'argent sous son oreiller et ne voulait pas habiter
une meilleure chambre dans la crainte de révéler ses
ressources à ces brigands imaginaires.

Il fallut entrer dans sa fantaisie un instant ; mais peu
à peu j'en triomphai. La maison de santé était belle et
vaste. Je louai le meilleur appartement sur le jardin, et
dès le lendemain elle consentit à y être transportée. Je
lui amenai mon cher Gaubert, dont la douce et sympathique figure lui plut, et qui réussit à lui persuader de
suivre ses prescriptions. Mais il m'emmena ensuite au
jardin pour me dire : « Ne vous flattez pas, elle ne peut
pas guérir, le foie est affreusement tuméfié. La crise
des douleurs atroces est passée. Elle va mourir sans
souffrance. Vous ne pouvez que retarder un peu le
moment fatal par des soins moraux. Quant aux soins
physiques, faites absolument tout ce qu'elle voudra.
Elle n'a pas la force de vouloir rien qui lui soit précisément nuisible. Mon rôle, à moi, est de lui prescrire des
choses insignifiantes et d'avoir l'air de compter sur leur
efficacité. Elle est impressionnable comme un enfant.
Occupez son esprit de l'espoir d'une prochaine guérison. Qu'elle parte doucement et sans en avoir
conscience. » – Puis il ajouta avec sa sérénité habituelle, lui qui était frappé à mort aussi, et qui le savait
bien, quoiqu'il le cachât pieusement à ses amis :
« Mourir n'est pas un mal ! »

Je prévins ma sœur, et nous n'eûmes plus qu'une
pensée, celle de distraire et d'endormir les prévisions
de notre pauvre malade. Elle voulut se lever et sortir.
« C'est dangereux, nous dit Gaubert, elle peut expirer
dans vos bras ; mais retenir son corps dans une inaction que son esprit ne peut accepter est plus dangereux
encore. Faites ce qu'elle désire. »

Nous habillâmes notre pauvre mère et la portâmes
dans une voiture de remise. Elle voulut aller aux
Champs-Élysées. Là, elle fut un instant ranimée par le
sentiment de la vie qui s'agitait autour d'elle. « Que
c'est beau, nous disait-elle, ces voitures qui font du

bruit, ces chevaux qui courent, ces femmes en toilette, ce soleil, cette poussière d'or ! On ne peut pas mourir au milieu de tout cela ! non ! à Paris on ne meurt pas ! » Son œil était encore brillant et sa voix pleine. Mais, en approchant de l'Arc de triomphe, elle nous dit en redevenant pâle comme la mort : « Je n'irai pas jusque-là. J'en ai assez. » Nous fûmes épouvantées, elle semblait prête à exhaler son dernier souffle. Je fis arrêter la voiture. La malade se ranima. « Retournons, me dit-elle ; un autre jour nous irons jusqu'au bois de Boulogne. »

Elle sortit encore plusieurs fois. Elle s'affaiblissait visiblement, mais la crainte de la mort s'évanouissait. Les nuits étaient mauvaises et troublées par la fièvre et le délire ; mais le jour elle semblait renaître. Elle avait envie de manger de tout ; ma sœur s'inquiétait de ses fantaisies et me grondait de lui apporter tout ce qu'elle demandait. Je grondais ma sœur de songer seulement à la contredire, et elle se rassurait, en effet, en voyant notre pauvre malade, entourée de fruits et de friandises, se réjouir en les regardant, en les touchant et en disant : « J'y goûterai tout à l'heure. » Elle n'y goûtait même pas. Elle en avait joui par les yeux.

Nous la descendions au jardin, et là, sur un fauteuil, au soleil, elle tombait dans la rêverie, et même dans la méditation. Elle attendait d'être seule avec moi pour me dire à quoi elle pensait : « Ta sœur est dévote, me disait-elle, et moi je ne le suis plus du tout depuis que je me figure que je vais mourir. Je ne veux pas voir la figure d'un prêtre, entends-tu bien ? Je veux, si je dois partir, que tout soit riant autour de moi. Après tout, pourquoi craindrais-je de me trouver devant Dieu ? Je l'ai toujours aimé. » Et elle ajoutait avec une vivacité naïve : *Il pourra bien me reprocher ce qu'il voudra, mais de ne pas l'avoir aimé, cela, je l'en défie !*

Soigner et consoler ma mère mourante ne me fut pas accordé sans lutte et sans distraction par le destin qui me poursuivait. Mon frère, qui agissait de la manière la plus étrange et la plus contradictoire du monde, m'écrivit : « Je t'avertis à l'insu de ton mari

qu'il va partir pour Nohant afin de t'enlever Maurice.
Ne me trahis pas, cela me brouillerait avec lui. Mais je
crois devoir te mettre en garde contre ses projets. C'est
à toi de savoir si ton fils est réellement trop faible pour
rentrer au collège. »

Certes, Maurice était hors d'état de rentrer au collège, et je craignais, sur ses nerfs ébranlés, l'effet d'une
surprise douloureuse et d'une explication vive avec son
père.

Je ne pouvais quitter ma mère. Un de mes amis prit
la poste, courut à Ars, et conduisit Maurice à Fontainebleau, où j'allai, sous un nom supposé, l'installer
dans une auberge. L'ami qui s'était chargé de me
l'amener voulut bien rester près de lui pendant que je
revenais auprès de ma malade.

J'arrivai à la maison de santé à sept heures du matin.
J'avais voyagé la nuit pour gagner du temps. Je vis la
fenêtre ouverte. Je me rappelai celle du boulevard, et je
sentis que tout était fini. J'avais embrassé ma mère
l'avant-veille pour la dernière fois, et elle m'avait dit :
« Je me sens très bien et j'ai à présent les idées les plus
agréables de toute ma vie. Je me mets à aimer la campagne, que je ne pouvais pas souffrir. Cela m'est venu
dans ces derniers temps, en coloriant des lithographies
pour m'amuser. C'était une belle vue de Suisse, avec
des arbres, des montagnes, des chalets, des vaches et
des cascades. Cette image-là me revient toujours, et je
la vois bien plus belle qu'elle n'était. Je la vois même
plus belle que la nature. Quand je ferme les yeux, je
vois des paysages dont tu n'as pas d'idée, et que tu ne
pourrais pas décrire ; c'est trop beau, c'est trop grand !
Et cela change à toute minute pour devenir toujours
plus beau. Il faudra que j'aille à Nohant faire des
grottes et des cascades dans le petit bois. À présent que
Nohant n'appartient plus qu'à toi, je m'y plairai. Tu
vas partir dans une quinzaine, n'est-ce pas ? Eh bien,
je veux m'en aller avec toi. »

Ce jour-là il faisait une chaleur écrasante, et Gaubert
nous avait dit : « Tâchez qu'elle ne veuille pas sortir en
voiture, à moins qu'il ne pleuve. » La chaleur redou-

blant, j'avais fait semblant d'aller chercher une voiture et j'étais rentrée disant qu'il était impossible d'en trouver.

« Au fait, cela m'est égal, avait-elle dit. Je me sens si bien que je n'ai plus envie de me déranger. Va-t'en voir Maurice. Quand tu reviendras, je suis sûre que tu me trouveras guérie. »

Le lendemain elle avait été parfaitement tranquille. À cinq heures de l'après-midi, elle avait dit à ma sœur : « Coiffe-moi, je voudrais être bien coiffée. » Elle s'était regardée au miroir, elle avait souri. Sa main avait laissé retomber le miroir, et son âme s'était envolée. Gaubert m'avait écrit sur-le-champ, mais je m'étais croisée avec sa lettre. J'arrivais pour la trouver *guérie* en effet, guérie de l'effroyable fatigue et de la tâche cruelle de vivre en ce monde.

Pierret ne pleura pas. Comme Deschartres auprès du lit de mort de ma grand-mère, il semblait ne pas comprendre qu'on pût se séparer pour jamais. Il l'accompagna le lendemain au cimetière et revint en riant aux éclats. Puis il cessa brusquement de rire et fondit en larmes.

Pauvre excellent Pierret ! Il ne se consola jamais. Il retourna au Cheval blanc, à sa bière et à sa pipe. Il fut toujours gai, brusque, étourdi, bruyant. Il vint me voir à Nohant l'année suivante. C'était toujours le même Pierret à la surface. Mais, tout d'un coup, il me disait : « Parlons donc un peu de votre mère ! Vous souvenez-vous... » et alors il se remémorait tous les détails de sa vie, toutes les singularités de son caractère, toutes les vivacités dont il avait été la victime volontaire, et il citait ses mots, il rappelait ses inflexions de voix, il riait de tout son cœur : et puis il prenait son chapeau et s'en allait sur une plaisanterie. Je le suivais de près, voyant bien l'excitation nerveuse qui l'emportait, et je le trouvais sanglotant dans un coin du jardin.

Aussitôt après la mort de ma mère, je retournai à Fontainebleau, où je passai quelques jours tête à tête avec Maurice. Il se portait bien, la chaleur avait dissipé les rhumatismes. Gaubert, qui vint l'y voir, ne le trouvait cependant pas guéri. Le cœur avait encore des battements irréguliers. Il fallait la continuation du régime, l'exercice continuel et pas la moindre fatigue d'esprit. Nous nous levions avec le jour et nous partions jusqu'à la nuit sur de petits chevaux de louage, tous deux seuls, allant à la découverte dans cette admirable forêt pleine de sites imprévus, de productions variées, de fleurs splendides et de papillons merveilleux pour mon jeune naturaliste, qui pouvait se livrer à l'observation et à la chasse en attendant l'étude. Il avait le goût de cette science et celui du dessin depuis qu'il était au monde. C'était un préservatif contre l'ennui d'une inaction forcée que de jouir de la nature comme il savait déjà en jouir.

Mais à peine étais-je remise de la crise qui venait de m'ébranler, qu'une alerte nouvelle vint me surprendre. M. Dudevant avait été en Berry, et n'y trouvant pas Maurice, il avait emmené Solange.

Comment avait-il pu s'imaginer que j'avais soustrait Maurice à sa velléité de le reprendre, pour lui jouer un mauvais tour ? Je ne prétendais le lui cacher que le temps nécessaire pour laisser passer la mauvaise disposition que mon frère m'avait signalée. J'espérais toujours arriver à ce à quoi je suis arrivée plus tard, à m'entendre avec lui sur ce qui était avantageux, nécessaire à l'éducation et à la santé de notre fils. Qu'au lieu d'aller le chercher en Berry mystérieusement et en mon absence, il me l'eût réclamé ouvertement, je l'aurais soumis devant lui à l'examen de médecins choisis par lui, et il se fût convaincu de l'impossibilité de le remettre au collège.

Quoi qu'il en soit, il crut tirer une vengeance légitime de ce qui n'était chez moi qu'une inquiétude irrésistible, de ce qui à ses yeux fut un désir de le blesser. Quand l'âme est aigrie, elle se croit fondée à avoir les torts qu'elle suppose aux autres.

Jamais M. Dudevant n'avait témoigné le moindre désir d'avoir Solange près de lui. Il avait coutume de dire : « Je ne me mêle pas de l'éducation des filles, je n'y entends rien. » S'entendait-il davantage à celle des garçons ? Non, il avait trop de rigidité dans la volonté pour supporter les inconséquences sans nombre, les langueurs et les entraînements de l'enfance. Il n'a jamais aimé la contradiction, et qu'est-ce qu'un enfant, sinon la contradiction vivante de toutes les prévisions et intentions paternelles ? D'ailleurs, ses instincts militaires ne le portaient pas à s'amuser de ce que l'enfance a d'ennuyeux et d'impatientant pour toute autre indulgence que celle d'une mère.

Il n'avait donc d'autre projet à l'égard de Maurice que celui d'en faire un collégien et plus tard un militaire, et en enlevant Solange il n'avait pas d'autre intention, il me l'a dit lui-même ensuite, que celle de me la faire chercher.

J'aurais dû me le dire à moi-même et me tranquilliser ; mais les circonstances de cet enlèvement se présentèrent à mon esprit d'une manière poignante, et, dans la réalité, elles avaient été plus dramatiques que de besoin. La gouvernante avait été frappée, et ma pauvre petite, épouvantée, avait été emmenée de force en poussant des cris dont toute la maison était encore consternée. Solange n'avait pourtant pas été prévenue par moi contre son père, comme il se l'imaginait. Pendant la lutte avec Marie-Louise Rollinat et madame Rollinat la mère, qui se trouvait là, elle s'était jetée aux genoux de son père en criant : « Je t'aime, mon papa, je t'aime, ne m'emmène pas ! » La pauvre enfant, ne sachant rien, ne comprenait rien.

Les lettres qui me racontaient cette nouvelle aventure me donnèrent la fièvre. Je courus à Paris, je confiai Maurice à mon ami M. Louis Viardot, j'allai trouver le ministre, je me mis en règle ; je me fis accompagner d'un autre ami et du maître clerc de mon avoué, M. Vincent, un excellent jeune homme, plein de cœur et de zèle, aujourd'hui avocat. Je partis en poste, courant jour et nuit vers Guillery. Pendant ces deux journées de préparatifs, le ministre, M. Barthe[57], avait eu l'obligeance de faire jouer le télégraphe ; je savais où était ma fille.

Madame Dudevant était morte un mois auparavant. Elle n'avait pu frustrer mon mari de l'héritage de son père. Elle lui laissait quelques charges qui lui valurent une douzaine de procès, et la terre de Guillery, dont il avait déjà pris possession. Que Dieu fasse paix à cette malheureuse femme ! Elle avait été bien coupable envers moi, bien plus que je ne veux le dire. Faisons grâce aux morts ! Ils deviennent meilleurs, je l'espère, dans un monde meilleur. Si les justes ressentiments de celui-ci peuvent leur en retarder l'accès, il y a long-temps que j'ai crié : « Ouvrez-lui, mon Dieu. »

Et que savons-nous du repentir au lendemain de la mort ? Les orthodoxes disent qu'un instant de contri-tion parfaite peut laver l'âme de toutes ses souillures, même au seuil de l'éternité. Je le crois avec eux ; mais pourquoi veulent-ils qu'aussitôt après la séparation de l'âme et du corps, cette douleur du péché, cette expia-tion suprême, cesse d'être possible ? Est-ce que l'âme a perdu, selon eux, sa lumière et sa vie en montant vers le tribunal où Dieu l'appelle pour la juger ? Ils ne sont point conséquents, ces catholiques qui regardent la misérable épreuve de cette vie comme définitive, puisqu'ils admettent un purgatoire où l'on pleure, où l'on se repent, où l'on prie.

J'arrivai à Nérac, je courus chez le sous-préfet, M. Haussmann, aujourd'hui préfet de la Seine. Je ne me rappelle pas s'il était déjà le beau-frère de mon digne ami M. Artaud. Ce dernier a épousé sa sœur. Je sais que j'allai lui demander aide et protection, et qu'il monta sur-le-champ dans ma voiture pour courir à Guillery, qu'il me fit rendre ma fille sans bruit et sans querelle, qu'il nous ramena à la sous-préfecture avec mes compagnons de voyage, et qu'il ne voulut pas nous permettre de retourner à l'auberge, ni de partir avant deux jours de repos, de paisibles promenades sur la jolie rivière de Baïse et le long des rives où la tradi-tion place les jeunes amours de Florette et de Henri IV [58]. Il me fit dîner avec d'anciens amis que je fus heureuse de retrouver, et je me souviens que l'on causa beaucoup philosophie, terrain neutre en comparaison de celui de la politique, où le jeune fonctionnaire ne se fût pas trouvé d'accord avec nous. C'était un esprit sérieux, avide de creuser le problème général ; mais un savoir-vivre exquis l'empêcha de soulever aucune question délicate.

Je me souviens aussi que j'étais si peu versée dans la philosophie moderne à cette époque, que j'écoutai sans trouver rien à dire, et qu'au retour je disais à mon compagnon de route : «Vous avez discuté avec M. Haussmann sur des matières où je n'entends rien du tout. Je n'ai, par rapport aux choses présentes, que des sentiments et des instincts. La science des idées nouvelles a des formules qui me sont étrangères et que je n'apprendrai probablement jamais. Il est trop tard. J'appartiens par l'esprit à une génération qui a déjà fait son temps. » Il m'assura que je me trompais, et que, quand j'aurais mis le pied dans un certain cercle de discussion, je ne pourrais plus m'en arracher. Il se trompait aussi un peu, mais il est certain que je ne devais pas tarder à m'y intéresser vivement.

Huit mois se passèrent encore avant que j'eusse la tranquillité nécessaire à ce genre d'études.

M. Dudevant ayant hérité d'un revenu qu'il avouait être de douze mille fr. [59] et qui devait bientôt augmenter du double, il ne me semblait pas juste qu'il continuât à jouir de la moitié du mien. Il en jugea autrement, et il fallut discuter encore. Je ne me serais pas donné tant de peine pour une question d'argent, si j'avais pu être certaine de suffire à l'éducation de mes deux enfants. Mais le travail littéraire est si éventuel, que je ne voulais pas soumettre leur existence aux chances de mon métier : banqueroute d'éditeurs, banqueroute de succès ou de santé. Je voulais amener mon mari à ne plus s'occuper de Maurice, et il y paraissait disposé. Puisqu'il se croyait trop gêné pour payer son entretien sans mon aide, je lui proposai de m'en charger moi-même, et il accepta enfin cette solution par un contrat définitif, en 1838. Il me fit demander une somme de cinquante mille francs moyennant laquelle il me rendit la jouissance de l'hôtel de Nar-

bonne, patrimoine de mon père, et celle beaucoup plus
précieuse de garder et gouverner mes deux enfants
comme je l'entendrais. Je vendis le coupon de rente qui
avait constitué en partie la pension de ma mère ; nous
signâmes cet échange, enchantés l'un et l'autre de
notre lot *.

Quant à l'argent, le mien ne valait pas grand-chose
eu égard au présent. Le collège de Narbonne, maison
historique fort vieille, avait été si peu entretenu et
réparé, qu'il me fallut y dépenser près de cent mille
francs pour le remettre en bon rapport. Je travaillai dix
ans pour payer cette somme et faire de cette maison la
dot de ma fille.

Mais, au milieu des grands embarras que me susci-
tèrent mes petites propriétés, je ne perdis pas courage.
J'étais devenue à la fois père et mère de famille. C'est
beaucoup de fatigue et de souci quand l'héritage n'y
suffit pas, et qu'il faut exercer une industrie absorbante
comme l'est celle d'écrire pour le public. Je ne sais ce
que je serais devenue si je n'avais pas eu, avec la faculté
de veiller beaucoup, l'amour de mon art qui me ranimait à toute heure. Je commençai à l'aimer le jour où il
devint pour moi, non plus une nécessité personnelle,
mais un devoir austère. Il m'a, non pas consolée, mais
distraite de bien des peines, et arrachée à bien des préoccupations.

Mais que de préoccupations diverses, pour une tête
sans grande variété de ressources, que ces extrêmes de
la vie dont il fallut m'occuper simultanément dans ma
petite sphère ! Le respect de l'art, les obligations
d'honneur, le soin moral et physique des enfants qui
passe toujours avant le reste, le détail de la maison, les
devoirs de l'amitié, de l'assistance et de l'obligeance !
Combien les journées sont courtes pour que le
désordre ne s'empare pas de la famille, de la maison,
des affaires ou de la cervelle ! J'y ai fait de mon mieux,
et je n'y ai fait que ce qui est possible à la volonté et à la

---

* Depuis ce temps nous n'avons eu ensemble que de bons rapports. Il est venu à Nohant pour le mariage de ma fille (NdA).

foi. Je n'étais pas secondée par une de ces merveilleuses organisations qui embrassent tout sans effort et qui vont sans fatigue du lit d'un enfant malade à une consultation judiciaire, et d'un chapitre de roman à un registre de comptabilité. J'avais donc dix fois, cent fois plus de peine qu'il n'y paraissait. Pendant plusieurs années, je ne m'accordai que quatre heures de sommeil ; pendant beaucoup d'autres années je luttai contre d'atroces migraines jusqu'à tomber en défaillance sur mon travail, et toutes choses n'allèrent pourtant pas toujours au gré de mon zèle et de mon dévouement.

D'où je conclus que le mariage doit être rendu aussi indissoluble que possible ; car, pour mener une barque aussi fragile que la sécurité d'une famille sur les flots rétifs de notre société, ce n'est pas trop d'un homme et d'une femme, un père et une mère se partageant la tâche, chacun selon sa capacité.

Mais l'indissolubilité du mariage n'est possible qu'à la condition d'être volontaire, et, pour la rendre volontaire, il faut la rendre possible.

Si, pour sortir de ce cercle vicieux, vous trouvez autre chose que la religion de l'égalité de droits entre l'homme et la femme, vous aurez fait une belle découverte.

XII

[...]

[*« Jusqu'à ce jour, le dix-neuvième siècle a eu deux grands journalistes, Armand Carrel, Émile de Girardin. Par une mystérieuse et poignante fatalité, l'un a tué l'autre »* : après une évocation de ce fameux duel de 1836 et un éloge flatteur de celui qui y a survécu (Girardin) comme finalement plus « socialiste » que son adversaire malheureux, Sand accomplit un dernier retour à valeur de bilan sur Éverard. Puis, laissant ce sujet :]

Il est une autre âme, non moins belle et pure dans son essence, non moins malade et troublée dans ce monde, que je retrouve avec autant de placidité dans mes entretiens avec les morts, et dans mon attente de ce monde meilleur où nous devons nous reconnaître tous au rayon d'une lumière plus vive et plus divine que celle de la terre.

Je parle de Frédéric Chopin, qui fut l'hôte des huit dernières années de ma vie de retraite à Nohant sous la Monarchie.

En 1838, dès que Maurice m'eut été définitivement confié, je me décidai à chercher pour lui un hiver plus doux que le nôtre. J'espérais le préserver ainsi du retour des rhumatismes cruels de l'année précédente. Je voulais trouver, en même temps, un lieu tranquille où je pusse le faire travailler un peu, ainsi que sa sœur, et travailler moi-même sans excès. On gagne bien du temps quand on ne voit personne, on est forcé de veiller beaucoup moins.

Comme je faisais mes projets et mes préparatifs de départ, Chopin, que je voyais tous les jours et dont j'aimais tendrement le génie et le caractère, me dit à plusieurs reprises que, s'il était à la place de Maurice, il serait bientôt guéri lui-même. Je le crus, et je me trompai. Je ne le mis pas dans le voyage à la place de Maurice, mais à côté de Maurice. Ses amis le pressaient depuis longtemps d'aller passer quelque temps dans le midi de l'Europe. On le croyait phtisique. Gaubert l'examina et me jura qu'il ne l'était pas. « Vous le sauverez, en effet, me dit-il, si vous lui donnez de l'air, de la promenade et du repos. » Les autres, sachant bien que jamais Chopin ne se déciderait à

quitter le monde et la vie de Paris sans qu'une personne aimée de lui et dévouée à lui l'y entraînât, me
pressèrent vivement de ne pas repousser le désir qu'il
manifestait si à propos et d'une façon tout inespérée.

J'eus tort, par le fait, de céder à leur espérance et à
ma propre sollicitude. C'était bien assez de m'en aller
seule à l'étranger avec deux enfants, l'un déjà malade,
l'autre exubérant de santé et de turbulence, sans
prendre encore un tourment de cœur et une responsabilité de médecin.

Mais Chopin était dans un moment de santé qui rassurait tout le monde. Excepté Grzymala[60], qui ne s'y
trompait pas trop, nous avions tous confiance. Je priai
cependant Chopin de bien consulter ses forces
morales, car il n'avait jamais envisagé sans effroi,
depuis plusieurs années, l'idée de quitter Paris, son
médecin, ses relations, son appartement même et son
piano. C'était l'homme des habitudes impérieuses, et
tout changement, si petit qu'il fût, était un événement
terrible dans sa vie.

Je partis avec mes enfants, en lui disant que je passerais quelques jours à Perpignan, si je ne l'y trouvais
pas ; et que s'il n'y venait pas du tout au bout d'un certain délai, je passerais en Espagne. J'avais choisi
Majorque sur la foi de personnes qui croyaient bien
connaître le climat et les ressources du pays, et qui ne
les connaissaient pas du tout.

Mendizabal, notre ami commun, un homme excellent autant que célèbre[61], devait se rendre à Madrid et
accompagner Chopin jusqu'à la frontière, au cas où il
donnerait suite à son rêve de voyage.

Je m'en allai donc avec mes enfants et une femme de
chambre dans le courant de novembre. Je m'arrêtai le
premier soir au Plessis, où j'embrassai avec joie ma
mère Angèle et toute cette bonne et chère famille qui
m'avait ouvert les bras quinze ans auparavant. Je
trouvai les fillettes grandes, belles et mariées. Tonine,
ma préférée, était à la fois superbe et charmante. Mon
pauvre père James était goutteux et marchait sur des
béquilles. J'embrassai le père et la fille pour la dernière

fois ! Tonine devait mourir à la suite de sa première
maternité, son père à peu près dans le même temps.

Nous fîmes un grand détour, voyageant pour
voyager. Nous revîmes à Lyon notre amie l'éminente
artiste madame Montgolfier, Théodore de Seynes, etc.,
et descendîmes le Rhône jusqu'à Avignon, d'où nous
courûmes à Vaucluse, une des plus belles choses du
monde, et qui mérite bien l'amour de Pétrarque et
l'immortalité de ses vers. De là, traversant le Midi,
saluant le pont du Gard, nous arrêtant quelques jours à
Nîmes pour embrasser notre cher précepteur et ami
Boucoiran et pour faire connaissance avec madame
d'Oribeau, une femme charmante et que je devais
conserver pour amie, nous gagnâmes Perpignan, où
dès le lendemain nous vîmes arriver Chopin. Il avait
très bien supporté le voyage. Il ne souffrit pas trop de
la navigation jusqu'à Barcelone, ni de Barcelone
jusqu'à Palma. Le temps était calme, la mer excellente ; nous sentions la chaleur augmenter d'heure en
heure. Maurice supportait la mer presque aussi bien
que moi, Solange moins bien ; mais, à la vue des côtes
escarpées de l'île, dentelées au soleil du matin par les
aloès et les palmiers, elle se mit à courir sur le pont,
joyeuse et fraîche comme le matin même.

J'ai peu à dire ici sur Majorque, ayant écrit un gros
volume sur ce voyage. J'y ai raconté mes angoisses relativement au malade que j'accompagnais [62]. Dès que
l'hiver se fit, et il se déclara tout à coup par des pluies
torrentielles, Chopin présenta, subitement aussi, tous les
caractères de l'affection pulmonaire. Je ne sais ce que je
serais devenue si les rhumatismes se fussent emparés de
Maurice ; nous n'avions aucun médecin qui nous ins-
pirât confiance, et les plus simples remèdes étaient
presque impossibles à se procurer. Le sucre même était
souvent de mauvaise qualité et rendait malade.

Grâce au ciel, Maurice, affrontant du matin au soir
la pluie et le vent, avec sa sœur, recouvra une santé
parfaite. Ni Solange ni moi ne redoutions les chemins
inondés et les averses. Nous avions trouvé dans une
chartreuse abandonnée et ruinée en partie un loge-

ment sain et des plus pittoresques. Je donnais des
leçons aux enfants dans la matinée. Ils couraient tout le
reste du jour, pendant que je travaillais ; le soir, nous
courions ensemble dans les cloîtres au clair de la lune,
ou nous lisions dans les cellules. Notre existence eût
été fort agréable dans cette solitude romantique, en
dépit de la sauvagerie du pays et de la chiperie des
habitants [63], si ce triste spectacle des souffrances de
notre compagnon et certains jours d'inquiétude
sérieuse pour sa vie ne m'eussent ôté forcément tout le
plaisir et tout le bénéfice du voyage.

Le pauvre grand artiste était un malade détestable.
Ce que j'avais redouté, pas assez, malheureusement,
arriva. Il se démoralisa d'une manière complète. Sup-
portant la souffrance avec assez de courage, il ne pouvait vaincre l'inquiétude de son imagination. Le cloître
était pour lui plein de terreurs et de fantômes, même
quand il se portait bien. Il ne le disait pas, et il me fallut
le deviner. Au retour de mes explorations nocturnes
dans les ruines avec mes enfants, je le trouvais, à dix
heures du soir, pâle devant son piano, les yeux hagards
et les cheveux comme dressés sur la tête. Il lui fallait
quelques instants pour nous reconnaître.

Il faisait ensuite un effort pour rire, et il nous jouait
des choses sublimes qu'il venait de composer, ou, pour
mieux dire, des idées terribles ou déchirantes qui
venaient de s'emparer de lui, comme à son insu, dans
cette heure de solitude, de tristesse et d'effroi.

C'est là qu'il a composé les plus belles de ces courtes
pages qu'il intitulait modestement des préludes. Ce
sont des chefs-d'œuvre. Plusieurs présentent à la
pensée des visions de moines trépassés et l'audition des
chants funèbres qui l'assiégeaient ; d'autres sont
mélancoliques et suaves ; ils lui venaient aux heures de
soleil et de santé, au bruit du rire des enfants sous la
fenêtre, au son lointain des guitares, au chant des
oiseaux sous la feuillée humide, à la vue des petites
roses pâles épanouies sur la neige.

D'autres encore sont d'une tristesse morne et, en
vous charmant l'oreille, vous navrent le cœur. Il y en a

un qui lui vint par une soirée de pluie lugubre et qui jette dans l'âme un abattement effroyable. Nous l'avions laissé bien portant ce jour-là, Maurice et moi, pour aller à Palma acheter des objets nécessaires à notre campement. La pluie était venue, les torrents avaient débordé ; nous avions fait trois lieues en six heures pour revenir au milieu de l'inondation, et nous arrivions en pleine nuit, sans chaussures, abandonnés de notre voiturin, à travers des dangers inouïs * [64]. Nous nous hâtions en vue de l'inquiétude de notre malade. Elle avait été vive, en effet, mais elle s'était comme figée en une sorte de désespérance tranquille, et il jouait son admirable prélude en pleurant. En nous voyant entrer, il se leva en jetant un grand cri, puis il nous dit d'un air égaré et d'un ton étrange : « Ah ! je le savais bien, que vous étiez morts ! »

Quand il eut repris ses esprits et qu'il vit l'état où nous étions, il fut malade du spectacle rétrospectif de nos dangers ; mais il m'avoua ensuite qu'en nous attendant il avait vu tout cela dans un rêve, et que, ne distinguant plus ce rêve de la réalité, il s'était calmé et comme assoupi en jouant du piano, persuadé qu'il était mort lui-même. Il se voyait noyé dans un lac ; des gouttes d'eau pesantes et glacées lui tombaient en mesure sur la poitrine, et quand je lui fis écouter le bruit de ces gouttes d'eau, qui tombaient en effet en mesure sur le toit, il nia les avoir entendues. Il se fâcha même de ce que je traduisais par le mot d'harmonie imitative. Il protestait de toutes ses forces, et il avait raison, contre la puérilité de ces imitations pour l'oreille. Son génie était plein de mystérieuses harmonies de la nature, traduites par des équivalents sublimes dans sa pensée musicale et non par une répétition servile des sons extérieurs ** [65]. Sa composition de ce soir-là était bien pleine des gouttes de pluie qui

---

* Voyez *Un hiver dans le midi de l'Europe* (NdA).

** J'ai donné, dans *Consuelo*, une définition de cette distinction musicale qui l'a pleinement satisfait, et qui, par conséquent, doit être claire (NdA).

résonnaient sur les tuiles sonores de la Chartreuse, mais elles s'étaient traduites dans son imagination et dans son chant par des larmes tombant du ciel sur son cœur[66].

Le génie de Chopin est le plus profond et le plus plein de sentiments et d'émotions qui ait existé. Il a fait parler à un seul instrument la langue de l'infini ; il a pu souvent résumer, en dix lignes qu'un enfant pourrait jouer, des poèmes d'une élévation immense, des drames d'une énergie sans égale. Il n'a jamais eu besoin des grands moyens matériels pour donner le mot de son génie. Il ne lui a fallu ni saxophones ni ophicléides pour remplir l'âme de terreur ; ni orgues d'église ni voix humaines pour la remplir de foi et d'enthousiasme. Il n'a pas été connu et il ne l'est pas encore de la foule. Il faut de grands progrès dans le goût et l'intelligence de l'art pour que ses œuvres deviennent populaires. Un jour viendra où l'on orchestrera sa musique sans rien changer à sa partition de piano, et où tout le monde saura que ce génie aussi vaste, aussi complet, aussi savant que celui des plus grands maîtres qu'il s'était assimilés, a gardé une individualité encore plus exquise que celle de Sébastien Bach, encore plus puissante que celle de Beethoven, encore plus dramatique que celle de Weber. Il est tous les trois ensemble, et il est encore lui-même, c'est-à-dire plus délié dans le goût, plus austère dans le grand, plus déchirant dans la douleur. Mozart seul lui est supérieur, parce que Mozart a en plus le calme de la santé, par conséquent la plénitude de la vie.

Chopin sentait sa puissance et sa faiblesse. Sa faiblesse était dans l'excès même de cette puissance qu'il ne pouvait régler. Il ne pouvait pas faire, comme Mozart (au reste seul Mozart a pu le faire), un chef-d'œuvre avec une teinte plate. Sa musique était pleine de nuances et d'imprévu. Quelquefois, rarement, elle était bizarre, mystérieuse et tourmentée. Quoiqu'il eût horreur de ce que l'on ne comprend pas, ses émotions excessives l'emportaient à son insu dans des régions connues de lui seul. J'étais peut-être pour lui un mau-

vais arbitre (car il me consultait comme Molière sa servante), parce que, à force de le connaître, j'en étais
venue à pouvoir m'identifier à toutes les fibres de son
organisation.

Pendant huit ans, en m'initiant chaque jour au secret
de son inspiration et de sa méditation musicale, son
piano me révélait les entraînements, les embarras, les
victoires ou les tortures de sa pensée. Je le comprenais
donc comme il se comprenait lui-même, et un juge
plus étranger à lui-même l'eût forcé à être plus intelligible pour tous.

Il avait eu quelquefois des idées riantes et toutes
rondes dans sa jeunesse. Il a fait des chansons polo-
naises et des romances inédites d'une charmante bon-
hommie et d'une adorable douceur. Quelques-unes de
ses compositions ultérieures sont encore comme des
sources de cristal où se mire un clair soleil. Mais
qu'elles sont rares et courtes, ces tranquilles extases de
sa contemplation ! Le chant de l'alouette dans le ciel et
le moelleux flottement du cygne sur les eaux immobiles sont pour lui comme des éclairs de la beauté dans
la sérénité. Le cri de l'aigle plaintif et affamé sur les
rochers de Majorque, le sifflement amer de la bise et la
morne désolation des ifs couverts de neige l'attristaient
bien plus longtemps et bien plus vivement que ne le
réjouissaient le parfum des orangers, la grâce des
pampres et la cantilène mauresque des laboureurs.

Il en était ainsi de son caractère en toutes choses.
Sensible un instant aux douceurs de l'affection et aux
sourires de la destinée, il était froissé des jours, des
semaines entières par la maladresse d'un indifférent ou
par les menues contrariétés de la vie réelle. Et, chose
étrange, une véritable douleur ne le brisait pas autant
qu'une petite. Il semblait qu'il n'eût pas la force de la
comprendre d'abord et de la ressentir ensuite. La profondeur de ses émotions n'était donc nullement en
rapport avec leurs causes. Quant à sa déplorable santé,
il l'acceptait héroïquement dans les dangers réels, et il
s'en tourmentait misérablement dans les altérations
insignifiantes. Ceci est l'histoire et le destin de tous les

êtres en qui le système nerveux est développé avec excès.

Avec le sentiment exagéré des détails, l'horreur de la misère et les besoins d'un bien-être raffiné, il prit naturellement Majorque en horreur au bout de peu de jours de maladie. Il n'y avait pas moyen de se remettre en route, il était trop faible. Quand il fut mieux, les vents contraires régnèrent sur la côte, et pendant trois semaines le bateau à vapeur ne put sortir du port. C'était l'unique embarcation possible, et encore ne l'était-elle guère.

Notre séjour à la Chartreuse de Valldemosa fut donc un supplice pour lui et un tourment pour moi. Doux, enjoué, charmant dans le monde, Chopin malade était désespérant dans l'intimité exclusive. Nulle âme n'était plus noble, plus délicate, plus désintéressée ; nul commerce plus fidèle et plus loyal, nul esprit plus brillant dans la gaieté, nulle intelligence plus sérieuse et plus complète dans ce qui était de son domaine ; mais en revanche, hélas ! nulle humeur n'était plus inégale, nulle imagination plus ombrageuse et plus délirante, nulle susceptibilité plus impossible à ne pas irriter, nulle exigence de cœur plus impossible à satisfaire. Et rien de tout cela n'était sa faute, à lui. C'était celle de son mal. Son esprit était écorché vif ; le pli d'une feuille de rose, l'ombre d'une mouche le faisaient saigner. Excepté moi et mes enfants, tout lui était antipathique et révoltant sous le ciel de l'Espagne. Il mourait de l'impatience du départ, bien plus que des inconvénients du séjour.

Nous pûmes enfin nous rendre à Barcelone et de là, par mer encore, à Marseille, à la fin de l'hiver. Je quittai la Chartreuse avec un mélange de joie et de douleur. J'y aurais bien passé deux ou trois ans seule avec mes enfants. Nous avions une malle de bons livres élémentaires que j'avais le temps de leur expliquer. Le ciel devenait magnifique et l'île un lieu enchanté. Notre installation romantique nous charmait ; Maurice se fortifiait à vue d'œil, et nous ne faisions que rire des privations pour notre compte. J'aurais eu de bonnes heures de travail sans distraction ; je lisais de beaux

ouvrages de philosophie et d'histoire quand je n'étais
pas garde-malade, et le malade lui-même eût été ado-
rablement bon s'il eût pu guérir. De quelle poésie sa
musique remplissait ce sanctuaire, même au milieu de
ses plus douloureuses agitations ! Et la Chartreuse était
si belle sous ses festons de lierre, la floraison si splendide dans la vallée, l'air si pur sur notre montagne, la
mer si bleue à l'horizon ! C'est le plus bel endroit que
j'aie jamais habité, et un des plus beaux que j'aie jamais
vus. Et j'en avais à peine joui ! N'osant quitter le
malade, je ne pouvais sortir avec mes enfants qu'un
instant chaque jour, et souvent pas du tout. J'étais très
malade moi-même de fatigue et de séquestration.

À Marseille il fallut nous arrêter. Je soumis Chopin à
l'examen du célèbre docteur Cauvière, qui le trouva gravement compromis d'abord, et qui pourtant reprit bon
espoir en le voyant se rétablir rapidement. Il augura qu'il
pouvait vivre longtemps avec de grands soins, et il lui
prodigua les siens. Ce digne et aimable homme, un des
premiers médecins de France, le plus charmant, le plus
sûr, le plus dévoué des amis, est, à Marseille, la providence des heureux et des malheureux. Homme de
conviction et de progrès, il a conservé dans un âge très
avancé la beauté de l'âme et celle du visage. Sa physionomie douce et vive en même temps, toujours éclairée
d'un tendre sourire et d'un brillant regard, commande le
respect et l'amitié à dose égale. C'est encore une des
plus belles organisations qui existent, exempte d'infirmités, pleine de feu, jeune de cœur et d'esprit, bonne
autant que brillante, et toujours en possession des
hautes facultés d'une intelligence d'élite.

Il fut pour nous comme un père. Sans cesse occupé
à nous rendre l'existence charmante, il soignait le
malade, il promenait et gâtait les enfants, il remplissait
mes heures, sinon de repos, du moins d'espoir, de
confiance et de bien-être intellectuel. Je l'ai retrouvé
cette année à Marseille *, c'est-à-dire quinze ans après,
plus jeune et plus aimable encore, s'il est possible, que

* 1855 (NdA).

je ne l'avais laissé ; venant de traverser et de vaincre le choléra[67] comme un jeune homme, aimant comme au premier jour les élus de son cœur, croyant à la France, à l'avenir, à la vérité, comme n'y croient plus les enfants de ce siècle : admirable vieillesse, digne d'une admirable vie !

En voyant Chopin renaître avec le printemps et s'accommoder d'une médication fort douce, il approuva notre projet d'aller passer quelques jours à Gênes. Ce fut un plaisir pour moi de revoir avec Maurice tous les beaux édifices et tous les beaux tableaux que possède cette charmante ville.

Au retour, nous eûmes en mer un rude coup de vent. Chopin en fut assez malade, et nous prîmes quelques jours de repos à Marseille chez l'excellent docteur.

Marseille est une ville magnifique qui froisse et déplaît au premier abord par la rudesse de son climat et de ses habitants. On s'y fait pourtant, car le fond de ce climat est sain et le fond de ces habitants est bon. On comprend qu'on puisse s'habituer à la brutalité du mistral, aux colères de la mer, et aux ardeurs d'un implacable soleil, quand on trouve là, dans une cité opulente, toutes les ressources de la civilisation à tous les degrés où l'on peut se les procurer, et quand on parcourt, sur un rayon de quelque étendue, cette Provence aussi étrange et aussi belle en bien des endroits que beaucoup d'endroits un peu trop vantés de l'Italie.

J'amenai à Nohant, sans encombre, Maurice guéri, et Chopin en train de l'être. Au bout de quelques jours, ce fut le tour de Maurice d'être le plus malade des deux. Le cœur reprenait trop de plénitude. Mon ami Papet, qui est excellent médecin et qui, en raison de sa fortune, exerce la médecine gratis pour ses amis et pour les pauvres, prit sur lui de changer radicalement son régime. Depuis deux ans on le tenait aux viandes blanches et à l'eau rougie. Il jugea qu'une rapide croissance exigeait des toniques, et après l'avoir saigné, il le fortifia par un régime tout opposé.

Bien m'en prit d'avoir confiance en lui, car depuis ce moment Maurice fut radicalement guéri et devint d'une forte et solide santé.

Quant à Chopin, Papet ne lui trouva plus aucun symptôme d'affection pulmonaire, mais seulement une petite affection chronique du larynx qu'il n'espéra pas guérir et dont il ne vit pas lieu à s'alarmer sérieusement *.

[...]

[*Le chapitre se termine comme il avait commencé : par des réflexions sur le combat socialiste, en particulier quand il prend forme révolutionnaire. Le prétexte à ces réflexions est l'échec de la tentative d'insurrection « qui avait eu lieu en France le 12 mai 1839, pendant que j'étais à Gênes ». Sand fait le portrait élogieux d'un de ses meneurs, « un des hommes que je place aux premiers rangs parmi mes contemporains, bien que je ne l'aie connu que beaucoup plus tard : Armand Barbès ».*]

---

* C'est à cette époque que je perdis mon angélique ami Gaubert. J'avais déjà perdu, en 1837, mon noble et tendre *papa*, M. Duris-Dufresne, d'une manière tragique et douloureuse. Il avait dîné la veille avec mon mari. « Il fut rencontré le 29 octobre, à onze heures du matin, par une personne de Châteauroux. Il était joyeux, il allait devenir grand-père, il venait d'acheter les dragées. Depuis lors on a perdu sa trace. Son corps a été retrouvé dans la Seine. A-t-il été assassiné ? Rien ne le prouve : on ne l'avait pas volé ; ses boucles d'oreilles en or étaient intactes » (*Lettre du Malgache*, 1837).

Cette déplorable fin est restée mystérieuse. Mon frère, qui l'avait vu deux jours auparavant, lui avait entendu dire, en parlant de la marche des événements politiques : « Tout est fini, tout est perdu ! » Il paraissait très affecté. Mais, mobile, énergique et enthousiaste, il avait repris sa gaieté au bout d'un instant (NdA).

XIII

J'essaye le professorat et j'y échoue. – Irrésolution. – Retour de mon frère. – Les pavillons de la rue Pigalle. – Ma fille en pension. – Le square d'Orléans et mes relations. – Une grande méditation dans le petit bois de Nohant. – Caractère de Chopin développé. – Le prince Karol. – Causes de souffrance. – Mon fils me console de tout. – Mon cœur pardonne tout. – Mort de mon frère. – Quelques mots sur les absents. – Le ciel. – Les douleurs qu'on ne raconte pas. – L'avenir du siècle. – Conclusion.

Après le voyage de Majorque, je songeai à arranger ma vie de manière à résoudre le difficile problème de faire travailler Maurice sans le priver d'air et de mouvement. À Nohant, cela était possible, et nos lectures pouvaient suffire à remplacer par des notions d'histoire, de philosophie et de littérature le grec et le latin du collège.

Mais Maurice aimait la peinture, et je ne pouvais la lui enseigner. D'ailleurs, je ne me fiais pas assez à moi-même quant au reste pour mener un peu loin les études que nous faisions ensemble, moi apprenant et préparant la veille ce que je lui démontrais le lendemain ; car je ne savais rien avec méthode, et j'étais obligée d'inventer une méthode à son usage en même temps que je m'initiais aux connaissances que cette méthode devait développer. Il me fallait, en même temps encore, trouver une autre méthode pour Solange, dont l'esprit avait besoin d'un tout autre procédé d'enseignement, relativement aux études appropriées à son âge.

Cela était au-dessus de mes forces à moins de renoncer à écrire. J'y songeai sérieusement. En me renfermant à la campagne toute l'année, j'espérais vivre de Nohant, et vivre fort satisfaite en consacrant ce que je pouvais avoir de lumière dans l'âme à instruire mes

enfants ; mais je m'aperçus bien vite que le professorat
ne me convenait pas du tout, ou, pour mieux dire, que
je ne convenais pas du tout à la tâche toute spéciale du
professorat. Dieu ne m'a pas donné la parole ; je ne
m'exprimais pas d'une manière assez précise et assez
nette, outre que la voix me manquait au bout d'un
quart d'heure. D'ailleurs, je n'avais pas assez de
patience avec mes enfants, j'aurais mieux enseigné
ceux des autres. Il ne faut peut-être pas s'intéresser
passionnément à ses élèves. Je m'épuisais en efforts de
volonté, et je trouvais souvent dans la leur une résistance qui me désespérait. Une jeune mère n'a pas assez
d'expérience des langueurs et des préoccupations de
l'enfance. Je me rappelais les miennes cependant ;
mais, me rappelant aussi que si on ne les avait pas vaincues malgré moi, je serais restée inerte ou devenue
folle, je me tuais à lasser la résistance, ne sachant pas la
briser.

Plus tard j'ai appris à lire à ma petite-fille, et j'ai eu
de la patience, quoique je l'aimasse passionnément
aussi ; mais j'avais beaucoup d'années de plus !

Dans l'irrésolution où je fus quelque temps relativement à l'arrangement de ma vie, en vue du mieux possible pour ces chers enfants, une question sérieuse fut
débattue dans ma conscience. Je me demandai si je
devais accepter l'idée que Chopin s'était faite de fixer
son existence auprès de la mienne. Je n'eusse pas hésité
à dire non si j'eusse pu savoir alors combien peu de
temps la vie retirée et la solennité de la campagne con-
venaient à sa santé morale et physique. J'attribuais
encore son désespoir et son horreur de Majorque à
l'exaltation de la fièvre et à l'*excès de caractère* de cette
résidence. Nohant offrait des conditions plus douces,
une retraite moins austère, un entourage sympathique
et des ressources en cas de maladie. Papet était pour lui
un médecin éclairé et affectueux. Fleury, Duteil,
Duvernet et leurs familles, Planet, Rollinat surtout, lui
furent chers à première vue. Tous l'aimèrent aussi et se
sentirent disposés à le gâter avec moi.

Mon frère était revenu habiter le Berry. Il était fixé dans la terre de Montgivray, dont sa femme avait hérité, à une demi-lieue de nous. Mon pauvre Hippolyte s'était si étrangement et si follement conduit envers moi que le bouder un peu n'eût pas été trop sévère ; mais je ne pouvais bouder sa femme qui avait toujours été parfaite pour moi, et sa fille, que je chérissais comme si elle eût été mienne, l'ayant élevée en partie avec les mêmes soins que j'avais eus pour Maurice. D'ailleurs mon frère, quand il reconnaissait ses torts, s'accusait si entièrement, si drôlement, si énergiquement, disant mille naïvetés spirituelles tout en jurant et pleurant avec effusion, que mon ressentiment était tombé au bout d'une heure. D'un autre que lui, le passé eût été inexcusable, et avec lui l'avenir ne devait pas tarder à redevenir intolérable ; mais qu'y faire ? C'était lui ! C'était le compagnon de mes premières années ; c'était le bâtard né heureux, c'est-à-dire l'enfant gâté de chez nous. Hippolyte eût eu bien mauvaise grâce à se poser en *Antony* [68]. Antony est vrai relativement aux préjugés de certaines familles ; d'ailleurs ce qui est beau est toujours assez vrai ; mais on pourrait bien faire la contrepartie d'*Antony*, et l'auteur de ce poème tragique pourrait la faire lui-même aussi vraie et aussi belle. Dans certains milieux, l'enfant de l'amour inspire un tel intérêt qu'il arrive à être, sinon le roi de la famille, du moins le membre le plus entreprenant et le plus indépendant de la famille, celui qui ose tout et à qui l'on passe tout, parce que les entrailles ont besoin de le dédommager de l'abandon de la société. Par le fait, n'étant rien officiellement, et ne pouvant prétendre à rien légalement dans mon intérieur, Hippolyte y avait toujours fait dominer son caractère turbulent, son bon cœur et sa mauvaise tête. Il m'en avait chassée, par la seule raison que je ne voulais pas l'en chasser ; il avait aigri et prolongé la lutte qui m'y ramenait, et il y rentrait lui-même, pardonné et embrassé pour quelques larmes qu'il versait au seuil de la maison paternelle. Ce n'était que la reprise d'une nouvelle

série de repentirs de sa part et d'absolutions de la
mienne.

Son entrain, sa gaieté intarissable, l'originalité de ses
saillies, ses effusions enthousiastes et naïves pour le
génie de Chopin, sa déférence constamment respec-
tueuse envers lui seul, même dans l'inévitable et terrible *après-boire*, trouvèrent grâce auprès de l'artiste
éminemment aristocratique. Tout alla donc fort bien
au commencement, et j'admis éventuellement l'idée
que Chopin pourrait se reposer et refaire sa santé
parmi nous pendant quelques étés, son travail devant
nécessairement le rappeler l'hiver à Paris.

Cependant la perspective de cette sorte d'alliance de
famille avec un ami nouveau dans ma vie me donna à
réfléchir. Je fus effrayée de la tâche que j'allais accepter
et que j'avais crue devoir se borner au voyage en
Espagne. Si Maurice venait à retomber dans l'état de
langueur qui m'avait absorbée, adieu à la fatigue des
leçons, il est vrai, mais adieu aussi aux joies de mon
travail ; et quelles heures de ma vie sereines et vivi-
fiantes pourrais-je consacrer à un second malade,
beaucoup plus difficile à soigner et à consoler que
Maurice ?

Une sorte d'effroi s'empara donc de mon cœur en
présence d'un devoir nouveau à contracter. Je n'étais
pas illusionnée par une passion. J'avais pour l'artiste
une sorte d'adoration maternelle très vive, très vraie,
mais qui ne pouvait pas un instant lutter contre
l'amour des entrailles, le seul sentiment chaste qui
puisse être passionné.

J'étais encore assez jeune pour avoir peut-être à
lutter contre l'amour, contre la passion proprement
dite. Cette éventualité de mon âge, de ma situation et
de la destinée des femmes artistes, surtout quand elles
ont horreur des distractions passagères, m'effrayait
beaucoup, et, résolue à ne jamais subir d'influence qui
pût me distraire de mes enfants, je voyais un danger
moindre, mais encore possible, même dans la tendre
amitié que m'inspirait Chopin.

Eh bien, après réflexion, ce danger disparut à mes yeux et prit même un caractère opposé, celui d'un préservatif contre des émotions que je ne voulais plus connaître. Un devoir de plus dans ma vie, déjà si remplie et si accablée de fatigue, me parut une chance de plus pour l'austérité vers laquelle je me sentais attirée avec une sorte d'enthousiasme religieux.

Si j'eusse donné suite à mon projet de m'enfermer à Nohant toute l'année, de renoncer aux arts et de me faire l'institutrice de mes enfants, Chopin eût été sauvé du danger qui le menaçait, lui, à mon insu : celui de s'attacher à moi d'une manière trop absolue. Il ne m'aimait pas encore au point de ne pouvoir s'en distraire, son affection n'était pas encore exclusive. Il m'entretenait d'un amour romanesque qu'il avait eu en Pologne, de doux entraînements qu'il avait subis ensuite à Paris et qu'il y pouvait retrouver, et surtout de sa mère, qui était la seule passion de sa vie, et loin de laquelle pourtant il s'était habitué à vivre. Forcé de me quitter pour sa profession, qui était son honneur même, puisqu'il ne vivait que de son travail, six mois de Paris l'eussent rendu, après quelques jours de malaise et de larmes, à ses habitudes d'élégance, de succès exquis et de coquetterie intellectuelle. Je n'en pouvais pas douter, je n'en doutais pas.

Mais la destinée nous poussait dans les liens d'une longue association, et nous y arrivâmes tous deux sans nous en apercevoir.

Forcée d'échouer dans mon entreprise de professorat, je pris le parti de le remettre en meilleures mains et de faire, dans ce but, un établissement annuel à Paris. Je louai, rue Pigalle, un appartement composé de deux pavillons au fond d'un jardin. Chopin s'installa rue Tronchet ; mais son logement fut humide et froid. Il recommença à tousser sérieusement, et je me vis forcée de donner ma démission de garde-malade, ou de passer ma vie en allées et venues impossibles. Lui, pour me les épargner, venait chaque jour me dire avec une figure décomposée et une voix éteinte qu'il se portait à merveille. Il demandait à dîner avec nous, et il s'en allait le soir, grelottant dans son fiacre. Voyant combien il s'affectait du dérangement de notre vie de famille, je lui offris de lui louer un des pavillons dont je pouvais lui céder une partie. Il accepta avec joie. Il eut là son appartement, y reçut ses amis et y donna ses leçons sans me gêner. Maurice avait l'appartement au-dessus du sien ; j'occupais l'autre pavillon avec ma fille. Le jardin était joli et assez vaste pour permettre de grands jeux et de belles gaietés. Nous avions des professeurs des deux sexes qui faisaient de leur mieux. Je voyais le moins de monde possible, m'en tenant toujours à mes amis. Ma jeune et charmante parente Augustine, Oscar, le fils de ma sœur, dont je m'étais chargée et que j'avais mis en pension, les deux beaux enfants de madame d'Oribeau, qui était venue se fixer à Paris dans le même but que moi, c'était là un jeune monde bien-aimé qui se réunissait de temps en temps à mes enfants, mettant, à ma grande satisfaction, la maison sens dessus dessous.

Nous passâmes ainsi près d'un an, à tâter ce mode d'éducation à domicile. Maurice s'en trouva assez bien. Il ne mordit jamais plus que mon père ne l'avait fait aux études classiques ; mais il prit avec M. Eugène Pelletan, M. Loyson et M. Zirardini le goût de lire et de comprendre, et il fut bientôt en état de s'instruire lui-même et de découvrir tout seul les horizons vers lesquels sa nature d'esprit le poussait. Il put aussi commencer à recevoir des notions de dessin, qu'il n'avait reçues jusque-là que de son instinct.

Il en fut autrement de ma fille. Malgré l'excellent enseignement qui lui fut donné chez moi par mademoiselle Suez, une Genevoise de grand savoir et d'une admirable douceur, son esprit impatient ne pouvait se fixer à rien, et cela était désespérant, car l'intelligence, la mémoire et la compréhension étaient magnifiques chez elle. Il fallut en revenir à l'éducation en commun, qui la stimulait davantage, et à la vie de pension, qui, restreignant les sujets de distraction, les rend plus faciles à vaincre. Elle ne se plut pourtant pas dans la première pension où je la mis. Je l'en retirai aussitôt pour la conduire à Chaillot, chez madame Bascans, où elle convint qu'elle était réellement mieux que chez moi. Installée dans une maison charmante et dans un lieu magnifique, objet des plus doux soins et favorisée des leçons particulières de M. Bascans, un homme de vrai mérite, elle daigna enfin s'apercevoir que la culture de l'intelligence pouvait bien être autre chose qu'une vexation gratuite. Car tel était le thème de cette raisonneuse ; elle avait prétendu jusque-là qu'on avait *inventé* les connaissances humaines dans l'unique but de contrarier les petites filles.

Ce parti de me séparer d'elle de nouveau étant pris (avec plus d'effort et de regret que je ne voulus lui en montrer), je vécus alternativement à Nohant l'été, et à Paris l'hiver, sans me séparer de Maurice, qui savait s'occuper partout et toujours. Chopin venait passer trois ou quatre mois chaque année à Nohant. J'y prolongeais mon séjour assez avant dans l'hiver, et je retrouvais à Paris mon *malade ordinaire*, c'est ainsi qu'il s'intitulait, désirant mon retour, mais ne regrettant pas la campagne, qu'il n'aimait pas au-delà d'une quinzaine, et qu'il ne supportait davantage que par attachement pour moi. Nous avions quitté les pavillons de la rue Pigalle, qui lui déplaisaient, pour nous établir au square d'Orléans, où la bonne et active Marliani nous avait arrangé une vie de famille. Elle occupait un bel appartement entre les deux nôtres. Nous n'avions qu'une grande cour, plantée et sablée, toujours propre, à traverser pour nous réunir, tantôt chez elle, tantôt chez moi, tantôt chez Chopin, quand il était disposé à nous faire de la musique. Nous dînions chez elle tous ensemble à frais communs. C'était une très bonne association, économique comme toutes les associations, et qui me permettait de voir du monde chez madame Marliani, mes amis plus intimement chez moi, et de prendre mon travail à l'heure où il me convenait de me retirer. Chopin se réjouissait aussi d'avoir un beau salon isolé, où il pouvait aller composer ou rêver. Mais il aimait le monde et ne profitait guère de son sanctuaire que pour y donner des leçons. Ce n'est qu'à Nohant qu'il créait et écrivait. Maurice avait son appartement et son atelier au-dessus de moi. Solange avait près de moi une jolie chambrette où elle aimait à faire la *dame* vis-à-vis d'Augustine les jours de sortie, et d'où elle chassait son frère et Oscar impérieusement, prétendant que les gamins avaient mauvais ton et sentaient le cigare ; ce qui ne l'empêchait pas de grimper à l'atelier un moment après pour les faire enrager, si bien qu'ils passaient leur temps à se renvoyer outrageusement de leurs domiciles respectifs et à revenir frapper à la porte pour recommencer. Un autre enfant, d'abord timide et raillé, bientôt taquin et railleur, venait ajouter aux allées et venues, aux algarades et aux éclats de rire qui désespéraient le voisinage. C'était Eugène Lambert, camarade de Maurice à l'atelier de peinture de Delacroix, un garçon plein d'esprit, de cœur et de dispositions, qui devint mon enfant presque autant que les miens propres, et qui, appelé à Nohant pour un mois, y a passé jusqu'à présent une douzaine d'étés, sans compter plusieurs hivers.

Plus tard, je pris Augustine tout à fait avec nous, la vie de famille et d'intérieur me devenant chaque jour plus chère et plus nécessaire ★ [69].

S'il me fallait parler ici avec détail des illustres et chers amis qui m'entourèrent pendant ces huit années, je recommencerais un volume. Mais ne suffit-il pas de nommer, outre ceux dont j'ai parlé déjà, Louis Blanc,

★ Cette enfant, belle et douce, fut toujours un ange de consolation pour moi. Mais, en dépit de ses vertus et de sa tendresse, elle fut pour moi la cause de bien grands chagrins. Ses tuteurs me la disputaient, et j'avais de fortes raisons pour accepter le devoir de la protéger exclusivement. Devenue majeure, elle ne voulait pas s'éloigner de moi. Ce fut la cause d'une lutte ignoble et d'un chantage infâme de la part de gens que je ne nommerai pas. On me menaça de libelles atroces si je ne donnais pas quarante mille francs. Je laissai paraître les libelles, immonde ramassis de mensonges ridicules que la police se chargea d'interdire. Ce ne fut pas là le point douloureux du martyre que je subissais pour cette noble et pure enfant : la calomnie s'acharna après elle par contrecoup, et, pour la protéger envers et contre tous, je dus plus d'une fois briser mon propre cœur et mes plus chères affections (NdA).

Godefroy Cavaignac, Henri Martin[70], et le plus beau génie de femme de notre époque, uni à un noble cœur, Pauline Garcia, fille d'un artiste de génie, sœur de la Malibran, et mariée à mon ami Louis Viardot[71], savant modeste, homme de goût et surtout homme de bien.

Parmi ceux que j'ai vus avec autant d'estime et moins d'intimité, je citerai Mickiewicz, Lablache, Alkan aîné, Soliva, E. Quinet, le général Pepe, etc.[72] ! et, sans faire de catégories de talent ou de célébrité, j'aime à me rappeler l'amitié fidèle de Bocage, le grand artiste, et la touchante amitié d'Agricol Perdiguier, le noble artisan ; celle de Ferdinand François, âme stoïque et pure, et celle de Gilland, écrivain prolétaire d'un grand talent et d'une grande foi ; celle d'Étienne Arago, si vraie et si charmante, et celle d'Anselme Petétin, si mélancolique et si sincère ; celle de M. de Bonnechose, le meilleur des hommes et le plus aimable, l'inappréciable ami de madame Marliani ; et celle de M. de Rancogne, charmant poète inédit, sensible et gai vieillard qui avait toujours des roses dans l'esprit et jamais d'épines dans le cœur ; celle de Mendizabal, le père enjoué et affectueux de toute notre chère jeunesse, et celle de Dessaüer, artiste éminent, caractère pur et digne *, enfin celle d'Hetzel, qui, pour arriver sur le tard de ma vie, ne m'en fut pas moins précieuse, et celle du docteur Varennes, une des plus anciennes et des plus regrettées.

Hélas ! la mort ou l'absence ont dénoué la plupart de ces relations, sans refroidir mes souvenirs et mes sympathies. Parmi celles que j'ai pu ne pas perdre de vue, j'aime à nommer le capitaine d'Arpentigny, un des esprits les plus frais, les plus originaux et les plus étendus qui existent, et madame Hortense Allart[73], écrivain d'un sentiment très élevé et d'une forme très poétique, femme savante toute jolie et toute rose, disait Delatouche ; esprit courageux, indépendant ; femme brillante et sérieuse, vivant à l'ombre avec autant de

---

* Henri Heine m'a prêté contre lui des sentiments inouïs. Le génie a ses rêves de malade (NdA).

recueillement et de sérénité qu'elle saurait porter de
grâce et d'éclat dans le monde ; mère tendre et forte,
entrailles de femme, fermeté d'homme.

Je voyais aussi cette tête exaltée et généreuse, cette
femme qui avait les illusions d'un enfant et le caractère
d'un héros, cette folle, cette martyre, cette sainte, Pauline Roland[74].

J'ai nommé Mickiewicz, génie égal à celui de Byron,
âme conduite aux vertiges de l'extase par l'enthousiasme de la patrie et la sainteté des mœurs. J'ai nommé
Lablache, le plus grand acteur comique et le plus parfait chanteur de notre époque : dans la vie privée, c'est
un adorable esprit et un père de famille respectable.
J'ai nommé Soliva, compositeur lyrique d'un vrai
talent, professeur admirable, caractère noble et digne,
artiste enjoué, enthousiaste, sérieux. Enfin, j'ai nommé
Alkan, pianiste célèbre, plein d'idées fraîches et origi-
nales, musicien savant, homme de cœur. Quant à
Edgar Quinet, tous le connaissent en le lisant : un
grand cœur dans une vaste intelligence ; ses amis
connaissent en plus sa modestie candide et la douceur
de son commerce. Enfin, j'ai nommé le général Pepe,
âme héroïque et pure, un de ces caractères qui rappellent les hommes de Plutarque. Je n'ai nommé ni
Mazzini[75], ni les autres amis que j'ai gardés dans le
monde politique et dans la vie intime, ne les ayant
connus réellement que plus tard.

Déjà, dans ce temps-là, je touchais, par mes relations variées, aux extrêmes de la société, à l'opulence, à
la misère, aux croyances les plus absolutistes, aux principes les plus révolutionnaires[76]. J'aimais à connaître et
à comprendre les divers ressorts qui font mouvoir
l'humanité et qui décident de ses vicissitudes. Je regardais avec attention, je me trompais souvent, je voyais
clair quelquefois.

Après les désespérances de ma jeunesse, trop d'illusions me gouvernèrent. Au scepticisme maladif succéda trop de bienveillance et d'ingénuité. Je fus mille
fois dupe d'un rêve de fusion archangélique dans les
forces opposées du grand combat des idées. Je suis

bien encore quelquefois capable de cette simplicité, résultat d'une plénitude de cœur ; pourtant j'en devrais être bien guérie, car mon cœur a beaucoup saigné.

La vie que je raconte ici était aussi bonne que possible à la surface. Il y avait pour moi du beau soleil sur mes enfants, sur mes amis, sur mon travail ; mais la vie que je ne raconte pas était voilée d'amertumes effroyables [78].

Je me souviens d'un jour où, révoltée d'injustices sans nom qui, dans ma vie intime, m'arrivaient tout à coup de plusieurs côtés à la fois, je m'en allai pleurer dans le petit bois de mon jardin de Nohant, à l'endroit où jadis ma mère faisait pour moi et avec moi ses jolies petites rocailles. J'avais alors environ quarante ans, et quoique sujette à des névralgies terribles, je me sentais physiquement beaucoup plus forte que dans ma jeunesse. Il me prit fantaisie, je ne sais au milieu de quelles idées noires, de soulever une grosse pierre, peut-être une de celles que j'avais vu autrefois porter par ma robuste petite mère. Je la soulevai sans effort, et je la laissai retomber avec désespoir, disant en moi-même : « Ah ! mon Dieu, j'ai peut-être encore quarante ans à vivre ! »

L'horreur de la vie, la soif du repos, que je repoussais depuis longtemps, me revinrent cette fois-là d'une manière bien terrible. Je m'assis sur cette pierre, et j'épuisai mon chagrin dans des flots de larmes. Mais il se fit là en moi une grande révolution : à ces deux heures d'anéantissement succédèrent deux ou trois heures de méditation et de rassérénement dont le souvenir est resté net en moi comme une chose décisive en ma vie.

La résignation n'est pas dans ma nature. C'est là un état de tristesse morne, mêlée à de lointaines espérances, que je ne connais pas. J'ai vu cette disposition chez les autres, je n'ai jamais pu l'éprouver. Apparemment mon organisation s'y refuse. Il me faut désespérer absolument pour avoir du courage. Il faut que je sois arrivée à me dire « Tout est perdu ! » pour que je me décide à tout accepter. J'avoue même que ce mot de résignation m'irrite. Dans l'idée que je m'en fais, à tort ou à raison, c'est une sotte paresse qui veut se soustraire à l'inexorable logique du malheur ; c'est une mollesse de l'âme qui nous pousse à faire notre salut en égoïstes, à tendre un dos endurci aux coups de l'iniquité, à devenir inertes, sans horreur du mal que nous subissons, sans pitié par conséquent pour ceux qui nous l'infligent. Il me semble que les gens complètement résignés sont pleins de dégoût et de mépris pour la race humaine. Ne s'efforçant plus de soulever les rochers qui les écrasent, ils se disent que tout est rocher, et qu'eux seuls sont les enfants de Dieu * [77].

Une autre solution s'ouvrit devant moi. Tout subir sans haine et sans ressentiment, mais tout combattre par la foi ; aucune ambition, aucun rêve de bonheur personnel pour moi-même en ce monde, mais beaucoup d'espoir et d'efforts pour le bonheur des autres.

Ceci me parut une conclusion souveraine de la logique applicable à ma nature. Je pouvais vivre sans bonheur personnel, n'ayant pas de passions personnelles.

Mais j'avais de la tendresse et le besoin impérieux d'exercer cet instinct-là. Il me fallait chérir ou mourir. Chérir en étant peu ou mal chéri soi-même, c'est être malheureux ; mais on peut vivre malheureux. Ce qui empêche de vivre, c'est de ne pas faire usage de sa propre vie, ou d'en faire un usage contraire aux conditions de sa propre vie.

En face de cette résolution, je me demandai si j'aurais la force de la suivre ; je n'avais pas une assez haute idée de moi-même pour m'élever au rêve de la vertu. D'ailleurs, voyez-vous, dans le temps de scepticisme où nous vivons, une grande lumière s'est dégagée ; c'est que la vertu n'est qu'une lumière elle-même, une lumière qui se fait dans l'âme. Moi, j'y ajoute, dans ma croyance, l'aide de Dieu. Mais qu'on accepte ou qu'on rejette le secours divin, la raison nous démontre que la vertu est un résultat brillant de l'apparition de la vérité dans la conscience, une certitude, par conséquent, qui commande au cœur et à la volonté.

---

* C'était aussi le sentiment de M. Lamennais. Silvio Pellico était pour lui le type de la résignation, et cette résignation-là l'indignait.

Écartant donc de mon vocabulaire intérieur ce mot orgueilleux de vertu qui me paraissait trop drapé à l'antique, et me contentant de contempler une certitude en moi-même, je pus me dire, assez sagement, je crois, qu'on ne revient pas sur une certitude acquise, et que, pour persévérer dans un parti pris en vue de cette certitude, il ne s'agit que de regarder en soi chaque fois que l'égoïsme vient s'efforcer d'éteindre le flambeau.

Que je dusse être agitée, troublée et tiraillée par cette imbécile personnalité humaine, cela n'était pas douteux, car l'âme ne veille pas toujours ; elle s'endort et elle rêve ; mais que, connaissant la réalité, c'est-à-dire l'impossibilité d'être heureuse par l'égoïsme, je n'eusse pas le pouvoir de secouer et de réveiller mon âme, c'est ce qui me parut également hors de doute.

Après avoir calculé ainsi mes chances avec une grande ardeur religieuse et un véritable élan de cœur vers Dieu, je me sentis très tranquille, et je gardai cette tranquillité intérieure tout le reste de ma vie ; je la gardai non pas sans ébranlement, sans interruption et sans défaillance, mon équilibre physique succombant parfois sous cette rigueur de ma volonté ; mais je la retrouvai toujours sans incertitude et sans contestation au fond de ma pensée et dans l'habitude de ma vie.

Je la retrouvai surtout par la prière. Je n'appelle pas prière un choix et un arrangement de paroles lancées vers le ciel, mais un entretien de la pensée avec l'idéal de lumière et de perfections infinies.

De toutes les amertumes que j'avais non plus à subir, mais à combattre, les souffrances de mon *malade ordinaire* n'étaient pas la moindre.

Chopin voulait toujours Nohant et ne supportait jamais Nohant. Il était l'homme du monde par excellence, non pas du monde trop officiel et trop nombreux, mais du monde intime, des salons de vingt personnes, de l'heure où la foule s'en va et où les habitués se pressent autour de l'artiste pour lui arracher par d'aimables importunités le plus pur de son inspiration. C'est alors seulement qu'il donnait tout son génie et tout son talent. C'est alors aussi qu'après avoir plongé son auditoire dans un recueillement profond ou dans une tristesse douloureuse, car sa musique vous mettait parfois dans l'âme des découragements atroces, surtout quand il improvisait ; tout à coup, comme pour enlever l'impression et le souvenir de sa douleur aux autres et à lui-même, il se tournait vers une glace, à la dérobée, arrangeait ses cheveux et sa cravate, et se montrait subitement transformé en Anglais flegmatique, en vieillard impertinent, en Anglaise sentimentale et ridicule, en juif sordide. C'étaient toujours des types tristes, quelque comiques qu'ils fussent, mais parfaitement compris et si délicatement traduits qu'on ne pouvait se lasser de les admirer.

Toutes ces choses sublimes, charmantes ou bizarres qu'il savait tirer de lui-même faisaient de lui l'âme des sociétés choisies, et on se l'arrachait bien littéralement, son noble caractère, son désintéressement, sa fierté, son orgueil bien entendu, ennemi de toute vanité de mauvais goût et de toute insolente réclame, la sûreté de son commerce et les exquises délicatesses de son savoir-vivre faisant de lui un ami aussi sérieux qu'agréable.

Arracher Chopin à tant de gâteries, l'associer à une vie simple, uniforme et constamment studieuse, lui qui avait été élevé sur les genoux des princesses, c'était le priver de ce qui le faisait vivre, d'une vie factice il est vrai, car, ainsi qu'une femme fardée, il déposait le soir, en rentrant chez lui, sa verve et sa puissance, pour donner la nuit à la fièvre et à l'insomnie ; mais d'une vie qui eût été plus courte et plus animée que celle de la retraite et de l'intimité restreinte au cercle uniforme d'une seule famille. À Paris, il en traversait plusieurs chaque jour, ou il en choisissait au moins chaque soir une différente pour milieu. Il avait ainsi tour à tour vingt ou trente salons à enivrer ou à charmer de sa présence.

Chopin n'était pas né exclusif dans ses affections ; il ne l'était que par rapport à celles qu'il exigeait ; son âme, impressionnable à toute beauté, à toute grâce, à tout sourire, se livrait avec une facilité et une spontanéité inouïes. Il est vrai qu'elle se reprenait de même, un mot maladroit, un sourire équivoque le désenchantant avec excès. Il aimait passionnément trois femmes dans la même soirée de fête, et s'en allait tout seul, ne songeant à aucune d'elles, les laissant toutes trois convaincues de l'avoir exclusivement charmé.

Il était de même en amitié, s'enthousiasmant à première vue, se dégoûtant, se reprenant sans cesse, vivant d'engouements pleins de charmes pour ceux qui en étaient l'objet, et de mécontentements secrets qui empoisonnaient ses plus chères affections.

Un trait qu'il m'a raconté lui-même prouve combien peu il mesurait ce qu'il accordait de son cœur à ce qu'il exigeait de celui des autres.

Il s'était vivement épris de la petite-fille d'un maître célèbre ; il songea à la demander en mariage, dans le même temps où il poursuivait la pensée d'un autre mariage d'amour en Pologne, sa loyauté n'étant engagée nulle part, mais son âme mobile flottant d'une passion à l'autre. La jeune Parisienne lui faisait bon accueil, et tout allait au mieux, lorsqu'un jour qu'il entrait chez elle avec un autre musicien plus célèbre à Paris qu'il ne l'était encore, elle s'avisa de présenter une chaise à ce dernier avant de songer à faire asseoir Chopin. Il ne la revit jamais et l'oublia tout de suite.

Ce n'est pas que son âme fût impuissante ou froide. Loin de là, elle était ardente et dévouée, mais non pas exclusivement et continuellement envers telle ou telle personne. Elle se livrait alternativement à cinq ou six affections qui se combattaient en lui et dont une primait tour à tour toutes les autres.

Il n'était certainement pas fait pour vivre longtemps en ce monde, ce type extrême de l'artiste. Il y était dévoré par un rêve d'idéal que ne combattait aucune tolérance de philosophie ou de miséricorde à l'usage de ce monde. Il ne voulut jamais transiger avec la nature humaine. Il n'acceptait rien de la réalité. C'était là son vice et sa vertu, sa grandeur et sa misère. Implacable envers la moindre tache, il avait un enthousiasme immense pour la moindre lumière, son imagination exaltée faisant tous les frais possibles pour y voir un soleil.

Il était donc à la fois doux et cruel d'être l'objet de sa préférence, car il vous tenait compte avec usure de la moindre clarté, et vous accablait de son désenchantement au passage de la plus petite ombre.

On a prétendu que, dans un de mes romans, j'avais peint son caractère avec une grande exactitude d'analyse[79]. On s'est trompé, parce que l'on a cru reconnaître quelques-uns de ses traits, et, procédant par ce système, trop commode pour être sûr, Liszt lui-même, dans une *Vie de Chopin*, un peu exubérante de style, mais remplie cependant de très bonnes choses et de très belles pages, s'est fourvoyé de bonne foi.

J'ai tracé, dans le *Prince Karol*, le caractère d'un homme déterminé dans sa nature, exclusif dans ses sentiments, exclusif dans ses exigences.

Tel n'était pas Chopin. La nature ne dessine pas comme l'art, quelque réaliste qu'il se fasse. Elle a des caprices, des inconséquences, non pas réelles probablement, mais très mystérieuses. L'art ne rectifie ces inconséquences que parce qu'il est trop borné pour les rendre.

Chopin était un résumé de ces inconséquences magnifiques que Dieu seul peut se permettre de créer et qui ont leur logique particulière. Il était modeste par principe et doux par habitude, mais il était impérieux par instinct et plein d'un orgueil légitime qui s'ignorait lui-même. De là des souffrances qu'il ne raisonnait pas et qui ne se fixaient pas sur un objet déterminé.

D'ailleurs le prince Karol n'est pas artiste. C'est un rêveur, et rien de plus ; n'ayant pas de génie, il n'a pas les droits du génie. C'est donc un personnage plus vrai qu'aimable, et c'est si peu le portrait d'un grand artiste, que Chopin, en lisant le manuscrit chaque jour sur mon bureau, n'avait pas eu la moindre velléité de s'y tromper, lui si soupçonneux pourtant !

Et cependant plus tard, par réaction, il se l'imagina, m'a-t-on dit. Des ennemis (j'en avais auprès de lui qui se disaient ses amis, comme si aigrir un cœur souffrant n'était pas un meurtre), des ennemis lui firent croire que ce roman était une révélation de son caractère. Sans doute, en ce moment-là, sa mémoire était affaiblie : il avait oublié le livre, que ne l'a-t-il relu !

Cette histoire était si peu la nôtre ! Elle en était tout l'inverse. Il n'y avait entre nous ni les mêmes enivrements, ni les mêmes souffrances. Notre histoire, à nous, n'avait rien d'un roman ; le fond en était trop simple et trop sérieux pour que nous eussions jamais eu l'occasion d'une querelle l'un contre l'autre, à propos l'un de l'autre. J'acceptais toute la vie de Chopin telle qu'elle se continuait en dehors de la mienne. N'ayant ni ses goûts, ni ses idées en dehors de l'art, ni ses principes politiques, ni son appréciation des choses de fait, je n'entreprenais aucune modification de son être. Je respectais son individualité, comme je respectais celle de Delacroix et de mes autres amis engagés dans un chemin différent du mien[80].

D'un autre côté, Chopin m'accordait, et je peux dire m'honorait d'un genre d'amitié qui faisait exception dans sa vie. Il était toujours le même pour moi. Il avait sans doute peu d'illusions sur mon compte, puisqu'il ne me faisait jamais redescendre dans son estime. C'est ce qui fit durer longtemps notre bonne harmonie.

Étranger à mes études, à mes recherches, et, par suite, à mes convictions, enfermé qu'il était dans le dogme catholique, il disait de moi, comme la mère Alicia dans les derniers jours de sa vie * : *Bah ! bah ! je suis bien sûre qu'elle aime Dieu !*

Nous ne nous sommes donc jamais adressé un reproche mutuel, sinon une seule fois qui fut, hélas ! la première et la dernière. Une affection si élevée devait se briser, et non s'user dans des combats indignes d'elle.

Mais si Chopin était avec moi le dévouement, la prévenance, la grâce, l'obligeance et la déférence en personne, il n'avait pas, pour cela, abjuré les aspérités de

* Cette âme bien-aimée est retournée à Dieu le 20 janvier 1855 (NdA).

son caractère envers ceux qui m'entouraient. Avec eux, l'inégalité de son âme, tour à tour généreuse et fantasque, se donnait carrière, passant toujours de l'engouement à l'aversion, et réciproquement. Rien ne paraissait, rien n'a jamais paru de sa vie intérieure dont ses chefs-d'œuvre d'art étaient l'expression mystérieuse et vague, mais dont ses lèvres ne trahissaient jamais la souffrance. Du moins telle fut sa réserve pendant sept ans, que moi seule pus les deviner, les adoucir et en retarder l'explosion.

Pourquoi une combinaison d'événements en dehors de nous ne nous éloigna-t-elle pas l'un de l'autre avant la huitième année !

Mon attachement n'avait pu faire ce miracle de le rendre un peu calme et heureux que parce que Dieu y avait consenti en lui conservant un peu de santé. Cependant il déclinait visiblement, et je ne savais plus quels remèdes employer pour combattre l'irritation croissante des nerfs. La mort de son ami le docteur Matuszynski et ensuite celle de son propre père lui portèrent deux coups terribles. Le dogme catholique jette sur la mort des terreurs atroces. Chopin, au lieu de rêver pour ces âmes pures un meilleur monde, n'eut que des visions effrayantes, et je fus obligée de passer bien des nuits dans une chambre voisine de la sienne, toujours prête à me lever cent fois de mon travail pour chasser les spectres de son sommeil et de son insomnie. L'idée de sa propre mort lui apparaissait escortée de toutes les imaginations superstitieuses de la poésie slave. Polonais, il vivait dans le cauchemar des légendes. Les fantômes l'appelaient, l'enlaçaient, et, au lieu de voir son père et son ami lui sourire dans le rayon de la foi, il repoussait leurs faces décharnées de la sienne et se débattait sous l'étreinte de leurs mains glacées.

Nohant lui était devenu antipathique. Son retour, au printemps, l'enivrait encore quelques instants. Mais dès qu'il se mettait au travail, tout s'assombrissait autour de lui. Sa création était spontanée, miraculeuse. Il la trouvait sans la chercher, sans la prévoir. Elle venait sur son piano soudaine, complète, sublime, ou elle se chantait dans sa tête pendant une promenade, et il avait hâte de se la faire entendre à lui-même en la jetant sur l'instrument. Mais alors commençait le labeur le plus navrant auquel j'aie jamais assisté. C'était une suite d'efforts, d'irrésolutions et d'impatiences pour ressaisir certains détails du thème de son audition : ce qu'il avait conçu tout d'une pièce, il l'analysait trop en voulant l'écrire, et son regret de ne pas le retrouver net, selon lui, le jetait dans une sorte de désespoir. Il s'enfermait dans sa chambre des journées entières, pleurant, marchant, brisant ses plumes, répétant et changeant cent fois une mesure, l'écrivant et l'effaçant autant de fois, et recommençant le lendemain avec une persévérance minutieuse et désespérée. Il passait six semaines sur une page pour en revenir à l'écrire telle qu'il l'avait tracée du premier jet.

J'avais eu longtemps l'influence de le faire consentir à se fier à ce premier jet de l'inspiration. Mais quand il n'était plus disposé à me croire, il me reprochait doucement de l'avoir gâté et de n'être pas assez sévère pour lui. J'essayais de le distraire, de le promener. Quelquefois emmenant toute ma couvée dans un char à bancs de campagne, je l'arrachais malgré lui à cette agonie ; je le menais aux bords de la Creuse, et, pendant deux ou trois jours, perdus au soleil et à la pluie dans des chemins affreux, nous arrivions, riants et affamés, à quelque site magnifique où il semblait renaître. Ces fatigues le brisaient le premier jour, mais il dormait ! Le dernier jour, il était tout ranimé, tout rajeuni, en revenant à Nohant, et il trouvait la solution de son travail sans trop d'efforts ; mais il n'était pas toujours possible de le déterminer à quitter ce piano qui était bien plus souvent son tourment que sa joie, et peu à peu il témoigna de l'humeur quand je le dérangeais. Je n'osais pas insister. Chopin fâché était effrayant, et comme, avec moi, il se contenait toujours, il semblait près de suffoquer et de mourir.

Ma vie, toujours active et rieuse à la surface, était devenue intérieurement plus douloureuse que jamais.

Je me désespérais de ne pouvoir donner aux autres ce
bonheur auquel j'avais renoncé pour mon compte ; car
j'avais plus d'un sujet de profond chagrin contre lequel
je m'efforçais de réagir. L'amitié de Chopin n'avait
jamais été un refuge pour moi dans la tristesse. Il avait
bien assez de ses propres maux à supporter. Les miens
l'eussent écrasé, aussi ne les connaissait-il que vaguement et ne les comprenait-il pas du tout. Il eût
apprécié toutes choses à un point de vue très différent
du mien. Ma véritable force me venait de mon fils, qui
était en âge de partager avec moi les intérêts les plus
sérieux de la vie et qui me soutenait par son égalité
d'âme, sa raison précoce et son inaltérable enjouement.
Nous n'avons pas, lui et moi, les mêmes idées sur
toutes choses, mais nous avons ensemble de grandes
ressemblances d'organisation, beaucoup des mêmes
goûts et des mêmes besoins ; en outre, un lien d'affection naturelle si étroit qu'un désaccord quelconque
entre nous ne peut durer un jour et ne peut tenir à un
moment d'explication tête à tête. Si nous n'habitons
pas le même enclos d'idées et de sentiments, il y a, du
moins, une grande porte toujours ouverte au mur
mitoyen, celle d'une affection immense et d'une
confiance absolue.

À la suite des dernières rechutes du malade, son
esprit s'était assombri extrêmement, et Maurice, qui
l'avait tendrement aimé jusque-là, fut blessé tout à
coup par lui d'une manière imprévue pour un sujet
futile. Ils s'embrassèrent un moment après, mais le
grain de sable était tombé dans le lac tranquille, et peu
à peu les cailloux y tombèrent un à un. Chopin fut
irrité souvent sans aucun motif et quelquefois irrité
injustement contre de bonnes intentions. Je vis le mal
s'aggraver et s'étendre à mes autres enfants, rarement à
Solange, que Chopin préférait, par la raison qu'elle
seule ne l'avait pas gâté, mais à Augustine avec une
amertume effrayante, et à Lambert même, qui n'a
jamais pu deviner pourquoi. Augustine, la plus douce,
la plus inoffensive de nous tous à coup sûr, en était
consternée. Il avait été d'abord si bon pour elle ! Tout

cela fut supporté ; mais enfin, un jour, Maurice, lassé de coups d'épingle, parla de quitter la partie. Cela ne pouvait pas et ne devait pas être. Chopin ne supporta pas mon intervention légitime et nécessaire. Il baissa la tête et prononça que je ne l'aimais plus.

Quel blasphème après ces huit années de dévouement maternel ! Mais le pauvre cœur froissé n'avait pas conscience de son délire. Je pensais que quelques mois passés dans l'éloignement et le silence guériraient cette plaie et rendraient l'amitié calme, la mémoire équitable. Mais la révolution de Février arriva et Paris devint momentanément odieux à cet esprit incapable de se plier à un ébranlement quelconque dans les formes sociales. Libre de retourner en Pologne, ou certain d'y être toléré, il avait préféré languir dix ans loin de sa famille qu'il adorait, à la douleur de voir son pays transformé et dénaturé. Il avait fui la tyrannie, comme maintenant il fuyait la liberté !

Je le revis un instant en mars 1848. Je serrai sa main tremblante et glacée. Je voulus lui parler, il s'échappa. C'était à mon tour de dire qu'il ne m'aimait plus. Je lui épargnai cette souffrance, et je remis tout aux mains de la Providence et de l'avenir.

Je ne devais plus le revoir[81]. Il y avait de mauvais cœurs entre nous. Il y en eut de bons aussi, qui ne surent pas s'y prendre. Il y en eut de frivoles qui aimèrent mieux ne pas se mêler d'affaires délicates ; Gutmann n'était pas là *[82].

On m'a dit qu'il m'avait appelée, regrettée, aimée filialement jusqu'à la fin. On a cru devoir me le cacher jusque-là. On a cru devoir lui cacher aussi que j'étais prête à courir vers lui. On a bien fait si cette émotion de me revoir eût dû abréger sa vie d'un jour ou seulement d'une heure. Je ne suis pas de ceux qui croient que les choses se résolvent en ce monde. Elles ne font

---

* Gutmann, son plus parfait élève, aujourd'hui un véritable maître lui-même, un noble cœur toujours. Il fut forcé de s'absenter durant la dernière maladie de Chopin, et ne revint que pour recevoir son dernier soupir (NdA).

peut-être qu'y commencer, et, à coup sûr, elles n'y finissent point. Cette vie d'ici-bas est un voile que la souffrance et la maladie rendent plus épais à certaines âmes, qui ne se soulève que par moments pour les organisations les plus solides, et que la mort déchire pour tous.

Garde-malade, puisque telle fut ma mission pendant une notable portion de ma vie, j'ai dû accepter sans trop d'étonnement et surtout sans dépit les transports et les accablements de l'âme aux prises avec la fièvre. J'ai appris au chevet des malades à respecter ce qui est véritablement leur volonté saine et libre, et à pardonner ce qui est le trouble et le délire de leur fatalité.

J'ai été payée de mes années de veille, d'angoisse et d'absorption par des années de tendresse, de confiance et de gratitude qu'une heure d'injustice ou d'égarement n'a point annulées devant Dieu. Dieu n'a pas puni, Dieu n'a pas seulement aperçu cette heure mauvaise dont je ne veux pas me rappeler la souffrance. Je l'ai supportée, non pas avec un froid stoïcisme, mais avec des larmes de douleur et d'enthousiasme, dans le secret de ma prière. Et c'est parce que j'ai dit aux absents, dans la vie ou dans la mort : « Soyez bénis ! » que j'espère trouver dans le cœur de ceux qui me fermeront les yeux la même bénédiction à ma dernière heure.

Vers l'époque où je perdis Chopin, je perdis aussi mon frère plus tristement encore[83] : sa raison s'était éteinte depuis quelque temps déjà, l'ivresse avait ravagé et détruit cette belle organisation et la faisait flotter désormais entre l'idiotisme et la folie. Il avait passé ses dernières années à se brouiller et à se réconcilier tour à tour avec moi, avec mes enfants, avec sa propre famille et tous ses amis. Tant qu'il continua à venir me voir, je prolongeai sa vie en mettant à son insu de l'eau dans le vin qu'on lui servait, il avait le goût si blasé qu'il ne s'en apercevait pas, et s'il suppléait à la qualité par la quantité, du moins son ivresse était moins lourde ou moins irritée. Mais je ne faisais que retarder l'instant fatal où, la nature n'ayant plus la force de réagir, il ne pourrait plus, même à jeun, retrouver sa lucidité. Il passa ses derniers mois à me bouder et à m'écrire des lettres inimaginables. La révolution de Février, qu'il ne pouvait plus comprendre, à quelque point de vue qu'il se plaçât, avait porté un dernier coup à ses facultés chancelantes. D'abord républicain passionné, il fit comme tant d'autres qui n'avaient pas, comme lui, des accès d'aliénation pour excuse ; il en eut peur, et il se mit à rêver que le peuple en voulait à sa vie. Le peuple ! le peuple dont il sortait comme moi par sa mère, et avec lequel il vivait au cabaret plus qu'il n'était besoin pour fraterniser avec lui, devint son épouvantail, et il m'écrivit qu'il savait de *source certaine que mes amis politiques voulaient l'assassiner.* Pauvre frère ! cette hallucination passée, il en eut d'autres qui se succédèrent sans interruption jusqu'à ce que l'imagination déréglée s'éteignit à son tour, et fit place à la stupeur d'une agonie qui n'avait plus conscience d'elle-même. Son gendre lui survécut de peu d'années. Sa fille, mère de trois beaux enfants, encore jeune et jolie, vit près de moi à La Châtre. C'est une âme douce et courageuse qui a déjà bien souffert et qui ne faillira pas à ses devoirs. Ma belle-sœur Émilie vit encore plus près de moi, à la campagne. Longtemps victime des égarements d'un être aimé, elle se repose de ses longues fatigues. C'est une amie sévère et parfaite, une âme droite et un esprit nourri de bonnes lectures.

Ma bonne Ursule est toujours là aussi dans cette petite ville où j'ai cultivé si longtemps tant de douces et durables affections. Mais, hélas ! la mort ou l'exil ont fauché autour de nous ! Duteil, Planet et Néraud ne sont plus. Fleury a été expulsé comme tant d'autres pour cause d'opinions, bien qu'il n'eût pas même été en situation d'agir contre le gouvernement actuel[84]. Je ne parle pas de tous mes amis de Paris et du reste de la France. On a fait jusqu'à un certain point la solitude autour de moi, et ceux qui ont échappé, par hasard ou par miracle, à ce système de proscriptions décrétées souvent par la réaction passionnée et les rancunes per-

sonnelles des provinces, vivent comme moi de regrets
et d'aspirations.

Pour asseoir, en terminant ce récit, la situation de
ceux de mes amis d'enfance qui y ont figuré, je dirai
que la famille Duvernet habite toujours la charmante
campagne où dès mon enfance je l'ai vue. Mon excellente maman madame Decerfz est aussi à La Châtre
pleurant ses enfants exilés. Rollinat est toujours à Châteauroux, accourant chez nous dès qu'il a un jour de
loisir.

Il est assez naturel qu'après avoir vécu un demi-
siècle on se voie privé d'une partie de ceux avec qui on
a vécu par le cœur ; mais nous traversons un temps où
de violentes secousses morales ont sévi contre tous et
mis en deuil toutes les familles. Depuis quelques
années surtout, les révolutions qui entraînent d'affreux
jours de guerre civile, qui ébranlent les intérêts et irri-
tent les passions, qui semblent appeler fatalement les
grandes maladies endémiques après les crises de colère
et de douleur, après les proscriptions des uns, les
larmes ou la terreur des autres ; les révolutions qui rendent les grandes guerres imminentes, et qui, en se suc-
cédant, détruisent l'âme de ceux-ci et moissonnent la
vie de ceux-là, ont mis la moitié de la France en deuil
de l'autre.

Pour ma part, ce n'est plus par douze, c'est par cent
que je compte les pertes amères que j'ai faites dans ces
dernières années. Mon cœur est un cimetière, et si je ne
me sens pas entraînée dans la tombe qui a englouti la
moitié de ma vie, par une sorte de vertige contagieux,
c'est parce que l'autre vie se peuple pour moi de tant
d'être aimés qu'elle se confond parfois avec ma vie
présente jusqu'à me faire illusion. Cette illusion n'est
pas sans un certain charme austère, et ma pensée
s'entretient désormais aussi souvent avec les morts
qu'avec les vivants.

Saintes promesses des cieux où l'on se retrouve et où
l'on se reconnaît, vous n'êtes pas un vain rêve ! Si nous
ne devons pas aspirer à la béatitude des purs esprits du
pays des chimères, si nous devons entrevoir toujours

au-delà de cette vie un travail, un devoir, des épreuves et une organisation limitée dans ses facultés vis-à-vis de l'infini, du moins il nous est permis par la raison, et il nous est commandé par le cœur de compter sur une suite d'existences progressives en raison de nos bons désirs. Les saints de toutes les religions qui nous crient du fond de l'antiquité de nous dégager de la matière pour nous élever dans la hiérarchie céleste des esprits ne nous ont pas trompés quant au fond de la croyance admissible à la raison moderne. Nous pensons aujourd'hui que, si nous sommes immortels, c'est à la condition de revêtir sans cesse des organes nouveaux pour compléter notre être qui n'a probablement pas le droit de devenir un pur esprit ; mais nous pouvons regarder cette terre comme un lieu de passage et compter sur un réveil plus doux dans le berceau qui nous attend ailleurs. De mondes en mondes, nous pouvons, en nous dégageant de l'animalité qui combat ici-bas notre spiritualisme, nous rendre propres à revêtir un corps plus pur, plus approprié aux besoins de l'âme, moins combattu et moins entravé par les infirmités de la vie humaine telle que nous la subissons ici-bas. Et certes la première de nos aspirations légitimes, puisqu'elle est noble, est de retrouver dans cette vie future la faculté de nous remémorer jusqu'à un certain point nos existences précédentes. Il ne serait pas très doux de nous en retracer tout le détail, tous les ennuis, toutes les douleurs. Dès cette vie, le souvenir est souvent un cauchemar ; mais les points lumineux et culminants des salutaires épreuves dont nous avons triomphé seraient une récompense, et la couronne céleste serait l'embrassement de nos amis reconnus par nous et nous reconnaissant à leur tour. Ô heures de suprême joie et d'ineffables émotions quand la mère retrouvera son enfant, et les amis les dignes objets de leur amour ! Aimons-nous en ce monde, nous qui y sommes encore, aimons-nous assez saintement pour qu'il nous soit permis de nous retrouver sur tous les rivages de l'éternité avec l'ivresse d'une famille réunie après de longues pérégrinations.

Durant les années dont je viens d'esquisser les principales émotions, j'avais renfermé dans mon sein d'autres douleurs encore plus poignantes dont, à supposer que je pusse parler, la révélation ne serait d'aucune utilité dans ce livre[85]. Ce furent des malheurs pour ainsi dire étrangers à ma vie, puisque nulle influence de ma part ne put les détourner et qu'ils n'entrèrent pas dans ma destinée, attirés par le magnétisme de mon individualité. Nous faisons notre propre vie à certains égards : à d'autres égards, nous subissons celle que nous font les autres. J'ai raconté ou fait pressentir de mon existence tout ce qui y est entré par ma volonté, ou tout ce qui s'y est trouvé attiré par mes instincts. J'ai dit comment j'avais traversé et subi les diverses fatalités de ma propre organisation. C'est tout ce que je voulais et devais dire. Quant aux mortels chagrins que la fatalité des autres organisations fit peser sur moi, ceci est l'histoire du secret martyre que nous subissons tous, soit dans la vie publique, soit dans la vie privée, et que nous devons subir en silence.

Les choses que je ne dis pas sont donc celles que je ne puis excuser, parce que je ne peux pas encore me les expliquer à moi-même. Dans toute affection où j'ai eu quelques torts, si légers qu'ils puissent paraître à mon amour-propre, ils me suffisent pour comprendre et pardonner ceux qu'on a eus envers moi. Mais là où mon dévouement sans bornes et sans efforts s'est trouvé tout à coup payé d'ingratitude et d'aversion, là où mes plus tendres sollicitudes se sont brisées impuissantes devant une implacable fatalité, ne comprenant rien à ces redoutables accidents de la vie, ne voulant pas en accuser Dieu, et sentant que l'égarement du siècle et le scepticisme social en sont les premières causes, je retombe dans cette soumission aux arrêts du ciel, sans laquelle il nous faudrait le méconnaître et le maudire.

C'est que là revient toujours la terrible question : Pourquoi Dieu, faisant l'homme perfectible et capable de comprendre le beau et le bien, l'a-t-il fait si lentement perfectible, si difficilement attaché au bien et au beau ?

L'arrêt suprême de la sagesse nous répond par la bouche de tous les philosophes : « Cette lenteur dont vous souffrez n'est pas perceptible dans l'immense durée des lois de l'ensemble. Celui qui vit dans l'éternité ne compte pas le temps, et vous qui avez une faible notion de l'éternité, vous vous laissez écraser par la sensation poignante du temps. »

Oui sans doute, la succession de nos jours amers et variables nous opprime et détourne malgré nous notre esprit de la contemplation sereine de l'éternité. Ne rougissons pas trop de cette faiblesse. Elle puise sa source dans les entrailles de notre sensibilité. L'état douloureux de nos sociétés troublées et de notre civilisation en travail fait que cette sensibilité, cette faiblesse, est peut-être la meilleure de nos forces. Elle est le déchirement de nos cœurs et la morale de notre vie. Celui qui, parfaitement calme et fort, recevrait sans souffrir les coups qui le frappent ne serait pas dans la vraie sagesse, car il n'aurait pas de raison pour ne pas regarder avec le même stoïcisme brutal et cruel les blessures qui font crier et saigner ses semblables. Souffrons donc et plaignons-nous quand notre plainte peut être utile : quand elle ne l'est pas, taisons-nous, mais pleurons en secret. Dieu, qui voit nos larmes à notre insu, et qui, dans son immuable sérénité, nous semble n'en pas tenir compte, a mis lui-même en nous cette faculté de souffrir pour nous enseigner à ne pas vouloir faire souffrir les autres.

Comme le monde physique que nous habitons s'est formé et fertilisé, sous les influences des volcans et des pluies, jusqu'à devenir approprié aux besoins de l'homme physique, de même le monde moral où nous souffrons se forme et se fertilise, sous les influences des brûlantes aspirations et des larmes saintes, jusqu'à mériter de devenir approprié aux besoins de l'homme moral. Nos jours se consument et s'évanouissent au sein de ces tourmentes. Privés d'espoir et de confiance, ils sont horribles et stériles ; mais éclairés par la foi en

Dieu et réchauffés par l'amour de l'humanité, ils sont humblement acceptables et pour ainsi dire doucement amers.

Soutenue par ces notions si simples et pourtant si lentement acquises à l'état de conviction, tant l'excès de ma sensibilité intérieure dans la jeunesse obscurcissait l'effort de ma justice, je traversai la fin de cette période de mon récit sans trop me départir de l'immolation que j'avais faite de ma personnalité. Si je la retrouvais grondeuse en moi-même, inquiète des petites choses et trop avide de repos, je savais du moins la sacrifier sans grands efforts dès qu'une occasion nette de la sacrifier utilement me rendait l'emploi lucide de mes forces intérieures. Si je n'étais pas en possession de la vertu, du moins j'étais et je suis encore, j'espère, dans le chemin qui y mène. N'étant pas une nature de diamant, je n'écris pas pour les saints. Mais ceux qui, faibles comme moi, et comme moi épris d'un doux idéal, veulent traverser les ronces de la vie sans y laisser toute leur toison, s'aideront de mon humble expérience et trouveront quelque consolation à voir que leurs peines sont celles de quelqu'un qui les sent, qui les résume, qui les raconte et qui leur crie : « Aidons-nous les uns les autres à ne pas désespérer. »

Et pourtant ce siècle, ce triste et grand siècle où nous vivons s'en va, ce nous semble, à la dérive ; il glisse sur la pente des abîmes, et j'en entends qui me disent : « Où allons-nous ? Vous qui regardez souvent l'horizon, qu'y découvrez-vous ? Sommes-nous dans le flot qui monte ou qui descend ? Allons-nous échouer sur la terre promise, ou dans les gouffres du chaos ? »

Je ne puis répondre à ces cris de détresse. Je ne suis pas illuminée du rayon prophétique[86], et les plus habiles raisonnements, ceux qui s'appuient mathématiquement sur les chances politiques, économiques et commerciales, se trouvent toujours déjoués par l'imprévu, parce que l'imprévu c'est le génie bienfaisant ou destructeur de l'humanité qui tantôt sacrifie ses intérêts matériels à sa grandeur morale, et tantôt sa grandeur morale à ses intérêts matériels.

Il est bien vrai que le soin jaloux et inquiet des intérêts matériels domine la situation présente. Après les grandes crises, ces préoccupations sont naturelles, et ce *sauve qui peut* de l'individualité menacée est, sinon glorieux, du moins légitime. Ne nous en irritons pas trop, car toute chose qui n'a pas pour but un sentiment de providence collective rentre malgré soi dans les desseins de cette providence. Il est évident que l'ouvrier qui dit : « Du travail avant tout et malgré tout », subit les nécessités du moment et ne regarde que le moment où il vit ; mais par l'âpreté du travail il marche à la notion de la dignité et à la conquête de l'indépendance. Il en est ainsi de tous les ouvriers placés sur tous les échelons de la société. L'industrialisme tend à se dégager de toute espèce de servage et à se constituer en puissance active, sauf à se moraliser plus tard et à se constituer en puissance légitime par l'association fraternelle.

C'est à ce moment que nos prévisions l'attendent et que nous nous demandons si, après l'éclat éphémère des derniers trônes, les civilisations de l'Europe se constitueront en républiques aristocratiques ou démocratiques. Là apparaît l'abîme…, une conflagration générale ou des luttes partielles sur tous les points.

Quand on a respiré seulement pendant une heure l'atmosphère de Rome, on voit cette clef de voûte du grand édifice du vieux monde si prête à se détacher qu'on croit sentir trembler la terre des volcans, la terre des hommes !

Mais quelle sera l'issue ? sur quelles laves ardentes ou sur quels impurs limons nous faudra-t-il passer ? De quoi vous tourmentez-vous là ? L'humanité tend à se niveler, elle le veut, elle le doit, elle le fera. Dieu l'aide et l'aidera toujours par une action invisible toujours résultant des propriétés de la force humaine et de l'idéal divin qu'il lui est permis d'entrevoir. Que des accidents formidables entravent ses efforts, hélas ! ceci est à prévoir, à accepter d'avance. Pourquoi ne pas envisager la vie générale comme nous envisageons notre vie individuelle ? Beaucoup de fatigues et de douleurs, un peu d'espoir et de bien : la vie d'un siècle ne résume-t-elle pas la vie d'un homme ? Auquel d'entre nous est-il arrivé d'entrer, une fois pour toutes, dans la réalisation de ses bons ou mauvais désirs ?

Ne cherchons pas, comme d'impuissants augures, la clef des destinées humaines dans un ordre de faits quelconque. Ces inquiétudes sont vaines, nos commentaires sont inutiles. Je ne pense pas que la divination soit le but de l'homme sage de notre époque. Ce qu'il doit chercher, c'est d'éclairer sa raison, d'étudier le problème social et de se vivifier par cette étude en la faisant dominer par quelque sentiment pieux et sublime. Ô Louis Blanc, c'est le travail de votre vie que nous devrions avoir souvent sous les yeux ! Au milieu des jours de crise qui font de vous un proscrit et un martyr [87], vous cherchez dans l'histoire des hommes de notre époque l'esprit et la volonté de la Providence. Habile entre tous à expliquer les causes des révolutions, vous êtes plus habile encore à en saisir, à en indiquer le but. C'est là le secret de votre éloquence, c'est là le feu sacré de votre art. Vos écrits sont de ceux qu'on lit pour savoir les faits et qui vous forcent à dominer ces faits par l'inspiration de la justice et l'enthousiasme du vrai éternel.

Et vous aussi, Henri Martin, Edgar Quinet, Michelet, vous élevez nos cœurs, dès que vous placez les faits de l'histoire sous nos yeux. Vous ne touchez point au passé sans nous faire embrasser les pensées qui doivent nous guider dans l'avenir.

Et vous aussi, Lamartine, bien que, selon nous, vous soyez trop attaché aux civilisations qui ont fait leur temps, vous répandez, par le charme et l'abondance de votre génie, des fleurs de civilisation sur notre avenir.

Se préparer chacun pour l'avenir, c'est donc l'œuvre des hommes que le présent empêche de se préparer en commun. Sans nul doute, elle est plus prompte et plus animée, cette initiation de la vie publique, sous le régime de la liberté : les ardentes ou paisibles discussions des clubs et l'échange inoffensif ou agressif des émotions du forum éclairent rapidement les masses, sauf à les égarer quelquefois ; mais les nations ne sont pas perdues parce qu'elles se recueillent et méditent, et l'éducation des sociétés se continue sous quelque forme que revête la politique des temps.

En somme, le siècle est grand, bien qu'il soit malade, et les hommes d'aujourd'hui, s'ils ne font pas les grandes choses de la fin du siècle dernier, en conçoivent, en rêvent et peuvent en préparer de plus grandes encore. Ils sentent déjà profondément qu'ils le doivent.

Et nous aussi, nous avons nos moments d'abattement et de désespoir, où il nous semble que le monde marche follement vers le culte des dieux de la décadence romaine. Mais si nous tâtons notre cœur, nous le trouvons épris d'innocence et de charité comme aux premiers jours de notre enfance. Eh bien, faisons tous ce retour sur nous-mêmes, et disons-nous les uns aux autres que notre affaire n'est pas de surprendre les secrets du ciel au calendrier des âges, mais de les empêcher de mourir inféconds dans nos âmes.

Conclusion

Je n'avais pas eu de bonheur dans toute cette phase de mon existence. Il n'est de bonheur pour personne. Ce monde-ci n'est pas établi pour une stabilité de satisfactions quelconques.

J'avais eu des *bonheurs*, c'est-à-dire des joies, dans l'amour maternel, dans l'amitié, dans la réflexion et dans la rêverie. C'était bien assez pour remercier le Ciel. J'avais goûté les seules douceurs dont je pusse avoir soif.

Quand je commençai à écrire le récit que je suspends ici, je venais d'être abreuvée de douleurs plus profondes encore que celles que j'ai pu raconter. J'étais cependant calme et maîtresse de ma volonté, en ce sens que, mes souvenirs se pressant devant moi sous mille facettes qui pouvaient être différentes à mon appréciation, je sentis ma conscience assez saine et ma religion assez bien établie en moi-même pour m'aider à saisir le vrai jour dont le passé devait s'éclairer à mes propres yeux.

Maintenant que je vais fermer l'histoire de ma vie à cette page, c'est-à-dire plus de sept ans après en avoir tracé la première page, je suis encore sous le coup d'une épouvantable douleur personnelle.

Ma vie, deux fois ébranlée profondément, en 1847 et en 1855 [1], s'est pourtant défendue de l'attrait de la tombe ; et mon cœur, deux fois brisé, cent fois navré, s'est défendu de l'horreur du doute.

Attribuerai-je ces victoires de la foi à ma propre raison, à ma propre volonté ? Non. Il n'y a en moi rien de fort que le besoin d'aimer.

Mais j'ai reçu du secours, et je ne l'ai pas méconnu, je ne l'ai pas repoussé.

Ce secours, Dieu me l'a envoyé, mais il ne s'est pas manifesté à moi par des miracles. Pauvres humains, nous n'en sommes pas dignes, nous ne serions pas capables de les supporter, et notre faible raison succombe dès que nous croyons voir apparaître la face des anges dans le nimbe flamboyant de la Divinité. Mais la grâce m'est venue comme elle vient à tous les hommes, comme elle peut, comme elle doit leur venir, par l'enseignement mutuel de la vérité. Leibniz d'abord, et puis Lamennais, et puis Lessing, et puis Herder expliqué par Quinet, et puis Pierre Leroux, et puis Jean Reynaud[2], et puis Leibniz encore, voilà les principaux repères qui m'ont empêchée de trop flotter dans ma route à travers les diverses tentatives de la philosophie moderne. De ces grandes lumières, je n'ai pas tout absorbé en moi à dose égale, et je n'ai pas même gardé tout ce que j'avais absorbé à un moment donné. Ce qui le prouve, c'est la fusion qu'à une certaine distance de ces diverses phases de ma vie intérieure, j'ai pu faire en moi de ces grandes sources de vérité, cherchant sans cesse, et m'imaginant parfois trouver le lien qui les unit, en dépit des lacunes qui les séparent. Une doctrine toute d'idéal et de sentiment sublime, la doctrine de Jésus, les résume encore, quant aux points essentiels, au-dessus de l'abîme des siècles. Plus on examine les grandes révélations du génie, plus la céleste révélation du cœur grandit dans l'esprit, à l'examen de la doctrine évangélique.

Ceci n'est peut-être pas une formule très *avancée* dans l'opinion de mon siècle. Le siècle ne va pas de ce côté-là pour le moment. Peu importe, les temps viendront.

Terre de Pierre Leroux, *Ciel* de Jean Reynaud[3], *Univers* de Leibniz, *Charité* de Lamennais, vous montez ensemble vers le Dieu de Jésus ; et quiconque vous lira sans s'attacher trop aux subtilités de la métaphysique et sans se cuirasser dans les armures de la discussion, sortira de votre rayonnement plus lucide, plus sensible, plus aimant et plus sage. Chaque secours de la sagesse des maîtres vient à point en ce monde où il n'est pas de conclusion absolue et définitive. Quand, avec la jeunesse de mon temps, je secouais la voûte de plomb des mystères, Lamennais vint à propos étayer les parties sacrées du temple. Quand, indignés après les lois de septembre, nous étions prêts encore à renverser le sanctuaire réservé, Leroux vint, éloquent, ingénieux, sublime, nous promettre le règne du ciel sur cette même terre que nous maudissions. Et, de nos jours, comme nous désespérions encore, Reynaud, déjà grand, s'est levé plus grand encore pour nous ouvrir, au nom de la science et de la foi, au nom de Leibniz et de Jésus, l'infini des mondes comme une patrie qui nous réclame.

J'ai dit le secours de Dieu qui m'a soutenue par l'intermédiaire des enseignements du génie ; je veux dire, en finissant, le secours également divin qui m'a été envoyé par l'intermédiaire des affections du cœur.

Sois bénie, amitié filiale, amitié de mon fils, qui as répondu à toutes les fibres de ma tendresse maternelle ; soyez bénis, cœurs éprouvés par de communes souffrances, qui m'avez rendue chaque jour plus chère la tâche de vivre pour vous et avec vous !

Sois béni aussi, pauvre ange arraché de mon sein et ravi par la mort à ma tendresse sans bornes ! Enfant adoré *, tu as été rejoindre dans le ciel de l'amour le George adoré de Marie Dorval. Marie Dorval est morte de sa douleur[4], et moi, j'ai pu rester debout, hélas !

Hélas ! et merci, mon Dieu ! puisque la douleur est le creuset où l'amour s'épure, et puisque, véritablement aimée de quelques-uns, je peux encore ne pas tomber sur la route où la charité envers tous nous commande de marcher[5].

14 juin 1855.

* Jeanne Clésinger, ma petite-fille (NdA).

Appendice

L'Éditeur de ces Mémoires, malheureusement inachevés, croit ne pouvoir mieux faire que d'y joindre la lettre suivante, adressée par George Sand à son ami M. Louis Ulbach, au moment où il se disposait à écrire une biographie de l'illustre écrivain. Ces quelques pages, d'une si regrettable concision, résument les vingt-cinq dernières années de la femme de génie que la France vient de perdre. On saura gré à M. Louis Ulbach d'avoir bien voulu en autoriser ici la reproduction [1].

Nohant, le 26 novembre 1869

....

J'irai à Paris dans le courant de l'hiver, janvier ou février. Si vous ne pouvez m'attendre, consultez, sur les quarante premières années de ma vie, l'*Histoire de ma vie*. Lévy vous portera les volumes à votre première réquisition. Cette histoire est *vraie*. Beaucoup de détails à passer ; mais, en feuilletant, vous aurez exacts tous les faits de ma vie.

Pour les vingt-cinq dernières années [2], il n'y a plus rien d'intéressant : c'est la vieillesse très calme et très heureuse, en famille, traversée par des chagrins tout personnels, les morts, les défections, et puis l'état général où nous avons souffert, vous et moi, des mêmes choses. Je répondrais à toutes les questions qu'il vous conviendrait de me faire, si nous causions, et ce serait mieux. J'ai perdu deux petits-enfants bien-aimés, la fille de ma fille, et le fils de Maurice. J'ai

encore deux petites charmantes de son heureux
mariage. Ma belle-fille m'est presque aussi chère que
lui. Je leur ai donné la gouverne du ménage et de toutes
choses. Mon temps se passe à amuser les enfants, à
faire un peu de botanique en été, de grandes promenades (je suis encore un piéton distingué), et des
romans quand je peux trouver deux heures dans la
journée et deux heures le soir. J'écris facilement et avec
plaisir. C'est ma récréation ; car la correspondance est
énorme et c'est là le travail[3]. Vous savez cela. Si on
n'avait à écrire qu'à ses amis ! mais que de demandes
touchantes ou saugrenues ! Toutes les fois que je peux
quelque chose, je réponds ; à ceux pour lesquels je ne
peux rien, je ne réponds rien. Quelques-uns méritent
qu'on essaye, même avec peu d'espoir de réussir. Il
faut alors répondre qu'on essayera. Tout cela, avec les
affaires personnelles dont il faut bien s'occuper quelquefois, fait une dizaine de lettres par jour. C'est le
fléau, mais qui n'a le sien ? J'espère, après ma mort,
aller dans une planète où on ne saura ni lire ni écrire. Il
faudra être assez parfait pour n'en avoir pas besoin. En
attendant, il faudrait bien que dans celle-ci il en fût
autrement.

Si vous voulez savoir ma position matérielle, elle est
facile à établir ; mes comptes ne sont pas embrouillés.
J'ai bien gagné un million avec mon travail. Je n'ai pas
mis un sou de côté ; j'ai tout donné, sauf vingt mille
francs que j'ai placés il y a deux ans, pour ne pas
coûter trop de tisane à mes enfants, si je tombe
malade ; et encore ne suis-je pas sûre de garder ce
capital, car il se trouvera des gens qui en auront
besoin ; et si je me porte encore assez bien pour le
renouveler, il faudra bien lâcher mes économies.
Gardez-m'en le secret pour que je les garde le plus
possible.

Si vous parlez de mes ressources, vous pouvez dire
en toute conscience que j'ai toujours vécu, au jour le
jour, du fruit de mon travail, et que je regarde cette
manière d'arranger la vie comme la plus heureuse. On
n'a pas de soucis matériels, et on ne craint pas les

voleurs. Tous les ans, à présent que mes enfants tiennent le ménage, j'ai le temps de faire quelques petites excursions en France, car les recoins de la France sont peu connus, et ils sont aussi beaux que ceux qu'on va chercher bien loin. J'y trouve des *cadres* pour mes romans. J'aime à avoir vu ce que je décris ; cela simplifie les recherches et les études. N'eussé-je que trois mots à dire d'une localité, j'aime à la regarder dans mon souvenir et à me tromper le moins que je peux.

Tout cela est bien banal, cher ami, et quand on est convié par un biographe comme vous, on voudrait être grand comme une pyramide pour mériter l'honneur de l'occuper. Mais je ne puis me hausser. Je ne suis qu'une bonne femme à qui on a prêté des férocités de caractère tout à fait fantastiques. On m'a aussi accusée de n'avoir pas su aimer passionnément. Il me semble que j'ai vécu de tendresse et qu'on pouvait bien s'en contenter. À présent, Dieu merci, on ne m'en demande pas davantage et ceux qui veulent bien m'aimer, malgré le manque d'éclat de ma vie et de mon esprit, ne se plaignent pas de moi.

Je suis restée très gaie, sans initiative pour amuser les autres, mais sachant les aider à s'amuser. Je dois avoir de gros défauts ; je suis comme tout le monde, je ne les vois pas. Je ne sais pas non plus si j'ai des qualités et des vertus. J'ai beaucoup songé à ce qui est *vrai*, et dans cette recherche le sentiment du *moi* s'efface chaque jour davantage ; vous devez bien le savoir par vous-même. Si on fait le bien, on ne s'en loue pas soi-même ; on trouve qu'on a été logique, voilà tout. Si on fait le mal, c'est qu'on n'a pas su qu'on le faisait. Mieux éclairé, on ne le ferait plus jamais. C'est à quoi tous devraient tendre. Je ne crois pas au mal, je ne crois qu'à l'ignorance…

À vous de cœur bien tendrement et fraternellement[4].

George SAND.

Notes

1. Cette promesse ne sera pas tenue.

2. On remarquera la filiation formelle et thématique qui conduit de la confession (manière Prémord) à l'autobiographie (manière Sand). Le discours du prêtre inscrit dans le texte le protocole de lecture que Sand a voulu établir au début d'*Histoire de ma vie*, avec ses lecteurs : le destinataire est « ami ».

3. Les membres de la Compagnie de Jésus (fondée en 1534) s'étaient acquis au fil des siècles la réputation de grands pédagogues, mais aussi de manipulateurs intrigants et volontiers hypocrites : la « candeur » est bien la dernière qualité que l'on s'attend à voir attribuer à un jésuite. C'est pourquoi « vrai jésuite », ici, désigne moins une appartenance institutionnelle (fortement décriée au XIXᵉ siècle) qu'un type théologique et moral que Sand réhabilite : les jésuites font montre d'une souplesse qui sait composer avec « le siècle » et sauvegarde les consciences de la rigidité intolérante qu'auraient voulu imposer les jansénistes et leurs descendants. La suite d'*Histoire de ma vie* précisera ce mérite des jésuites à l'occasion d'un long développement (IV, 4).

4. On aura compris qu'Eugenia Yzquierdo et Maria Dormer sont des pensionnaires du couvent.

5. La « *grande pastoure* » est une manière de désigner Jeanne d'Arc, dans le parler berrichon.

6. Les vœux monastiques n'avaient plus aucune validité juridique depuis que l'Assemblée constituante avait supprimé les ordres religieux en 1790. L'Empire avait partiellement rétabli certains ordres, en 1809, mais fortement limité la portée des vœux nécessaires pour y entrer.

7. On peut relever ici un motif récurrent dans l'imaginaire de l'héroïne d'*Histoire de ma vie* : la propension à se laisser séduire par des projets d'avenir soudains, en faveur d'une vie simple et dégagée des cadres sociaux, projets conçus avec un partenaire également en difficulté dans ses conditions d'existence et qui fait assaut d'enthou-

siasme. Dans les romans sandiens, de tels projets existent et sont parfois accomplis : ils y sont dits « romanesques » (on pourrait y reconnaître, *a posteriori*, une forme triomphante et revendiquée de « bovarysme »). *Histoire de ma vie* en expose différentes configurations qui valent comme des matrices dans cet imaginaire. L'occurrence la plus forte a déjà été rencontrée, avec la mère, quand celle-ci se projetait marchande de modes à Orléans avec sa fille pour échapper à l'emprise des normes de la « belle éducation » imposée par la grand-mère (III, 6) : ce rapprochement sera d'ailleurs opéré par l'auteur elle-même quelques pages plus loin (Sand repérant « une certaine logique fatale » qui la « ramène toujours à des situations analogues »). On retrouvera encore une situation du même type, mais moins développée, quand, adolescente, Aurore voudra éviter le mariage en effleurant le rêve d'une existence isolée à Nohant, adonnée à la science dans la seule compagnie de Deschartres (on y retrouvera l'expression de « châteaux en Espagne », fin de IV, 5). Enfin, plus fondamentalement, on peut identifier l'accomplissement de la vocation littéraire telle qu'il sera narré (IV, 12 : franchir le pas de l'indépendance financière et morale, c'est-à-dire quitter Nohant et son mari, s'établir à Paris avec la littérature « comme gagne-pain ») comme l'actualisation majeure et décisive de ce motif structurant. Là encore, la narratrice d'*Histoire de ma vie* soulignera elle-même cette permanence de son héroïne (« Que l'on se rappelle comment [...] », p. 300 du présent volume).

8. Ce vers de Boileau est tiré du « poème héroï-comique » *Le Lutrin* (1674-1683), I, V, 12.

9. L'ouvrage de Michelet sur la question est forcément celui dont le titre est le plus éloquent : *Du prêtre, de la femme et de la famille* (1845).

10. Écho de l'Évangile selon saint Matthieu (4, 6).

11. « Charmant, jeune, traînant tous les cœurs après soi » : c'est ainsi que, chez Racine, Phèdre évoque Thésée dans sa jeunesse (*Phèdre*, II, 5, vers 639).

12. Grand nom de ce qu'on n'appelait pas encore, à l'époque, la littérature de jeunesse, Mme de Genlis avait donné, dès 1785, un important *Théâtre des jeunes personnes* (sept volumes).

13. Comédie-ballet de Molière (1669). La suite du paragraphe, jusqu'à la mention de la « cérémonie de réception », fait allusion à l'intrigue de la pièce, où le corps médical reçoit sa part de satire. « Matassin » signifie danseur bouffon ; dans *Monsieur de Pourceaugnac*, il y a un groupe de matassins qui fait cortège aux deux médecins : tous, armés de seringues, se mettent à la poursuite du personnage éponyme, protégé de son seul chapeau.

14. Jusqu'à la fin du XIXᵉ siècle, *Les Pilules du diable* sont restées fameuses dans les annales du théâtre – ou même, plus largement, du spectacle : le *Grand Dictionnaire universel du XIXᵉ siècle* de Larousse en témoigne. Cette pièce de genre féerique d'Anicet Bourgeois, Ferdinand Laloue et Laurent eut un succès énorme en 1839 : plus d'un millier de représentations. Le spectacle multipliait les effets de pres-

tidigitation (transformationnisme) à efficacité scénique spectaculaire.

15. Jean-François Regnard (1655-1709), auteur de nombreuses comédies.

16. Le duc de Berry, neveu de Louis XVIII et fils du futur Charles X, fut assassiné le 13 février 1820 par un « fanatique », Louvel, qui espérait tarir la descendance masculine des Bourbons. Mais sept mois plus tard la duchesse de Berry donnait naissance à l'« enfant du miracle », plus tard dit « Henri V », auquel Sand fera allusion par la suite.

17. L'intelligence de ces remarques invite à rappeler quelle était la configuration des forces politiques pendant la Restauration. Sous ce régime, l'affrontement politique (au sein du pays légal qui a le droit de voter et qui a accès à la parole publique des journaux) s'organise entre les royalistes « ultras » et les libéraux. On peut schématiser les positions en disant des ultras qu'ils sont les héritiers de l'esprit contre-révolutionnaire qui s'est radicalisé dans les milieux de l'aristocratie émigrée : nostalgiques d'un pouvoir royal fort qui s'appuie sur l'Église catholique, ils rejettent tout ce qui, de près ou de loin, peut être assimilé à la Révolution (par exemple, l'esprit « philosophique » du siècle précédent). Les libéraux sont attachés à un régime parlementaire à l'anglaise (pays où la forme monarchique est devenue peu à peu le cadre bénin qui garantit les libertés au lieu de les opprimer) ; leur référence historique, en France, est à prendre dans la première phase de la Révolution : la monarchie parlementaire des années 1789-1792. Ils se veulent les héritiers des valeurs de 1789, attachés aux libertés dites fondamentales de l'individu (libertés d'opinion, d'expression, de propriété). Pour eux, l'évolution de la Révolution vers la Terreur (1793-1794), puis son aboutissement dans le régime napoléonien sont des malheurs historiques, ces régimes étant essentiellement antipathiques aux libertés. C'est pourquoi, sur l'échiquier politique, ils sont a priori inconciliables avec ceux qui, marginalisés sous la Restauration, sont nostalgiques de ces régimes : les « jacobins » et les bonapartistes. Dans les discours qui sont tenus dans un couvent en 1820 à la jeune Aurore Dupin, on reconnaît évidemment une énonciation ultra. Flétrir l'adversaire sans appel se fait en le traitant de « jacobin » : depuis la Terreur, le « jacobinisme » (qui, politiquement, désigne un républicanisme égalitaire et autoritaire) est, moralement et même pénalement, tenu pour « criminel » (par les contre-révolutionnaires, mais aussi par les libéraux et par les bonapartistes). Pour flétrir ses adversaires, le discours ultra assimile donc, au prix de distorsions idéologiques et historiques spectaculaires, libéralisme, bonapartisme et jacobinisme : le point commun entre ces différentes appartenances, c'est de ne pas rejeter en bloc l'héritage de la Révolution. En contrepartie, libéraux et bonapartistes vont être amenés à se rapprocher dans une opposition commune au royalisme archaïsant des ultras (qui prennent le pouvoir en 1820, à la suite de l'assassinat du duc de Berry, et le gardent à peu près sans discontinuer jusqu'en 1830).

Collusion paradoxale entre ceux que tout devrait séparer (Napoléon ayant fait de son régime une référence anti-libérale) mais que confirmera, à plusieurs reprises, la suite du texte d'*Histoire de ma vie* : « en ce temps-là, bonapartisme et libéralisme se fondaient souvent dans un même instinct d'opposition » contre le « monde de dévots et d'obscurantistes » au pouvoir, contre « l'intolérance religieuse et monarchique » (IV, 7) ; « le ministère Villèle [*ultra*] produisit une fusion définitive entre les libéraux et les bonapartistes » (IV, 11).

18. C'est-à-dire de me déclarer ouvertement en sa faveur en exprimant un choix définitif.

19. Angelica Catalani (1780-1849), cantatrice. *Il fanatico per la musica : la musicomania* est un opéra (« una farsa ») de Jean Simon Mayr (1763-1845), créé à Venise en 1798.

20. Fine étoffe de coton.

21. Ce terme, disparu des dictionnaires du XXe siècle, est donné par ceux du XIXe (Larousse, Littré) comme un synonyme de « blésité », c'est-à-dire un « vice de prononciation » qui consiste à substituer une consonne faible ou douce à une consonne forte (par exemple, prononcer *zanzon* pour *chanson*, *jeval* pour *cheval*).

22. Il s'agit cette fois d'opéras qui ont gardé place entière dans le répertoire : les deux premiers surtout, qui sont de Gluck (1714-1787), auteur de deux *Iphigénie* (*en Aulide* et *en Tauride*), puisque l'instabilité du discours mythologique permet cette hésitation. *Œdipe à Colone* est un opéra d'Antonio Sacchini (1730-1786) : créé en 1786, il tint la scène pendant un demi-siècle.

23. Carmontelle (1717-1806) est connu comme auteur de « proverbes », c'est-à-dire de courtes pièces en un acte dont l'action illustre un propos moral dont le spectateur doit deviner la formulation.

24. Le général Guglielmo Pepe (1782-1855) fut un héros guerrier perpétuellement engagé pour la cause d'une Italie unifiée et républicaine, depuis le moment où Naples se fit République parthénopéenne en 1798 jusqu'au soulèvement des Vénitiens contre les Autrichiens en 1848, en passant par le carbonarisme sous la Restauration.

25. Le grabuge est un jeu de cartes.

26. *Nina o La Pazza per amore* de Giovanni Paisiello (plutôt que « Paesiello » ; 1740-1816), opéra créé en 1789, conserva un très grand succès pendant toute la première moitié du XIXe siècle.

27. Une construction exactement identique fait entendre en écho, derrière cette phrase, une autre lue plus tôt dans le texte (début de II, 8) et qui disait aussi la soudaine pesanteur de vivre : « J'ai beaucoup appris, beaucoup vécu, beaucoup vieilli durant ce court intervalle » (les trois mois du printemps 1848).

28. Florian (1755-1794) et Van der Velde (et non pas Welde ; 1779-1824) étaient, comme Mme de Genlis dont nous avons déjà parlé, des auteurs reconnus d'œuvres pour la jeunesse. Le chevalier de Florian est l'auteur de comédies, de fables et de romans sentimentaux réputés très mièvres et moralisateurs. Carl Franz Van der Velde, allemand, eut un certain succès dans le premier quart du

XIXe siècle avec des romans historiques et d'aventures : selon G. Lubin, Sand se trompe probablement en le citant au nombre de ses lectures d'adolescente dans la mesure où il n'a été traduit en France qu'à partir de 1825.

29. Jean Gerson ou Jean de Gerson (1363-1429) fut un théologien important. Il a souvent été tenu pour l'auteur de l'*Imitation de Jésus-Christ*, ouvrage anonyme qui est plus volontiers attribué, aujourd'hui, à l'écrivain mystique allemand Thomas A. Kempis (1379-1470) : voir, p. 108, la note de Sand sur ce qu'elle savait de cette attribution. L'*Imitation de Jésus-Christ* rassemble les maximes d'une piété affective, intime, d'où toute spéculation abstraite est bannie ; son succès à travers les siècles fut considérable.

30. La longue citation qui suit rassemble différents passages de l'*Imitation de Jésus-Christ*. En particulier des éléments du chapitre 43 du livre III, « Contre la vaine science du siècle ».

31. Sand cite de manière assez approximative. L'extrait provient du chapitre 1 du livre I du *Génie du christianisme* (Paris, GF-Flammarion, 1966, 2 vol., t. I, p. 56-58).

32. Antonio Escobar y Mendoza (1589-1669), jésuite espagnol auquel Pascal s'en prend dans *Les Provinciales*. Il s'était acquis une grande autorité en casuistique.

33. « Comme un cadavre. »

34. « *Timeur* » est un latinisme fait sur *timor* : crainte.

35. L'Italie allait attendre encore assez longtemps sa liberté nationale (succès du Risorgimento en 1860). En revanche, c'est dans les années 1820 que se livre le combat décisif pour la Grèce : le soulèvement des Grecs contre le joug ottoman (turc) suscite l'enthousiasme des élites libérales européennes (philhellénisme) ; la mort de Byron à Missolonghi en 1824 en fait une cause romantique. Les Grecs obtiennent l'indépendance en 1830.

36. On appela « doctrinaires », sous la Restauration, les partisans, menés par Royer-Collard et Guizot, d'une monarchie constitutionnelle garantissant les principes de 1789. « Très passionnée légitimiste », Mme de Pontcarré se reconnaissait certainement dans leurs adversaires, les « ultra-royalistes ».

37. La citation est approximative.

38. Leibniz, dans la préface aux *Essais de Théodicée sur la bonté de Dieu, la liberté de l'homme et l'origine du mal*. Le texte de Leibniz dit : « pieux sans aimer Dieu » et non pas « comprendre ». Faut-il rappeler que, dans la tradition métaphysique occidentale, Gottfried Wilhelm Leibniz (1646-1716) compte comme un philosophe majeur ?

39. Ces titres rassemblent l'ensemble des écrits « philosophiques » de Rousseau.

40. Voir au livre II des *Confessions*.

41. Chateaubriand a évoqué sa rencontre (unique) avec Sand dans un passage finalement retranché de la version définitive des *Mémoires d'outre-tombe* (J.-Cl. Berchet le donne dans son édition des Classiques Garnier, 1989-1998, 4 vol., t. IV, p. 546-547). Cela prend place dans le chapitre qui est tout entier consacré à l'auteur de *Lélia* :

un éloge très ambigu lui est accordé, mesuré à l'aune de fortes réserves : « Madame Sand possède un talent de premier ordre », mais l'emploie à séduire par « ce qui blesse la morale »… (chapitre 7 du livre XLII, éd. cit.).

42. L'abondance des initiales concernant ce personnage nous incite à percer cet anonymat, levé par G. Lubin dans son édition : il s'agit de M. Leblanc de Beaulieu, évêque de Soissons puis archevêque d'Arles, né au Blanc et élevé au village de Beaulieu.

43. Mme d'Épinay (1726-1783) fut une figure majeure du milieu encyclopédiste qui se rassemblait dans son château de la Chevrette, près de Montmorency.

44. La reliure traditionnelle des livres se fait en peau de veau.

45. Le « viatique » est la communion portée au mourant.

46. Rappelons l'emploi ancien de « personnel », déjà rencontré, au sens d'égoïste.

47. L'oison est le petit de l'oie. « Oison bridé » est une expression répertoriée pour désigner un oison auquel on a mis une plume dans les narines afin de l'empêcher de passer à travers les haies ; au figuré, l'expression désigne un être très crédule, facile à mener.

48. « Claudius » est, nous informent les biographes de Sand, Stéphane Ajasson de Grandsagne (1802-1845), jeune homme issu d'une bonne famille de La Châtre et probable premier amant de l'auteur d'*Histoire de ma vie*. Cette liaison aurait d'ailleurs duré puisqu'il est même généralement tenu par les spécialistes pour être le père de Solange, la fille de George qui naîtra en 1828.

49. C'était en 1808 (voir II, 13) ; on est maintenant en 1821 : ce passé n'était donc pas si proche…

50. D'après le vers de Molière (*Tartuffe*, I, 5), déjà cité par Sand en III, 2.

51. Concurrent vivace de « renfrogné » jusqu'au XIXᵉ siècle, « refrogné » a finalement cédé le pas. Il servira encore à qualifier Deschartres en V, 77.

52. Ces célèbres citations évangéliques sont : à propos des enfants, dans Matthieu (18, 6), dans Marc (9, 42) et dans Luc (17, 1) ; à propos de la femme adultère, dans Jean (8, 7) ; le conseil aux disciples, dans Matthieu (10, 16-23).

53. Une des plus célèbres des *Pensées* de Pascal (éd. Brunschvicg, V, 294) : « Plaisante justice qu'une rivière borne ! Vérité au-deçà des Pyrénées, erreur au-delà. »

54. « Bicoque » est ici employé au sens (ancien) de petite ville sans importance.

55. Comme G. Lubin, nous estimons préférable de ne pas laisser l'italique dont les éditions antérieures ornaient « *Hamlet* et *Jacques* » : d'une part parce que seul le premier de ces deux noms est aussi le titre d'une pièce ; d'autre part parce que Sand fixe son attention sur les personnages, sur les types qu'ils représentent. Jacques est la figure qui ressort le plus de *Comme il vous plaira* de Shakespeare, pièce dont Sand donnera une adaptation en 1856 ; en préface, elle y parlera de lui comme d'un « Alceste de la Renaissance… J'ai tendre-

ment aimé ce Jacques, moins vivant et plus poétique que notre misanthrope ».

56. Emploi classique du mot « suicide » : celui ou celle qui commet l'acte.

57. Cette date est celle du 29 septembre 1820.

58. Métastase (Pietro Metastasio, 1698-1782), poète, reste surtout connu comme le plus grand librettiste de son siècle, auteur de vingt-sept livrets d'opéra dont certains ont été employés un nombre de fois impressionnant. Sand lui a rendu un hommage à sa façon, en le faisant apparaître comme personnage dans *Consuelo*. Les deux vers cités peuvent se traduire littéralement : « Déjà rit le printemps / Avec son aspect fleuri ».

59. Cette lettre est en fait de 1821, comme l'établit dans son édition G. Lubin qui remarque d'autres inexactitudes dans les dates des lettres précédemment citées (après remaniement...) ; en l'occurrence, « 1822 » tient probablement à une erreur de l'auteur.

60. Joseph François Dupleix (1696-1763) est connu pour son administration des intérêts français en Inde. Il conquit dans ce pays d'importants territoires pour la France, mais, désavoué par Louis XV, il rentra en France en 1755.

61. D'Ossian (le barde écossais légendaire du IIIe siècle dont la mode fait fureur en Europe depuis qu'en 1760 le poète Macpherson a publié les *Fragments de poésie ancienne*, soi-disant retrouvés et traduits) à Jean-Baptiste Gresset (1709-1777, prolifique auteur de poèmes légers et de pièces ou contes satiriques), l'écart est grand, en effet.

62. On aura remarqué la récurrence des scènes de confession (au sens propre du sacrement catholique) dans *Histoire de ma vie*, et spécialement dans la partie IV, « Du mysticisme à l'indépendance. 1819-1832 » : avant cette confession au « vieux bourru » (la dernière du livre), il y a eu, pour l'héroïne, la confession préparatoire à la première communion (III, 9), la confession à l'abbé de Prémord (IV, 1), la confession au curé de La Châtre (IV, 5) et aussi l'exercice de la confession écrite au couvent (III, 12) ; il y a eu en outre la confession de la grand-mère au curé de Saint-Chartier (IV, 5). Ces scènes scandent les étapes d'un apprentissage où la jeune fille affermit progressivement sa parole et limite de plus en plus l'emprise de celle de l'autre sur soi. Chacune de ces scènes est l'occasion d'une analyse critique sur l'institution même de la confession (la réflexion la plus fouillée est en IV, 2) et d'une appréciation comparée de l'« art » des différents confesseurs ; enfin, presque à chaque fois, ces confessions prennent la forme d'un échange dialogué (ce sont vraiment des « scènes ») où la pénitente, devenue narratrice, rompt le secret qui pesait sur les paroles (en infraction partielle avec la règle de réciprocité relative qu'elle énonce elle-même en IV, 4, dans le cadre du développement qu'elle consacre aux jésuites). Cette très forte présence du motif de la confession thématise, au sein de l'ouvrage, le protocole d'énonciation qui gouverne celui-ci ; elle discrimine les bonnes et les mauvaises attitudes d'écoute et de lecture : les lecteurs

recevant la leçon de ce qu'ils ont droit ou non de demander. C'est la communication même opérée par l'ouvrage qui se trouve ainsi mise à l'épreuve.

63. « Qui ne connaît *L'Étrangère, Le Renégat, Ipsiboé* et surtout *Le Solitaire,* tant de fois réimprimé, traduit dans toutes les langues et arrangé pour toutes les scènes de l'Europe ? », interroge le *Grand Dictionnaire universel du XIXe siècle* de Pierre Larousse (1866-1879). Aujourd'hui... qui se souvient d'aucun de ces romans de Charles Victor Prévot, vicomte d'Arlincourt (1789-1856) ? Le nom de cet auteur prolifique, qui inonda de romans les « cabinets de lecture » (bibliothèques de l'époque) de la Restauration et de l'Empire, déclinait déjà quand le *Grand Larousse* en rendait compte, en 1866, en des termes qui suggèrent assez l'opinion que Sand devait avoir de l'auteur favori de sa mère : « Ces productions, dont la vogue est aujourd'hui un sujet d'étonnement, sont des modèles de bizarrerie, d'invraisemblance, d'enflure et de mauvais goût. [...] Cependant, on ne saurait méconnaître dans ces œuvres étranges une certaine verve passionnée et une sève d'imagination. »

64. Cette phrase fait écho à celle par laquelle, précédemment, la jeune fille avait confié à son cousin Auguste de Villeneuve que la situation était devenue difficile avec sa mère : « je m'arrangerais d'un mariage qui me soustrairait à son autorité absolue » (IV, 7). Ainsi la conclusion rapide d'un mariage, peu après, n'aura rien d'étonnant.

65. Allusion certaine au fameux mot d'ordre que François Guizot, le ministre dominant et plein de « morgue » de la monarchie de Juillet, adressa à ses concitoyens : « Enrichissez-vous ! »

66. L'ancien révolutionnaire Lazare Carnot (1753-1823) restait, au début de la Restauration, comme une sorte de « statue du Commandeur » de la République. Surnommé l'« organisateur de la victoire » depuis la victoire française sur la coalition des royautés européennes en 1793, il se tint ensuite plutôt à l'écart du régime napoléonien : membre du Tribunat (assemblée créée par le Consulat), il protesta, seul, contre l'abolition de la République et la création de l'Empire ; puis il refusa de rien devoir à Napoléon devenu Empereur. L'hostilité à la monarchie bourbonienne lui fit quand même accepter le poste de ministre de l'Intérieur sous les Cent-Jours. Sous la Restauration, il fut exilé comme régicide en 1816 (ayant été, vingt-trois ans plus tôt, de ceux qui avaient voté la mort de Louis XVI).

67. Au début de *Jacques,* roman épistolaire de 1834, sont évoqués les souvenirs de régiment du héros éponyme (lettre 5).

68. Si Sand arrête son attention quelques instants sur cette Loïsa Puget, c'est que celle-ci a eu une relative notoriété par la suite comme auteur de chansons qui ont eu beaucoup de succès dans les années 1830.

69. Il ne peut pas s'agir du maréchal de Rochambeau, puisque le compagnon de La Fayette dans la guerre d'indépendance américaine est mort en 1807 ; il s'agit donc d'un de ses descendants.

70. Nous suivons ici la leçon de Georges Lubin qui, en retournant au manuscrit de Sand, a défait un contresens qui courait dans les différentes éditions du texte (où il était question de « sa pension de retraite d'officier de la Légion d'honneur »).

71. Quand il y a régime dotal, il n'y a pas complète communauté des biens entre les époux : la femme conserve comme siens les biens dotaux (ceux qu'elle a apportés en dot). Le Code civil napoléonien prévoit cependant qu'ils sont librement administrés par le mari ; mais ils sont frappés d'inaliénabilité (les biens immeubles, en particulier, ne peuvent être vendus).

72. Rappelons, comme il a été indiqué au chapitre précédent et annoncé dès la première présentation du « grand homme » (en I, 3 : « fermier de ma grand-mère »), que Deschartres exploitait les terres à son compte contre paiement d'un loyer.

73. Cette cérémonie eut lieu le 25 octobre 1824, Louis XVIII étant mort le 16 octobre.

74. Giuditta Pasta (1797-1865), très célèbre cantatrice dont Stendhal fut un admirateur fervent.

75. Rappelons que c'est en 1830, par la grâce de la révolution de Juillet, que ce duc d'Orléans deviendra « roi des Français » sous le nom de Louis-Philippe Ier, position qu'il gardera jusqu'en février 1848.

76. Pour entendre ce calembour (« sans glands » pour « sanglant »), il faut rappeler que les ultras (royalistes) reprochaient à la famille d'Orléans de ne pouvoir se laver du sang royal, celui de Louis XVI. En effet, le père de Louis-Philippe, duc d'Orléans pendant la Révolution, s'y était illustré comme le personnage le plus en vue de l'ancienne aristocratie à s'engager en faveur du mouvement révolutionnaire : il y gagna le surnom de Philippe-Égalité. Malgré sa fin sur l'échafaud (en novembre 1793), sa mémoire est restée honnie des royalistes puisqu'il a, lors du procès de Louis XVI, voté la mort de son parent.

77. Du roman Lélia, il sera question à plusieurs reprises par la suite (en IV, 12 et surtout en V, 2). Roman d'une âme au féminin qui met à l'épreuve les grands thèmes de la religion et de l'amour (amour physique inclus) au gré d'un romantisme dit « frénétique », il fit, à sa sortie en 1833, gloire et scandale autour du nom de George Sand alors émergent sur la scène littéraire. L'auteur y revint quelques années plus tard pour donner une deuxième version assagie de son roman, en 1839. Pendant longtemps, au regard de ses contemporains, Sand restera « l'auteur de Lélia ». Son biographe de 1952, André Maurois, intitulait encore : Lélia ou la Vie de George Sand.

78. On doit à G. Lubin une hypothèse assez convaincante et surtout séduisante – sur le plan « romanesque » – pour expliquer « le mot de ce drame étrange » que Sand reste réticente à exposer. G. Lubin rapproche l'incident d'un des scandales « de mœurs » les plus retentissants de la Restauration : celui qui perdit de réputation Astolphe de Custine (1790-1857), jeune et brillant aristocrate (plus tard écrivain), roué de coups par trois soldats qui l'auraient décou-

vert en compagnie d'un des leurs dans le cadre d'un rendez-vous qu'on dira « galant ». Même étouffée, l'affaire fit beaucoup de bruit ; elle eut lieu en octobre 1824, à proximité même de la maison qu'occupait la future George Sand à ce moment-là, constate G. Lubin.

79. Siège de la Chambre des pairs pendant la Restauration et la monarchie de Juillet, le palais du Luxembourg est occupé, au printemps 1848, par la « Commission du gouvernement pour les travailleurs » présidée par Louis Blanc. C'est l'éphémère « Commission du Luxembourg », qui rassemble des représentants patronaux et ouvriers pour une nouvelle organisation du travail.

80. On peut s'étonner que le texte prétende ici couvrir de l'anonymat les demoiselles Bazouin... Leur nom figurera en toutes lettres quelques pages plus loin (« M. Bazouin vint avec ses filles ») et, par ailleurs, il a déjà servi à les introduire dans le récit (II, 4).

81. La « navette » est une plante à graines oléagineuses, voisine du colza.

82. Une « châsse » est un coffre destiné à porter des reliques pour les mettre en évidence.

83. « Gave » est un terme régional pyrénéen pour désigner le torrent.

84. On devine qu'il s'agit de l'époux, Casimir.

85. Tout au long de cette page, l'astérisque solitaire renvoie au prénom d'Aimée (rétabli par Lubin dans son édition), sans doute masqué en raison des réserves émises à son encontre, mais facilement identifiable par le contexte.

86. « Le son rauque de la trompe des Enfers », le Tasse, *Jérusalem délivrée*, IV, 3.

87. La chronique mondaine est un genre très peu coutumier à Sand : mais ici, l'espace d'une page et à l'occasion de la citation d'un journal ancien, elle s'immisce dans *Histoire de ma vie*. On croise, dans les lignes suivantes, des noms plus ou moins connus : la princesse de Condé était la cousine (et non la veuve) du duc d'Enghien, exécuté en 1804 par ordre de Bonaparte, Premier consul ; le général Foy (1775-1825) a été l'un des plus brillants orateurs de la Chambre des députés sous la Restauration ; Mme de Rumford, après avoir été veuve de Lavoisier, l'était à nouveau du savant qu'évoque Sand, le comte de Rumford, qui avait travaillé sur l'alimentation rationnelle et la meilleure utilisation des combustibles ; François Magendie (1783-1855) était un spécialiste de physiologie.

88. Virgile, *Géorgiques*, II, vers 458-459.

89. Les Espélugues sont les grottes de Lourdes ; rappelons qu'elles n'étaient pas encore « sacrées » au moment où Sand les visite, puisque les apparitions de la Vierge à Bernadette Soubirous n'y eurent lieu qu'en 1858 (trois ans après la publication d'*Histoire de ma vie*).

90. C'est-à-dire digne de Piranèse (Giovanni Piranesi, 1720-1778), célèbre graveur et architecte, habile à ménager des perspectives colossales et des contrastes dramatiques.

91. Monsieur le baron.

92. L'emploi de cet adjectif inaugure, pour la suite du paragraphe, un ensemble de références rabelaisiennes.

93. Le texte ici ne fait qu'indiquer les agitations de la vie intérieure sans se permettre d'en faire connaître les causes externes. Les biographes de Sand l'ont fait, en s'appuyant sur la correspondance (largement conservée : voir le premier volume de la *Correspondance* de G. Sand, établie par G. Lubin, *op. cit.*) de la jeune femme à l'époque. La deuxième moitié de l'année 1825 fut tout entière marquée, pour Aurore Dupin, épouse Dudevant, par le retentissement affectif et moral que produisit la rencontre, pendant l'été à Cauterets, d'Aurélien de Sèze. Celui-ci, jeune magistrat bordelais (1799-1870), réputé aimable, idéaliste et aussi fidèle aux valeurs très catholiques de sa famille, s'éprit de la jeune femme alors placée dans le profond ennui d'un mariage de plus en plus laborieux. Séduite d'avoir séduit, Aurore répondit favorablement à cette passion, tout en la maintenant sur un plan platonique et en faisant partager à Aurélien l'engouement idéal pour une relation toute de confiance et de verbe : à force de lettres amoureuses mais « pures », Aurore et Aurélien voulurent se penser comme les protagonistes d'une nouvelle modélisation du rapport amoureux, à la sublimité gémellaire (comme la proximité des prénoms semblait vouloir le confirmer). Maintenu au plan verbal de l'échange épistolaire et de l'abstraction lyrique, la relation entre Aurore et Aurélien trouva assez vite sa limite et s'amortit, bientôt après, en effusion littéraire. Le « très violent chagrin » dont il est question ici fait allusion à des péripéties de cet épisode : avant d'arriver à formuler cette idéalité platonique comme principe de relation, des tiraillements et ajustements furent inévitablement nécessaires ; Casimir Dudevant était, par ailleurs, peu informé d'une aventure morale qui révélait et accélérait une crise conjugale devenue patente. Ainsi, la présence d'Aurélien hante discrètement cette page, comme elle se devinait déjà, de manière très ténue, au dernier paragraphe du chapitre précédent (« quelque préoccupation intérieure ») ; et comme elle reviendra plus nettement, au début du chapitre suivant (l'« être absent ») : c'est un enjeu latent qui ne s'autorise que des apparitions fugaces à la surface du texte.

94. Caractérisation, en termes spécialisés, de la robe d'un chien.

95. « Par contre » est probablement à lire, dans cette phrase, au sens de « par contrecoup ». Littré indique le sens de « en compensation » pour cette locution (dont il déconseille l'emploi en dehors du langage commercial).

96. « Lanusquet » signifiant « landais » en langue régionale, il s'agit de compter les pins.

97. Rappelons que cette femme, seconde femme du colonel Dudevant, n'est pas la mère de Casimir.

98. Selon G. Lubin, la mère de Casimir était une servante. Quant à l'ascendance paternelle, les recherches la concernant n'ont pas établi le lien avec le fameux financier Law.

99. Le général Henri Gatien Bertrand (1773-1844) fut un fidèle serviteur de Napoléon dont il partagea l'exil à Sainte-Hélène.

100. La principale ville de Laconie (région de l'ancienne Grèce) étant Sparte, on peut considérer l'adjectif « laconien » comme une variante de « spartiate » (que l'auteur a évité en raison, sans doute, de sa connotation trop âpre). L'élégance du Directoire s'allie, en ce personnage, à un souci de discipline intérieure.

101. Il s'agit, comme le début de la phrase le laisse deviner, du sous-préfet de La Châtre et de sa femme.

102. Cet ami de George Sand, vivant à La Châtre, apparaîtra à plusieurs reprises dans la suite du texte où il sera mieux présenté.

103. Les biographes de Sand aident à expliciter les circonstances de cette étape décisive en mettant en avant un élément marquant qui a « rompu » l'équilibre à Nohant et que le texte, ici, passe sous silence : la rencontre avec le jeune étudiant Jules Sandeau de séjour à La Châtre durant l'été 1830 et dont Sand devient la maîtresse. Le nom de Sandeau n'apparaîtra dans le texte qu'en IV, 14 (voir plus loin note 139, p. 572).

104. On peut mettre en doute cette assertion au vu de ce que Sand a été capable de rapporter d'autres périodes où les enjeux furent essentiellement ceux de sa vie intérieure (voir, par exemple, la période mystique du couvent). Le chapitre suivant, d'ailleurs, vient confirmer que Sand n'a pas besoin de béquilles événementielles pour fournir des enjeux propres à soutenir le récit de son existence.

105. Dans cet entourage, il y avait, selon G. Lubin, Duteil (cet « autre ami de la maison » dont il sera question quelques pages plus loin) ; mais aussi et surtout, très elliptiquement dit, l'époux Casimir (« on devenait obscène et grossier »)...

106. On pourrait croire, dans ce paragraphe, à une nouvelle évocation de Corambé... Oui et non : le rêve, maintenant, est (partiellement) incarné. Il a nom « Aurélien » (voir plus haut note 93, p. 567). L'« être absent » viendra encore hanter le texte quelques pages plus loin.

107. On remarquera que, dans ce passage comme souvent chez Sand, le sémantisme du mot « siècle » est sans restriction, historique et religieux à la fois. Dans ce deuxième sens, le siècle désigne la vie du monde, changeante avec les époques, et opposée en cela à la vie religieuse, dont les valeurs sont éternelles.

108. C'est un rappel du principe de l'énonciation de l'ouvrage, posé dans les deux premiers chapitres : la narratrice n'écrit – ne se confesse – qu'à l'intention de lecteurs amis et solidaires. Le partage autobiographique n'est concevable qu'avec eux.

109. De *Lélia* nous avons déjà parlé (voir plus haut note 77, p. 565). *Spiridion* parut en 1839 (et il fut remanié en 1842). Imprégné des idées de Pierre Leroux, c'est un roman qui peut être dit « mystique » en ce qu'il exprime une quête passionnée de vérité morale et spirituelle.

110. Comme il sera dit plus loin dans le même chapitre, « le Malgache » est le surnom de Jules Néraud, ami de Sand vivant à La

Châtre. Il avait déjà été évoqué, avec le même surnom, dans les *Lettres d'un voyageur*.

111. « Raconter et juger est un travail simultané » : il est tentant d'isoler cet énoncé comme un bel axiome de poétique narrative. Il convient remarquablement bien pour dire ce qui est une exigence aiguë de l'expression autobiographique : l'articulation, voire l'identité, du récit et du discours.

112. Accorder la qualification de « socialiste » à Émile de Girardin montre l'élasticité que le terme conservait encore au moment où Sand écrit ces lignes (après 1848) : la suite de la note, d'ailleurs, fait de ce « socialiste » un théoricien de l'individualisme... Rappelons que Girardin est avant tout fameux comme homme de presse : c'est lui qui mit les journaux à l'heure du libéralisme économique en inventant, avec *La Presse* (1836), le modèle du journal peu cher et à grand tirage, sans ligne politique trop marquée, et qui fait appel à la publicité et à la plume de feuilletonistes connus. Sand a compté parmi les signatures prestigieuses de *La Presse* : rappelons que c'est le cas, en 1854-1855, avec *Histoire de ma vie*. La suite de l'ouvrage reviendra sur Émile de Girardin à l'occasion d'un panégyrique que la présente édition épargne au lecteur (V, 12).

113. Si petite que fût la chambre, notons quand même que celle qui s'apprêtait à devenir « George Sand » avait une chambre *à elle*. Il est certainement à propos, ici, de convoquer le discours de Virginia Woolf dans son fameux essai de 1929, *Une chambre à soi* : « il est indispensable qu'une femme possède quelque argent et une chambre à soi si elle veut écrire une œuvre de fiction », y lit-on dès la deuxième page. Le souci d'indépendance financière revient à plusieurs reprises comme un enjeu essentiel pour l'héroïne d'*Histoire de ma vie*, quand elle devient une femme adulte. Quant à la « chambre à soi », celle pour se recueillir et pour écrire, la jeune femme l'a : il est remarquable que les pages qui suivent, décisives sur la vocation de romancière et l'abandon du rôle de « femme de ménage » voulu par le mari, soient justement articulées sur la description de cette chambre qui « n'était un passage pour personne ».

114. Nom familier du grillon, par imitation de son « cri ».

115. Il ne restera pas inédit mais connaîtra une publication posthume dans l'*Histoire du rêveur* (éd. Montaigne, 1931, p. 61-85).

116. Citation approximative de Pantagruel dans le *Quart Livre*, chapitre 18.

117. « Julep » est un terme ancien pour désigner, de manière générique, toutes les potions ; mais plus particulièrement celles à vertu adoucissante et calmante.

118. On remarquera la modestie du ton employé pour amener cette assertion essentielle qui revendique la qualité d'« artiste ». Le mot ne vient qu'après l'énumération dilatoire des postures de l'artisanat ; mais une fois lâché, il sera aussitôt, aux deux pages suivantes, innervé de tous les prestiges des différents arts (peinture, musique), convoqués avec les noms de leurs représentants les plus fameux.

119. Ces deux opéras restent très célèbres. Le premier, créé en 1821, est de Weber (1786-1826) ; le deuxième, créé en 1829, de Rossini (1792-1868).

120. En décembre 1830, quatre ministres du dernier gouvernement de Charles X, responsables des ordonnances *ultras* que ce roi essaya d'imposer en juillet précédent et qui précipitèrent sa chute, furent mis en jugement devant la Chambre des pairs, qui siégeait au palais du Luxembourg. Il y eut quelques troubles aux abords du palais pendant ce procès, qui aboutit à une condamnation à perpétuité des accusés. C'est début janvier 1831 que Sand (ou disons encore Aurore Dupin) s'installa à Paris.

121. Il est vrai que le terme « Mémoires » annonce, dans les textes qui portent ce titre, la convocation d'un personnel nombreux, puisque le mémorialiste prétend à une représentation large d'un passé récent qui n'est pas que le sien. Exprimant souvent le vœu de « servir l'histoire », il est inévitable qu'il en montre les différents intervenants : est-ce à dire, comme l'écrit Sand, qu'il se permet de mener une sorte de confession générale ? En politique (domaine auquel Sand a fait une allusion précise et qui est celui où se déploie un grand nombre de Mémoires), céder à une veine polémique avec révélation des agissements d'autrui et attaques *ad nominem*, ce n'est pas exactement « confesser » les autres. Mais il est certain qu'une telle démarche est incompatible avec l'éthique d'*Histoire de ma vie*, placée sous le signe de la solidarité et de la charité.

122. On remarque que, depuis le début du chapitre, le besoin d'une reformulation du pacte moral qui légitime l'entreprise autobiographique a valeur de transition : c'est une « manière de préface à une nouvelle phase de mon récit ». La scansion est très forte : la vie de l'héroïne d'*Histoire de ma vie* a changé à cette époque et la narratrice doit y adapter son récit. De « confession », il devient peu à peu, désormais, « souvenirs » de quelqu'un de connu.

123. *Notre-Dame de Paris* paraît au printemps 1831, en même temps que Sand s'installe dans la capitale.

124. Une telle maxime est de celles dont regorge la *Physiologie du mariage*.

125. Chaussures de bois et de cuir qu'on fixait aux chaussures ordinaires pour se garantir de l'humidité.

126. Un an après la « bataille d'*Hernani* » (21 février 1830), la création théâtrale était toujours parcourue d'enjeux polémiques, qu'ils soient politiques ou esthétiques. Dans ce contexte, le rôle de la « claque » (éléments du public payés pour applaudir) était important.

127. Dans l'argot du théâtre, les « claqueurs » (par allusion à ceux qui existaient à Rome, sur l'initiative, dit-on, de Néron).

128. On se souvient aujourd'hui d'Henri Delatouche (ou de Latouche ; 1785-1851), moins pour son œuvre propre (à l'exception, peut-être, du roman *Fragoletta* de 1829) que pour son rôle important dans le milieu littéraire des années 1820 et 1830. À la page suivante, il sera fait allusion à son article de 1829 dans la *Revue*

de Paris, « De la camaraderie littéraire », où il dénonçait la répartition en clans et réseaux du monde littéraire. Dans les chapitres suivants d'*Histoire de ma vie*, Delatouche sera au premier plan.

129. La citation par Sand de ce texte fameux est un peu approximative. Elle provient du chapitre 28 du livre I des *Essais*, « De l'amitié » (GF-Flammarion, 1969, t. I, p. 236). On sait que Montaigne y parle de son ami Étienne de La Boétie (1530-1563), l'auteur du *Discours de la servitude volontaire*, dont la mort prématurée hante l'écriture des *Essais*.

130. « Qu'est-ce donc que cet amour de l'amitié ? » s'exclame Cicéron dans les *Tusculanes* (IV, 33) à propos du voile dont certains prétendent habiller leur amour des jeunes gens.

131. Ces quatre noms d'hommes désignent deux couples fameux d'amants de la mythologie et de l'histoire grecques : Sand les reprend à Montaigne qui, dans le chapitre « De l'amitié », les convoque comme figures de la « licence grecque […] justement abhorrée par nos mœurs ».

132. Cette citation provient toujours du même chapitre « De l'amitié » (GF-Flammarion, t. I, p. 234). Pour bien l'entendre, il faut identifier « nourrisse » (nourrice) comme substantif apposé à « communication ».

133. Les pages qui précèdent ont illustré l'exceptionnelle dynamique digressive dont est capable le texte d'*Histoire de ma vie*. Le chapitre, ouvert par une « manière de préface à une nouvelle phase » du récit, a entamé cette dernière au gré d'une dérive associative ininterrompue et très contrôlée : la contrainte financière suscite l'habillement en homme, lequel occasionne des anecdotes cocasses au théâtre ; en particulier la rencontre avec M. Rollinat, père de celui qui allait devenir un des meilleurs et des plus durables amis de Sand ; d'où des considérations « philosophiques » sur l'amitié, même entre femme et homme. Virtuoses par la forme, ces pages sont aussi remarquables pour la force avec laquelle elles thématisent l'amitié. Celle partagée avec François Rollinat est élevée à un niveau d'exception : et dans le même temps, promue comme paradigme de référence par lequel chaque lecteur peut se sentir concerné. De même que François Rollinat, pour son amie Sand, n'a « jamais prêché que d'exemple », de même fait l'auteur-narratrice d'*Histoire de ma vie* à l'endroit de ses lecteurs.

134. On devine que « poster » a ici le sens d'aller rapidement, aussi vite que les voitures de poste.

135. « Inconnu, je me mêlais à la foule : vaste désert d'hommes ! » s'exclame le héros de Chateaubriand quand, après lui avoir fait arpenter les solitudes, son désespoir lui fait essayer de la grande ville, Paris (*René* dans *Atala. René. Le Dernier Abencérage*, GF-Flammarion, 1996, p. 177).

136. Jean-Baptiste Deburau (1796-1846), le très célèbre mime du théâtre des Funambules, où il triompha des années 1830 à sa mort. À la suite de son ami le critique Jules Janin (voir note suivante), Sand écrit « Debureau ».

137. Jules Janin (1804-1874), critique littéraire dominant à partir des années 1830, publia *Debureau, histoire du théâtre à quatre sous* (1832), qui contribua beaucoup à faire connaître le mime. On retrouvera Janin au chapitre suivant (IV, 15).

138. Un « paillasse » est un bateleur qui fait ses tours sur la place publique. Cet emploi, dérivé de l'italien *Pagliaccio*, est apparu à la fin du XVIIIᵉ siècle. Il vient du costume qu'avaient ces bateleurs, fait de « toile à paillasse » (toile des sacs contenant de la paillasse).

139. De Jules Sandeau (1811-1883), on se rappelle aujourd'hui surtout qu'il a laissé à celle dont il était l'amant une partie de son nom... La narratrice reste très elliptique sur cette liaison qui dura de l'été 1830 à mars 1833, qui compta certainement beaucoup dans son départ pour Paris au début de 1831 et qui persista pendant les deux premières années de sa vie littéraire. Sandeau, par la suite, a réussi à maintenir une carrière de romancier assez prospère, dont on peut faire émerger *Mademoiselle de La Seiglière* (1848) comme le titre le plus connu, et *Marianna* (1839), parce que ce roman est réputé transposer son histoire avec George Sand.

140. Auteur de théâtre à succès, l'Allemand August von Kotzebue (1761-1819) a été assassiné par l'un de ses jeunes compatriotes, Karl Ludwig Sand, parce que son rôle d'agent au service de la Russie était bien connu et le faisait considérer comme un traître.

141. On attendrait logiquement « Ils avaient raison », le référent du pronom étant « quelques amis ». Toutes les éditions, cependant, donnent « amis » au masculin (on peut penser qu'il s'agit des habituels amis-conseils de la narratrice : Duteil, Planet, Néraud « le Malgache ») et la reprise par le pronom féminin.

142. L'épidémie de choléra du printemps 1832 reste fameuse dans les annales : pour son ampleur (européenne), la rapidité de sa propagation et sa gravité (près de vingt mille morts à Paris).

143. Au cloître Saint-Merry, le 6 juin 1832, se conclut dans le sang l'insurrection déclenchée la veille par les républicains, décidés à établir le régime qu'ils estimaient leur avoir été usurpé deux ans plus tôt. Le quartier du Marais, hérissé de barricades, fut le lieu de combats violents ; le pouvoir louis-philippard y eut le dessus, employant l'armée et secondé par la garde nationale (milice bourgeoise). L'évocation littéraire la plus fameuse de ces journées reste celle donnée par Victor Hugo, dans la IVᵉ partie des *Misérables* (1862). Mais dès 1841, George Sand les avait fait entrer dans le cadre d'une représentation romanesque, avec *Horace* ; ce roman restitue l'ambiance morale et politique des deux premières années de la monarchie de Juillet dans le milieu des étudiants et des artistes parisiens (milieu qui, *Histoire de ma vie* en témoigne, fut celui de Sand à son arrivée à Paris).

144. L'*Histoire de dix ans* de Louis Blanc (Paris, Pagnerre, 1841-1844, 5 vol.) revient sur les dix premières années de la monarchie de Juillet pour en dresser le réquisitoire. L'extrait cité par Sand se trouve t. III, p. 319. En plus de ses écrits historiques, Louis Blanc (1811-1842) est connu comme théoricien socialiste (*L'Organisation*

du travail, 1839) et comme homme politique, membre du gouvernement provisoire de la République au printemps 1848. Il a collaboré,
dans les années 1840, à la *Revue indépendante* fondée par George
Sand, Pierre Leroux et Louis Viardot.

145. « Duc de Reichstadt » est le titre que reçut, à la cour de
Vienne, le fils unique de Napoléon, *alias* « Napoléon II » ou « roi de
Rome » (1811-1832). « Duc de Bordeaux » est un des titres par lesquels on a désigné le fils du duc de Berry, assassiné en 1820 : il a été
dit aussi « comte de Chambord » ou « Henri V » (1820-1883).

146. L'ancien héros de la guerre d'indépendance américaine était
alors un homme politique de premier plan, ayant eu un rôle décisif
dans la mise en place de la monarchie de Juillet. Comme déjà sous la
Restauration, il continua à siéger comme député libéral et mourut en
1834.

147. Auguste Hilarion, comte de Kératry (1769-1859) est
(comme Arlincourt, déjà évoqué) un de ces romanciers prolifiques
de la première moitié du XIXᵉ siècle dont la postérité n'a rien retenu.
Il fut par ailleurs un homme politique très actif : député libéral sous
la Restauration, puis nettement conservateur après 1830. Sur la
« donnée révoltante » de son roman, *Le Dernier des Beaumanoir*
(1824), Sand se fera plus précise à la page suivante.

148. Chrysale est le « bon bourgeois » des *Femmes savantes* de
Molière qui cherche à reprendre le contrôle de sa maison où les
femmes se sont entichées de bel esprit et de beau langage…

149. Fondé en 1826, *Le Figaro* passa aux mains de Delatouche
après juillet 1830. Le journal était réputé comme une feuille d'opposition pleine de verve.

150. Vieux mot pour désigner un fiacre.

151. Sand a fait de Nicola Porpora, compositeur italien important
du XVIIIᵉ siècle, un personnage de premier plan dans *Consuelo*
(1842).

152. Au moment où Sand le rencontre, Balzac a déjà publié,
parmi ses titres promis à une fortune durable, *Les Chouans,* la *Physiologie du mariage, La Peau de chagrin, Le Chef-d'œuvre inconnu* ou
encore *Sarrasine* et *Une passion dans le désert…*

153. Propos qui viennent sans doute du fameux colloque des deux
auteurs à Nohant, en février 1838.

154. Les saint-simoniens sont les disciples de Claude Henri de
Saint-Simon (1760-1825), philosophe et économiste dont les idées
eurent une influence très grande au XIXᵉ siècle. Le saint-simonisme
prône une sorte de religion de la science et proclame la volonté d'une
réorganisation sociale globale tendue vers le bonheur commun :
l'amélioration du sort des plus pauvres devant se faire à travers un
volontarisme industriel. En butte à la répression policière, le groupe
(« secte ») saint-simonien va se défaire dans le courant des années
1830, mais ses idées conserveront beaucoup d'influence.

155. Partagée à la fin du XVIIIᵉ siècle entre la Russie, la Prusse et
l'Autriche, la Pologne n'existait plus comme État indépendant au
XIXᵉ siècle. Dans la partie contrôlée par la Russie, un grand soulève-

ment armé s'amorça à l'automne 1830, comme un écho à l'événement révolutionnaire de juillet en France : mais, malgré l'effort d'éminents orateurs comme La Fayette ou Lamartine, le régime français sorti des Trois Glorieuses ne fit rien pour aider les Polonais ; l'armée russe reprit Varsovie en septembre 1831 et, à coups d'oukases, un régime très répressif fut mis en place.

156. Indiana et Ralph sont les héros d'*Indiana* (on aura remarqué que Sand, volontiers, souligne les noms des protagonistes de fiction). Le roman se conclut, comme l'auteur en convient ici, sur une sorte de vertige géographique : sans guère de préparation du lecteur en ce sens, le récit fait s'embarquer Indiana et Ralph pour l'« île Bourbon » (ancien nom de l'île de la Réunion), où ils s'établissent.

157. L'effort de solidarité est le seul moyen pour rendre acceptable, moralement et politiquement, le discours sur l'individuel en en faisant un discours sur le collectif : c'est donc tout l'effort d'*Histoire de ma vie*. Dira-t-on que ce souci semblait s'être relâché quand la narratrice racontait son enfance ? Sans doute. Elle s'apprête à le concéder et à l'expliquer dans les lignes qui suivent.

NOTES DE LA CINQUIÈME PARTIE

1. *Valentine* parut en fait en novembre 1832, six mois après *Indiana* (paru en mai).

2. L'emploi intransitif et absolu de « plaider » est devenu un archaïsme ; il signifie aller en justice, soutenir un procès.

3. À l'article pamphlétaire « De la camaraderie littéraire » de Delatouche, en 1829 (voir p. 570-571, la note 128), Planche répondit deux ans plus tard par un cinglant « De la haine littéraire ».

4. Dans le registre de la chronique intime, les biographes de Sand ont particulièrement détaillé les amours de la jeune femme durant cette année-là. Année qui a commencé dans l'instabilité (rupture avec Jules Sandeau, amitié amoureuse avec Marie Dorval, brève rencontre avec Prosper Mérimée) pour devenir, peu après, l'« année Musset ». La romancière et Alfred de Musset (1810-1857) se rencontrent en juin, deviennent amants dans l'été et, en décembre suivant, partent ensemble à Venise… pour un naufrage sentimental de trois mois. Cela dit pour fixer l'anecdote : l'évocation de l'année 1833, au chapitre suivant, se fera essentiellement au plan spirituel. Dans *Histoire de ma vie*, le nom de Musset apparaîtra à peine (voir plus loin note 15, p. 575-576).

5. Dès les années 1830, à peine le romantisme commencé, il y eut des figures de poètes maudits : Élisa Mercœur (1809-1835), un temps louée par Lamartine, finit dans la misère ; Hégésippe Moreau (1810-1838) connut une fin similaire.

6. Victor Escousse (1813-1832) est une autre figure de maudit de la littérature, dont le cas a beaucoup frappé l'opinion : il se tua après l'insuccès d'une œuvre.

7. Dès le milieu du XIXe siècle, le nom de la famille de Rothschild (dont les membres tenaient des banques d'affaires dans toute l'Europe) était synonyme de richesse.

8. Le paragraphe récapitule les événements les plus marquants des années 1830-1832, ils ont déjà été évoqués précédemment dans le texte. Quant aux saint-simoniens, rappelons que si leurs idées ont eu une influence durable, leur groupe a sombré en tant que tel à la suite de la querelle de ses membres sur la question de la liberté sexuelle, si l'on peut appeler ainsi ce qui effrayait certains saint-simoniens dans l'application d'un des principes de la « secte » : l'éga- lité de l'homme et de la femme. Dans *Horace* (1841), Sand en a montré une illustration heureuse : deux des personnages principaux, Théophile et Eugénie, vivent sereinement en couple, sans être passés devant un maire qui eût dû sanctionner officiellement (« Code Napoléon » oblige) leur prétendue inégalité.

9. On aura remarqué l'assurance assertive du propos : l'énoncia- tion solidaire légitime absolument le magistère d'une parole discur- sive qui pratique le partage d'expérience.

10. C'est peut-être ici une des clés pour interpréter *Histoire de ma vie* comme projet global : associer les lecteurs à son destin pour les rendre semblables à soi ; ou plutôt, s'assurer avec eux que la dissem- blance des uns et des autres n'est pas trop grande, irrémédiable.

11. Dans la vigueur extraordinaire des pages qui précèdent, dans l'adresse à l'« homme de bien » en particulier, on aura entendu une méditation sur la sainteté (forme sublimée de l'individualité) à l'âge laïc des communications et des foules ; et aussi, bien sûr, l'écho d'un discours sur soi. La solidarité est une promesse mais aussi une longue épreuve : la narratrice nous apprend au prix de quels tour- ments elle est parvenue à la sérénité expansive qui, depuis les pre- miers chapitres, énonce *Histoire de ma vie.*

12. Les *Contes drolatiques* commencèrent à paraître en avril 1832 (il en paraîtra jusqu'en 1837). Balzac s'y essayait à une veine licen- cieuse héritée des fabliaux médiévaux et de Rabelais.

13. On peut penser à *Leone Leoni* ou à *Consuelo.*

14. On peut rappeler qu'en 1855, quand Sand écrit et publie ces lignes, Stendhal, mort en 1842, était au plus profond d'un purga- toire littéraire dont il ne devait sortir avec éclat qu'une trentaine d'années plus tard.

15. On apprend enfin que Sand n'est pas seule dans ce fameux voyage ! Dans *Histoire de ma vie*, le nom de Musset n'apparaît que deux fois (ici et quelques pages plus loin), mais sans aucun commen- taire signifiant : juste pour mention, comme pour consigner et assumer à la première personne ce qui, dans l'ordre du discours public, a déjà été établi comme un fait. C'est ailleurs, dans d'autres de ses écrits, que Sand s'est exprimée sur ces quelques mois aussitôt mythifiés, dans les cercles de la mondanité littéraire, comme emblème romantique de la passion qui écrit et se tourmente. Sand y est revenue publiquement en 1859 dans son roman *Elle et lui* dont les protagonistes Thérèse et Lau- rent sont des clés limpides pour elle et Musset : deux ans après la mort

de celui-ci, la narration sandienne se fait polémique pour imposer un plaidoyer de défense de son rôle contesté dans la péripétie vénitienne. Mais c'est encore des écrits privés, à savoir la correspondance des deux protagonistes et de leurs amis, qui offrent l'éclairage le plus précieux sur cette aventure ; José-Luis Diaz en a composé un recueil qui rend cet ensemble de lettres aisément disponible : Sand et Musset, *Le Roman de Venise*, Actes Sud, « Babel », 1999.

16. Venise avait cessé, en 1797 (par le fait de Napoléon), d'être la République indépendante qu'elle avait été pendant des siècles. De 1797 à 1866, la Vénétie fut placée sous domination autrichienne.

17. Inexactitude dans le souvenir : *La Fausta* est un opéra de Donizetti et non de Mercadante.

18. Nous avons déjà rencontré le nom de ce héros de l'émancipation italienne (voir plus haut note 24, p. 560), devenu nom de cheval !

19. « Plus tard », c'est-à-dire au moment du procès en séparation où Casimir Dudevant se servit du témoignage de cette Julie contre sa femme (il y sera fait allusion en V, 10 : « il imagina de présenter au tribunal une requête dictée, on eût pu dire rédigée par deux servantes que j'avais chassées »).

20. Les deux morts sont Duteil (décédé en 1852) et Planet (en 1853). Quant à Jules Néraud (« le Malgache »), il est mort en avril 1855.

21. À l'époque de cet article (le 15 octobre 1834, dans la *Revue des Deux Mondes*), Talleyrand touchait au terme d'une très longue carrière (voir t. I, note 31, p. 626) : âgé de quatre-vingts ans, il exerçait encore des fonctions éminentes (ambassadeur à Londres de 1830 à novembre 1834). Il se retira ensuite dans son château de Valençay, dans l'Indre.

22. Cet ami « Dutheil » est très manifestement le même qui apparaissait précédemment et reviendra ensuite comme « Duteil ». La lettre « h » n'orne son nom que dans ce chapitre ; nous l'y laissons, puisqu'il en est ainsi dans toutes les éditions d'*Histoire de ma vie*.

23. Il est vrai que la création romanesque sandienne peut se déployer dans de tels parages (par exemple avec *Jacques*).

24. Au milieu du XIXᵉ siècle, s'étendre sur une telle matière est à peine concevable en dehors d'un traité médical ; alors, qu'une femme s'y intéresse dans le récit qu'elle publie de sa vie... On admire la façon dont celle qui rédige *Histoire de ma vie* s'emploie à maintenir ses réflexions dans les limites de ce que l'opinion de son temps peut accepter : elle ménage, entre elle et le sujet traité, un protocole de mise à distance (détour par l'avis de l'ami Dutheil, référence à la notion de « lieu commun ») ; elle fait servir cette réflexion à réitérer une profession de foi idéaliste. Précautions vaines, pourtant, du moins dans un premier temps : G. Lubin nous informe qu'il y eut censure partielle de ces pages dans *La Presse*.

25. George Sand a évoqué ces « étranges idées » dans le chapitre consacré à son aïeul (I, 6). Inquiet du phénomène de dépopulation dont il s'était convaincu, il proposait que les mariages n'aient qu'une

durée limitée de cinq ans et soient renouvelables, afin d'encourager une plus facile rencontre des sexes.

26. La locution « en vue de » est manifestement employée ici dans le sens de « au vu de ».

27. Hugo, *Marion Delorme*, 1831.

28. *La Cousine Bette* de Balzac date de 1846. Quant à son « autre roman » évoqué, il s'agit d'*Une double famille*, également intitulé *La Femme vertueuse* (1830).

29. Il s'agit des lettres devenues troisième et cinquième dans le recueil.

30. Erreur de numérotation de la part de Sand : c'est la cinquième des *Lettres d'un voyageur* qui parut d'abord, dans la *Revue des Deux Mondes* du 15 janvier 1835, sous le titre « Lettre d'un oncle ».

31. Il faut être sensible au caractère choquant qu'une telle comparaison pouvait avoir pour nombre de lecteurs au XIXᵉ siècle, surtout venant sous la plume d'une femme.

32. La politique, on le remarque, semble l'objet d'une révélation mystique. En outre, annoncer que les pages sur la politique seront une « histoire de sentiment », c'est écarter avec élégance les considérations intimes sur les personnes : « histoire de sentiment » n'étant pas « histoire sentimentale », *Histoire de ma vie* ne présentera pas Michel de Bourges, l'homme clé de cette période, pour ce que les biographes de Sand assurent qu'il fut : l'amant de l'auteur.

33. Rappelons qu'il s'agit en fait de la cinquième des *Lettres d'un voyageur*.

34. Au nombre des « chagrins secrets », il y a la lente agonie de la relation avec Musset : les « amants de Venise » se sont retrouvés au moment du retour à Paris de George, en août 1834. Pendant plus de six mois ils vont se déchirer, renouer pour s'aimer et se faire des reproches, se quitter pour se reprendre, jusqu'à la séparation définitive en mars 1835. Ces longs mois d'automne et d'hiver sont, pour Sand, une période de crise morale profonde, accentuée parfois jusqu'à la dépression, et que les va-et-vient nombreux entre Paris et Nohant n'arrivent pas à éliminer. Ainsi qu'elle va le raconter, Sand ne se guérira que par la révélation politique opérée et incarnée par la rencontre avec Michel de Bourges.

35. L'Orient, dans la tradition littéraire qui s'est ébauchée depuis le commencement du XIXᵉ siècle, c'est l'Empire ottoman et ses fleurons (Constantinople, Jérusalem, Le Caire...). La lignée des voyageurs littéraires dans ces contrées est prestigieuse : Chateaubriand, Lamartine, Gautier, Nerval... Sand, finalement, n'aura pas l'occasion d'y inscrire son nom.

36. On a déjà vu que cet « autre » était Duteil (voir note 105, p. 568).

37. Le « bouillon blanc » (ou « bouillon-blanc ») est le nom usuel de la molène, plante à vertus médicinales.

38. Nous avons déjà rencontré le nom de Lavater (voir t. I, note 75, p. 621). Le « petit travail » que Sand lui consacre, « Sur

Lavater et sur une maison déserte », correspond à la septième des *Lettres d'un voyageur*.

39. Cet attentat contre la personne du roi Louis-Philippe eut lieu le 28 juillet 1835 : il ne tua pas sa cible, mais dix-neuf autres personnes. L'émotion qu'il suscita servit de prétexte au gouvernement pour faire voter les « lois de septembre » (que la phrase suivante de Sand évoque) destinées à briser l'opposition républicaine et l'agitation sociale. Ces lois facilitaient les poursuites devant les tribunaux en cas de délits politiques et censuraient davantage la presse : on n'avait désormais plus le droit de se prononcer contre le roi et son régime, de se dire républicain.

40. Armand Carrel (1800-1836) était un des porte-parole les plus en vue des idées républicaines dans les années 1830. Le journal *Le National*, qu'il avait contribué à fonder en 1830, était sa tribune. Sur les circonstances dramatiques et fameuses de sa mort, Sand reviendra longuement (V, 12).

41. Sorte de plantes (petites herbes parasites).

42. Sand fait allusion au deuil terrible qui l'a frappée en janvier 1855 (à l'époque même où était en cours la publication en feuilleton d'*Histoire de ma vie* dans *La Presse*) : la mort de sa petite-fille Jeanne-Gabrielle (la petite « Nini », fille de Solange), dont elle s'était beaucoup occupée.

43. Rappelons que certaines circonstances de son engagement dans le « procès monstre » d'avril 1835 ont valu à l'avocat Michel de Bourges (Éverard) la sanction d'une peine d'un mois de prison (V, 9).

44. Racine, *Andromaque*, III, 1, vers 786 : « Allons, Seigneur, enlevons Hermione. »

45. La chanson satirique qui chargeait « l'aristocratie bourgeoise de La Châtre » et que Sand et Duteil avait rédigée ensemble : voir en IV, 11.

46. Ce que Sand a vu, ce sont des images dignes de la production de ces artistes qui ont montré la vie modeste des rues (saltimbanques, bohémiens, mendiants...). Alexandre Decamps (1803-1860) est néanmoins plus connu comme peintre orientaliste. Le graveur Jacques Callot (1592-1635), très admiré des romantiques, reste beaucoup plus célèbre.

47. Gloire du théâtre, l'acteur Frédérick Lemaître (1800-1876) régnait sur les planches à l'époque du romantisme.

48. Cette allusion ne se décrypte qu'au regard de la biographie de l'auteur : l'avocat de Casimir, Eugène Bethmont, se retrouva à nouveau, plus de quinze ans plus tard, dans un rôle de conseil entre deux époux déchirés, Solange Sand et Jean-Baptiste Clésinger (le sculpteur célèbre, qui était devenu le gendre de George Sand en 1847). Sand lui donnait une part décisive de responsabilité dans le drame de la mort de sa petite-fille le 14 janvier 1855 (voir plus haut note 42). Dans une lettre écrite aussitôt après à son ami Hetzel, elle se faisait explicite : « Ma petite-fille a été assassinée par son père et M. Behtmont, qui l'ont maintenue par méchanceté d'amour-propre

dans une pension détestable à Beaujon où elle a eu la scarlatine mal soignée et mal rentrée. Je ne dis pas cela par exaltation de douleur, je le prouverais à toute la terre. Je raconterai cette histoire dans la mienne quand le moment sera venu... » (cité par B. Chovelon, *George Sand et Solange, mère et fille*, Christian Pirot éditeur, 1994).

49. Allusion aux circonstances atténuantes importantes avec lesquelles la loi considère le « crime passionnel ».

50. Rozane Bourgoing avait été brièvement présentée dans le texte dans le cadre d'un passage que nous n'avons pas maintenu (à la fin du chapitre 7 de la partie en cours) : « J'avais en Berry une amie charmante, une nouvelle amie, il est vrai, madame Rozane Bourgoing, femme d'un fonctionnaire établi à La Châtre depuis quelques années seulement. C'était une personne distinguée à tous égards, d'une beauté exquise et d'un caractère si parfaitement aimable, qu'elle fut bientôt parmi nous comme si elle y était née. »

51. Marie d'Agoult (1805-1876) reste célèbre aussi bien pour sa vie que pour son œuvre. Elle partagea plusieurs années la vie de Franz Liszt, dont elle eu trois enfants (on appréciera, à ce propos, la formulation pudique trouvée par Sand pour l'introduire dans le texte : « une personne [...] qu'il voyait souvent à Genève »). Elle est par ailleurs, avec le pseudonyme de Daniel Stern, l'auteur d'ouvrages politiques et historiques (en particulier d'une *Histoire de la révolution de 1848*, de 1851-1853).

52. Pierre Antoine Berryer (1790-1868), réputé très grand orateur. Avocat célèbre sous la Restauration (défenseur de Ney, entre autres), il entra dans la politique sous la monarchie de Juillet (comme légitimiste catholique).

53. Cet aréopage est en effet brillant, la plupart de ces noms restant célèbre plus d'un siècle et demi plus tard (à l'exception de celui du baron d'Ekstein, figure du milieu journalistique de l'époque). Eugène Sue (1804-1857) fut le roi du roman-feuilleton (*Les Mystères de Paris*, 1842 ; *Le Juif errant*, 1844). Adam Mickiewicz (1798-1855), poète polonais, chantre épique de son pays martyr, réfugié en France à partir de 1832. Adolphe Nourrit (1802-1939) fut le plus grand chanteur lyrique (ténor) de sa génération. Victor Schœlcher (1804-1893), homme politique dont le nom reste lié au décret abolissant l'esclavage en 1848. À noter comment, à l'occasion de cette liste, le compositeur Chopin (1810-1849) trouve sa première mention dans *Histoire de ma vie* : il occupera de nombreuses pages du chapitre suivant.

54. Le poète et essayiste allemand Henri Heine (1797-1856) vivait alors à Paris, depuis 1831. Il a rendu compte de son expérience française à travers de brillants articles sur ce pays pour les journaux allemands, ensuite recueillis dans *De la France* (1833 et 1857).

55. Non seulement l'auteur s'était fixé une « limite », mais celle-ci était en outre stipulée par un contrat d'édition...

56. Conséquence des conditions laborieuses de la mise en place de la monarchie de Juillet (avec en particulier le thème de la Répu-

blique confisquée aux insurgés de 1830), la personne du roi Louis-
Philippe a fait l'objet d'un grand nombre de tentatives d'assassinat,
qui ont toutes échoué. Louis Alibaud (1810-1836) est un de ceux
qui s'y essayèrent. Il fut inévitablement condamné à mort, malgré
son avocat, Charles Ledru (1801-1877) : après le verdict, celui-ci
coupa une mèche de cheveux de son client pour les parents de ce
dernier. Cet acte lui valut d'être radié du barreau...

57. Ce personnage fut plusieurs années ministre de la Justice sous
la monarchie de Juillet.

58. G. Lubin a rappelé ce que disait la tradition : que Marianne
Florette, fille du jardinier du château de Nérac, avait été séduite par
le futur Henri IV, en 1579 ; et que, abandonnée, elle « se noya dans
la fontaine de ses amours ».

59. Nous suivons ici la correction apportée par G. Lubin dans son
édition, conformément au manuscrit (et aussi aux informations
externes qu'il a pu trouver dans des documents). De manière inexplicable, les éditions antérieures indiquaient « mille deux cents fr. » :
somme qui ne justifierait pas le démêlé exposé dans les lignes qui
suivent.

60. Albert Grzymala (1793-1870), très proche ami de Chopin.

61. Certaines célébrités demandent à être réactivées... : don Juan
Alvarez y Mendizabal (1790-1853) fut un homme politique de premier plan dans l'Espagne des années 1830.

62. Cet ouvrage est évidemment *Un hiver à Majorque* (1841). Si la
figure de Chopin y est certes très présente, le nom du compositeur
n'y est cependant pas inscrit explicitement.

63. On peut supposer que le terme « chiperie » désigne la tendance à « chiper » (prendre, dérober). Dans *Un hiver à Majorque*, le
portrait des habitants de l'île est particulièrement peu flatteur.

64. C'est le titre qu'eut d'abord, lors de sa publication dans la
Revue des Deux Mondes, Un hiver à Majorque.

65. *Consuelo*, chapitre 55.

66. Les spécialistes ont beaucoup disputé pour savoir quel prélude
reconnaître derrière ce passage : G. Lubin rapporte que Franz Liszt
opinait pour le *8ᵉ en fa dièse mineur,* alors que la plupart des musico-
logues se prononcent plutôt pour le *6ᵉ en si mineur.*

67. Après celles de 1832 et de 1848-1849, une troisième épidémie
de choléra frappa l'Europe en 1853.

68. *Antony* fut, en 1831, un des grands succès dramatiques
d'Alexandre Dumas (1803-1870), auteur dont la postérité ne retient
guère le théâtre, domaine qui fit pourtant sa gloire initiale. *Antony* a
compté comme une pièce marquante du répertoire romantique. Son
héros, dont la naissance est entourée de mystère, n'a pas sa place
dans la société ; aussi y entre-t-il, ténébreux, avec une passion dévas-
tatrice, « byronienne », qui pulvérise toute morale et toute règle.

69. Augustine Brault (1824-1905) était une jeune cousine éloignée de Sand à laquelle celle-ci s'est très fort attachée. Voulant la
sauver d'un milieu familial qu'elle jugeait délétère, Sand l'accueillit à
Nohant à partir de l'automne 1845 et finit par l'adopter. Cela, au

prix de grandes difficultés : le « chantage infâme » des parents d'Augustine qui voulurent marchander leur fille, le dérèglement de l'équilibre familial à Nohant, Solange se montrant très jalouse de l'affection que sa mère montrait à cette nouvelle venue (mise en cause des « plus chères affections »).

70. Godefroy Cavaignac (1801-1845) était un républicain combatif, écrivant dans le journal *La Réforme*. Le nom de l'historien Henri Martin (1810-1883) est déjà apparu dans *Histoire de ma vie*, Sand ayant longuement cité son *Histoire de France depuis les temps les plus reculés jusqu'en 1789* (1838-1854) pour mener à bien le portrait de son aïeul le maréchal de Saxe (I, 6).

71. Pauline Viardot (1821-1910) reste parmi les plus connues des cantatrices du XIXe siècle, avec sa sœur, « la » Malibran (1808-1836) ou encore « la » Pasta, dont il a déjà été question. Son père, Manuel Garcia (1775-1832), un des ténors les plus acclamés de sa génération, fut également compositeur de nombreux opéras. Son mari, Louis Viardot (1800-1883), a été directeur de théâtre, traducteur, auteur d'écrits sur l'art et aussi journaliste politiquement engagé, puisqu'il a cofondé, avec Sand et Leroux, la *Revue indépendante* en 1841.

72. De ces personnages dont la notoriété posthume est très inégale et que Sand, comme par acquis de conscience et d'amabilité, semble vouloir faire figurer dans son livre peu avant que celui-ci se termine, l'auteur proposera elle-même une présentation sommaire à la page suivante – ce qui nous dispense donc de le faire.

73. Hortense Allart (1801-1879) reste peut-être plus connue, aujourd'hui, pour sa vie sentimentale agitée (amante de Chateaubriand, entre autres) que pour son œuvre écrite, composée d'essais littéraires, historiques et politiques, ainsi que de quelques romans.

74. Pauline Roland (1805-1852) était une militante saint-simonienne engagée dans le syndicalisme. Déportée après le coup d'État de Louis-Napoléon Bonaparte du 2 décembre 1851, elle mourut, épuisée, au moment de son retour en France.

75. Giuseppe Mazzini (1808-1872) reste certainement le nom le plus prestigieux du Risorgimento italien, avec Garibaldi : le premier en était le rêveur idéal, le second le héros guerrier. Mazzini échoua cependant dans son ambition de faire une république de l'unité italienne.

76. Sand reprend avec élégance (après avoir montré la chose plutôt que de l'énoncer *a priori*) ce qui, depuis Rousseau, s'était imposé comme un lieu commun politique de la mémoire autobiographique : avoir tout connu (c'est-à-dire avoir connu tous les milieux). Dans le « Préambule de Neuchâtel » aux *Confessions*, Rousseau avait écrit : « Sans avoir aucun état moi-même, j'ai connu tous les états ; j'ai vécu dans tous, depuis les plus bas jusqu'aux plus élevés, [...] dînant quelquefois le matin avec les Princes et soupant le soir avec les paysans. »

77. Remarquons qu'au cours d'*Histoire de ma vie* le propos auto-biographique a changé : dans la dernière partie (en fait, depuis le mariage de la narratrice-personnage et plus encore depuis IV, 13), il n'en va plus comme précédemment. Alors en effet, la narration était consacrée à l'enfance et à l'adolescence et elle faisait le récit de la vie aussi bien telle qu'éprouvée intérieurement que traversée extérieurement ; cette narration ne connaissait pas le clivage entre une vie « à la surface », dicible, et une vie plus intime (« que je ne raconte pas »). Les « amertumes effroyables » font probablement allusion aux dissensions familiales de plus en plus douloureuses en raison de la situation qui se dégrade avec Solange (voir plus haut note 69, p. 580-581 et plus loin notes 81 et 85, p. 582 et 583).

78. Silvio Pellico (1789-1854), écrivain et patriote italien, reste célèbre comme l'auteur de *Mes prisons* (1833), ouvrage qui eut un retentissement énorme dans toute l'Europe : il y relate les neuf années qu'il passa dans les prisons autrichiennes (en particulier dans la forteresse du Spielberg). Le héros de *Mes prisons* tient un discours de résignation chrétienne qui déçut les patriotes italiens ; mais il reste le symbole du patriote animé par une cause nationale et pour cela même martyrisé par des occupants tyranniques.

79. Ce roman dont le personnage incriminé est le prince Karol – comme le diront les lignes suivantes – est *Lucrezia Floriani* (1846). Rappelons que Sand s'est toujours défendue d'écrire des romans à clés : cette question a déjà été développée dans *Histoire de ma vie* (II, 15) ; elle revient volontiers dans les préfaces des romans (voir, par exemple, celle de 1852 à *Horace*).

80. Sand a dit, dans son admirable portrait d'Eugène Delacroix (qu'on trouvera dans l'édition intégrale de la Pléiade, t. II, p. 250-262), comment son admiration pour le peintre et sa sympathie pour sa personne avait su s'affranchir de la divergence de leurs opinions politiques.

81. Sur les causes de sa rupture avec Chopin, Sand va assez loin dans la confidence tout en maintenant une salutaire réserve sur une situation familiale difficile. L'année 1847 fut très douloureuse, marquée d'événements excessivement pénibles que les biographes de Sand ont contribué à faire connaître. Solange, alors âgée de dix-neuf ans, avait noué depuis quelques années une complicité très grande avec Chopin. Jalouse de l'engouement de sa mère pour Augustine, accueillie en 1845, l'adolescente avait peu à peu accaparé les senti-ments de Chopin par le jeu d'une séduction trouble où celui-ci se plaisait à souffrir. Au printemps 1847, Chopin supporte mal le mariage de Solange avec Jean-Baptiste Clésinger et en fait reproche à Sand. Puis, quand, pendant l'été, le séjour des deux jeunes mariés à Nohant tourne à la catastrophe (Clésinger se révélant un gendre intéressé et violent qui subjugue sa jeune épouse, demande à sa belle-mère d'éponger ses dettes et lève la main sur elle quand elle refuse), Chopin prend le parti de Solange contre George... Lorsque les deux anciens amants se croisent une dernière fois en mars 1848,

c'est par hasard, dans un escalier ; ils ne s'étaient plus vus depuis de longs mois.

82. Frédéric Chopin mourut le 17 octobre 1849, à trente-neuf ans.

83. Hippolyte Chatiron mourut le 23 décembre 1848.

84. Le second Empire, sorti en 1852 d'un coup d'État (le 2 décembre 1851), était un régime très répressif, particulièrement pendant ses premières années (jusqu'en 1860) pour lesquelles les historiens parlent d'« Empire autoritaire ». Une loi d'amnistie fut votée en 1859, qui permit aux exilés de revenir sur le sol national.

85. Ce paragraphe et le suivant font allusion à la relation avec Solange, avec qui le raccommodement n'a jamais pu aboutir de façon vraiment sereine, malgré la séparation de la jeune femme d'avec Clésinger, en 1852. La désunion traumatisante avec elle avait explosé, en 1847, au moment même où l'écrivaine allait entreprendre *Histoire de ma vie*, comme elle le rappellera encore dans la conclusion.

86. L'auteur d'*Histoire de ma vie* semble vouloir se dérober au fardeau effectivement prophétique de la mission que la période romantique a volontiers assignée à l'écrivain (au « poète », forme sublimée de celui-ci) : « Fonction du poète » assumait Victor Hugo, « sacre de l'écrivain » analysera le critique (Paul Bénichou). Celle qui, ici, dit ne pouvoir pas tout, avait cependant posé sa voix, en commençant son livre, dans un registre élevé : « Mon siècle a fait jaillir les étincelles de la vérité qu'il couve ; je les ai vues » (I, 1). Les pages qui suivent, d'ailleurs, viendront sanctionner l'énoncé modeste (« je ne puis répondre ») comme une antiphrase : elles donneront libre cours, en effet, à un élargissement méditatif qui osera l'ampleur et presque la prophétie. Sand, ainsi, se démarque de ce que Chateaubriand a fait juste avant elle (il a conclu les *Mémoires d'outre-tombe* par des chapitres aux titres orgueilleux : « L'idée chrétienne et l'avenir du monde », « Récapitulation de ma vie », « Résumé des changements arrivés sur le globe pendant ma vie ») ; mais en même temps, elle cède à la tentation d'emmener son texte vers les mêmes parages. Ce dispositif de clôture, cependant, subira une modification postérieure importante avec l'ajout d'un appendice lors de la dernière édition revue par l'auteur, en 1876 (voir plus loin notes 1 et 4 de l'appendice, p. 584-585).

87. Louis Blanc vivait exilé à Londres depuis l'été 1848.

NOTES DE LA CONCLUSION

1. En juillet 1847, il y eut le traumatisme des scènes violentes avec le « couple diabolique » (Solange et Clésinger, ainsi désignés dans une lettre de Sand à une amie) et de la rupture avec Chopin ; en janvier 1855, la mort de la petite « Nini », Jeanne-Gabrielle Clésinger, à l'âge de cinq ans et demi.

2. L'importance de Gotthold Ephraïm Lessing (1729-1781) est à la fois celle d'un dramatuge (qui a fortement contribué à affirmer

une littérature nationale allemande, émancipée du modèle français hégémonique en son temps) et, plus encore, celle d'un théoricien de l'art (littérature et peinture surtout) dont la pensée fut déterminante pour remettre en cause les valeurs de la tradition classique. La pensée de l'histoire et de la littérature développée par Johann Gott-fried Herder (1744-1803) a diffusé son impact, au-delà du roman-tisme allemand, sur tous les romantismes européens : elle établit l'idée d'un relativisme historique qui légitime comme autant de valeurs les identités nationales ; elle proclame un lien étroit d'homo-logie entre génie de la langue, génie du peuple, génie national et génie de la nature. Quant à Pierre Leroux et à Jean Reynaud, nous avons déjà rencontré plusieurs fois leurs noms (voir t. I, note 43, p. 628).

3. Allusion à *Terre et ciel* de Jean Reynaud, ouvrage qui parut en 1854 avec un fort retentissement et impressionna beaucoup Sand, alors plongée dans l'écriture d'*Histoire de ma vie*.

4. Le chapitre consacré à Marie Dorval (V, 4) a indiqué que l'actrice et grande amie de Sand n'avait survécu que d'un an à l'enfant qui était devenu sa « joie » et son « amour suprême », son petit-fils Georges (1843-1848). Le prénom de celui-ci, ici donné sans « s » en comportait un en V, 4.

5. « Charité », huit ans plus tôt, avait été le terme liminaire qui ouvrait l'épigraphe (datée d'avril 1847). Tel est donc le mot qui encadre *Histoire de ma vie*. S'il « commande de marcher », comme il est dit ici, il a aussi commandé d'écrire : au chapitre 1, il s'était laïcisé en « solidarité » pour stimuler l'énonciation.

NOTES DE L'APPENDICE

1. Cet appendice est apparu dans l'édition de 1876 d'*Histoire de ma vie*, la dernière revue par George Sand, publiée quelques semaines après sa mort. L'éditeur qui l'insère ne dit cependant pas que l'auteur a donné son accord à cela ; il semble plutôt poussé par un zèle biographique provoqué par l'hommage posthume. Constatons qu'en se permettant de caractériser l'ouvrage comme inachevé, il commet un contresens évident : le livre ne conduit pas son person-nage au-delà de 1847, sans doute ; Sand a encore vécu près de trente ans après cette date, certes ; mais cela n'empêche pas *Histoire de ma vie*, tel que paru en 1855, d'être dûment achevé par une « conclu-sion » dans les règles qui ménage, avec le dernier chapitre, un effet de clôture particulièrement maîtrisé (voir plus haut note 86, p. 583). L'indication « les vingt-cinq dernières années » de la vie de l'écrivain est erronée (à peu près valable en 1869, elle ne l'est plus en 1876, lors de l'édition définitive).

2. La précision comptable demande de rectifier légèrement ces chiffres : *Histoire de ma vie* a couvert le récit des quarante-trois pre-mières années de la vie de l'auteur. Quand Sand écrit ces lignes à la fin de 1869, ce sont vingt-deux années qui se sont écoulées depuis le

point où son récit avait laissé l'histoire, à la veille de la révolution de 1848.

3. C'est là, aussi, ce qui reste comme une des œuvres majeures de George Sand, telle que revisitée et promue par la postérité : une centaine d'années après que Sand a écrit ces lignes, ce « travail » a été rendu disponible par les soins inlassables de G. Lubin. L'édition qu'il a procurée des lettres envoyées tout au long de sa vie par Sand à ses correspondants compte vingt-six volumes : *Correspondance*, Classiques Garnier, 1964-1991, 25 vol. ; Tusson, éd. Du Lérot, 1995, pour le t. XXVI.

4. On remarquera que cet appendice offre au texte d'*Histoire de ma vie* une clôture moins solennelle de ton et de contenu que la fin du dernier chapitre et la conclusion de 1855 : l'effet est de contrepoint. Les derniers mots sont ainsi ravis à la muse du romantisme social pour être donné à la « bonne dame de Nohant », dernier « rôle » que l'auteur illustra surtout après la première parution d'*Histoire de ma vie*. La voix que l'on entend, dans l'« appendice » de 1876, semble consolée et comme recueillie dans la parcelle de monde qu'il lui est donné d'habiter ; alors que celle de la « conclusion » de 1855 était toute vibrante d'un lyrisme de conquête, tendu vers l'universel.

$$\begin{array}{r} 85 \\ 57 \\ \hline 28 \end{array}$$

Chronologie

1748   Naissance à Paris de Marie-Aurore (de Saxe), fille naturelle du maréchal de Saxe et grand-mère paternelle de l'auteur.

1773   Naissance à Paris de Sophie (Antoinette-Sophie-Victoire) Delaborde, mère de l'auteur.

1778   Naissance à Paris de Maurice Dupin, père de l'auteur. Son père est Louis-Claude Dupin de Francueil (fermier général très introduit dans le milieu des lettres, ami de Rousseau), qui a épousé Marie-Aurore de Saxe l'année précédente.

1793   Acquisition du domaine de Nohant par Mme Dupin, la grand-mère de l'auteur (veuve depuis 1787).

1794   Pendant la Terreur, du 3 décembre 1793 au 21 août 1794, Marie-Aurore Dupin est incarcérée dans le couvent des Anglaises devenu une prison. De février à août 1794, Sophie Delaborde connaît également diverses prisons parisiennes, dont celle des Anglaises.

1799   Naissance de Caroline, demi-sœur de l'auteur (fille de Sophie Delaborde et d'un père inconnu) ; naissance d'Hippolyte, demi-frère de l'auteur (fils de Maurice Dupin et d'une jeune femme attachée au service de la mère de celui-ci).

1804   Naissance à Paris, le 1er juillet, d'Aurore Dupin (future George Sand). Ses parents sont mariés depuis le 5 juin.

1808   D'avril à juillet, séjour en Espagne. La petite Aurore y accompagne sa mère qui est partie rejoindre Maurice Dupin, lequel sert dans les troupes d'occupation françaises. Arrivée à Nohant fin juillet. Le

8 septembre, mort d'Auguste, le petit frère né à Madrid deux mois plus tôt. Le 16 septembre, mort accidentelle (d'une chute de cheval sur la route de La Châtre à Nohant) de Maurice Dupin.

1809-1817   Aurore vit entre Nohant (le plus souvent) et Paris et entre sa mère et sa grand-mère (cette dernière ayant obtenu la tutelle de l'enfant).

1818-1820   Aurore est élève au couvent des Anglaises, à Paris, du 22 janvier 1818 au 12 avril 1820. Elle rentre ensuite à Nohant.

1821   Début mars, la grand-mère est atteinte d'une attaque qui la laisse très affaiblie ; elle meurt le 26 décembre.

1822   Les six premiers mois de l'année, Aurore vit avec sa mère à Paris, période entrecoupée de deux séjours chez des amis de son père, les Roëttiers du Plessis, chez qui elle rencontre Casimir Dudevant. Le 17 septembre est célébré le mariage entre ce dernier et Aurore. Le jeune couple s'installe peu après à Nohant.

1823   Naissance de Maurice Dupin, fils de l'auteur.

1823-1825   Difficultés du jeune couple à supporter la vie isolée de Nohant et son tête-à-tête obligé. Aurore et Casimir séjournent régulièrement à Paris ou au Plessis-Picard, auprès de leurs amis les Roëttiers.

1825   Séjour dans les Pyrénées puis dans le Sud-Ouest (région de Casimir) à partir de juillet. Aurore y rencontre Aurélien de Sèze. S'établit entre eux un amour fait d'idéalisation platonique : c'est le début de deux années d'échange épistolaire avec celui qu'*Histoire de ma vie* nomme l'« être absent ». Les relations avec Casimir se dégradent. Séjour chez les parents de celui-ci, à Guillery, dans l'hiver qui suit.

1826-1830   Vie à Nohant, entrecoupée de quelques séjours ailleurs (en Auvergne, à Paris, dans le Sud-Ouest). Poids d'une vie matrimoniale devenue monotone. Naissance, le 13 septembre 1828, de Solange, fille de l'auteur (son père est probablement Stéphane Ajasson de Grandsagne, « Claudius » dans *Histoire de ma vie*). Dans la deuxième moitié de l'année 1830, Aurore devient la maîtresse de Jules Sandeau, jeune homme qui séjourne dans les environs de Nohant. Entre Aurore et Casimir, la crise conjugale est désormais déclarée. Casimir accepte que, dorénavant, son épouse vive sans lui une partie de l'année à Paris.

1831   Aurore passe les trois premiers mois de l'année à Paris où elle fait la connaissance, entre autres, d'Henri Delatouche et de Balzac. En juillet, elle s'installe avec Jules Sandeau dans un appartement quai Saint-Michel. Ils écrivent ensemble un roman (*Rose et Blanche*) qui paraît en décembre sous la signature de « J. Sand ».

1832   Début de l'année à Nohant, où Aurore écrit *Indiana*. Elle rentre à Paris en avril et publie, le mois suivant, ce roman qu'elle considérera comme son premier (parce que le premier entièrement de sa plume à paraître), sous le pseudonyme de George Sand. Un deuxième roman paraît six mois plus tard (en novembre) : *Valentine*. Elle quitte le quai Saint-Michel pour le quai Malaquais, toujours avec Sandeau (mais sa relation avec lui se dégrade).

1833   En mars, fin de la liaison avec Sandeau. Période d'instabilité et d'inquiétude, durant laquelle elle écrit *Lélia* (qui paraît en juillet). Fin juin, rencontre avec Musset dont elle devient la maîtresse un mois plus tard. Le 12 décembre, départ avec Musset pour l'Italie ; ils arrivent à Venise le 31 décembre.

1834   En janvier et février, séjour vénitien où les deux amants sont malades tour à tour (elle d'abord, puis lui). Dégradation des rapports entre eux. Ils quittent Venise fin mars et se séparent aussitôt après, Musset rentrant seul à Paris. George reste à Venise où, aux côtés de son amant Pagello, elle travaille beaucoup jusqu'en juillet. Elle rentre ensuite en France avec Pagello. Leur relation se termine rapidement. À l'automne et dans l'hiver qui suit, plusieurs tentatives de raccommodement avec Musset : occasions de déchirements, elles échouent. Période de grand désespoir. Publication de *Jacques*.

1835   Rencontre avec Michel de Bourges, avocat et militant républicain, en avril. Suite à une très violente « scène de ménage » à Nohant, Mme Dudevant (George Sand) enclenche une procédure de séparation légale d'avec son mari (le divorce n'existant pas). Pendant le temps que dure le procès, elle va se tenir à l'écart de Nohant : soit à La Châtre, soit à Bourges. Publication d'*André*, de *Leone Leoni*.

1836   Année judiciaire. En février, jugement favorable à
          Aurore-George et appel de Casimir ; nouveau juge-
          ment favorable en mai et nouvel appel. Fin juillet,
          les époux trouvent finalement un accord pour régler
          leur séparation. Casimir quitte Nohant et retourne
          s'établir sur le domaine hérité de son père, en Aqui-
          taine. À l'automne, séjour à Genève chez Liszt et
          Marie d'Agoult.

1837   Deux séjours de Liszt et Marie d'Agoult à Nohant.
          En juillet et août, maladie et mort de la mère de
          George Sand. Publication des *Lettres d'un voyageur*
          (en volumes), de *Mauprat*.

1838   En juin, début de la liaison avec Chopin (rencontré
          deux ans plus tôt par l'intermédiaire de Liszt). En
          novembre, ils vont (avec les deux enfants, Maurice
          et Solange) à Majorque, pour un séjour qui s'achè-
          vera en février suivant et donnera lieu, en 1842, à
          Un hiver à Majorque.

1839-1846 Vie avec Chopin, partagée entre Paris et
          Nohant. Intense activité littéraire : publication (entre
          autres), en 1842-1844, de *Consuelo* et de sa suite, *La
          Comtesse de Rudolstadt* ; en 1844, de *Jeanne* ; en
          1845, du *Meunier d'Angibault* ; en 1846, de *La Mare
          au diable*. Engagement politique croissant à travers
          une activité de publiciste (terme d'époque pour
          journaliste et responsable de journaux) : en 1841,
          elle fonde avec Pierre Leroux et Louis Viardot la
          Revue indépendante ; en 1844, elle lance *L'Éclaireur
          de l'Indre*.

1847   Début de la rédaction d'*Histoire de ma vie* : l'épi-
          graphe est datée d'avril, le travail commence vrai-
          ment à l'automne. Entre-temps, affres familiales
          liées au mariage (en mai) de Solange avec le sculp-
          teur Jean-Baptiste Clésinger et au drame qui
          s'ensuit en juillet (scène très violente à Nohant, où
          Clésinger lève la main sur sa belle-mère en présence
          de témoins, dont Maurice qui veut venger sa mère).
          Impliquée dans cette tourmente, la liaison avec
          Chopin s'achève (le compositeur, trop proche de
          Solange, a soutenu la fille contre la mère). Publica-
          tion de *François le Champi*.

1848   À la nouvelle de la révolution du 22 février, Sand
          suspend la rédaction d'*Histoire de ma vie* et se préci-
          pite à Paris où elle arrive le 1er mars. En mars et

avril, elle est rédactrice des *Bulletins de la République*, pour le compte du gouvernement provisoire. Fonde, en avril, *La Cause du peuple*, journal qui ne connaît que trois numéros. Déçue politiquement après la répression qui s'abat sur les républicains à la suite de l'émeute du 15 mai, elle rentre à Nohant et, le 1ᵉʳ juin, se remet à la rédaction d'*Histoire de ma vie*. À partir d'octobre, en même temps qu'elle travaille à *Histoire de ma vie*, elle peut lire les *Mémoires d'outre-tombe* qui commencent à paraître en feuilleton dans *La Presse*, quelques mois après la mort de Chateaubriand.

1849   Naissance de sa petite-fille « Nini » (Jeanne-Gabrielle, fille de Solange), dont elle s'éprend passionnément. Le 17 octobre, mort de Chopin qu'elle n'a pas revu depuis une rencontre fortuite le 4 mars 1848. Publication de *La Petite Fadette*.

1850   Rencontre d'Alexandre Manceau, graveur et ami de Maurice, qui devient le compagnon de sa vie pour de longues années.

1853   Sand se remet à la rédaction d'*Histoire de ma vie*, ouvrage qu'elle poursuit longtemps puisque son acquéreur, l'homme d'affaires Charles Delatouche, en repousse toujours à plus tard la parution.

1854-1855   En août 1854, Émile de Girardin, patron de *La Presse*, acquiert les droits sur *Histoire de ma vie*. À partir d'octobre, l'œuvre paraît en feuilleton dans le journal, puis, aussitôt après, en volumes. En janvier 1855, mort de la petite « Nini », d'une maladie mal soignée dont elle tient J.-B. Clésinger pour responsable.

1857   Découverte du village de Gargilesse, dans la Creuse, auquel elle s'attache beaucoup et où elle fera désormais des séjours fréquents, en compagnie de Manceau. Le 2 mai, mort d'Alfred de Musset.

1859   Publication de *Elle et lui*, roman qui fictionnalise de manière transparente sa relation avec Musset. Paul de Musset, frère du poète, rétorque par *Lui et elle*. Pendant toutes les années qui suivent, Sand écrit et publie beaucoup, employant dans ses romans les impressions qu'elle rapporte de nombreux voyages dans les différentes régions de France. Sont publiés, entre autres : en 1861, *Le Marquis de Villemer*, *La Vallée noire*, *Valvèdre* ; en 1863, *Mademoiselle La*

        Quintinie ; en 1865, *La Confession d'une jeune fille* ;
en 1866, *Monsieur Sylvestre* ; en 1867, *Le Dernier
Amour* ; en 1868, *Mademoiselle Merquem* ; etc.

1863   Grande admiratrice de *Salammbô*, paru en
novembre 1862, Sand écrit à son auteur. C'est le
début d'une correspondance très riche avec
Flaubert (où les deux auteurs confrontent avec
sympathie leur art romanesque si différent) et d'une
amitié très forte. Elle lui rendra visite à Croisset en
1866 et en 1868, il viendra à Nohant en 1869 et en
1873.

1864   Sand et Manceau quittent Nohant (où Maurice
s'entend de plus en plus mal avec l'amant de sa
mère) et s'installent à la campagne, près de Paris, à
Palaiseau.

1865   En août, mort de Manceau, son compagnon de
quinze ans, d'une longue tuberculose. Sand se partage alors entre Paris et Palaiseau.

1866   Naissance de sa petite-fille Aurore, fille de Maurice,
qui aura bientôt, en 1868, une petite sœur,
Gabrielle. Auprès de ces deux enfants, Sand renoue
avec l'art d'être grand-mère.

1867   Sand renonce à Palaiseau et reprend l'équilibre
ancien entre Paris et Nohant. Mort de François
Rollinat, ami de plus de trente ans auquel *Histoire de
ma vie* a rendu un grand hommage.

1871   Mort de Casimir Dudevant.

1876   Mort de George Sand à Nohant, le 8 juin.

Bibliographie

I. Éditions d'*Histoire de ma vie* et autres écrits
à caractère autobiographique de George Sand

Correspondance, G. Lubin éd., Classiques Garnier, 1964-
  1991, 25 vol., et Tusson, Du Lérot éditeur, 1995, pour le
  t. XXVI.
Correspondance Flaubert-Sand, Alphonse Jacobs éd., Flam-
  marion, 1981.
Elle et lui, Le Seuil, « Points », 1999.
Histoire de ma vie, Saint-Cyr-sur-Loire, Christian Pirot éditeur,
  « Voyage immobile », 7 vol., 1993-2000 (10 vol. annoncés).
Histoire de ma vie, Lettres d'un voyageur et *Un hiver à Majorque*
  dans *Œuvres autobiographiques*, G. Lubin éd., Gallimard,
  « Bibliothèque de la Pléiade », 2 vol., 1970-1971.
Lettres d'un voyageur, H. Bonnet éd., GF-Flammarion, 1971.
Le Roman de Venise, J.-L. Diaz éd., Arles, Actes Sud,
  « Babel », 1999 [recueil de lettres de Sand, de Musset et de
  leurs amis concernant la relation entre les deux amants].

II. Ouvrages et articles sur George Sand
et sur *Histoire de ma vie*

Barry, Joseph, *George Sand ou le Scandale de la liberté*,
  Le Seuil, « Points-Essais », 1982.
Chovelon, Bernadette, *George Sand et Solange, mère et fille*,
  Saint-Cyr-sur-Loire, Christian Pirot éditeur, « Voyage
  immobile », 1994.
Diaz, José-Luis, « Comment Aurore devint George ? »,
  George Sand, Une correspondance, N. Mozet éd., Saint-
  Cyr-sur-Loire, Christian Pirot éditeur, 1994, p. 18-49.

DIDIER, Béatrice, *L'Écriture-femme*, PUF, 1981.
– *George Sand écrivain*, « Un grand fleuve d'Amérique », PUF, « Écrivains », 1998.
DOAN POISSON, Cam-Thi, *Poétique de la mobilité. Les lieux dans « Histoire de ma vie » de George Sand*, Amsterdam-Atlanta, Rodopi, 2000.
FRAPPIER-MAZUR, Lucienne, « La référence "George Sand" dans quelques textes autobiographiques de femmes », *Autobiography, Historiography, Rhetoric, A Festschrift in Honor of Frank Paul Bowman*, Amsterdam-Atlanta, Rodopi, 1994, p. 87-101.
MAC CALL SAINT-SAENS, Anne, *De l'être en lettres. L'autobiographie épistolaire de George Sand*, Amsterdam-Atlanta, Rodopi, 1996.
MOZET, Nicole, *George Sand écrivain de romans*, Saint-Cyr-sur-Loire, Christian Pirot éditeur, 1997.
– « George Sand, *Histoire de ma vie* : une autobiographie en forme de labyrinthe », *Masculin / Féminin. Le XIXe siècle à l'épreuve des genres*, textes réunis et présentés par Ch. Bertrand-Jennings, Toronto, Centre d'études romantiques Joseph Sablé, « À la recherche du XIXe siècle », 1999, p. 137-144.
NAGINSKI, Isabelle, *George Sand. L'écriture ou la vie*, H. Champion, 1999.
PANNIER, Isabelle, « *Histoire de ma vie* de George Sand : une écriture de la filiation », thèse de doctorat, Université Paris VII, 2000.
PLANTÉ, Christine, « *Histoire de ma vie* de George Sand : histoire d'une romancière ou autobiographie de tout le monde ? », *Revue des lettres et de traduction*, Université Saint-Esprit de Kaslik, Liban, n° 7, 2001, p. 293-311.
SCHOR, Naomi, *George Sand and Idealism*, New York, Columbia University Press, 1993.
ZANONE, Damien, *L'Autobiographie*, Ellipses, « Thèmes et études », 1996.
– « *Histoire de ma vie* : Mémoires démocratiques et autobiographie d'une génération », dans *George Sand – Au-delà de l'identique, XIIIe colloque international George Sand, textes réunis par G. Seybert et G. Schlientz*, Bielefeld, Aisthesis Verlag, 2000, p. 151-162.
– « Le pacte solidaire (*Histoire de ma vie* de George Sand) », dans *1848, une révolution du discours, textes réunis par Hélène Millot et Corinne Saminadayar-Perrin*, Éditions des Cahiers intempestifs, « Lieux littéraires », 2001, p. 243-251.

Table

HISTOIRE DE MA VIE

TABLE   597

TABLE   599

TABLE   601

DERNIÈRES PARUTIONS

GF · DOSSIER

BALZAC
Eugénie Grandet (1110)

BEAUMARCHAIS
Le Mariage de Figaro (977)

CHATEAUBRIAND
Mémoires d'outre-tombe, livres I à V (906)

COLLODI
Les Aventures de Pinocchio (bilingue) (1087)

CORNEILLE
Le Cid (1079)
Horace (1117)
L'Illusion comique (951)
La Place Royale (1116)
Trois Discours sur le poème
dramatique (1025)

DIDEROT
Jacques le Fataliste (904)
Lettre sur les aveugles. Lettre sur les sourds
et muets (1081)
Paradoxe sur le comédien (1131)

ESCHYLE
Les Perses (1127)

FLAUBERT
Bouvard et Pécuchet (1063)
L'Éducation sentimentale (1103)
Salammbô (1112)

FONTENELLE
Entretiens sur la pluralité des mondes (1024)

FURETIÈRE
Le Roman bourgeois (1073)

GOGOL
Nouvelles de Pétersbourg (1018)

HOMÈRE
L'Iliade (1124)

HUGO
Les Châtiments (1017)
Hernani (968)
Ruy Blas (908)

JAMES
Le Tour d'écrou (bilingue) (1034)

LAFORGUE
Moralités légendaires (1108)

LESAGE
Turcaret (982)

LORRAIN
Monsieur de Phocas (1111)

MARIVAUX
La Double Inconstance (952)
Les Fausses Confidences (978)
L'Île des esclaves (1064)
Le Jeu de l'amour et du hasard (976)

MAUPASSANT
Bel-Ami (1071)

MOLIÈRE
Dom Juan (903)
Le Misanthrope (981)
Tartuffe (995)

MONTAIGNE
Sans commencement et sans fin. Extraits des
Essais (980)

MUSSET
Les Caprices de Marianne (971)
Lorenzaccio (1026)
On ne badine pas avec l'amour (907)

LE MYTHE DE TRISTAN ET ISEUT (1133)

PLAUTE
Amphitryon (bilingue) (1015)

RACINE
Bérénice (902)
Iphigénie (1022)
Phèdre (1027)
Les Plaideurs (999)

ROTROU
Le Véritable Saint Genest (1052)

ROUSSEAU
Les Rêveries du promeneur solitaire
(905)

SÉNÈQUE
Médée (992)

SHAKESPEARE
Henry V (bilingue) (1120)

SOPHOCLE
Antigone (1023)

STENDHAL
La Chartreuse de Parme (1119)

WILDE
L'Importance d'être constant (bilingue)
(1074)

ZOLA
L'Assommoir (1085)
Au Bonheur des Dames (1086)
Germinal (1072)
Nana (1106)